FORMULARIOS MÁS FRECUENTES

Invitatorio

Salmo 94

INVITACIÓN A LA ALABANZA DIVINA

Vengan, aclamemos al Señor,
   demos vítores a la Roca que nos salva;
   entremos a su presencia dándole gracias,
   aclamándolo con cantos.

Porque el Señor es un Dios grande,
   soberano de todos los dioses:
   tiene en su mano las simas de la tierra,
   son suyas las cumbres de los montes.
   Suyo es el mar, porque él lo hizo,
   la tierra firme que modelaron sus manos.

Vengan, postrémonos por tierra,
   bendiciendo al Señor, creador nuestro.
   Porque él es nuestro Dios,
   y nosotros su pueblo,
   el rebaño que él guía.

Ojalá escuchen hoy su voz:
   «No endurezcan el corazón como en Meribá,
   como el día de Masá en el desierto:
   cuando sus padres me pusieron a prueba,
   y dudaron de mí, aunque habían visto mis obras.

Durante cuarenta años
   aquella generación me repugnó, y dije:
   "Es un pueblo de corazón extraviado,
   que no reconoce mi camino;
   por eso he jurado en mi cólera
   que no entrarán en mi descanso."»

Gloria al Padre, y al Hijo, y al Espíritu Santo.
Como era en el principio, ahora y siempre,
por los siglos de los siglos. Amén.

Laudes

Cántico de Zacarías   Lc 1, 68-79

EL MESÍAS Y SU PRECURSOR

Bendito sea el Señor, Dios de Israel,
    porque ha visitado y redimido a su pueblo,
    suscitándonos una fuerza de salvación
    en la casa de David, su siervo,
    según lo había predicho desde antiguo
    por boca de sus santos profetas.

Es la salvación que nos libra de nuestros enemigos
    y de la mano de todos los que nos odian;
    ha realizado así la misericordia que tuvo con
        nuestros padres,
    recordando su santa alianza
    y el juramento que juró a nuestro padre Abraham.

Para concedernos que, libres de temor,
    arrancados de la mano de los enemigos,
    lo sirvamos con santidad y justicia,
    en su presencia, todos nuestros días.

Y a ti, niño, te llamarán profeta del Altísimo,
    porque irás delante del Señor
    a preparar sus caminos,
    anunciando a su pueblo la salvación,
    el perdón de sus pecados.

Por la entrañable misericordia de nuestro Dios,
    nos visitará el sol que nace de lo alto,
    para iluminar a los que viven en tiniebla
    y en sombra de muerte,

para guiar nuestros pasos
por el camino de la paz.

Gloria al Padre, y al Hijo, y al Espíritu Santo.
Como era en el principio, ahora y siempre,
por los siglos de los siglos. Amén.

Vísperas

Cántico de la Santísima Virgen María   Lc 1, 46-55

ALEGRÍA DEL ALMA EN EL SEÑOR

Proclama mi alma la grandeza del Señor,
se alegra mi espíritu en Dios mi salvador;
porque ha mirado la humillación de su esclava.

Desde ahora me felicitarán todas las generaciones,
porque el Poderoso
ha hecho obras grandes por mí:
su nombre es santo
y su misericordia llega a sus fieles
de generación en generación.

Él hace proezas con su brazo:
dispersa a los soberbios de corazón,
derriba del trono a los poderosos
y enaltece a los humildes,
a los hambrientos los colma de bienes
y a los ricos los despide vacíos.

Auxilia a Israel, su siervo,
acordándose de su misericordia
—como lo había prometido a nuestros padres—
en favor de Abraham y su descendencia por siempre.

Gloria al Padre, y al Hijo, y al Espíritu Santo.
Como era en el principio, ahora y siempre,
por los siglos de los siglos. Amén.

LITURGIA DE LAS HORAS

EDICIÓN POPULAR

Letra grande

LAUDES - VÍSPERAS - COMPLETAS

CICLO DE LAS CUATRO SEMANAS

VERSIÓN OFICIAL APROBADA POR LA
CONFERENCIA DEL EPISCOPADO MEXICANO
Y CONFIRMADA POR LA CONGREGACIÓN
PARA EL CULTO DIVINO

Buena Prensa

Título: LITURGIA DE LAS HORAS
EDICIÓN POPULAR
Letra grande

ISBN: 978-607-9459-77-2

© 2016, Obra Nacional de la Buena Prensa, A.C
México
www.buenaprensa.com

Primera edición, agosto 2006
Primera edición revisada
Anexo
© *Instructivo para la Liturgia de las Horas*
   Obra Nacional de la Buena Prensa, A.C.
   Mayo 2016

Derechos reservados.
Ninguna parte de esta publicación puede ser reproducida
total o parcialmente sin permiso de los titulares.

Impreso en México, en Offset Santiago, S.A. de C. V.

IMPORTANCIA DE LA
LITURGIA DE LAS HORAS

EL MANDATO DE ORAR

Lo que Jesús puso por obra nos lo mandó hacer también a nosotros. Muchas veces dijo: «Oren», «pidan», «en mi nombre»; incluso nos proporcionó una fórmula de plegaria en la llamada oración dominical (el Padrenuestro) y advirtió que la oración es necesaria, y que debe ser humilde, atenta, perseverante y confiada en la bondad del Padre, pura de intención y concorde con lo que Dios es.

Los apóstoles, que, en sus cartas, frecuentemente nos aportan oraciones, sobre todo de alabanza y de acción de gracias, también insisten en la oración asidua a Dios por medio de Jesús, en el Espíritu Santo, en su eficacia para la santificación, en la oración de alabanza, de acción de gracias, de petición y de intercesión por todos.

LA IGLESIA CONTINÚA LA ORACIÓN DE CRISTO

Una especial y estrechísima unión se da entre Cristo y aquellos hombres a los que él ha hecho miembros de su cuerpo, la Iglesia, mediante el sacramento del bautismo. Todas las riquezas del Hijo se difunden así de la cabeza a todo el cuerpo: la comunicación del Espíritu, la verdad, la vida y la participación de su filiación divina, que se hacía patente en su oración mientras estaba en el mundo.

También el sacerdocio de Cristo es participado por todo el cuerpo eclesial, de tal forma que los bautizados, por la regeneración y la unción del Espíritu Santo, quedan consagrados como templo espiritual y sacerdocio santo y habilitados para el culto del nuevo Testamento, que brota no de nuestras energías, sino de los méritos y donación de Cristo.

«*El mayor don que Dios podía conceder a los hombres es hacer que su Palabra, por quien creó todas las cosas, fuera la cabeza de ellos, y unirlos a ella como miembros suyos, de manera que el Hijo de Dios fuera también hijo de los hombres, un solo Dios con el Padre, un solo hombre con los hombres; y así, cuando hablamos con Dios en la oración, el Hijo está unido a nosotros, y, cuando ruega el cuerpo del Hijo, lo hace unido a su cabeza; de este modo el único Salvador de su cuerpo, nuestro Señor Jesucristo, Hijo de Dios, ora por nosotros, ora en nosotros, y al mismo tiempo es a él a quien dirigimos nuestra oración.*

Ora por nosotros, como sacerdote nuestro; ora en nosotros, como cabeza nuestra; recibe nuestra oración, como nuestro Dios. Reconozcamos, pues, nuestra propia voz en él y su propia voz en nosotros» (San Agustín).

En Cristo radica, por lo tanto, la dignidad de la oración cristiana, al participar ésta de la misma piedad para con el Padre y de la misma oración que el Unigénito expresó con palabras en su vida terrena, y que es continuada ahora incesantemente por la Iglesia y por sus miembros en representación de todo el género humano y para su salvación.

CONSAGRACIÓN DEL TIEMPO

Fiel y obediente al mandato de Cristo de que hay que orar siempre sin desanimarse, la Iglesia no cesa un momento en su oración y nos exhorta a nosotros con estas palabras: «Por medio de Jesús ofrezcamos continuamente a Dios un sacrificio de alabanza» (Heb 13, 15). Responde al mandato de Cristo no sólo con la celebración eucarística, sino también con otras formas de oración, principalmente con la Liturgia de las Horas, que, conforme a la antigua tradición cristiana, tiene como característica propia la de servir para santificar el curso entero del día y de la noche.

LA CELEBRACIÓN EN COMÚN

La Liturgia de las Horas, como las demás acciones litúrgicas, no es una acción privada, sino que pertenece a todo el cuerpo de la Iglesia, lo manifiesta e influye en él.

Cuando los fieles son convocados y se reúnen para la Liturgia de las Horas, uniendo sus corazones y sus voces, visibilizan a la Iglesia, que celebra el misterio de Cristo.

Se recomienda a los laicos, dondequiera que se reúnan en asambleas de oración, de apostolado, o por cualquier otro motivo, que reciten el Oficio de la Iglesia, celebrando alguna parte de la Liturgia de las Horas. Es conveniente que aprendan, en primer lugar, que en la acción litúrgica adoran al Padre en espíritu y verdad, y que se den cuenta de que el culto público y la oración que celebran atañe a todos los hombres y puede contribuir en considerable medida a la salvación del mundo entero.

Conviene finalmente que la familia, que es como un santuario doméstico dentro de la Iglesia, no sólo ore en común, sino que además lo haga recitando algunas partes de la Liturgia de las Horas, cuando resulte oportuno, con lo que se sentirá más insertada en la Iglesia.

LA SANTIFICACIÓN DEL DÍA

LAS LAUDES DE LA MAÑANA Y LAS VÍSPERAS

«Las Laudes, como oración matutina, y las Vísperas, como oración vespertina que, según la venerable tradición de toda la Iglesia, son el doble quicio sobre el que gira el Oficio cotidiano, se deben considerar y celebrar como las Horas principales» (SC, 89a).

Las Laudes matutinas están dirigidas y ordenadas a santificar la mañana, como salta a la vista en muchos de sus elementos.

Esta Hora, que se celebra con la primera luz del día, trae, además, a la memoria el recuerdo de la resurrección del Señor Jesús, que es la luz verdadera que ilumina a todos los hombres (Cfr Jn 1, 9) y «el sol de justicia» (Mal 3, 20), «que nace de lo alto» (Lc 1, 78).

Se celebran las Vísperas por la tarde, cuando atardece y el día va de caída, «en acción de gracias por cuanto se nos ha otorgado en la jornada y por cuanto hemos logrado realizar con acierto» (San Basilio el Grande). También hacemos memoria de la redención por medio de la oración que elevamos «como el incienso en presencia del Señor», y en la cual «el alzar de nuestras manos» es «como ofrenda de la tarde» (Cfr Sal 140, 2). Lo cual «puede aplicarse también con mayor sentido sagrado a aquella verdadera ofrenda de la tarde que el divino Redentor instituyó precisamente en la tarde en que cenaba con los apóstoles, inaugurando así los sacrosantos misterios de la Iglesia, y que ofreció al Padre en la tarde del día siguiente, que representa la cumbre de los siglos, alzando sus manos por la salvación del mundo» (Casiano).

Hay que dar la máxima importancia a las Laudes de la mañana y a las Vísperas, como oración de la comunidad cristiana: foméntese su celebración pública o comunitaria, sobre todo entre aquellos que hacen vida común. Recomiéndese incluso su recitación individual a los fieles que no tienen la posibilidad de tomar parte en la celebración común.

Las Completas

Las Completas son la última oración del día, que se ha de hacer antes del descanso nocturno, aunque haya pasado ya la medianoche.

(De los Principios y Normas Generales de la Liturgia de las Horas)

LOS DIVERSOS ELEMENTOS DEL OFICIO

1) INTRODUCCIÓN A LA ORACIÓN

Si Laudes es la primera celebración del día, se inicia con la invocación inicial: *Señor, abre mis labios...*, y puede decirse el salmo del Invitatorio con su antífona. En Vísperas y Completas se comienza con: *Dios mío, ven en mi auxilio...*

2) HIMNO

Composición poética en alabanza de Dios, de la Virgen o de los santos, cuya finalidad es introducir en la celebración, pasar de lo simplemente popular a lo propiamente eclesial y bíblico.

3) SALMODIA

Conjunto de salmos y cánticos bíblicos, del Antiguo y del Nuevo Testamento, que figuran en la Liturgia de las Horas. Es el núcleo central del Oficio y su parte más extensa.

4) LECTURA BÍBLICA

Puede ser breve o larga. Debe leerse y escucharse como una verdadera proclamación de la Palabra de Dios.

5) RESPONSORIO BREVE

Es una ayuda para que la Palabra proclamada penetre más íntimamente en quienes la han escuchado y se transforme en contemplación personal.

6) PRECES

Las de Laudes son para encomendar a Dios el nuevo día; piden habitualmente sólo por los propios orantes. Las de Vísperas piden por la Iglesia y por el mundo, y se pueden añadir además algunas otras intenciones particulares.

7) PADRENUESTRO

Es la oración más propia de los hijos, y todas las demás oraciones la preparan, de la misma forma que Dios ha inspirado los salmos y las otras plegarias bíblicas para hacernos dignos de orar como nos enseñó su Hijo y llamarlo Padre.

8) ORACIÓN FINAL

Es como la conclusión del Padrenuestro. Alude a las tres divinas personas: «... vive y reina contigo (Padre) en la unidad del Espíritu Santo y es Dios, por los siglos de los siglos». Subraya el carácter propio del día (domingos, solemnidades y fiestas), y de la Hora (ferias del Tiempo ordinario).

9) CONCLUSIÓN DEL OFICIO

Si no preside un ministro ordenado, el que preside se limita a desear e implorar la bendición de Dios, utilizando la fórmula: *El Señor nos bendiga...* (Laudes y Vísperas), o *El Señor todopoderoso...* (Completas).

MODO DE UNIR LAS HORAS DEL OFICIO CON LA MISA

1. Cuando la Hora del Oficio precede inmediatamente a la Misa:

   - ✔ Introducción de la Hora correspondiente: invocación inicial, *Gloria al Padre* e himno (o canto de entrada de la Misa con la procesión y saludo del celebrante, especialmente los días festivos)
   - ✔ Salmodia de la Hora correspondiente
   - Se omite el acto penitencial y, si parece oportuno, el *Señor, ten piedad*
   - *Gloria* (si lo prescriben las rúbricas)
   - Oración colecta de la Misa
   - Liturgia de la Palabra (como de costumbre, hasta la homilía o la Profesión de fe, según la liturgia del día)
   - Oración de los fieles (en los días de feria, en la Misa de la mañana, en su lugar se pueden decir las preces matutinas de las Laudes, sin el Padrenuestro)
   - Presentación de ofrendas
   - Plegaria eucarística
   - Padrenuestro
   - Comunión
   - ✔ Cántico evangélico (de Zacarías o de la Virgen María, según corresponda) con su antífona
   - Oración después de la Comunión
   - Rito de despedida

2. Cuando las Vísperas siguen a la Misa:

   - La Misa se celebra como de costumbre, hasta la oración después de la Comunión, inclusive
   - ✔ Salmodia de Vísperas
   - ✔ Cántico de la Virgen María, con su antífona
   - ✔ Oración conclusiva de Vísperas
   - Rito de despedida

SALTERIO EN
CUATRO SEMANAS

Semana I

DOMINGO I

I Vísperas

INVOCACIÓN INICIAL

℣. Dios mío, ven en mi auxilio.
℟. Señor, date prisa en socorrerme.
   Gloria al Padre... (Aleluya.)

HIMNO

Los pueblos que marchan y luchan
con firme tesón
aclamen al Dios de la vida.
Cantemos hosanna que viene el Señor.

Agiten laureles y olivos,
es Pascua de Dios,
mayores y niños repitan:
«Cantemos hosanna que viene el Señor.»

Jesús victorioso y presente
ofrece su don
a todos los justos del mundo.
Cantemos hosanna que viene el Señor.

Resuenen en todo camino
de paz y de amor
alegres canciones que digan:
«Cantemos hosanna que viene el Señor.»

Que Dios, Padre nuestro amoroso,
el Hijo y su Don
a todos protejan y acojan.
Cantemos hosanna que viene el Señor. Amén.

Salmodia

Antífona 1

Tiempo de Adviento: Anuncien a los pueblos y díganles: «Miren, viene Dios, nuestro Salvador.»

Tiempo pascual: El alzar de mis manos suba a ti, Señor, como ofrenda de la tarde. Aleluya.

Tiempo ordinario: Suba mi oración, Señor, como incienso en tu presencia.

Salmo 140, 1-9

Oración ante el peligro

> El humo del incienso subió a la presencia de Dios, de mano del ángel, en representación de las oraciones de los santos. (Apoc 8, 4)

Señor, te estoy llamando, ven de prisa,
    escucha mi voz cuando te llamo.
    Suba mi oración como incienso en tu presencia,
    el alzar de mis manos como ofrenda de la tarde.

Coloca, Señor, una guardia en mi boca,
    un centinela a la puerta de mis labios;
    no dejes inclinarse mi corazón a la maldad,
    a cometer crímenes y delitos;
    ni que con los hombres malvados
    participe en banquetes.

Que el justo me golpee, que el bueno me reprenda,
    pero que el ungüento del impío no perfume
      mi cabeza;
    yo opondré mi oración a su malicia.

Sus jefes cayeron despeñados,
    aunque escucharon mis palabras amables;
    como una piedra de molino, rota por tierra,
    están esparcidos nuestros huesos a la boca de
      la tumba.

Señor, mis ojos están vueltos a ti,
    en ti me refugio, no me dejes indefenso;
    guárdame del lazo que me han tendido,
    de la trampa de los malhechores.

Gloria al Padre, y al Hijo, y al Espíritu Santo.
    Como era en el principio, ahora y siempre,
    por los siglos de los siglos. Amén.

El versículo *Gloria al Padre* se dice habitualmente al final de todos los salmos y cánticos, a no ser que se diga lo contrario.

Tiempo de Adviento: Anuncien a los pueblos y díganles: «Miren, viene Dios, nuestro Salvador.»

Tiempo pascual: El alzar de mis manos suba a ti, Señor, como ofrenda de la tarde. Aleluya.

Tiempo ordinario: Suba mi oración, Señor, como incienso en tu presencia.

Antífona 2

Tiempo de Adviento: Miren: el Señor vendrá y todos sus santos vendrán con él; en aquel día habrá una gran luz. Aleluya.

Tiempo pascual: Me sacaste de la prisión: por eso doy gracias a tu nombre. Aleluya.

Tiempo ordinario: Tú eres mi refugio y mi heredad, Señor, en el país de la vida.

Salmo 141

ORACIÓN DEL HOMBRE ABANDONADO:
TÚ ERES MI REFUGIO

Todo lo que describe el salmo
se realizó en el Señor durante
su pasión. (S. Hilario)

A voz en grito clamo al Señor,
    a voz en grito suplico al Señor;
    desahogo ante él mis afanes,

expongo ante él mi angustia,
mientras me va faltando el aliento.

Pero tú conoces mis senderos,
y que en el camino por donde avanzo
me han escondido una trampa.

Me vuelvo a la derecha y miro:
nadie me hace caso;
no tengo adónde huir,
nadie mira por mi vida.

A ti grito, Señor;
te digo: «Tú eres mi refugio
y mi heredad en el país de la vida.»

Atiende a mis clamores,
que estoy agotado;
líbrame de mis perseguidores,
que son más fuertes que yo.

Sácame de la prisión,
y daré gracias a tu nombre:
me rodearán los justos
cuando me devuelvas tu favor.

Tiempo de Adviento: Miren: el Señor vendrá y todos sus santos vendrán con él; en aquel día habrá una gran luz. Aleluya.

Tiempo pascual: Me sacaste de la prisión: por eso doy gracias a tu nombre. Aleluya.

Tiempo ordinario: Tú eres mi refugio y mi heredad, Señor, en el país de la vida.

Antífona 3

Tiempo de Adviento: Vendrá el Señor con gran poder y lo contemplarán todos los hombres.

Tiempo pascual: El Hijo de Dios aprendió, sufriendo, a obedecer; y se ha convertido para los que lo obedecen en autor de salvación eterna. Aleluya.

Tiempo ordinario: El Señor Jesús se rebajó; por eso Dios lo levantó sobre todo, por los siglos de los siglos.

Cántico   Flp 2, 6-11

CRISTO, SIERVO DE DIOS, EN SU MISTERIO PASCUAL

Cristo, a pesar de su condición divina,
    no hizo alarde de su categoría de Dios,
    al contrario, se anonadó a sí mismo,
    y tomó la condición de esclavo,
    pasando por uno de tantos.

Y así, actuando como un hombre cualquiera,
    se rebajó hasta someterse incluso a la muerte
    y una muerte de cruz.

Por eso Dios lo levantó sobre todo
    y le concedió el «Nombre-sobre-todo-nombre»;
    de modo que al nombre de Jesús toda rodilla se doble
    en el cielo, en la tierra, en el abismo
    y toda lengua proclame:
    Jesucristo es Señor, para gloria de Dios Padre.

Tiempo de Adviento: Vendrá el Señor con gran poder y lo contemplarán todos los hombres.

Tiempo pascual: El Hijo de Dios aprendió, sufriendo, a obedecer; y se ha convertido para los que lo obedecen en autor de salvación eterna. Aleluya.

Tiempo ordinario: El Señor Jesús se rebajó; por eso Dios lo levantó sobre todo, por los siglos de los siglos.

LECTURA BREVE   Rom 11, 33-36

¡Qué abismo de riqueza es la sabiduría y ciencia de Dios! ¡Qué insondables son sus juicios y qué irrastreables sus caminos! ¿Quién ha conocido jamás la mente del Señor? ¿Quién ha sido su consejero? ¿Quién le ha dado primero, para que él le devuelva? Él es origen, camino y término de todo. A él la gloria por los siglos. Amén.

RESPONSORIO BREVE

℣. Cuántas son tus obras, Señor.

℟. Cuántas son tus obras, Señor.

℣. Y todas las hiciste con sabiduría.

℟. Tus obras, Señor.

℣. Gloria al Padre, y al Hijo, y al Espíritu Santo.

℟. Cuántas son tus obras, Señor.

CÁNTICO EVANGÉLICO

La antífona para el cántico evangélico se toma del domingo correspondiente (p. 410 y siguientes).

Cántico de la Santísima Virgen María   Lc 1, 46-55

ALEGRÍA DEL ALMA EN EL SEÑOR

Proclama mi alma la grandeza del Señor,
se alegra mi espíritu en Dios mi salvador;
porque ha mirado la humillación de su esclava.

Desde ahora me felicitarán todas las generaciones,
porque el Poderoso
ha hecho obras grandes por mí:
su nombre es santo
y su misericordia llega a sus fieles
de generación en generación.

Él hace proezas con su brazo:
dispersa a los soberbios de corazón,
derriba del trono a los poderosos
y enaltece a los humildes,
a los hambrientos los colma de bienes
y a los ricos los despide vacíos.

Auxilia a Israel, su siervo,
acordándose de su misericordia
—como lo había prometido a nuestros padres—
en favor de Abraham y su descendencia por siempre.

Gloria al Padre, y al Hijo, y al Espíritu Santo.
Como era en el principio, ahora y siempre,
por los siglos de los siglos. Amén.

La antífona se repite al final, como de costumbre.

PRECES O INTERCESIONES

Glorifiquemos a Dios, Padre, Hijo y Espíritu Santo, y
supliquémosle diciendo:

Escucha a tu pueblo, Señor.

Padre todopoderoso, haz que abunde en la tierra la
justicia
— y que tu pueblo se alegre en la paz.

Que todos los pueblos entren a formar parte de tu
reino
— y que el pueblo judío sea salvado.

Que los esposos cumplan tu voluntad, vivan en concordia
— y que sean siempre fieles a su mutuo amor.

Recompensa, Señor, a nuestros bienhechores
— y concédeles la vida eterna.

Se pueden añadir algunas intenciones libres.

Acoge con amor a los que han muerto víctimas del
odio, de la violencia o de la guerra
— y dales el descanso eterno.

Movidos por el Espíritu Santo, dirijamos al Padre la
oración que Cristo nos enseñó: Padre nuestro...

Oración conclusiva

La oración conclusiva se toma del domingo correspondiente (p.
410 y siguientes).

Conclusión

℣. El Señor nos bendiga, nos guarde de todo mal y nos lleve a la vida eterna.

℟. Amén.

Laudes

Invocación inicial

℣. Señor, abre mis labios.

℟. Y mi boca proclamará tu alabanza.

Puede añadirse el salmo 94, con su antífona correspondiente. En el Tiempo ordinario se dice:

Vengan, aclamemos al Señor, demos vítores a la Roca que nos salva. Aleluya. †

Salmo 94

INVITACIÓN A LA ALABANZA DIVINA

> Anímense unos a otros, día tras día, mientras perdura el «hoy».
> (Heb 3, 13)

Cuando se aplica la forma responsorial, la asamblea repite la antífona después de cada estrofa.

Vengan, aclamemos al Señor,
    demos vítores a la Roca que nos salva;
† entremos a su presencia dándole gracias,
    aclamándolo con cantos.

Porque el Señor es un Dios grande,
    soberano de todos los dioses:
    tiene en su mano las simas de la tierra,
    son suyas las cumbres de los montes.

Suyo es el mar, porque él lo hizo,
la tierra firme que modelaron sus manos.

Vengan, postrémonos por tierra,
bendiciendo al Señor, creador nuestro.
Porque él es nuestro Dios,
y nosotros su pueblo,
el rebaño que él guía.

Ojalá escuchen hoy su voz:
«No endurezcan el corazón como en Meribá,
como el día de Masá en el desierto:
cuando sus padres me pusieron a prueba,
y dudaron de mí, aunque habían visto mis obras.

Durante cuarenta años
aquella generación me repugnó, y dije:
"Es un pueblo de corazón extraviado,
que no reconoce mi camino;
por eso he jurado en mi cólera
que no entrarán en mi descanso."»

Gloria al Padre, y al Hijo, y al Espíritu Santo.
Como era en el principio, ahora y siempre,
por los siglos de los siglos. Amén.

HIMNO

Es verdad que las luces del alba
del día de hoy
son más puras, radiantes y bellas,
por gracia de Dios.

Es verdad que yo siento en mi vida,
muy dentro de mí,
que la gracia de Dios es mi gracia,
que no merecí.

Es verdad que la gracia del Padre,
en Cristo Jesús,

es la gloria del hombre y del mundo
bañados en luz.

Es verdad que la Pascua de Cristo
es pascua por mí,
que su muerte y victoria me dieron
eterno vivir.

Viviré en alabanzas al Padre,
que al Hijo nos dio,
y que el Santo Paráclito inflame
nuestra alma en amor. Amén.

SALMODIA

Antífona 1

Tiempo de Adviento: Aquel día los montes destilarán dulzura y las colinas manarán leche y miel. Aleluya.

Tiempo pascual: El que tenga sed que venga a beber de balde el agua de la vida. Aleluya.

Tiempo ordinario: Por ti madrugo, Dios mío, para contemplar tu fuerza y tu gloria. Aleluya.

Salmo 62, 2-9

EL ALMA SEDIENTA DE DIOS

> Madruga por Dios todo el que rechaza las obras de las tinieblas.

¡Oh Dios!, tú eres mi Dios, por ti madrugo,
mi alma está sedienta de ti;
mi carne tiene ansia de ti,
como tierra reseca, agostada, sin agua.

¡Cómo te contemplaba en el santuario
viendo tu fuerza y tu gloria!
Tu gracia vale más que la vida,
te alabarán mis labios.

Toda mi vida te bendeciré
y alzaré las manos invocándote.
Me saciaré de manjares exquisitos,
y mis labios te alabarán jubilosos.

En el lecho me acuerdo de ti
y velando medito en ti,
porque fuiste mi auxilio,
y a la sombra de tus alas canto con júbilo;
mi alma está unida a ti,
y tu diestra me sostiene.

Tiempo de Adviento: Aquel día los montes destilarán dulzura y las colinas manarán leche y miel. Aleluya.

Tiempo pascual: El que tenga sed que venga a beber de balde el agua de la vida. Aleluya.

Tiempo ordinario: Por ti madrugo, Dios mío, para contemplar tu fuerza y tu gloria. Aleluya.

Antífona 2

Tiempo de Adviento: Los montes y las colinas aclamarán en presencia del Señor y los árboles del bosque aplaudirán, porque viene el Señor y reinará eternamente. Aleluya.

Tiempo pascual: Adoren al Señor, que ha creado el cielo y la tierra, el mar y las fuentes del agua. Aleluya.

Tiempo ordinario: En medio de las llamas, los tres jóvenes unánimes cantaban: «Bendito sea el Señor.» Aleluya.

Cántico   Dn 3, 57-88. 56

TODA LA CREACIÓN ALABE AL SEÑOR

Alaben al Señor, sus siervos todos.
(Apoc 19, 5)

Creaturas todas del Señor, bendigan al Señor,
ensálcenlo con himnos por los siglos.

Ángeles del Señor, bendigan al Señor;
  cielos, bendigan al Señor.

Aguas del espacio, bendigan al Señor;
  ejércitos del Señor, bendigan al Señor.

Sol y luna, bendigan al Señor;
  astros del cielo, bendigan al Señor.

Lluvia y rocío, bendigan al Señor;
  vientos todos, bendigan al Señor.

Fuego y calor, bendigan al Señor;
  fríos y heladas, bendigan al Señor.

Rocíos y nevadas, bendigan al Señor;
  témpanos y hielos, bendigan al Señor.

Escarchas y nieves, bendigan al Señor;
  noche y día, bendigan al Señor.

Luz y tinieblas, bendigan al Señor;
  rayos y nubes, bendigan al Señor.

Bendiga la tierra al Señor,
  ensálcelo con himnos por los siglos.

Montes y cumbres, bendigan al Señor;
  cuanto germina en la tierra, bendiga al Señor.

Manantiales, bendigan al Señor;
  mares y ríos, bendigan al Señor.

Cetáceos y peces, bendigan al Señor;
  aves del cielo, bendigan al Señor.

Fieras y ganados, bendigan al Señor,
  ensálcenlo con himnos por los siglos.

Hijos de los hombres, bendigan al Señor;
  bendiga Israel al Señor.

Sacerdotes del Señor, bendigan al Señor;
  siervos del Señor, bendigan al Señor.

Almas y espíritus justos, bendigan al Señor;
santos y humildes de corazón, bendigan al Señor.

Ananías, Azarías y Misael, bendigan al Señor,
ensálcenlo con himnos por los siglos.

Bendigamos al Padre, al Hijo y al Espíritu Santo,
ensalcémoslo con himnos por los siglos.

Bendito el Señor en la bóveda del cielo,
alabado y glorioso y ensalzado por los siglos.

No se dice *Gloria al Padre.*

Tiempo de Adviento: Los montes y las colinas aclamarán en presencia del Señor y los árboles del bosque aplaudirán, porque viene el Señor y reinará eternamente. Aleluya.

Tiempo pascual: Adoren al Señor que ha creado el cielo y la tierra, el mar y las fuentes del agua. Aleluya.

Tiempo ordinario: En medio de las llamas, los tres jóvenes unánimes cantaban: «Bendito sea el Señor.» Aleluya.

Antífona 3

Tiempo de Adviento: Vendrá el gran profeta y renovará Jerusalén. Aleluya.

Tiempo pascual: Los fieles festejan la gloria del Señor. Aleluya.

Tiempo ordinario: Que el pueblo de Dios se alegre por su Rey. Aleluya.

Salmo 149

ALEGRÍA DE LOS SANTOS

Los hijos de la Iglesia, nuevo pueblo de Dios, se alegran en su Rey, Cristo, el Señor. (Hesiquio)

Canten al Señor un cántico nuevo,
resuene su alabanza en la asamblea de los fieles;

que se alegre Israel por su Creador,
los hijos de Sión por su Rey.

Alaben su nombre con danzas,
cántenle con tambores y cítaras;
porque el Señor ama a su pueblo
y adorna con la victoria a los humildes.

Que los fieles festejen su gloria
y canten jubilosos en filas:
con vítores a Dios en la boca
y espadas de dos filos en las manos:

para tomar venganza de los pueblos
y aplicar el castigo a las naciones,
sujetando a los reyes con argollas,
a los nobles con esposas de hierro.

Ejecutar la sentencia dictada
es un honor para todos sus fieles.

Tiempo de Adviento: Vendrá el gran profeta y renovará Jerusalén. Aleluya.

Tiempo pascual: Los fieles festejan la gloria del Señor. Aleluya.

Tiempo ordinario: Que el pueblo de Dios se alegre por su Rey. Aleluya.

LECTURA BREVE   Apoc 7, 10. 12

¡La salvación es de nuestro Dios, que está sentado en el trono, y del Cordero! La bendición, y la gloria, y la sabiduría, y la acción de gracias, y el honor, y el poder, y la fuerza son de nuestro Dios por los siglos de los siglos. Amén.

RESPONSORIO BREVE

℣. Cristo, Hijo de Dios vivo, ten piedad de nosotros.
℟. Cristo, Hijo de Dios vivo, ten piedad de nosotros.

℣. Tú que estás sentado a la derecha del Padre.
℟. Ten piedad de nosotros.
℣. Gloria al Padre, y al Hijo, y al Espíritu Santo.
℟. Cristo, Hijo de Dios vivo, ten piedad de nosotros.

CÁNTICO EVANGÉLICO

La antífona para el cántico evangélico se toma del domingo correspondiente (p. 410 y siguientes).

Cántico de Zacarías   Lc 1, 68-79

EL MESÍAS Y SU PRECURSOR

Bendito sea el Señor, Dios de Israel,
    porque ha visitado y redimido a su pueblo,
    suscitándonos una fuerza de salvación
    en la casa de David, su siervo,
    según lo había predicho desde antiguo
    por boca de sus santos profetas.

Es la salvación que nos libra de nuestros enemigos
    y de la mano de todos los que nos odian;
    ha realizado así la misericordia que tuvo con
        nuestros padres,
    recordando su santa alianza
    y el juramento que juró a nuestro padre Abraham.

Para concedernos que, libres de temor,
    arrancados de la mano de los enemigos,
    lo sirvamos con santidad y justicia,
    en su presencia, todos nuestros días.

Y a ti, niño, te llamarán profeta del Altísimo,
    porque irás delante del Señor
    a preparar sus caminos,
    anunciando a su pueblo la salvación,
    el perdón de sus pecados.

Por la entrañable misericordia de nuestro Dios,
nos visitará el sol que nace de lo alto,
para iluminar a los que viven en tiniebla
y en sombra de muerte,
para guiar nuestros pasos
por el camino de la paz.

Gloria al Padre, y al Hijo, y al Espíritu Santo.
Como era en el principio, ahora y siempre,
por los siglos de los siglos. Amén.

La antífona se repite al final, como de costumbre.

PRECES PARA CONSAGRAR A DIOS EL DÍA Y EL TRABAJO

Glorifiquemos al Señor Jesús, luz que alumbra a todo hombre y sol de justicia que no conoce el ocaso, y digámosle:

Tú que eres nuestra vida y nuestra salvación, Señor, ten piedad.

Creador de la luz, de cuya bondad recibimos, con acción de gracias, las primicias de este día;
— te pedimos que el recuerdo de tu santa resurrección sea nuestro gozo durante este domingo.

Que tu Espíritu Santo nos enseñe a cumplir tu voluntad,
— y que tu sabiduría dirija hoy todas nuestras acciones.

Que al celebrar la Eucaristía de este domingo tu Palabra nos llene de gozo,
— y que la participación en el banquete de tu amor haga crecer nuestra esperanza.

Que sepamos contemplar las maravillas que tu generosidad nos concede,
— y vivamos durante todo el día en acción de gracias.

Se pueden añadir algunas intenciones libres.

Digamos ahora todos juntos la oración que Cristo nos enseñó: Padre nuestro...

Oración conclusiva

La oración conclusiva se toma del domingo correspondiente (p. 410 y siguientes).

CONCLUSIÓN

℣. El Señor nos bendiga, nos guarde de todo mal y nos lleve a la vida eterna.
℟. Amén.

II Vísperas

INVOCACIÓN INICIAL

℣. Dios mío, ven en mi auxilio.
℟. Señor, date prisa en socorrerme.
Gloria al Padre... (Aleluya.)

HIMNO

Dios de la luz, presencia ardiente
sin meridiano ni frontera:
vuelves la noche mediodía,
ciegas al sol con tu derecha.

Como columna de la aurora,
iba en la noche tu grandeza;
te vio el desierto, y destellaron
luz de tu gloria las arenas.

Cerró la noche sobre Egipto
como cilicio de tinieblas
para tu pueblo amanecías
bajo los techos de las tiendas.

Eres la luz, pero en tu rayo
lanzas el día o la tiniebla:
ciegas los ojos del soberbio,
curas al pobre su ceguera.

Cristo Jesús, tú que trajiste
fuego a la entraña de la tierra,
guarda encendida nuestra lámpara
hasta la aurora de tu vuelta. Amén.

SALMODIA

Antífona 1

Tiempo de Adviento: Hija de Sión, alégrate; salta de gozo,
hija de Jerusalén. Aleluya.

Tiempo pascual: Resucitó el Señor y está sentado a la
derecha del Padre. Aleluya.

Tiempo ordinario: Desde Sión extenderá el Señor el poder
de su cetro, y reinará eternamente. Aleluya.

Salmo 109, 1-5. 7

EL MESÍAS, REY Y SACERDOTE

> Él debe reinar hasta poner todos
> sus enemigos bajo sus pies. (1 Cor
> 15, 25)

Oráculo del Señor a mi Señor:
«Siéntate a mi derecha,
y haré de tus enemigos
estrado de tus pies.»

Desde Sión extenderá el Señor
el poder de tu cetro:
somete en la batalla a tus enemigos.

«Eres príncipe desde el día de tu nacimiento,
entre esplendores sagrados;

yo mismo te engendré, como rocío,
antes de la aurora.»

El Señor lo ha jurado y no se arrepiente:
«Tú eres sacerdote eterno
según el rito de Melquisedec.»

El Señor a tu derecha, el día de su ira,
quebrantará a los reyes.

En su camino beberá del torrente,
por eso levantará la cabeza.

Tiempo de Adviento: Hija de Sión, alégrate; salta de gozo,
hija de Jerusalén. Aleluya.

Tiempo pascual: Resucitó el Señor y está sentado a la
derecha del Padre. Aleluya.

Tiempo ordinario: Desde Sión extenderá el Señor el poder
de su cetro, y reinará eternamente. Aleluya.

Antífona 2

Tiempo de Adviento: Vendrá nuestro rey, Cristo, el Señor:
el Cordero de quien Juan anunció la venida.

Tiempo pascual: Nos ha sacado del dominio de las tinieblas y nos ha trasladado al reino de su Hijo. Aleluya.

Tiempo ordinario: En presencia del Señor se estremece
la tierra. Aleluya.

Salmo 113 A

ISRAEL LIBRADO DE EGIPTO;
LAS MARAVILLAS DEL ÉXODO

> Reconozcan que también ustedes,
> los que renunciaron al mundo, han
> salido de Egipto. (S. Agustín)

Cuando Israel salió de Egipto,
los hijos de Jacob de un pueblo balbuciente,

Judá fue su santuario,
Israel fue su dominio.

El mar, al verlos, huyó,
el Jordán se echó atrás;
los montes saltaron como carneros;
las colinas, como corderos.

¿Qué te pasa, mar, que huyes,
y a ti, Jordán, que te echas atrás?
¿Y a ustedes, montes, que saltan como carneros;
colinas, que saltan como corderos?

En presencia del Señor se estremece la tierra,
en presencia del Dios de Jacob;
que transforma las peñas en estanques,
el pedernal en manantiales de agua.

Tiempo de Adviento: Vendrá nuestro rey, Cristo, el Señor:
el Cordero de quien Juan anunció la venida.

Tiempo pascual: Nos ha sacado del dominio de las tinieblas y nos ha trasladado al reino de su Hijo. Aleluya.

Tiempo ordinario: En presencia del Señor se estremece la tierra. Aleluya.

Antífona 3

Tiempo de Adviento: Llego en seguida y traigo conmigo mi salario, para pagar a cada uno según sus propias obras.

Tiempo pascual: Aleluya. Reina el Señor, nuestro Dios: alegrémonos y démosle gracias. Aleluya.

Tiempo ordinario: Reina el Señor, nuestro Dios, dueño de todo. Aleluya.

En el cántico siguiente se dicen todos los *Aleluya* intercalados solamente cuando el Oficio es cantado. Cuando el Oficio se dice sin canto es suficiente decir el *Aleluya* sólo al principio y al final de cada estrofa, omitiendo, por lo tanto, todos los *Aleluya* que en el texto aparecen entre paréntesis.

Cántico   Cfr Apoc 19, 1-2. 5-7

LAS BODAS DEL CORDERO

Aleluya.
La salvación y la gloria y el poder son de nuestro Dios.
(R̞. Aleluya.)
Porque sus juicios son verdaderos y justos.
R̞. Aleluya, (aleluya).

Aleluya.
Alaben al Señor, sus siervos todos.
(R̞. Aleluya.)
Los que lo temen, pequeños y grandes.
R̞. Aleluya, (aleluya).

Aleluya.
Porque reina el Señor, nuestro Dios, dueño de todo.
(R̞. Aleluya.)
Alegrémonos y gocemos y démosle gracias.
R̞. Aleluya, (aleluya).

Aleluya.
Llegó la boda del Cordero.
(R̞. Aleluya.)
Su esposa se ha embellecido.
R̞. Aleluya, (aleluya).

Tiempo de Adviento: Llego en seguida y traigo conmigo mi
salario, para pagar a cada uno según sus propias obras.

Tiempo pascual: Aleluya. Reina el Señor, nuestro Dios: alegrémonos y démosle gracias. Aleluya.

Tiempo ordinario: Reina el Señor, nuestro Dios, dueño de
todo. Aleluya.

En los domingos de Cuaresma, en lugar del cántico del Apocalipsis se dice el de la carta de san Pedro, con su antífona propia.

Cántico   1 Pe 2, 21b-24

PASIÓN VOLUNTARIA DE CRISTO, SIERVO DE DIOS

Cristo padeció por nosotros,
  dejándonos un ejemplo
  para que sigamos sus huellas.

Él no cometió pecado
  ni encontraron engaño en su boca;
  cuando lo insultaban,
  no devolvía el insulto;
  en su pasión no profería amenazas;
  al contrario,
  se ponía en manos del que juzga justamente.

Cargado con nuestros pecados subió al leño,
  para que, muertos al pecado,
  vivamos para la justicia.
  Sus heridas nos han curado.

La antífona propia se repite al final.

LECTURA BREVE   2 Cor 1, 3-4

Bendito sea Dios, Padre de nuestro Señor Jesucristo,
Padre de misericordia y Dios de todo consuelo; él nos
consuela en todas nuestras luchas, para que nosotros
podamos consolar a los que están en toda tribulación,
mediante el consuelo con que nosotros somos consolados por Dios.

RESPONSORIO BREVE

℣. Bendito eres, Señor, en la bóveda del cielo.
℟. Bendito eres, Señor, en la bóveda del cielo.
℣. Digno de gloria y alabanza por los siglos.
℟. En la bóveda del cielo.
℣. Gloria al Padre, y al Hijo, y al Espíritu Santo.
℟. Bendito eres, Señor, en la bóveda del cielo.

CÁNTICO EVANGÉLICO

La antífona para el cántico evangélico se toma del domingo correspondiente (p. 410 y siguientes).

Cántico de la Santísima Virgen María, p. 18.

PRECES O INTERCESIONES

Adoremos a Cristo, Señor nuestro y cabeza de la Iglesia, y digámosle confiadamente:

Venga a nosotros tu reino, Señor.

Señor, amigo de los hombres, haz de tu Iglesia instrumento de concordia y unidad entre ellos
— y signo de salvación para todos los pueblos.

Protege con tu brazo poderoso al Papa y a todos los obispos
— y concédeles trabajar en unidad, amor y paz.

A los cristianos concédenos vivir íntimamente unidos a ti, nuestro Maestro,
— y dar testimonio en nuestras vidas de la llegada de tu reino.

Concede, Señor, al mundo el don de la paz
— y haz que en todos los pueblos reine la justicia y el bienestar.

Se pueden añadir algunas intenciones libres.

Otorga, a los que han muerto, una resurrección gloriosa
— y haz que los que aún vivimos en este mundo gocemos un día con ellos de la felicidad eterna.

Terminemos nuestra oración con las palabras del Señor:
Padre nuestro...

Oración conclusiva

La oración conclusiva se toma del domingo correspondiente (p. 410 y siguientes).

Conclusión

℣. El Señor nos bendiga, nos guarde de todo mal y nos lleve a la vida eterna.

℟. Amén.

LUNES I

Laudes

Invocación inicial

℣. Señor, abre mis labios.

℟. Y mi boca proclamará tu alabanza.

Puede añadirse el salmo 94 (p. 20), con su antífona correspondiente. En el Tiempo ordinario se dice:

Entremos a la presencia del Señor dándole gracias.

Himno

Dejado ya el descanso de la noche,
despierto en la alegría de tu amor,
concédeme tu luz que me ilumine
como ilumina el sol.

No sé lo que será del nuevo día
que entre luces y sombras viviré,
pero sé que, si tú vienes conmigo,
no fallará mi fe.

Tal vez me esperen horas de desierto
amargas y sedientas, mas yo sé
que, si vienes conmigo de camino,
jamás yo tendré sed.

Concédeme vivir esta jornada
en paz con mis hermanos y mi Dios,
al sentarnos los dos para la cena,
párteme el pan, Señor.

Recibe, Padre santo, nuestro ruego,
acoge por tu Hijo la oración
que fluye del Espíritu en el alma
que sabe de tu amor. Amén.

SALMODIA

Antífona 1

Fuera del Tiempo pascual: A ti te suplico, Señor; por la
mañana escucharás mi voz.

Tiempo pascual: Se alegrarán los que se acogen a ti.
Aleluya.

Salmo 5, 2-10. 12-13

ORACIÓN DE LA MAÑANA DE UN JUSTO PERSEGUIDO

«Por la mañana escucharás mi
voz» debe entenderse de la resurrección de Cristo.

Señor, escucha mis palabras,
    atiende a mis gemidos,
    haz caso de mis gritos de auxilio,
    Rey mío y Dios mío.

A ti te suplico, Señor;
    por la mañana escucharás mi voz,
    por la mañana te expongo mi causa,
    y me quedo aguardando.

Tú no eres un Dios que ame la maldad,
    ni el malvado es tu huésped,
    ni el arrogante se mantiene en tu presencia.

Detestas a los malhechores,
    destruyes a los mentirosos;
    al hombre sanguinario y traicionero
    lo aborrece el Señor.

Pero yo, por tu gran bondad,
    entraré en tu casa,

me postraré ante tu templo santo
con toda reverencia.

Señor, guíame con tu justicia,
porque tengo enemigos;
alláname tu camino.

En su boca no hay sinceridad,
su corazón es perverso;
su garganta es un sepulcro abierto,
mientras halagan con la lengua.

Que se alegren los que se acogen a ti,
con júbilo eterno;
protégelos, para que se llenen de gozo
los que aman tu nombre.

Porque tú, Señor, bendices al justo,
y como un escudo lo rodea tu favor.

Fuera del Tiempo pascual: A ti te suplico, Señor; por la
mañana escucharás mi voz.

Tiempo pascual: Se alegrarán los que se acogen a ti.
Aleluya.

Antífona 2

Fuera del Tiempo pascual: Alabamos, Dios nuestro, tu
nombre glorioso.

Tiempo pascual: Tuyos son, Señor, la grandeza y el poder,
tú eres rey y soberano de todo. Aleluya.

Cántico   1 Crón 29, 10-13

SÓLO A DIOS HONOR Y GLORIA

> Bendito sea Dios, Padre de nues-
> tro Señor Jesucristo. (Ef 1, 3)

Bendito eres, Señor,
Dios de nuestro padre Israel,
por los siglos de los siglos.

Tuyos son, Señor, la grandeza y el poder,
   la gloria, el esplendor, la majestad,
   porque tuyo es cuanto hay en cielo y tierra,
   tú eres rey y soberano de todo.

De ti viene la riqueza y la gloria,
   tú eres señor del universo,
   en tu mano está el poder y la fuerza,
   tú engrandeces y confortas a todos.

Por eso, Dios nuestro,
   nosotros te damos gracias,
   alabando tu nombre glorioso.

Fuera del Tiempo pascual: Alabamos, Dios nuestro, tu nombre glorioso.

Tiempo pascual: Tuyos son, Señor, la grandeza y el poder, tú eres rey y soberano de todo. Aleluya.

Antífona 3

Fuera del Tiempo pascual: Póstrense ante el Señor en el atrio sagrado.

Tiempo pascual: El Señor se sienta como rey eterno. Aleluya.

Salmo 28

MANIFESTACIÓN DE DIOS EN LA TEMPESTAD

> Vino una voz del cielo que decía:
> «Éste es mi Hijo, el amado, mi predilecto.» (Mt 3, 17)

Hijos de Dios, aclamen al Señor,
   aclamen la gloria y el poder del Señor,
   aclamen la gloria del nombre del Señor,
   póstrense ante el Señor en el atrio sagrado.

La voz del Señor sobre las aguas,
   el Dios de la gloria hace oír su trueno,
   el Señor sobre las aguas torrenciales.

La voz del Señor es potente,
la voz del Señor es magnífica,
la voz del Señor descuaja los cedros,
el Señor descuaja los cedros del Líbano.

Hace brincar al Líbano como a un novillo,
al Sarión como a una cría de búfalo.

La voz del Señor lanza llamas de fuego,
la voz del Señor sacude el desierto,
el Señor sacude el desierto de Cadés.

La voz del Señor retuerce los robles,
el Señor descorteza las selvas.
En su templo, un grito unánime: ¡Gloria!

El trono del Señor está encima de la tempestad,
el Señor se sienta como rey eterno.
El Señor da fuerza a su pueblo,
el Señor bendice a su pueblo con la paz.

Fuera del Tiempo pascual: Póstrense ante el Señor en el atrio sagrado.

Tiempo pascual: El Señor se sienta como rey eterno. Aleluya.

LECTURA BREVE   2 Tes 3, 10b-13

Si alguno no quiere trabajar, que tampoco coma. Porque nos hemos enterado que hay entre ustedes algunos que viven desconcertados, sin trabajar nada, pero metiéndose en todo. A éstos les mandamos y les exhortamos en el Señor Jesucristo a que trabajen con sosiego para comer su propio pan. Ustedes, hermanos, no se cansen de hacer el bien.

RESPONSORIO BREVE

℣. Bendito el Señor ahora y por siempre.
℟. Bendito el Señor ahora y por siempre.

℣. Sólo él hizo maravillas.
℟. Ahora y por siempre.
℣. Gloria al Padre, y al Hijo, y al Espíritu Santo.
℟. Bendito el Señor ahora y por siempre.

CÁNTICO EVANGÉLICO

Ant. Bendito sea el Señor, Dios nuestro.

Cántico de Zacarías, p. 27.

PRECES PARA CONSAGRAR A DIOS
EL DÍA Y EL TRABAJO

Proclamemos la grandeza de Cristo, lleno de gracia y del Espíritu Santo, y acudamos a él diciendo:

Concédenos, Señor, tu Espíritu.

Concédenos, Señor, un día lleno de paz, de alegría y de inocencia
— para que, al llegar a la noche, podamos alabarte con gozo y limpios de pecado.

Que baje hoy a nosotros tu bondad
— y haga prósperas las obras de nuestras manos.

Muéstranos tu rostro propicio y danos tu paz
— para que durante todo el día sintamos cómo tu mano nos protege.

Mira con bondad a cuantos se han encomendado a nuestras oraciones
— y enriquécelos con toda clase de bienes.

Se pueden añadir algunas intenciones libres.

Terminemos nuestra oración con la plegaria que Cristo nos enseñó: Padre nuestro...

Oración conclusiva

Tu gracia, Señor, inspire nuestras obras, las sostenga
y acompañe; para que todo nuestro trabajo brote de ti,
como de su fuente, y tienda a ti, como a su fin. Por nuestro
Señor Jesucristo, tu Hijo...

℟. Amén.

CONCLUSIÓN

℣. El Señor nos bendiga, nos guarde de todo mal y nos
lleve a la vida eterna.
℟. Amén.

Vísperas

INVOCACIÓN INICIAL

℣. Dios mío, ven en mi auxilio.
℟. Señor, date prisa en socorrerme.
Gloria al Padre... (Aleluya.)

HIMNO

Libra mis ojos de la muerte;
dales la luz, que es su destino.
Yo, como el ciego del camino,
pido un milagro para verte.

Haz de esta piedra de mis manos
una herramienta constructiva,
cura su fiebre posesiva
y ábrela al bien de mis hermanos.

Haz que mi pie vaya ligero.
Da de tu pan y de tu vaso
al que te sigue, paso a paso,
por lo más duro del sendero.

Que yo comprenda, Señor mío,
al que se queja y retrocede;

que el corazón no se me quede
desentendidamente frío.

Guarda mi fe del enemigo.
¡Tantos me dicen que estás muerto!
Y entre la sombra y el desierto
dame tu mano y ven conmigo. Amén.

SALMODIA

Antífona 1

Fuera del Tiempo pascual: El Señor se complace en los
justos.

Tiempo pascual: No teman, yo he vencido al mundo.
Aleluya.

Salmo 10

EL SEÑOR, ESPERANZA DEL JUSTO

> Dichosos los que tienen hambre y
> sed de ser justos, porque ellos
> quedarán saciados. (Mt 5, 6)

Al Señor me acojo, ¿por qué me dicen:
«Escapa como un pájaro al monte,
porque los malvados tensan el arco,
ajustan las saetas a la cuerda,
para disparar en la sombra contra los buenos?
Cuando fallan los cimientos,
¿que podrá hacer el justo?»

Pero el Señor está en su templo santo,
el Señor tiene su trono en el cielo;
sus ojos están observando,
sus pupilas examinan a los hombres.

El Señor examina a inocentes y culpables,
y al que ama la violencia, él lo detesta.
Hará llover sobre los malvados ascuas y azufre,
les tocará en suerte un viento huracanado.

Porque el Señor es justo y ama la justicia:
los buenos verán su rostro.

Fuera del Tiempo pascual: El Señor se complace en los
justos.

Tiempo pascual: No teman, yo he vencido al mundo.
Aleluya.

Antífona 2

Fuera del Tiempo pascual: Dichosos los limpios de corazón, porque ellos verán a Dios.

Tiempo pascual: Se hospedará en tu tienda, habitará en
tu monte santo. Aleluya.

Salmo 14

¿QUIÉN ES JUSTO ANTE EL SEÑOR?

> Se han acercado al monte de Sión,
> ciudad del Dios vivo. (Heb 12, 22)

Señor, ¿quién puede hospedarse en tu tienda
y habitar en tu monte santo?

El que procede honradamente
y practica la justicia,
el que tiene intenciones leales
y no calumnia con su lengua,

el que no hace mal a su prójimo
ni difama al vecino,
el que considera despreciable al impío
y honra a los que temen al Señor,

el que no se retracta de lo que juró
aun en daño propio,
el que no presta dinero a usura
ni acepta soborno contra el inocente.

El que así obra nunca fallará.

Fuera del Tiempo pascual: Dichosos los limpios de corazón, porque ellos verán a Dios.

Tiempo pascual: Se hospedará en tu tienda, habitará en tu monte santo. Aleluya.

Antífona 3

Fuera del Tiempo pascual: Dios nos ha destinado en la persona de Cristo a ser sus hijos.

Tiempo pascual: Cuando yo sea elevado sobre la tierra, atraeré a todos hacia mí. Aleluya.

Cántico   Ef 1, 3-10

EL PLAN DIVINO DE LA SALVACIÓN

Bendito sea Dios,
   Padre de nuestro Señor Jesucristo,
     que nos ha bendecido en la persona de Cristo
     con toda clase de bienes espirituales y celestiales.

Él nos eligió en la persona de Cristo,
   antes de crear el mundo,
   para que fuéramos consagrados
   e irreprochables ante él por el amor.

Él nos ha destinado en la persona de Cristo,
   por pura iniciativa suya,
   a ser sus hijos,
   para que la gloria de su gracia,
   que tan generosamente nos ha concedido
   en su querido Hijo,
   redunde en alabanza suya.

Por este Hijo, por su sangre,
   hemos recibido la redención,
   el perdón de los pecados.
   El tesoro de su gracia, sabiduría y prudencia
   ha sido un derroche para con nosotros,
   dándonos a conocer el misterio de su voluntad.

Éste es el plan
   que había proyectado realizar por Cristo
   cuando llegara el momento culminante:
   hacer que todas las cosas
   tuvieran a Cristo por cabeza,
   las del cielo y las de la tierra.

Fuera del Tiempo pascual: Dios nos ha destinado en la persona de Cristo a ser sus hijos.

Tiempo pascual: Cuando yo sea elevado sobre la tierra, atraeré a todos hacia mí. Aleluya.

LECTURA BREVE   Col 1, 9b-11

Lleguen a la plenitud en el conocimiento de la voluntad de Dios, con toda sabiduría e inteligencia espiritual. Así caminarán según el Señor se merece y le agradarán enteramente, dando fruto en toda clase de obras buenas y creciendo en el conocimiento de Dios. Fortalecidos en toda fortaleza, según el poder de su gloria, podrán resistir y perseverar en todo con alegría.

RESPONSORIO BREVE

V. Sáname, porque he pecado contra ti.
R. Sáname, porque he pecado contra ti.
V. Yo dije: «Señor, ten misericordia.»
R. Porque he pecado contra ti.
V. Gloria al Padre, y al Hijo, y al Espíritu Santo.
R. Sáname, porque he pecado contra ti.

CÁNTICO EVANGÉLICO

Ant. Proclama mi alma la grandeza del Señor, porque Dios ha mirado mi humillación.

Cántico de la Santísima Virgen María, p. 18.

Preces o intercesiones

Demos gracias a Dios, nuestro Padre, que recordando siempre su santa alianza, no cesa de bendecirnos, y digámosle con ánimo confiado:

Favorece a tu pueblo, Señor.

Salva a tu pueblo, Señor,
— y bendice a tu heredad.

Congrega en la unidad a todos los cristianos:
— para que el mundo crea en Cristo, tu enviado.

Derrama tu gracia sobre nuestros familiares y amigos:
— que encuentren en ti, Señor, su verdadera felicidad.

Muestra tu amor a los agonizantes:
— que puedan contemplar tu salvación.

Se pueden añadir algunas intenciones libres.

Ten piedad de los que han muerto
— y acógelos en el descanso de Cristo.

Terminemos nuestra oración con las palabras que nos enseñó Cristo: Padre nuestro...

Oración conclusiva

Nuestro humilde servicio, Señor, proclame tu grandeza, y ya que por nuestra salvación te dignaste mirar la humillación de la Virgen María, te rogamos nos enaltezcas llevándonos a la plenitud de la salvación. Por nuestro Señor Jesucristo, tu Hijo...

℞. Amén.

Conclusión

℣. El Señor nos bendiga, nos guarde de todo mal y nos lleve a la vida eterna.

℞. Amén.

MARTES I

Laudes

INVOCACIÓN INICIAL

℣. Señor, abre mis labios.
℟. Y mi boca proclamará tu alabanza.

Puede añadirse el salmo 94 (p. 20), con su antífona correspondiente. En el Tiempo ordinario se dice:

Al Señor, al gran Rey, vengan, adorémoslo.

HIMNO

Al canto de los gallos
viene la aurora;
los temores se alejan
como las sombras.
¡Dios, Padre nuestro,
en tu nombre dormimos
y amanecemos!

Como luz nos visitas,
Rey de los hombres,
como amor que vigila
siempre de noche;
cuando el que duerme
bajo el signo del sueño
prueba la muerte.

Del sueño del pecado
nos resucitas,
y es señal de tu gracia
la luz amiga.
¡Dios que nos velas!,
tú nos sacas por gracia
de las tinieblas.

Gloria al Padre y al Hijo,
gloria al Espíritu,
al que es paz, luz y vida,
al Uno y Trino;
gloria a su nombre
y al misterio divino
que nos lo esconde. Amén.

S<small>ALMODIA</small>

Antífona 1

Fuera del Tiempo pascual: El hombre de manos inocentes
y puro corazón subirá al monte del Señor.

Tiempo pascual: El que bajó es el mismo que ha subido
también a lo más alto de los cielos. Aleluya.

Salmo 23

ENTRADA SOLEMNE DE DIOS EN SU TEMPLO

Las puertas del cielo se abren ante
Cristo que como hombre sube al
cielo. (S. Ireneo)

Del Señor es la tierra y cuanto la llena,
   el orbe y todos sus habitantes:
      él la fundó sobre los mares,
      él la afianzó sobre los ríos.

¿Quién puede subir al monte del Señor?
   ¿Quién puede estar en el recinto sacro?

El hombre de manos inocentes
   y puro corazón,
      que no confía en los ídolos
      ni jura contra el prójimo en falso.
   Ése recibirá la bendición del Señor,
      le hará justicia el Dios de salvación.

Éste es el grupo que busca al Señor,
   que viene a tu presencia, Dios de Jacob.

¡Portones!, alcen los dinteles,
levántense, puertas antiguas:
va a entrar el Rey de la gloria.

¿Quién es ese Rey de la gloria?
El Señor, héroe valeroso;
el Señor, héroe de la guerra.

¡Portones!, alcen los dinteles,
levántense, puertas antiguas:
va a entrar el Rey de la gloria.

¿Quién es ese Rey de la gloria?
El Señor, Dios de los ejércitos.
Él es el Rey de la gloria.

Fuera del Tiempo pascual: El hombre de manos inocentes y puro corazón subirá al monte del Señor.

Tiempo pascual: El que bajó es el mismo que ha subido también a lo más alto de los cielos. Aleluya.

Antífona 2

Fuera del Tiempo pascual: Ensalcen con sus obras al rey de los siglos.

Tiempo pascual: Ensalcen al rey del cielo y alégrense de su grandeza. Aleluya.

Cántico   Tob 13, 1-10

ESPERANZA DE ISRAEL EN BABILONIA

> Bendito sea Dios, Padre de nuestro Señor Jesucristo, que en su gran misericordia nos ha hecho nacer de nuevo para una esperanza viva. (1 Pe 1, 3)

Bendito sea Dios, que vive eternamente,
    y cuyo reino dura por los siglos:
      él azota y se compadece,

hunde hasta el abismo y saca de él,
y no hay quien escape de su mano.

Denle gracias, israelitas, ante los gentiles,
porque él nos dispersó entre ellos.
Proclamen allí su grandeza,
ensálcenlo ante todos los vivientes:
que él es nuestro Dios y Señor,
nuestro padre por todos los siglos.

Él nos azota por nuestros delitos,
pero se compadecerá de nuevo,
y los congregará de entre todas las naciones
por donde están dispersados.

Si vuelven a él de todo corazón
y con toda el alma,
siendo sinceros con él,
él volverá a ustedes
y no les ocultará su rostro.

Verán lo que hará con ustedes,
le darán gracias a boca llena,
bendecirán al Señor de la justicia
y ensalzarán al rey de los siglos.

Yo le doy gracias en mi cautiverio,
anuncio su grandeza y su poder
a un pueblo pecador.

Conviértanse, pecadores,
obren rectamente en su presencia:
quizá les mostrará benevolencia
y tendrá compasión.

Ensalzaré a mi Dios, al rey del cielo,
y me alegraré de su grandeza.
Anuncien todos los pueblos sus maravillas
y alábenlo sus elegidos en Jerusalén.

Fuera del Tiempo pascual: Ensalcen con sus obras al rey de los siglos.

Tiempo pascual: Ensalcen al rey del cielo y alégrense de su grandeza. Aleluya.

Antífona 3

Fuera del Tiempo pascual: El Señor merece la alabanza de los buenos.

Tiempo pascual: La tierra está llena de la bondad del Señor. Aleluya.

Salmo 32

HIMNO AL PODER Y A LA PROVIDENCIA DE DIOS

> Por la Palabra empezaron a existir todas las cosas. (Jn 1, 3)

Aclamen, justos, al Señor,
    que merece la alabanza de los buenos.

Den gracias al Señor con la cítara,
    toquen en su honor el arpa de diez cuerdas;
cántenle un cántico nuevo,
    acompañando su música con aclamaciones:

que la palabra del Señor es sincera,
    y todas sus acciones son leales,
él ama la justicia y el derecho,
    y su misericordia llena la tierra.

La palabra del Señor hizo el cielo;
    el aliento de su boca, sus ejércitos;
encierra en un odre las aguas marinas,
    mete en un depósito el océano.

Tema al Señor la tierra entera,
    tiemblen ante él los habitantes del orbe:

porque él lo dijo, y existió;
él lo mandó, y surgió.

El Señor deshace los planes de las naciones,
frustra los proyectos de los pueblos;
pero el plan del Señor subsiste por siempre;
los proyectos de su corazón, de edad en edad.

Dichosa la nación cuyo Dios es el Señor,
el pueblo que él se escogió como heredad.

El Señor mira desde el cielo,
se fija en todos los hombres;
desde su morada observa
a todos los habitantes de la tierra:
él modeló cada corazón,
y comprende todas sus acciones.

No vence el rey por su gran ejército,
no escapa el soldado por su mucha fuerza,
nada valen sus caballos para la victoria,
ni por su gran ejército se salva.

Los ojos del Señor están puestos en sus fieles,
en los que esperan en su misericordia,
para librar sus vidas de la muerte
y reanimarlos en tiempo de hambre.

Nosotros esperamos en el Señor:
él es nuestro auxilio y escudo,
con él se alegra nuestro corazón,
en su santo nombre confiamos.

Que tu misericordia, Señor, venga sobre nosotros,
como lo esperamos de ti.

Fuera del Tiempo pascual: El Señor merece la alabanza
de los buenos.

Tiempo pascual: La tierra está llena de la bondad del Señor.
Aleluya.

LECTURA BREVE Rom 13, 11b. 12-13a

Ya es hora que despierten del sueño. La noche va pasando, el día está encima; desnudémonos, pues, de las obras de las tinieblas y vistámonos de las armas de la luz. Andemos como en pleno día, con dignidad.

RESPONSORIO BREVE

℣. Dios mío, mi escudo y peña en que me amparo.
℟. Dios mío, mi escudo y peña en que me amparo.
℣. Mi alcázar, mi libertador.
℟. En que me amparo.
℣. Gloria al Padre, y al Hijo, y al Espíritu Santo.
℟. Dios mío, mi escudo y peña en que me amparo.

CÁNTICO EVANGÉLICO

Ant. Nos ha suscitado el Señor una fuerza de salvación, según lo había predicho por boca de sus santos profetas.

Cántico de Zacarías, p. 27.

PRECES PARA CONSAGRAR A DIOS
EL DÍA Y EL TRABAJO

Ya que hemos sido llamados a participar de una vocación celestial, bendigamos por ello a Jesús, el Pontífice de nuestra fe, y supliquémosle diciendo:

Escúchanos, Señor.

Señor Jesús, que por el bautismo has hecho de nosotros un sacerdocio real,
— haz que nuestra vida sea un continuo sacrificio de alabanza.

Ayúdanos, Señor, a guardar tus mandatos
— para que por la fuerza del Espíritu Santo nosotros permanezcamos en ti y tú en nosotros.

Danos tu sabiduría eterna
— para que permanezca con nosotros y con nosotros trabaje.

Concédenos ser la alegría de cuantos nos rodean
— y fuente de esperanza para los decaídos.

Se pueden añadir algunas intenciones libres.

Como hijos que somos de Dios, dirijámonos a nuestro Padre con la oración que Cristo nos enseñó: Padre nuestro...

Oración conclusiva

Escucha, Señor, nuestra oración matutina y con la luz de tu misericordia alumbra la oscuridad de nuestro corazón: para que, habiendo sido iluminados por tu claridad, no andemos nunca tras las obras de las tinieblas. Por nuestro Señor Jesucristo, tu Hijo...
℟. Amén.

CONCLUSIÓN

℣. El Señor nos bendiga, nos guarde de todo mal y nos lleve a la vida eterna.
℟. Amén.

Vísperas

INVOCACIÓN INICIAL

℣. Dios mío, ven en mi auxilio.
℟. Señor, date prisa en socorrerme.
Gloria al Padre... (Aleluya.)

HIMNO

Nos dijeron de noche
que estabas muerto,

y la fe estuvo en vela
junto a tu cuerpo;
la noche entera,
la pasamos queriendo
mover la piedra.

Con la vuelta del sol,
volverá a ver la tierra
la gloria del Señor.

No supieron contarlo
los centinelas,
nadie supo la hora
ni la manera;
antes del día,
se cubrieron de gloria
tus cinco heridas.

Con la vuelta del sol,
volverá a ver la tierra
la gloria del Señor.

Si los cinco sentidos
buscan el sueño,
que la fe tenga el suyo
vivo y despierto;
la fe velando,
para verte de noche
resucitando.

Con la vuelta del sol,
volverá a ver la tierra
la gloria del Señor. Amén.

SALMODIA

Antífona 1

Fuera del Tiempo pascual: El Señor da la victoria a su
Ungido.

Tiempo pascual: Ha llegado el reino de Dios y el poder de su Cristo. Aleluya.

Salmo 19

ORACIÓN POR LA VICTORIA DEL REY

Cuantos invoquen el nombre del Señor se salvarán. (Hech 2, 21)

Que te escuche el Señor el día del peligro,
    que te sostenga el nombre del Dios de Jacob;
    que te envíe auxilio desde el santuario,
    que te apoye desde el monte Sión;

que se acuerde de todas tus ofrendas,
    que le agraden tus sacrificios;
    que cumpla el deseo de tu corazón,
    que dé éxito a todos tus planes.

Que podamos celebrar tu victoria
    y en el nombre de nuestro Dios alzar estandartes;
    que el Señor te conceda todo lo que pides.

Ahora reconozco que el Señor
    da la victoria a su Ungido,
    que lo ha escuchado desde su santo cielo,
    con los prodigios de su mano victoriosa.

Unos confían en sus carros,
    otros en su caballería;
    nosotros invocamos el nombre
    del Señor, Dios nuestro.

Ellos cayeron derribados,
    nosotros nos mantenemos en pie.

Señor, da la victoria al rey
    y escúchanos cuando te invocamos.

Fuera del Tiempo pascual: El Señor da la victoria a su Ungido.

Tiempo pascual: Ha llegado el reino de Dios y el poder de su Cristo. Aleluya.

Antífona 2

Fuera del Tiempo pascual: Al son de instrumentos cantaremos tu poder.

Tiempo pascual: Has asumido, Señor, el poder y has empezado a reinar. Aleluya.

Salmo 20, 2-8. 14

ACCIÓN DE GRACIAS POR LA VICTORIA DEL REY

> El Señor resucitado recibió la vida, años que se prolongan sin término. (S. Ireneo)

Señor, el rey se alegra por tu fuerza,
   ¡y cuánto goza con tu victoria!
   Le has concedido el deseo de su corazón,
   no le has negado lo que pedían sus labios.

Te adelantaste a bendecirlo con el éxito,
   y has puesto en su cabeza una corona de oro fino.
   Te pidió vida, y se la has concedido,
   años que se prolongan sin término.

Tu victoria ha engrandecido su fama,
   lo has vestido de honor y majestad.
   Le concedes bendiciones incesantes,
   lo colmas de gozo en tu presencia:
   porque el rey confía en el Señor
   y con la gracia del Altísimo no fracasará.

Levántate, Señor, con tu fuerza,
   y al son de instrumentos cantaremos tu poder.

Fuera del Tiempo pascual: Al son de instrumentos cantaremos tu poder.

Tiempo pascual: Has asumido, Señor, el poder y has empezado a reinar. Aleluya.

Antífona 3

Fuera del Tiempo pascual: Has hecho de nosotros, Señor, un reino de sacerdotes para nuestro Dios.

Tiempo pascual: Tema al Señor la tierra entera, porque él lo dijo y existió. Aleluya.

Cántico   Apoc 4, 11; 5, 9-10. 12

HIMNO A DIOS CREADOR

Eres digno, Señor Dios nuestro, de recibir la gloria,
    el honor y el poder,
    porque tú has creado el universo;
    porque por tu voluntad lo que no existía fue creado.

Eres digno de tomar el libro y abrir sus sellos,
    porque fuiste degollado
    y por tu sangre compraste para Dios
    hombres de toda raza, lengua, pueblo y nación;
    y has hecho de ellos para nuestro Dios
    un reino de sacerdotes
    y reinan sobre la tierra.

Digno es el Cordero degollado
    de recibir el poder, la riqueza y la sabiduría,
    la fuerza y el honor, la gloria y la alabanza.

Fuera del Tiempo pascual: Has hecho de nosotros, Señor, un reino de sacerdotes para nuestro Dios.

Tiempo pascual: Tema al Señor la tierra entera, porque él lo dijo y existió. Aleluya.

LECTURA BREVE   1 Jn 3, 1a. 2

Miren qué amor nos ha tenido el Padre para llamarnos hijos de Dios, pues ¡lo somos! Queridos hermanos, ahora somos hijos de Dios y aún no se ha manifestado lo que seremos. Sabemos que, cuando se manifieste, seremos semejantes a él, porque lo veremos tal cual es.

RESPONSORIO BREVE

℣. Tu palabra, Señor, es eterna,
más estable que el cielo.
℟. Tu palabra, Señor, es eterna,
más estable que el cielo.
℣. Tu fidelidad, de generación en generación.
℟. Más estable que el cielo.
℣. Gloria al Padre, y al Hijo, y al Espíritu Santo.
℟. Tu palabra, Señor, es eterna,
más estable que el cielo.

CÁNTICO EVANGÉLICO

Ant. Se alegra mi espíritu en Dios mi salvador.

Cántico de la Santísima Virgen María, p. 18.

PRECES O INTERCESIONES

Alabemos a Cristo, que mora en medio de nosotros, su pueblo adquirido, y supliquémosle diciendo:

Por el honor de tu nombre, escúchanos, Señor.

Dueño y Señor de los pueblos, acude en ayuda de todas las naciones y de los que las gobiernan:
— que todos los hombres sean fieles a tu voluntad y trabajen por el bien y la paz.

Tú que al subir al cielo llevaste contigo una gran multitud de cautivos,
— devuelve la libertad de los hijos de Dios a nuestros hermanos que sufren esclavitud en el cuerpo o en el espíritu.

Concede, Señor, a los jóvenes la realización de sus esperanzas
— y que sepan responder a tus llamadas en el transcurso de su vida.

Que los niños imiten tu ejemplo
— y crezcan siempre en sabiduría y en gracia.

Se pueden añadir algunas intenciones libres.

Acoge a los difuntos en tu reino,
— donde también nosotros esperamos reinar un día contigo.

Con el gozo de sabernos hijos de Dios, acudamos a nuestro Padre: Padre nuestro...

Oración conclusiva

Te damos gracias, Señor Dios todopoderoso, porque has permitido que lleguemos a esta noche; te pedimos aceptes con agrado el alzar de nuestras manos como ofrenda de la tarde. Por nuestro Señor Jesucristo, tu Hijo...
℟. Amén.

CONCLUSIÓN

℣. El Señor nos bendiga, nos guarde de todo mal y nos lleve a la vida eterna.
℟. Amén.

MIÉRCOLES I

Laudes

Invocación inicial

℣. Señor, abre mis labios.
℟. Y mi boca proclamará tu alabanza.

Puede añadirse el salmo 94 (p. 20), con su antífona correspondiente. En el Tiempo ordinario se dice:

Adoremos a Dios, porque él nos ha creado.

Himno

Sentencia de Dios al hombre
antes que el día comience:
«Que el pan no venga a tu mesa
sin el sudor de tu frente.

Ni el sol se te da de balde,
ni el aire por ser quien eres:
las cosas son herramientas
y buscan quien las maneje.

El mar les pone corazas
de sal amarga a los peces;
el hondo sol campesino
madura a fuego las mieses.

La piedra, con ser la piedra,
guarda una chispa caliente;
y en el rumor de la nube
combaten el rayo y la nieve.

A ti te inventé las manos
y un corazón que no duerme;
puse en tu boca palabras
y pensamiento en tu frente.

No basta con dar las gracias
sin dar lo que las merece:
a fuerza de gratitudes
se vuelve la tierra estéril.» Amén.

SALMODIA

Antífona 1

Fuera del Tiempo pascual: Tu luz, Señor, nos hace ver la luz.

Tiempo pascual: En ti, Señor, está la fuente viva. Aleluya.

Salmo 35

DEPRAVACIÓN DEL MALVADO Y BONDAD DE DIOS

El que me sigue no camina en
tinieblas, sino que tendrá la luz de
la vida. (Jn 8, 12)

El malvado escucha en su interior
un oráculo del pecado:
«No tengo miedo a Dios,
ni en su presencia.»
Porque se hace la ilusión de que su culpa
no será descubierta ni aborrecida.

Las palabras de su boca son maldad y traición,
renuncia a ser sensato y a obrar bien;
acostado medita el crimen,
se obstina en el mal camino,
no rechaza la maldad.

Señor, tu misericordia llega al cielo,
tu fidelidad hasta las nubes,
tu justicia hasta las altas cordilleras;
tus sentencias son como el océano inmenso.

Tú socorres a hombres y animales;
¡qué inapreciable es tu misericordia, oh Dios!;
los humanos se acogen a la sombra de tus alas;

se nutren de lo sabroso de tu casa,
   les das a beber del torrente de tus delicias,
   porque en ti está la fuente viva
   y tu luz nos hace ver la luz.

Prolonga tu misericordia con los que te reconocen,
   tu justicia con los rectos de corazón;
   que no me pisotee el pie del soberbio,
   que no me eche fuera la mano del malvado.

Han fracasado los malhechores;
   derribados, no se pueden levantar.

Fuera del Tiempo pascual: Tu luz, Señor, nos hace ver la luz.

Tiempo pascual: En ti, Señor, está la fuente viva. Aleluya.

Antífona 2

Fuera del Tiempo pascual: Señor, tú eres grande, tu fuerza es invencible.

Tiempo pascual: Envías tu Espíritu, Señor, y renuevas la faz de la tierra. Aleluya.

Cántico   Jdt 16, 2-3. 15-19

HIMNO A DIOS, CREADOR DEL MUNDO
Y PROTECTOR DE SU PUEBLO

> Cantaban un cántico nuevo. (Apoc 5, 9)

¡Alaben a mi Dios con tambores,
   eleven cantos al Señor con cítaras,
   ofrézcanle los acordes de un salmo de alabanza,
   ensalcen e invoquen su nombre!
   Porque el Señor es un Dios quebrantador de guerras,
   su nombre es el Señor.

Cantaré a mi Dios un cántico nuevo:
   Señor, tú eres grande y glorioso,
   admirable en tu fuerza, invencible.

Que te sirva toda la creación,
   porque tú lo mandaste y existió;
   enviaste tu aliento y la construiste,
   nada puede resistir a tu voz.

Sacudirán las olas los cimientos de los montes,
   las peñas en tu presencia se derretirán como cera,
   pero tú serás propicio a tus fieles.

Fuera del Tiempo pascual: **Señor, tú eres grande, tu fuerza
es invencible.**

Tiempo pascual: **Envías tu Espíritu, Señor, y renuevas la
faz de la tierra. Aleluya.**

Antífona 3

Fuera del Tiempo pascual: **Aclamen a Dios con gritos de
júbilo.**

Tiempo pascual: **Dios reina sobre las naciones, toquen con
maestría. Aleluya.**

Salmo 46

ENTRONIZACIÓN DEL DIOS DE ISRAEL

> Está sentado a la derecha del
> Padre y su reino no tendrá fin.

Pueblos todos, batan palmas,
   aclamen a Dios con gritos de júbilo;
   porque el Señor es sublime y terrible,
   emperador de toda la tierra.

Él nos somete los pueblos
   y nos sojuzga las naciones;
   él nos escogió por heredad suya:
   gloria de Jacob, su amado.

Dios asciende entre aclamaciones;
   el Señor, al son de trompetas:

toquen para Dios, toquen,
toquen para nuestro Rey, toquen.

Porque Dios es el rey del mundo:
toquen con maestría.
Dios reina sobre las naciones,
Dios se sienta en su trono sagrado.

Los príncipes de los gentiles se reúnen
con el pueblo del Dios de Abraham;
porque de Dios son los grandes de la tierra,
y él es excelso.

Fuera del Tiempo pascual: Aclamen a Dios con gritos de júbilo.

Tiempo pascual: Dios reina sobre las naciones, toquen con maestría. Aleluya.

LECTURA BREVE   Tob 4, 16-17. 19-20

No hagas a nadie lo que no quieras que te hagan. Da de tu pan al hambriento y da tus vestidos al desnudo. Busca el consejo de los prudentes. Bendice al Señor en toda circunstancia, pídele que sean rectos todos tus caminos y que lleguen a buen fin todas tus sendas y proyectos.

RESPONSORIO BREVE

℣. Inclina, Señor, mi corazón a tus preceptos.
℟. Inclina, Señor, mi corazón a tus preceptos.
℣. Dame vida con tu palabra.
℟. Inclina, Señor, mi corazón a tus preceptos.
℣. Gloria al Padre, y al Hijo, y al Espíritu Santo.
℟. Inclina, Señor, mi corazón a tus preceptos.

CÁNTICO EVANGÉLICO

Ant. Realiza, Señor, con nosotros la misericordia y recuerda tu santa alianza.

Cántico de Zacarías, p. 27.

PRECES PARA CONSAGRAR A DIOS
EL DÍA Y EL TRABAJO

Demos gracias a Cristo y alabémoslo porque ha querido santificarnos y llamarnos hermanos suyos; digámosle, pues, confiados:

Santifica, Señor, a tus hermanos.

Concédenos, Señor, consagrar el principio de este día en honor de tu resurrección
— y haz que todos los trabajos que realicemos durante esta jornada te sean agradables.

Haz que sepamos descubrirte a ti en todos nuestros hermanos,
— sobre todo en los tristes, en los más pobres y en los que son menos útiles a los ojos del mundo.

Tú que para aumentar nuestra alegría y afianzar nuestra salvación nos das el nuevo día, signo de tu amor,
— renuévanos hoy y siempre para gloria de tu nombre.

Haz que durante este día estemos en paz con todo el mundo
— y que a nadie devolvamos mal por mal.

Se pueden añadir algunas intenciones libres.

Tal como Cristo nos enseñó, terminemos nuestra oración diciendo: Padre nuestro...

Oración conclusiva

Señor Dios, salvador nuestro, danos tu ayuda para que siempre deseemos las obras de la luz y realicemos la verdad: así, los que de ti hemos nacido en el bautismo, seremos tus testigos ante los hombres. Por nuestro Señor Jesucristo, tu Hijo...

℞. Amén.

CONCLUSIÓN

℣. El Señor nos bendiga, nos guarde de todo mal y nos lleve a la vida eterna.

℟. Amén.

Vísperas

INVOCACIÓN INICIAL

℣. Dios mío, ven en mi auxilio.

℟. Señor, date prisa en socorrerme.
Gloria al Padre... (Aleluya.)

HIMNO

Hora de la tarde,
fin de las labores,
Amo de las viñas,
paga los trabajos
de tus viñadores.

Al romper el día
nos apalabraste.
Cuidamos tu viña
del alba a la tarde.

Ahora que nos pagas,
nos lo das de balde,
que a jornal de gloria
no hay trabajo grande.

Das al de la tarde
lo que al mañanero.
Son tuyas las horas
y tuyo el viñedo.

A lo que sembramos
dale crecimiento.

Tú que eres la viña,
cuida los sarmientos. Amén.

SALMODIA

Antífona 1

Fuera del Tiempo pascual: El Señor es mi luz y mi salvación, ¿a quién temeré? †

Tiempo pascual: La diestra del Señor lo exaltó haciéndolo jefe y salvador. Aleluya.

Salmo 26

CONFIANZA ANTE EL PELIGRO

> Si Dios está con nosotros, ¿quién estará contra nosotros?, ¿quién podrá apartarnos del amor de Cristo? (Rom 8, 31. 35)

I

El Señor es mi luz y mi salvación,
    ¿a quién temeré?
† El Señor es la defensa de mi vida,
    ¿quién me hará temblar?

Cuando me asaltan los malvados
    para devorar mi carne,
    ellos, enemigos y adversarios,
    tropiezan y caen.

Si un ejército acampa contra mí,
    mi corazón no tiembla;
    si me declaran la guerra,
    me siento tranquilo.

Una cosa pido al Señor,
    eso buscaré:
    habitar en la casa del Señor
    por los días de mi vida;

gozar de la dulzura del Señor
contemplando su templo.

Él me protegerá en su tienda
el día del peligro;
me esconderá en lo escondido de su morada,
me alzará sobre la roca;

y así levantaré la cabeza
sobre el enemigo que me cerca;
en su tienda sacrificaré
sacrificios de aclamación:
cantaré y tocaré para el Señor.

Fuera del Tiempo pascual: El Señor es mi luz y mi salvación, ¿a quién temeré?

Tiempo pascual: La diestra del Señor lo exaltó haciéndolo jefe y salvador. Aleluya.

Antífona 2

Fuera del Tiempo pascual: Tu rostro buscaré, Señor, no me escondas tu rostro.

Tiempo pascual: Espero gozar de la dicha del Señor en el país de la vida. Aleluya.

> Algunos, poniéndose de pie, daban testimonio contra Jesús. (Mc 14, 57)

II

Escúchame, Señor, que te llamo;
ten piedad, respóndeme.

Oigo en mi corazón: «Busca mi rostro.»
Tu rostro buscaré, Señor,
no me escondas tu rostro.

No rechaces con ira a tu siervo,
que tú eres mi auxilio;

no me deseches, no me abandones,
Dios de mi salvación.

Si mi padre y mi madre me abandonan,
el Señor me recogerá.

Señor, enséñame tu camino,
guíame por la senda llana,
porque tengo enemigos.

No me entregues a la saña de mi adversario,
porque se levantan contra mí testigos falsos,
que respiran violencia.

Espero gozar de la dicha del Señor
en el país de la vida.

Espera en el Señor, sé valiente,
ten ánimo, espera en el Señor.

Fuera del Tiempo pascual: Tu rostro buscaré, Señor, no me escondas tu rostro.

Tiempo pascual: Espero gozar de la dicha del Señor en el país de la vida. Aleluya.

Antífona 3

Fuera del Tiempo pascual: Él es el primogénito de toda creatura, es el primero en todo.

Tiempo pascual: De él todo procede, por él existe todo, en él todo subsiste: a él la gloria por los siglos. Aleluya.

Cántico   Cfr. Col 1, 12-20

HIMNO A CRISTO, PRIMOGÉNITO DE TODA CREATURA
Y PRIMER RESUCITADO DE ENTRE LOS MUERTOS

Damos gracias a Dios Padre,
que nos ha hecho capaces de compartir
la herencia del pueblo santo en la luz.

Él nos ha sacado del dominio de las tinieblas,
y nos ha trasladado al reino de su Hijo querido,
por cuya sangre hemos recibido la redención,
el perdón de los pecados.

Él es imagen de Dios invisible,
primogénito de toda creatura;
pues por medio de él fueron creadas todas las cosas:
celestes y terrestres, visibles e invisibles,
tronos, dominaciones, principados, potestades;
todo fue creado por él y para él.

Él es anterior a todo, y todo se mantiene en él.
Él es también la cabeza del cuerpo de la Iglesia.
Él es el principio, el primogénito de entre los
    muertos,
y así es el primero en todo.

Porque en él quiso Dios que residiera toda plenitud.
Y por él quiso reconciliar consigo todas las cosas:
haciendo la paz por la sangre de su cruz
con todos los seres, así del cielo como de la tierra.

Fuera del Tiempo pascual: Él es el primogénito de toda creatura, es el primero en todo.

Tiempo pascual: De él todo procede, por él existe todo,
en él todo subsiste: a él la gloria por los siglos. Aleluya.

LECTURA BREVE   Sant 1, 22. 25

Lleven a la práctica la Palabra y no se limiten a escuchar-
la, engañándose a ustedes mismos. El que se concentra
en el estudio de la ley perfecta (la que hace libre) y es
constante no como oyente olvidadizo, sino para ponerla
por obra, éste encontrará la felicidad en practicarla.

RESPONSORIO BREVE

℣. Sálvame, Señor, y ten misericordia de mí.
℟. Sálvame, Señor, y ten misericordia de mí.

℣. No arrebates mi alma con los pecadores.

℟. Ten misericordia de mí.

℣. Gloria al Padre, y al Hijo, y al Espíritu Santo.

℟. Sálvame, Señor, y ten misericordia de mí.

CÁNTICO EVANGÉLICO

Ant. El Poderoso ha hecho obras grandes por mí: su nombre es santo.

Cántico de la Santísima Virgen María, p. 18.

PRECES O INTERCESIONES

Oremos, hermanos, a Dios Padre, que en su amor nos mira como hijos, y digámosle:

Muéstranos, Señor, la abundancia de tu amor.

Acuérdate, Señor, de tu Iglesia: guárdala de todo mal
— y haz que crezca en tu amor.

Que todos los pueblos, Señor, te reconozcan como el único Dios verdadero
— y a Jesucristo como el Salvador, que tú has enviado.

A nuestros parientes y bienhechores concédeles tus bienes
— y que tu bondad les dé la vida eterna.

Te pedimos, Señor, por los trabajadores que sufren: alivia sus dificultades
— y haz que todos los hombres reconozcan su dignidad.

Se pueden añadir algunas intenciones libres.

En tu misericordia acoge a los que hoy han muerto
— y dales posesión de tu reino.

Unidos fraternalmente como hermanos de una misma familia, invoquemos a nuestro Padre común: Padre nuestro...

Oración conclusiva

Escucha, Señor, nuestras súplicas y protégenos durante el día y durante la noche: tú que eres siempre inmutable da firmeza a los que vivimos sujetos a la sucesión de los tiempos y de las horas. Por nuestro Señor Jesucristo, tu Hijo...

℟. Amén.

Conclusión

℣. El Señor nos bendiga, nos guarde de todo mal y nos lleve a la vida eterna.

℟. Amén.

JUEVES I

Laudes

Invocación inicial

℣. Señor, abre mis labios.

℟. Y mi boca proclamará tu alabanza.

Puede añadirse el salmo 94 (p. 20), con su antífona correspondiente. En el Tiempo ordinario se dice:

Vengan, adoremos al Señor, porque él es nuestro Dios.

Himno

Crece la luz bajo tu hermosa mano,
Padre celeste, y suben
los hombres matutinos al encuentro
de Cristo primogénito.

Él hizo amanecer ante tus ojos
y enalteció la aurora,
cuando aún no estaba el hombre sobre el mundo
para poder cantarla.

Él es principio y fin del universo,
y el tiempo, en su caída,
se acoge al que es la fuerza de las cosas
y en él rejuvenece.

Él es quien nos reanima y fortalece,
y hace posible el himno
que, ante las maravillas de tus manos,
cantamos jubilosos.

He aquí la nueva luz que asciende y busca
su cuerpo misterioso;
he aquí, en la claridad de la mañana,
el signo de tu rostro.

Envía, Padre eterno, sobre el mundo
el soplo de tu Hijo,
potencia de tu diestra y primogénito
de todos los que mueren. Amén.

SALMODIA

Antífona 1

Fuera del Tiempo pascual: **Despierten, cítara y arpa; despertaré a la aurora.**

Tiempo pascual: **Elévate sobre el cielo, Dios mío. Aleluya.**

Salmo 56

ORACIÓN MATUTINA DE UN AFLIGIDO

Este salmo canta la pasión del
Señor. (S. Agustín)

Misericordia, Dios mío, misericordia,
que mi alma se refugia en ti;
me refugio a la sombra de tus alas
mientras pasa la calamidad.

Invoco al Dios Altísimo,
al Dios que hace tanto por mí:

desde el cielo me enviará la salvación,
confundirá a los que ansían matarme,
enviará su gracia y su lealtad.

Estoy echado entre leones
devoradores de hombres;
sus dientes son lanzas y flechas,
su lengua es una espada afilada.

Elévate sobre el cielo, Dios mío,
y llene la tierra tu gloria.

Han tendido una red a mis pasos
para que sucumbiera;
me han cavado delante una fosa,
pero han caído en ella.

Mi corazón está firme, Dios mío,
mi corazón está firme.
Voy a cantar y a tocar:
despierta, gloria mía;
despierten, cítara y arpa;
despertaré a la aurora.

Te daré gracias ante los pueblos, Señor;
tocaré para ti ante las naciones:
por tu bondad, que es más grande que los cielos;
por tu fidelidad, que alcanza a las nubes.

Elévate sobre el cielo, Dios mío,
y llene la tierra tu gloria.

Fuera del Tiempo pascual: Despierten, cítara y arpa; despertaré a la aurora.

Tiempo pascual: Elévate sobre el cielo, Dios mío. Aleluya.

Antífona 2

Fuera del Tiempo pascual: «Mi pueblo se saciará de mis bienes», dice el Señor.

Tiempo pascual: El Señor redimió a su pueblo. Aleluya.

Cántico   Jer 31, 10-14

FELICIDAD DEL PUEBLO REDIMIDO

> Jesús iba a morir... para reunir a los hijos de Dios dispersos. (Jn 11, 51. 52)

Escuchen, pueblos, la palabra del Señor,
  anúncienla en las islas remotas:
«El que dispersó a Israel lo reunirá,
  lo guardará como un pastor a su rebaño;
porque el Señor redimió a Jacob,
  lo rescató de una mano más fuerte.»

Vendrán con aclamaciones a la altura de Sión,
  afluirán hacia los bienes del Señor:
hacia el trigo y el vino y el aceite,
  y los rebaños de ovejas y de vacas;
su alma será como un huerto regado,
  y no volverán a desfallecer.

Entonces se alegrará la doncella en la danza,
  gozarán los jóvenes y los viejos;
convertiré su tristeza en gozo,
  los alegraré y aliviaré sus penas;
alimentaré a los sacerdotes con manjares
    sustanciosos,
  y mi pueblo se saciará de mis bienes.

Fuera del Tiempo pascual: «Mi pueblo se saciará de mis bienes», dice el Señor.

Tiempo pascual: El Señor redimió a su pueblo. Aleluya.

Antífona 3

Fuera del Tiempo pascual: **Grande es el Señor y muy digno de alabanza en la ciudad de nuestro Dios.** †

Tiempo pascual: Éste es nuestro Dios por siempre jamás.
Aleluya.

Salmo 47

HIMNO A LA GLORIA DE JERUSALÉN

> Me transportó en espíritu a un monte altísimo y me enseñó la ciudad santa, Jerusalén. (Apoc 21, 10)

Grande es el Señor y muy digno de alabanza
   en la ciudad de nuestro Dios,
† su monte santo, altura hermosa,
   alegría de toda la tierra:

el monte Sión, vértice del cielo,
   ciudad del gran rey;
   entre sus palacios,
   Dios descuella como un alcázar.

Miren: los reyes se aliaron
   para atacarla juntos;
   pero, al verla, quedaron aterrados
   y huyeron despavoridos;

allí los agarró un temblor
   y dolores como de parto;
   como un viento del desierto,
   que destroza las naves de Tarsis.

Lo que habíamos oído lo hemos visto
   en la ciudad del Señor de los ejércitos,
   en la ciudad de nuestro Dios:
   que Dios la ha fundado para siempre.

¡Oh Dios!, meditamos tu misericordia
   en medio de tu templo:
   como tu renombre, ¡oh Dios!, tu alabanza
   llega al confín de la tierra;

tu diestra está llena de justicia:
   el monte Sión se alegra,

las ciudades de Judá se gozan
con tus sentencias.

Den la vuelta en torno a Sión,
contando sus torreones;
fíjense en sus baluartes,
observen sus palacios,

para poder decirle a la próxima generación:
«Éste es el Señor, nuestro Dios.»
Él nos guiará por siempre jamás.

Fuera del Tiempo pascual: Grande es el Señor y muy digno
de alabanza en la ciudad de nuestro Dios.

Tiempo pascual: Éste es nuestro Dios por siempre jamás.
Aleluya.

LECTURA BREVE   Is 66, 1-2

Así dice el Señor: «El cielo es mi trono y la tierra el
estrado de mis pies: ¿Qué templo podrán construirme?;
¿o qué lugar para mi descanso? Todo esto lo hicieron
mis manos, todo es mío —oráculo del Señor—. En ése
pondré mis ojos: en el humilde y el abatido que se
estremece ante mis palabras.»

RESPONSORIO BREVE

℣. Te invoco de todo corazón, respóndeme, Señor.
℟. Te invoco de todo corazón, respóndeme, Señor.
℣. Guardaré tus leyes.
℟. Respóndeme, Señor.
℣. Gloria al Padre, y al Hijo, y al Espíritu Santo.
℟. Te invoco de todo corazón, respóndeme, Señor.

CÁNTICO EVANGÉLICO

Ant. Sirvamos al Señor con santidad y nos librará de la
mano de nuestros enemigos.

Cántico de Zacarías, p. 27.

PRECES PARA CONSAGRAR A DIOS
EL DÍA Y EL TRABAJO

Demos gracias a Cristo que nos ha dado la luz del día y supliquémosle diciendo:

Bendícenos y santifícanos, Señor.

Tú que te entregaste como víctima por nuestros pecados,
— acepta los deseos y las acciones de este día.

Tú que nos alegras con la claridad del nuevo día,
— sé tú mismo el lucero brillante de nuestros corazones.

Haz que seamos bondadosos y comprensivos con los que nos rodean
— para que logremos así ser imágenes de tu bondad.

En la mañana haznos escuchar tu gracia
— y que tu gozo sea hoy nuestra fortaleza.

Se pueden añadir algunas intenciones libres.

Fieles a la recomendación del Salvador, digamos llenos de confianza filial: Padre nuestro...

Oración conclusiva

Dios todopoderoso y eterno, humildemente acudimos a ti, al empezar el día, a media jornada y al atardecer, para pedirte que, alejando de nosotros las tinieblas del pecado, nos hagas alcanzar la luz verdadera que es Cristo. Que vive y reina contigo...

℞. Amén.

CONCLUSIÓN

℣. El Señor nos bendiga, nos guarde de todo mal y nos lleve a la vida eterna.

℞. Amén.

Vísperas

℣. Dios mío, ven en mi auxilio.
℟. Señor, date prisa en socorrerme.
Gloria al Padre... (Aleluya.)

HIMNO

Vengo, Señor, cansado;
¡cuánta fatiga
van cargando mis hombros
al fin del día!
Dame tu fuerza
y una caricia tuya
para mis penas.

Salí por la mañana
entre los hombres,
¡y encontré tantos ricos
que estaban pobres!
La tierra llora,
porque sin ti la vida
es poca cosa.

¡Tantos hombres maltrechos,
sin ilusiones!;
en ti buscan asilo
sus manos torpes.
Tu amor amigo,
todo tu santo fuego,
para su frío.

Yo roturé la tierra
y puse trigo;
tú diste el crecimiento
para tus hijos.

Así, en la tarde,
con el cansancio a cuestas,
te alabo, Padre.

Quiero todos los días
salir contigo,
y volver a la tarde
siendo tu amigo.
Volver a casa
y extenderte las manos,
dándote gracias. Amén.

SALMODIA

Antífona 1

Fuera del Tiempo pascual: **Señor, Dios mío, a ti grité, y tú me sanaste; te daré gracias por siempre.**

Tiempo pascual: **Cambiaste mi luto en gozo. Aleluya.**

Salmo 29

ACCIÓN DE GRACIAS POR LA CURACIÓN DE UN ENFERMO EN PELIGRO DE MUERTE

> Cristo, después de su gloriosa resurrección, da gracias al Padre. (Casiodoro)

Te ensalzaré, Señor, porque me has librado
    y no has dejado que mis enemigos se rían de mí.

Señor, Dios mío, a ti grité,
    y tú me sanaste.
Señor, sacaste mi vida del abismo,
    me hiciste revivir cuando bajaba a la fosa.

Tañan para el Señor, fieles suyos,
    den gracias a su nombre santo;

su cólera dura un instante;
su bondad, de por vida;
al atardecer nos visita el llanto,
por la mañana, el júbilo.

Yo pensaba muy seguro:
«No vacilaré jamás.»
Tu bondad, Señor, me aseguraba
el honor y la fuerza;
pero escondiste tu rostro,
y quedé desconcertado.

A ti, Señor, llamé,
supliqué a mi Dios:
«¿Qué ganas con mi muerte,
con que yo baje a la fosa?

¿Te va a dar gracias el polvo,
o va a proclamar tu lealtad?
Escucha, Señor, y ten piedad de mí;
Señor, socórreme.»

Cambiaste mi luto en danzas,
me desataste el sayal y me has vestido de fiesta;
te cantará mi alma sin callarse.
Señor, Dios mío, te daré gracias por siempre.

Fuera del Tiempo pascual: Señor, Dios mío, a ti grité, y tú
me sanaste; te daré gracias por siempre.

Tiempo pascual: Cambiaste mi luto en gozo. Aleluya.

Antífona 2

Fuera del Tiempo pascual: Dichoso el hombre a quien el
Señor no le apunta el delito.

Tiempo pascual: Hemos sido reconciliados con Dios por
la muerte de su Hijo. Aleluya.

Salmo 31

ACCIÓN DE GRACIAS DE UN PECADOR PERDONADO

> David proclama dichoso al hombre
> a quien Dios confiere la justifica-
> ción haciendo caso omiso de las
> obras. (Rom 4, 6)

Dichoso el que está absuelto de su culpa,
    a quien le han sepultado su pecado;
    dichoso el hombre a quien el Señor
    no le apunta el delito.

Mientras callé se consumían mis huesos,
    rugiendo todo el día,
    porque día y noche tu mano
    pesaba sobre mí;
    mi savia se me había vuelto
    un fruto seco.

Había pecado, lo reconocí,
    no te encubrí mi delito;
    propuse: «Confesaré al Señor mi culpa»,
    y tú perdonaste mi culpa y mi pecado.

Por eso, que todo fiel te suplique
    en el momento de la desgracia:
    la crecida de las aguas caudalosas
    no lo alcanzará.

Tú eres mi refugio, me libras del peligro,
    me rodeas de cantos de liberación.

Te instruiré y te enseñaré el camino que has de seguir,
    fijaré en ti mis ojos.

No sean irracionales como caballos y mulos,
    cuyo brío hay que domar con freno y brida;
    si no, no puedes acercarte.

Los malvados sufren muchas penas;
al que confía en el Señor,
la misericordia lo rodea.

Alégrense, justos, y gocen con el Señor,
aclámenlo los de corazón sincero.

Fuera del Tiempo pascual: Dichoso el hombre a quien el Señor no le apunta el delito.

Tiempo pascual: Hemos sido reconciliados con Dios por la muerte de su Hijo. Aleluya.

Antífona 3

Fuera del Tiempo pascual: El Señor le dio el poder, el honor y el reino, y todos los pueblos lo servirán.

Tiempo pascual: ¿Quién como tú, Señor, entre los dioses? ¿Quién como tú, terrible entre los santos? Aleluya.

Cántico   Apoc 11, 17-18; 12, 10b-12a
EL JUICIO DE DIOS

Gracias te damos, Señor Dios omnipotente,
el que eres y el que eras,
porque has asumido el gran poder
y comenzaste a reinar.

Se encolerizaron las naciones,
llegó tu cólera,
y el tiempo de que sean juzgados los muertos,
y de dar el galardón a tus siervos los profetas,
y a los santos y a los que temen tu nombre,
y a los pequeños y a los grandes,
y de arruinar a los que arruinaron la tierra.

Ahora se estableció la salud y el poderío,
y el reinado de nuestro Dios,
y la potestad de su Cristo;
porque fue precipitado

el acusador de nuestros hermanos,
el que los acusaba ante nuestro Dios día y noche.

Ellos lo vencieron en virtud de la sangre del Cordero
y por la palabra del testimonio que dieron,
y no amaron tanto su vida que temieran la muerte.
Por esto, estén alegres, cielos,
y los que moran en sus tiendas.

Fuera del Tiempo pascual: El Señor le dio el poder, el honor y el reino, y todos los pueblos lo servirán.

Tiempo pascual: ¿Quién como tú, Señor, entre los dioses? ¿Quién como tú, terrible entre los santos? Aleluya.

LECTURA BREVE   1 Pe 1, 6-9
Salten de júbilo, aunque de momento tengan que sufrir un poco en diversas pruebas. Así la pureza de su fe resultará más preciosa que el oro (que, aun después de acrisolado por el fuego, perece) y será para alabanza y gloria y honor de ustedes en el día de la manifestación de Jesucristo. A él no lo han visto, y lo aman; en él creen ahora, aunque no lo ven; y se regocijarán con un gozo inefable y radiante, al recibir el fruto de su fe, la salud de sus almas.

RESPONSORIO BREVE

℣. Nos alimentó el Señor con flor de harina.
℟. Nos alimentó el Señor con flor de harina.
℣. Nos sació con miel silvestre.
℟. Con flor de harina.
℣. Gloria al Padre, y al Hijo, y al Espíritu Santo.
℟. Nos alimentó el Señor con flor de harina.

CÁNTICO EVANGÉLICO
Ant. El Señor derriba del trono a los poderosos y enaltece a los humildes.

Cántico de la Santísima Virgen María, p. 18.

PRECES O INTERCESIONES

Invoquemos a Dios, nuestro refugio y nuestra fortaleza, y digámosle:

Escucha, Señor, nuestra oración.

Dios de amor, que has hecho alianza con tu pueblo,
— haz que recordemos siempre tus maravillas.

Que los sacerdotes, Señor, crezcan en la caridad
— y que los fieles vivan en la unidad del Espíritu y en el vínculo de la paz.

Que el mundo prospere y avance según tus designios
— y que los que lo construyen no trabajen en vano.

Envía, Señor, operarios a tu mies
— para que tu nombre sea conocido en el mundo.

Se pueden añadir algunas intenciones libres.

A nuestros familiares y bienhechores difuntos dales un lugar entre los santos
— y haz que nosotros un día nos encontremos con ellos en tu reino.

Ya que por Jesucristo hemos llegado a ser hijos de Dios, nos atrevemos a decir: Padre nuestro...

Oración conclusiva

Tú, Señor, que iluminas la noche y haces que después de las tinieblas amanezca nuevamente la luz, haz que, durante la noche que ahora comienza, nos veamos exentos de toda culpa y que, al clarear el nuevo día, podamos reunirnos otra vez en tu presencia para darte gracias nuevamente. Por nuestro Señor Jesucristo, tu Hijo...

℟. Amén.

CONCLUSIÓN

℣. El Señor nos bendiga, nos guarde de todo mal y nos lleve a la vida eterna.

℟. Amén.

VIERNES I

Laudes

℣. Señor, abre mis labios.

℟. Y mi boca proclamará tu alabanza.

Puede añadirse el salmo 94 (p. 20), con su antífona correspondiente. En el Tiempo ordinario se dice:

Den gracias al Señor, porque es eterna su misericordia.

Himno

Edificaste una torre
para tu huerta florida;
un lagar para tu vino
y, para el vino, una viña.

Y la viña no dio uvas,
ni el lagar buena bebida:
sólo racimos amargos
y zumos de amarga tinta.

Edificaste una torre,
Señor, para tu guarida;
un huerto de dulces frutos,
una noria de aguas limpias,
un blanco silencio de horas
y un verde beso de brisas.

Y esta casa que es tu torre,
este mi cuerpo de arcilla,
esta sangre que es tu sangre
y esta herida que es tu herida
te dieron frutos amargos,
amargas uvas y espinas.

¡Rompe, Señor, tu silencio,
rompe tu silencio y grita!
Que mi lagar enrojezca
cuando tu planta lo pise,
y que tu mesa se endulce
con el vino de tu viña. Amén.

SALMODIA

Antífona 1

Fuera del Tiempo pascual: **Aceptarás los sacrificios, ofrendas y holocaustos, sobre tu altar, Señor.**

Tiempo pascual: **Acuérdate de mí, Señor Jesús, cuando llegues a tu reino. Aleluya.**

Salmo 50

CONFESIÓN DEL PECADOR ARREPENTIDO

> Renuévense en la mente y en el espíritu y vístanse de la nueva condición humana. (Cfr Ef 4, 23-24)

Misericordia, Dios mío, por tu bondad;
    por tu inmensa compasión borra mi culpa;
    lava del todo mi delito,
    limpia mi pecado.

Pues yo reconozco mi culpa,
    tengo siempre presente mi pecado:
    contra ti, contra ti solo pequé,
    cometí la maldad que aborreces.

En la sentencia tendrás razón,
    en el juicio brillará tu rectitud.
    Mira, que en la culpa nací,
    pecador me concibió mi madre.

Te gusta un corazón sincero,
    y en mi interior me inculcas sabiduría.

Rocíame con el hisopo: quedaré limpio;
lávame: quedaré más blanco que la nieve.

Hazme oír el gozo y la alegría,
que se alegren los huesos quebrantados.
Aparta de mi pecado tu vista,
borra en mí toda culpa.

¡Oh Dios!, crea en mí un corazón puro,
renuévame por dentro con espíritu firme;
no me arrojes lejos de tu rostro,
no me quites tu santo espíritu.

Devuélveme la alegría de tu salvación,
afiánzame con espíritu generoso:
enseñaré a los malvados tus caminos,
los pecadores volverán a ti.

Líbrame de la sangre, ¡oh Dios,
Dios, Salvador mío!,
y cantará mi lengua tu justicia.
Señor, me abrirás los labios,
y mi boca proclamará tu alabanza.

Los sacrificios no te satisfacen;
si te ofreciera un holocausto, no lo querrías.
Mi sacrificio es un espíritu quebrantado:
un corazón quebrantado y humillado
tú no lo desprecias.

Señor, por tu bondad, favorece a Sión,
reconstruye las murallas de Jerusalén:
entonces aceptarás los sacrificios rituales,
ofrendas y holocaustos,
sobre tu altar se inmolarán novillos.

Fuera del Tiempo pascual: Aceptarás los sacrificios, ofrendas y holocaustos, sobre tu altar, Señor.

Tiempo pascual: Acuérdate de mí, Señor Jesús, cuando llegues a tu reino. Aleluya.

Antífona 2

Fuera del Tiempo pascual: Con el Señor triunfará y se gloriará la estirpe de Israel.

Tiempo pascual: Es verdad: tú eres un Dios escondido, el Dios de Israel, el Salvador. Aleluya. †

Cántico   Is 45, 15-25

QUE LOS PUEBLOS TODOS SE CONVIERTAN AL SEÑOR

> Al nombre de Jesús toda rodilla se doble. (Flp 2, 10)

Es verdad: tú eres un Dios escondido,
  el Dios de Israel, el Salvador.
† Se avergüenzan y se sonrojan todos por igual,
  se van avergonzados los fabricantes de ídolos;
  mientras el Señor salva a Israel
  con una salvación perpetua,
  para que no se avergüencen ni se sonrojen
  nunca jamás.

Así dice el Señor, creador del cielo
  —él es Dios—,
  él modeló la tierra,
  la fabricó y la afianzó;
  no la creó vacía,
  sino que la formó habitable:
  «Yo soy el Señor y no hay otro.»

No te hablé a escondidas,
  en un país tenebroso,
  no dije a la estirpe de Jacob:
  «Búsquenme en el vacío.»

Yo soy el Señor que pronuncia sentencia
  y declara lo que es justo.
  Reúnanse, vengan, acérquense juntos,
  supervivientes de las naciones.

No discurren los que llevan su ídolo de madera,
y rezan a un dios que no puede salvar.

Declaren, aduzcan pruebas,
que deliberen juntos:
¿Quién anunció esto desde antiguo,
quién lo predijo desde entonces?
¿No fui yo, el Señor?
—No hay otro Dios fuera de mí—.

Yo soy un Dios justo y salvador,
y no hay ninguno más.

Vuélvanse hacia mí para salvarlos,
confines de la tierra,
pues yo soy Dios y no hay otro.

Yo juro por mi nombre,
de mi boca sale una sentencia,
una palabra irrevocable:
«Ante mí se doblará toda rodilla,
por mí jurará toda lengua»,
dirán: «Sólo el Señor
tiene la justicia y el poder.»

A él vendrán avergonzados
los que se enardecían contra él,
con el Señor triunfará y se gloriará
la estirpe de Israel.

Fuera del Tiempo pascual: Con el Señor triunfará y se
gloriará la estirpe de Israel.

Tiempo pascual: Es verdad: tú eres un Dios escondido,
el Dios de Israel, el Salvador. Aleluya.

Antífona 3

Fuera del Tiempo pascual: Entren en la presencia del Señor
con aclamaciones.

Tiempo pascual: Sirvan al Señor con alegría. Aleluya.

Salmo 99

ALEGRÍA DE LOS QUE ENTRAN EN EL TEMPLO

> Los redimidos deben entonar un
> canto de victoria. (S. Atanasio)

Aclama al Señor, tierra entera,
   sirvan al Señor con alegría,
   entren en su presencia con aclamaciones.

Sepan que el Señor es Dios:
   que él nos hizo y somos suyos,
   su pueblo y ovejas de su rebaño.

Entren por sus puertas con acción de gracias,
   por sus atrios con himnos,
   dándole gracias y bendiciendo su nombre:

«El Señor es bueno,
   su misericordia es eterna,
   su fidelidad por todas las edades.»

Fuera del Tiempo pascual: Entren en la presencia del Señor
con aclamaciones.

Tiempo pascual: Sirvan al Señor con alegría. Aleluya.

LECTURA BREVE   Ef 4, 29-32

No salga de su boca palabra desedificante, sino la que
sirva para la necesaria edificación, comunicando la gracia
a los oyentes. Y no provoquen más al Santo Espíritu de
Dios, con el cual fueron marcados para el día de la
redención. Destierren de entre ustedes todo exacerba-
miento, animosidad, ira, pendencia, insulto y toda clase
de maldad. Sean, por el contrario, bondadosos y com-
pasivos unos con otros, y perdónense mutuamente como
también Dios los ha perdonado en Cristo.

Responsorio breve

℣. En la mañana hazme escuchar tu gracia.
℟. En la mañana hazme escuchar tu gracia.
℣. Indícame el camino que he de seguir.
℟. Hazme escuchar tu gracia.
℣. Gloria al Padre, y al Hijo, y al Espíritu Santo.
℟. En la mañana hazme escuchar tu gracia.

Cántico evangélico

Ant. El Señor ha visitado y redimido a su pueblo.

Cántico de Zacarías, p. 27.

Preces para consagrar a Dios
el día y el trabajo

Adoremos a Cristo, que salvó al mundo con su cruz, y supliquémosle diciendo:

Señor, ten misericordia de nosotros.

Señor Jesucristo, cuya claridad es nuestro sol y nuestro día,
— haz que, desde el amanecer, desaparezca de nosotros todo sentimiento malo.

Vela, Señor, sobre nuestros pensamientos, palabras y obras,
— a fin de que nuestro día sea agradable ante tus ojos.

Aparta de nuestros pecados tu vista,
— y borra en nosotros toda culpa.

Por tu cruz y tu resurrección,
— llénanos del gozo del Espíritu Santo.

Se pueden añadir algunas intenciones libres.

Ya que somos hijos de Dios, oremos a nuestro Padre como Cristo nos enseñó: Padre nuestro...

Oración conclusiva

Dios misericordioso, que has iluminado las tinieblas de nuestra ignorancia con la luz de tu palabra: acrecienta en nosotros la fe que tú mismo nos has dado; que ninguna tentación pueda nunca destruir el ardor de la fe y de la caridad que tu gracia ha encendido en nuestro espíritu. Por nuestro Señor Jesucristo, tu Hijo...

℟. Amén.

CONCLUSIÓN

℣. El Señor nos bendiga, nos guarde de todo mal y nos lleve a la vida eterna.

℟. Amén.

Vísperas

INVOCACIÓN INICIAL

℣. Dios mío, ven en mi auxilio.

℟. Señor, date prisa en socorrerme.
Gloria al Padre... (Aleluya.)

HIMNO

Calor de Dios en sangre redentora,
y un río de piedad en tu costado;
bajo tu cruz quédeme arrodillado,
con ansia y gratitud siempre deudora.

Conózcate, oh Cristo, en esta hora
de tu perdón; mi beso apasionado,
de ardientes labios en tu pie clavado,
sea flecha de amor y paz de aurora.

Conózcame en tu vía dolorosa
y conozca, Señor, en los fulgores
de tus siete palabras, mi caída;

que en esta cruz pujante y misteriosa
pongo, sobre el amor de mis amores,
el amor entrañable de mi vida. Amén.

SALMODIA

Antífona 1

Fuera del Tiempo pascual: **Sáname, Señor, porque he pecado contra ti.**

Tiempo pascual: **Cristo por nosotros se hizo pobre a fin de que nosotros nos enriqueciéramos. Aleluya.**

Salmo 40

ORACIÓN DE UN ENFERMO

> Uno de ustedes me va a entregar:
> uno que está comiendo conmigo.
> (Mc 14, 18)

Dichoso el que cuida del pobre y desvalido;
en el día aciago lo pondrá a salvo el Señor.

El Señor lo guarda y lo conserva en vida,
para que sea dichoso en la tierra,
y no lo entrega a la saña de sus enemigos.

El Señor lo sostendrá en el lecho del dolor,
calmará los dolores de su enfermedad.

Yo dije: «Señor, ten misericordia,
sáname, porque he pecado contra ti.»

Mis enemigos me desean lo peor:
«A ver si se muere y se acaba su apellido.»

El que viene a verme habla con fingimiento,
disimula su mala intención,
y cuando sale, la dice.

Mis adversarios se reúnen a murmurar contra mí,
hacen cálculos siniestros:

«Padece un mal sin remedio,
se acostó para no levantarse.»

Incluso mi amigo, de quien yo me fiaba,
que compartía mi pan,
es el primero en traicionarme.

Pero tú, Señor, apiádate de mí,
haz que pueda levantarme,
para que yo les dé su merecido.

En esto conozco que me amas:
en que mi enemigo no triunfa sobre mí.

A mí, en cambio, me conservas la salud,
me mantienes siempre en tu presencia.

Bendito el Señor, Dios de Israel,
ahora y por siempre. Amén, amén.

Fuera del Tiempo pascual: Sáname, Señor, porque he pecado contra ti.

Tiempo pascual: Cristo por nosotros se hizo pobre a fin de que nosotros nos enriqueciéramos. Aleluya.

Antífona 2

Fuera del Tiempo pascual: El Señor de los ejércitos está con nosotros, nuestro alcázar es el Dios de Jacob.

Tiempo pascual: El correr de las acequias alegra la ciudad de Dios. Aleluya.

Salmo 45

DIOS, REFUGIO Y FORTALEZA DE SU PUEBLO

> Le pondrán por nombre Emmanuel,
> que significa «Dios-con-nosotros».
> (Mt 1, 23)

Dios es nuestro refugio y nuestra fuerza,
poderoso defensor en el peligro.

Por eso no tememos aunque tiemble la tierra
y los montes se desplomen en el mar.

Que hiervan y bramen sus olas,
que sacudan a los montes con su furia:

El Señor de los ejércitos está con nosotros,
nuestro alcázar es el Dios de Jacob.

El correr de las acequias alegra la ciudad de Dios,
el Altísimo consagra su morada.

Teniendo a Dios en medio, no vacila;
Dios la socorre al despuntar la aurora.

Los pueblos se amotinan, los reyes se rebelan;
pero él lanza su trueno y se tambalea la tierra.

El Señor de los ejércitos está con nosotros,
nuestro alcázar es el Dios de Jacob.

Vengan a ver las obras del Señor,
las maravillas que hace en la tierra:

Pone fin a la guerra hasta el extremo del orbe,
rompe los arcos, quiebra las lanzas,
prende fuego a los escudos.

«Ríndanse, reconozcan que yo soy Dios:
más alto que los pueblos, más alto que la tierra.»

El Señor de los ejércitos está con nosotros,
nuestro alcázar es el Dios de Jacob.

Fuera del Tiempo pascual: El Señor de los ejércitos está
con nosotros, nuestro alcázar es el Dios de Jacob.

Tiempo pascual: El correr de las acequias alegra la ciudad
de Dios. Aleluya.

Antífona 3

Fuera del Tiempo pascual: Vendrán todas las naciones y
se postrarán en tu acatamiento, Señor.

Tiempo pascual: Cantemos al Señor, sublime es su victoria. Aleluya.

Cántico   Apoc 15, 3-4
CANTO DE LOS VENCEDORES

Grandes y maravillosas son tus obras,
    Señor, Dios omnipotente,
    justos y verdaderos tus caminos,
    ¡oh Rey de los siglos!

¿Quién no temerá, Señor,
    y glorificará tu nombre?
    Porque tú solo eres santo,
    porque vendrán todas las naciones
    y se postrarán en tu acatamiento,
    porque tus juicios se hicieron manifiestos.

Fuera del Tiempo pascual: Vendrán todas las naciones y se postrarán en tu acatamiento, Señor.

Tiempo pascual: Cantemos al Señor, sublime es su victoria. Aleluya.

LECTURA BREVE   Rom 15, 1-3
Los fuertes debemos sobrellevar las flaquezas de los débiles, sin complacernos a nosotros mismos. Cada uno cuide de complacer al prójimo para su bien, para su edificación; que Cristo no buscó su propia complacencia, según está escrito: «Sobre mí cayeron los ultrajes de quienes te ultrajaron.»

RESPONSORIO BREVE

℣. Cristo nos ama y nos ha absuelto
    por la virtud de su sangre.
℞. Cristo nos ama y nos ha absuelto
    por la virtud de su sangre.

℣. Y ha hecho de nosotros reino y sacerdotes
para el Dios y Padre suyo.

℟. Por la virtud de su sangre.

℣. Gloria al Padre, y al Hijo, y al Espíritu Santo.

℟. Cristo nos ama y nos ha absuelto
por la virtud de su sangre.

CÁNTICO EVANGÉLICO

Ant. El Señor nos auxilia a nosotros, sus siervos, acordándose de su misericordia.

Cántico de la Santísima Virgen María, p. 18.

PRECES O INTERCESIONES

Bendigamos a Dios que escucha con amor la oración
de los humildes y a los hambrientos los colma de bienes;
digámosle confiados:

Muéstranos, Señor, tu misericordia.

Señor, Padre lleno de amor, te pedimos por todos
los miembros de la Iglesia que sufren:
— acuérdate que por ellos, Cristo, cabeza de la Iglesia,
ofreció en la cruz el verdadero sacrificio vespertino.

Libra a los encarcelados, ilumina a los que viven en
tinieblas, sé la ayuda de las viudas y de los huérfanos,
— y haz que todos nos preocupemos de los que sufren.

Concede a tus hijos la fuerza necesaria
— para resistir las tentaciones del Maligno.

Acude en nuestro auxilio, Señor, cuando llegue la
hora de nuestra muerte:
— que seamos fieles hasta el fin y dejemos este mundo
en tu paz.

Se pueden añadir algunas intenciones libres.

Conduce a los difuntos a la luz donde tú habitas
— para que puedan contemplarte eternamente.

Fieles a la recomendación del Salvador, nos atrevemos
a decir: Padre nuestro...

Oración conclusiva

Te pedimos, Señor, que los que hemos sido alecciona-
dos con los ejemplos de la pasión de tu Hijo estemos
siempre dispuestos a cargar con su yugo llevadero y con
su carga ligera. Por nuestro Señor Jesucristo, tu Hijo...

℟. Amén.

CONCLUSIÓN

℣. El Señor nos bendiga, nos guarde de todo mal y nos
lleve a la vida eterna.

℟. Amén.

SÁBADO I

Laudes

INVOCACIÓN INICIAL

℣. Señor, abre mis labios.

℟. Y mi boca proclamará tu alabanza.

Puede añadirse el salmo 94 (p. 20), con su antífona correspondiente. En el Tiempo ordinario se dice:

Del Señor es la tierra y cuanto la llena; vengan, adorémoslo.

HIMNO

En el nombre del Padre, del Hijo y del Espíritu,
salimos de la noche y estrenamos la aurora;

saludamos el gozo de la luz que nos llega
resucitada y resucitadora.

Tu mano acerca el fuego a la tierra sombría,
y el rostro de las cosas se alegra en tu presencia;
silabeas el alba igual que una palabra,
tú pronuncias el mar como sentencia.

Regresa, desde el sueño, el hombre a su memoria,
acude a su trabajo, madruga a sus dolores;
le confías la tierra, y a la tarde la encuentras
rica de pan y amarga de sudores.

Y tú te regocijas, oh Dios, y tú prolongas
en sus pequeñas manos tus manos poderosas,
y estáis de cuerpo entero los dos así creando,
los dos así velando por las cosas.

¡Bendita la mañana que trae la noticia
de tu presencia joven, en gloria y poderío,
la serena certeza con que el día proclama
que el sepulcro de Cristo está vacío! Amén.

SALMODIA

Antífona 1

Fuera del Tiempo pascual: **Me adelanto a la aurora pidiendo auxilio.**

Tiempo pascual: **Por tu misericordia dame vida. Aleluya.**

Salmo 118, 145-152

Te invoco de todo corazón;
respóndeme, Señor, y guardaré tus leyes;
a ti grito: sálvame,
y cumpliré tus decretos;
me adelanto a la aurora pidiendo auxilio,
esperando tus palabras.

Mis ojos se adelantan a las vigilias de la noche,
 meditando tu promesa;
 escucha mi voz por tu misericordia,
 con tus mandamientos dame vida;
 ya se acercan mis inicuos perseguidores,
 están lejos de tu voluntad.

Tú, Señor, estás cerca,
 y todos tus mandatos son estables;
 hace tiempo comprendí que tus preceptos
 los fundaste para siempre.

Fuera del Tiempo pascual: Me adelanto a la aurora pidiendo auxilio.

Tiempo pascual: Por tu misericordia dame vida. Aleluya.

Antífona 2

Fuera del Tiempo pascual: Mi fuerza y mi poder es el Señor, él fue mi salvación.

Tiempo pascual: Los que habían vencido a la bestia cantaban el cántico de Moisés, el siervo de Dios, y el canto del Cordero. Aleluya.

Cántico   Éx 15, 1-4. 8-13. 17-18

HIMNO A DIOS, DESPUÉS DE LA VICTORIA DEL MAR ROJO

> Los que habían vencido a la bestia cantaban el cántico de Moisés, el siervo de Dios. (Apoc 15, 2. 3)

Cantaré al Señor, sublime es su victoria,
 caballos y carros ha arrojado en el mar.
 Mi fuerza y mi poder es el Señor,
 él fue mi salvación.

Él es mi Dios: yo lo alabaré;
 el Dios de mis padres: yo lo ensalzaré.

El Señor es un guerrero,
su nombre es «Yahvé».

Los carros del Faraón los lanzó al mar,
ahogó en el Mar Rojo a sus mejores capitanes.

Al soplo de tu ira se amontonaron las aguas,
las corrientes se alzaron como un dique,
las olas se cuajaron en el mar.

Decía el enemigo: «Los perseguiré y alcanzaré,
repartiré el botín, se saciará mi codicia,
empuñaré la espada, los agarrará mi mano.»

Pero sopló tu aliento y los cubrió el mar,
se hundieron como plomo en las aguas formidables.

¿Quién como tú, Señor, entre los dioses?
¿Quién como tú, terrible entre los santos,
temible por tus proezas, autor de maravillas?

Extendiste tu diestra: se los tragó la tierra;
guiaste con misericordia a tu pueblo rescatado,
los llevaste con tu poder hasta tu santa morada.

Lo introduces y lo plantas en el monte de tu heredad,
lugar del que hiciste tu trono, Señor;
santuario, Señor, que fundaron tus manos.
El Señor reina por siempre jamás.

Fuera del Tiempo pascual: Mi fuerza y mi poder es el Señor,
él fue mi salvación.

Tiempo pascual: Los que habían vencido a la bestia cantaban el cántico de Moisés, el siervo de Dios, y el canto del Cordero. Aleluya.

Antífona 3

Fuera del Tiempo pascual: Alaben al Señor todas las naciones. †

Tiempo pascual: Su misericordia con nosotros dura por siempre. Aleluya.

Salmo 116

INVITACIÓN UNIVERSAL A LA ALABANZA DIVINA

> Así es: los gentiles glorifican a Dios por su misericordia. (Rom 15, 8. 9)

Alaben al Señor todas las naciones,
† aclámenlo todos los pueblos:

Firme es su misericordia con nosotros,
su fidelidad dura por siempre.

Fuera del Tiempo pascual: Alaben al Señor todas las naciones.

Tiempo pascual: Su misericordia con nosotros dura por siempre. Aleluya.

LECTURA BREVE   2 Pe 1, 10-11

Hermanos, pongan más empeño todavía en consolidar su vocación y elección. Si lo hacen así, nunca jamás tropezarán; de este modo se les concederá generosamente la entrada en el reino eterno de nuestro Señor y Salvador Jesucristo.

RESPONSORIO BREVE

℣. A ti grito, Señor, tú eres mi refugio.
℟. A ti grito, Señor, tú eres mi refugio.
℣. Mi heredad en el país de la vida.
℟. Tú eres mi refugio.
℣. Gloria al Padre, y al Hijo, y al Espíritu Santo.
℟. A ti grito, Señor, tú eres mi refugio.

Cántico evangélico

Ant. Ilumina, Señor, a los que viven en tiniebla y en sombra de muerte.

Cántico de Zacarías, p. 27.

Preces para consagrar a Dios el día y el trabajo

Bendigamos a Cristo que para ser ante Dios el Pontífice misericordioso y fiel de los hombres se hizo en todo semejante a nosotros, y supliquémosle diciendo:

Muéstranos, Señor, los tesoros de tu amor.

Señor, sol de justicia, que nos iluminaste en el bautismo,
— te consagramos este nuevo día.

Que sepamos bendecirte en cada uno de los momentos de nuestra jornada
— y glorifiquemos tu nombre con cada una de nuestras acciones.

Tú que tuviste por madre a María, siempre dócil a tu palabra,
— encamina hoy nuestros pasos para que obremos también como ella según tu voluntad.

Haz que mientras vivimos aún en este mundo que pasa anhelemos la vida eterna
— y por la fe, la esperanza y el amor vivamos ya contigo en tu reino.

Se pueden añadir algunas intenciones libres.

Con la misma confianza que tienen los hijos con su padre, acudamos nosotros a nuestro Dios, diciéndole: Padre nuestro...

Oración conclusiva

Te pedimos, Señor, que la claridad de la resurrección de tu Hijo ilumine las dificultades de nuestra vida; que no temamos ante la oscuridad de la muerte y podamos llegar un día a la luz que no tiene fin. Por nuestro Señor Jesucristo, tu Hijo...

℟. Amén.

Conclusión

℣. El Señor nos bendiga, nos guarde de todo mal y nos lleve a la vida eterna.

℟. Amén.

Semana II

DOMINGO II

I Vísperas

℣. Dios mío, ven en mi auxilio.
℟. Señor, date prisa en socorrerme.
Gloria al Padre... (Aleluya.)

HIMNO

¿Quién es este que viene,
recién atardecido,
cubierto por su sangre
como varón que pisa los racimos?

Éste es Cristo, el Señor,
que venció nuestra muerte
con su resurrección.

¿Quién es este que vuelve,
glorioso y malherido,
y, a precio de su muerte,
compra la paz y libra a los cautivos?

Éste es Cristo, el Señor,
que venció nuestra muerte
con su resurrección.

Se durmió con los muertos,
y reina entre los vivos;
no lo venció la fosa,
porque el Señor sostuvo a su elegido.

Éste es Cristo, el Señor,
que venció nuestra muerte
con su resurrección.

Anunciad a los pueblos
qué habéis visto y oído;
aclamad al que viene
como la paz, bajo un clamor de olivos.

Éste es Cristo, el Señor,
que venció nuestra muerte
con su resurrección. Amén.

SALMODIA

Antífona 1

Tiempo de Adviento: Alégrate y goza, nueva Sión, porque tu Rey llega con mansedumbre a salvar nuestras almas.

Tiempo pascual: El que realiza la verdad se acerca a la luz. Aleluya.

Tiempo ordinario: Lámpara es tu palabra para mis pasos, luz en mi sendero. Aleluya. †

Salmo 118, 105-112

HIMNO A LA LEY DIVINA

> Éste es mi mandamiento, que se amen unos a otros. (Jn 15, 12)

Lámpara es tu palabra para mis pasos,
    luz en mi sendero;
† lo juro y lo cumpliré:
    guardaré tus justos mandamientos;
    ¡estoy tan afligido!
    Señor, dame vida según tu promesa.

Acepta, Señor, los votos que pronuncio,
    enséñame tus mandatos;
    mi vida está siempre en peligro,
    pero no olvido tu voluntad;
    los malvados me tendieron un lazo,
    pero no me desvié de tus decretos.

Tus preceptos son mi herencia perpetua,
    la alegría de mi corazón;
    inclino mi corazón a cumplir tus leyes,
    siempre y cabalmente.

Tiempo de Adviento: Alégrate y goza, nueva Sión, porque tu Rey llega con mansedumbre a salvar nuestras almas.

Tiempo pascual: El que realiza la verdad se acerca a la luz. Aleluya.

Tiempo ordinario: Lámpara es tu palabra para mis pasos, luz en mi sendero. Aleluya.

Antífona 2

Tiempo de Adviento: Fortalezcan las manos débiles; sean fuertes y digan: «Miren a nuestro Dios que viene y nos salvará.» Aleluya.

Tiempo pascual: El Señor, libre de las ataduras de la muerte, ha resucitado. Aleluya.

Tiempo ordinario: Me saciarás de gozo en tu presencia, Señor. Aleluya.

Salmo 15

CRISTO Y SUS MIEMBROS ESPERAN LA RESURRECCIÓN

> Dios resucitó a Jesús, rompiendo las
> ataduras de la muerte. (Hech 2, 24)

Protégeme, Dios mío, que me refugio en ti;
    yo digo al Señor: «Tú eres mi bien.»
    Los dioses y señores de la tierra
    no me satisfacen.

Multiplican las estatuas
    de dioses extraños;
    no derramaré sus libaciones con mis manos,
    ni tomaré sus nombres en mis labios.

El Señor es mi heredad y mi copa;
 mi suerte está en tu mano:
 me ha tocado un lote hermoso,
 me encanta mi heredad.

Bendeciré al Señor, que me aconseja,
 hasta de noche me instruye internamente.
 Tengo siempre presente al Señor,
 con él a mi derecha no vacilaré.

Por eso se me alegra el corazón,
 se gozan mis entrañas,
 y mi carne descansa serena.
 Porque no me entregarás a la muerte,
 ni dejarás a tu fiel conocer la corrupción.

Me enseñarás el sendero de la vida,
 me saciarás de gozo en tu presencia,
 de alegría perpetua a tu derecha.

Tiempo de Adviento: Fortalezcan las manos débiles; sean fuertes y digan: «Miren a nuestro Dios que viene y nos salvará.» Aleluya.

Tiempo pascual: El Señor, libre de las ataduras de la muerte, ha resucitado. Aleluya.

Tiempo ordinario: Me saciarás de gozo en tu presencia, Señor. Aleluya.

Antífona 3

Tiempo de Adviento: La ley se nos dio por mediación de Moisés; pero la gracia y la verdad nos han venido por Jesucristo.

Tiempo pascual: Era necesario que el Mesías padeciera esto para entrar en su gloria. Aleluya.

Tiempo ordinario: Al nombre de Jesús toda rodilla se doble en el cielo y en la tierra. Aleluya.

Cántico   Flp 2, 6-11

CRISTO, SIERVO DE DIOS, EN SU MISTERIO PASCUAL

Cristo, a pesar de su condición divina,
    no hizo alarde de su categoría de Dios,
    al contrario, se anonadó a sí mismo,
    y tomó la condición de esclavo,
    pasando por uno de tantos.

Y así, actuando como un hombre cualquiera,
    se rebajó hasta someterse incluso a la muerte
    y una muerte de cruz.

Por eso Dios lo levantó sobre todo
    y le concedió el «Nombre-sobre-todo-nombre»;
    de modo que al nombre de Jesús toda rodilla se doble
    en el cielo, en la tierra, en el abismo
    y toda lengua proclame:
    Jesucristo es Señor, para gloria de Dios Padre.

Tiempo de Adviento: La ley se nos dio por mediación de
Moisés; pero la gracia y la verdad nos han venido por
Jesucristo.

Tiempo pascual: Era necesario que el Mesías padeciera
esto para entrar en su gloria. Aleluya.

Tiempo ordinario: Al nombre de Jesús toda rodilla se doble
en el cielo y en la tierra. Aleluya.

LECTURA BREVE   Col 1, 3-6a

Damos gracias a Dios, Padre de nuestro Señor Jesucristo, en todo momento, rezando por ustedes, al oír
hablar de su fe en Jesucristo y del amor que tienen a
todos los santos, por la esperanza que les está reservada en los cielos, sobre la cual oyeron hablar por la
palabra verdadera de la Buena Noticia, que se les hizo
presente, y está dando fruto y prosperando en todo el
mundo igual que entre ustedes.

RESPONSORIO BREVE

℣. De la salida del sol hasta su ocaso,
alabado sea el nombre del Señor.

℞. De la salida del sol hasta su ocaso,
alabado sea el nombre del Señor.

℣. Su gloria se eleva sobre los cielos.

℞. Alabado sea el nombre del Señor.

℣. Gloria al Padre, y al Hijo, y al Espíritu Santo.

℞. De la salida del sol hasta su ocaso,
alabado sea el nombre del Señor.

CÁNTICO EVANGÉLICO

La antífona para el cántico evangélico se toma del domingo correspondiente (p. 410 y siguientes).

Cántico de la Santísima Virgen María, p. 18.

PRECES O INTERCESIONES

Demos gracias al Señor que ayuda y protege al pueblo que se ha escogido como heredad, y recordando su amor para con nosotros supliquémosle diciendo:

Escúchanos, Señor, que confiamos en ti.

Padre lleno de amor, te pedimos por el Papa N. y por nuestro obispo N.;
— protégelos con tu fuerza y santifícalos con tu gracia.

Que los enfermos vean en sus dolores una participación de la pasión de tu Hijo,
— para que así tengan también parte en su consuelo.

Mira con piedad a los que no tienen techo donde cobijarse
— y haz que encuentren pronto el hogar que desean.

Dígnate dar y conservar los frutos de la tierra
— para que a nadie falte el pan de cada día.

Se pueden añadir algunas intenciones libres.

Señor, ten piedad de los difuntos
— y ábreles la puerta de tu mansión eterna.

Movidos por el Espíritu Santo, dirijamos al Padre la oración que Cristo nos enseñó: Padre nuestro...

Oración conclusiva

La oración conclusiva se toma del domingo correspondiente (p. 410 y siguientes).

Conclusión

℣. El Señor nos bendiga, nos guarde de todo mal y nos lleve a la vida eterna.

℟. Amén.

Laudes

Invocación inicial

℣. Señor, abre mis labios.
℟. Y mi boca proclamará tu alabanza.

Puede añadirse el salmo 94 (p. 20), con su antífona correspondiente. En el Tiempo ordinario se dice:

Pueblo del Señor, rebaño que él guía, bendice a tu Dios. Aleluya.

Himno

Cristo, el Señor,
como la primavera,
como una nueva aurora,
resucitó.

Cristo, nuestra Pascua,
es nuestro rescate,
nuestra salvación.

Es grano en la tierra,
muerto y florecido,
tierno pan de amor.

Se rompió el sepulcro,
se movió la roca,
y el fruto brotó.

Dueño de la muerte,
en el árbol grita
su resurrección.

Humilde en la tierra,
Señor de los cielos,
su cielo nos dio.

Ábranse de gozo
las puertas al Hombre,
que al hombre salvó.

Gloria para siempre
al Cordero humilde
que nos redimió. Amén.

SALMODIA

Antífona 1

Tiempo de Adviento: **Tenemos en Sión una ciudad fuerte:
el Salvador ha puesto en ella murallas y baluartes; abran
las puertas que con nosotros está Dios. Aleluya.**

Tiempo pascual: **Éste es el día en que actuó el Señor.
Aleluya.**

Tiempo ordinario: **Bendito el que viene en nombre del
Señor. Aleluya.**

Salmo 117

HIMNO DE ACCIÓN DE GRACIAS DESPUÉS DE LA VICTORIA

Jesús es la piedra que desecharon
ustedes, los arquitectos, y que se
ha convertido en piedra angular.
(Hech 4, 11)

Den gracias al Señor porque es bueno,
porque es eterna su misericordia.

Diga la casa de Israel:
eterna es su misericordia.

Diga la casa de Aarón:
eterna es su misericordia.

Digan los fieles del Señor:
eterna es su misericordia.

En el peligro grité al Señor,
y me escuchó, poniéndome a salvo.

El Señor está conmigo: no temo;
¿qué podrá hacerme el hombre?
El Señor está conmigo y me auxilia,
veré la derrota de mis adversarios.

Mejor es refugiarse en el Señor
que fiarse de los hombres,
mejor es refugiarse en el Señor
que confiar en los magnates.

Todos los pueblos me rodeaban,
en el nombre del Señor los rechacé;
me rodeaban cerrando el cerco,
en el nombre del Señor los rechacé;
me rodeaban como avispas,
ardiendo como fuego en las zarzas,
en el nombre del Señor los rechacé.

Empujaban y empujaban para derribarme,
   pero el Señor me ayudó;
   el Señor es mi fuerza y mi energía,
   él es mi salvación.

Escuchen: hay cantos de victoria
   en las tiendas de los justos:
   «La diestra del Señor es poderosa,
   la diestra del Señor es excelsa,
   la diestra del Señor es poderosa.»

No he de morir, viviré
   para contar las hazañas del Señor.
   Me castigó, me castigó el Señor,
   pero no me entregó a la muerte.

Ábranme las puertas del triunfo,
   y entraré para dar gracias al Señor.

Ésta es la puerta del Señor:
   los vencedores entrarán por ella.

Te doy gracias porque me escuchaste
   y fuiste mi salvación.

La piedra que desecharon los arquitectos
   es ahora la piedra angular.
   Es el Señor quien lo ha hecho,
   ha sido un milagro patente.

Éste es el día en que actuó el Señor:
   sea nuestra alegría y nuestro gozo.
   Señor, danos la salvación;
   Señor, danos prosperidad.

Bendito el que viene en nombre del Señor,
   los bendecimos desde la casa del Señor;
   el Señor es Dios: él nos ilumina.

Ordenen una procesión con ramos
   hasta los ángulos del altar.

Tú eres mi Dios, te doy gracias;
Dios mío, yo te ensalzo.

Den gracias al Señor porque es bueno,
porque es eterna su misericordia.

Tiempo de Adviento: Tenemos en Sión una ciudad fuerte: el Salvador ha puesto en ella murallas y baluartes; abran las puertas que con nosotros está Dios. Aleluya.

Tiempo pascual: Éste es el día en que actuó el Señor. Aleluya.

Tiempo ordinario: Bendito el que viene en nombre del Señor. Aleluya.

Antífona 2

Tiempo de Adviento: Sedientos todos, acudan por agua; busquen al Señor mientras se le encuentra. Aleluya.

Tiempo pascual: Bendito eres, Señor, sobre el trono de tu reino. Aleluya.

Tiempo ordinario: Cantemos un himno al Señor nuestro Dios. Aleluya.

Cántico   Dn 3, 52-57

QUE LA CREACIÓN ENTERA ALABE AL SEÑOR

El Creador... es bendito por los
siglos. (Rom 1, 25)

Bendito eres, Señor, Dios de nuestros padres:
a ti gloria y alabanza por los siglos.

Bendito tu nombre, santo y glorioso:
a él gloria y alabanza por los siglos.

Bendito eres en el templo de tu santa gloria:
a ti gloria y alabanza por los siglos.

Bendito eres sobre el trono de tu reino:
a ti gloria y alabanza por los siglos.

Bendito eres tú, que sentado sobre querubines
   sondeas los abismos:
   a ti gloria y alabanza por los siglos.

Bendito eres en la bóveda del cielo:
   a ti honor y alabanza por los siglos.

Creaturas todas del Señor, bendigan al Señor,
   ensálcenlo con himnos por los siglos.

Tiempo de Adviento: Sedientos todos, acudan por agua;
busquen al Señor mientras se le encuentra. Aleluya.

Tiempo pascual: Bendito eres, Señor, sobre el trono de
tu reino. Aleluya.

Tiempo ordinario: Cantemos un himno al Señor nuestro
Dios. Aleluya.

Antífona 3

Tiempo de Adviento: Miren: el Señor vendrá con poder para
iluminar los ojos de sus siervos. Aleluya.

Tiempo pascual: Adoren al Señor que está sentado en el
trono y digan: «¡Amén. Aleluya!»

Tiempo ordinario: Alaben al Señor por su inmensa grandeza. Aleluya.

Salmo 150

ALABEN AL SEÑOR

> Salmodien con el espíritu, salmo-
> dien con toda su mente, es decir,
> glorifiquen a Dios con el cuerpo y
> con el alma. (Hesiquio)

Alaben al Señor en su templo,
   alábenlo en su augusto firmamento.

Alábenlo por sus obras magníficas,
   alábenlo por su inmensa grandeza.

Alábenlo tocando trompetas,
  alábenlo con arpas y cítaras,

alábenlo con tambores y danzas,
  alábenlo con trompas y flautas,

alábenlo con platillos sonoros,
  alábenlo con platillos vibrantes.

Todo ser que alienta, alabe al Señor.

Tiempo de Adviento: Miren: el Señor vendrá con poder para iluminar los ojos de sus siervos. Aleluya.

Tiempo pascual: Adoren al Señor que está sentado en el trono y digan: «¡Amén. Aleluya!»

Tiempo ordinario: Alaben al Señor por su inmensa grandeza. Aleluya.

LECTURA BREVE   Ez 36, 25-27

Derramaré sobre ustedes un agua pura que los purificará: de todas sus inmundicias e idolatrías los he de purificar; y les daré un corazón nuevo, y les infundiré un espíritu nuevo; arrancaré de su carne el corazón de piedra, y les daré un corazón de carne. Les infundiré mi espíritu, y haré que caminen según mis preceptos, y que guarden y cumplan mis mandatos.

RESPONSORIO BREVE

℣. Te damos gracias, ¡oh Dios!, invocando tu nombre.
℟. Te damos gracias, ¡oh Dios!, invocando tu nombre.
℣. Pregonando tus maravillas.
℟. Invocando tu nombre.
℣. Gloria al Padre, y al Hijo, y al Espíritu Santo.
℟. Te damos gracias, ¡oh Dios!, invocando tu nombre.

CÁNTICO EVANGÉLICO

La antífona para el cántico evangélico se toma del domingo correspondiente (p. 410 y siguientes).

Cántico de Zacarías, p. 27.

PRECES PARA CONSAGRAR A DIOS
EL DÍA Y EL TRABAJO

Invoquemos, hermanos, a nuestro Salvador, que ha venido al mundo para ser «Dios-con-nosotros» y digámosle con confianza:

Señor Jesús, rey de la gloria, sé tú nuestra luz y nuestro gozo.

Señor Jesús, sol que naces de lo alto y primicia de la humanidad resucitada,
— haz que siguiéndote a ti no caminemos nunca en sombras de muerte, sino que tengamos siempre la luz de la vida.

Que sepamos descubrir, Señor, cómo todas las creaturas están llenas de tus perfecciones,
— para que así, en todas ellas, sepamos contemplarte a ti.

No permitas, Señor, que hoy nos dejemos vencer por el mal,
— antes danos tu fuerza para que venzamos al mal a fuerza de bien.

Tú que bautizado por Juan en el Jordán fuiste ungido con el Espíritu Santo,
— asístenos durante este día para que actuemos movidos por este mismo Espíritu.

Se pueden añadir algunas intenciones libres.

Por Jesús nos llamamos y somos hijos de Dios; por ello nos atrevemos a decir: Padre nuestro...

Oración conclusiva

La oración conclusiva se toma del domingo correspondiente (p. 410 y siguientes).

CONCLUSIÓN

℣. El Señor nos bendiga, nos guarde de todo mal y nos lleve a la vida eterna.

℟. Amén.

II Vísperas

INVOCACIÓN INICIAL

℣. Dios mío, ven en mi auxilio.

℟. Señor, date prisa en socorrerme.
Gloria al Padre... (Aleluya.)

HIMNO

¿Dónde está muerte, tu victoria?
¿Dónde está muerte, tu aguijón?
Todo es destello de su gloria,
clara luz, resurrección.

Fiesta es la lucha terminada,
vida es la muerte del Señor,
día la noche engalanada,
gloria eterna de su amor.

Fuente perenne de la vida,
luz siempre viva de su don,
Cristo es ya vida siempre unida
a toda vida en aflicción.

Cuando la noche se avecina,
noche del hombre y su ilusión,

Cristo es ya luz que lo ilumina,
sol de su vida y corazón.

Demos al Padre la alabanza,
por Jesucristo, Hijo y Señor,
dénos su Espíritu esperanza
viva y eterna de su amor. Amén.

SALMODIA

Antífona 1

Tiempo de Adviento: Miren: viene el Señor con gran poder
sobre las nubes del cielo. Aleluya.

Tiempo pascual: Dios resucitó a Cristo de entre los muertos
y lo hizo sentar en su gloria. Aleluya.

Tiempo ordinario: Cristo es sacerdote eterno, según el rito
de Melquisedec. Aleluya.

Salmo 109, 1-5. 7

EL MESÍAS, REY Y SACERDOTE

> Él debe reinar hasta poner todos
> sus enemigos bajo sus pies. (1 Cor
> 15, 25)

Oráculo del Señor a mi Señor:
    «Siéntate a mi derecha,
    y haré de tus enemigos
    estrado de tus pies.»

Desde Sión extenderá el Señor
    el poder de tu cetro:
    somete en la batalla a tus enemigos.

«Eres príncipe desde el día de tu nacimiento,
    entre esplendores sagrados;
    yo mismo te engendré, como rocío,
    antes de la aurora.»

El Señor lo ha jurado y no se arrepiente:
«Tú eres sacerdote eterno
según el rito de Melquisedec.»

El Señor a tu derecha, el día de su ira,
quebrantará a los reyes.

En su camino beberá del torrente,
por eso levantará la cabeza.

Tiempo de Adviento: Miren: viene el Señor con gran poder sobre las nubes del cielo. Aleluya.

Tiempo pascual: Dios resucitó a Cristo de entre los muertos y lo hizo sentar en su gloria. Aleluya.

Tiempo ordinario: Cristo es sacerdote eterno, según el rito de Melquisedec. Aleluya.

Antífona 2

Tiempo de Adviento: Aparecerá el Señor y no faltará: si tarda, no dejen de esperarlo, pues llegará y no tardará. Aleluya.

Tiempo pascual: Han renunciado a los ídolos para consagrarse al Dios vivo. Aleluya.

Tiempo ordinario: Nuestro Dios está en el cielo, y lo que quiere lo hace. Aleluya.

Salmo 113 B

HIMNO AL DIOS VERDADERO

> Se convirtieron de los ídolos a Dios
> para consagrarse al Dios vivo y
> verdadero. (1 Tes 1, 9)

No a nosotros, Señor, no a nosotros,
sino a tu nombre da la gloria;
por tu bondad, por tu lealtad.
¿Por qué han de decir las naciones:
«Dónde está su Dios»?

Nuestro Dios está en el cielo,
   lo que quiere lo hace.
Sus ídolos, en cambio, son plata y oro,
   hechura de manos humanas:

tienen boca, y no hablan;
   tienen ojos, y no ven;
   tienen orejas, y no oyen;
   tienen nariz, y no huelen;

tienen manos, y no tocan;
   tienen pies, y no andan;
   no tiene voz su garganta:
   que sean igual los que los hacen,
   cuantos confían en ellos.

Israel confía en el Señor:
   él es su auxilio y su escudo.
La casa de Aarón confía en el Señor:
   él es su auxilio y su escudo.
Los fieles del Señor confían en el Señor:
   él es su auxilio y su escudo.

Que el Señor se acuerde de nosotros y nos bendiga,
   bendiga a la casa de Israel,
   bendiga a la casa de Aarón;
   bendiga a los fieles del Señor,
   pequeños y grandes.

Que el Señor los acreciente,
   a ustedes y a sus hijos;
   benditos sean del Señor,
   que hizo el cielo y la tierra.
   El cielo pertenece al Señor,
   la tierra se la ha dado a los hombres.

Los muertos ya no alaban al Señor,
   ni los que bajan al silencio.
Nosotros, sí, bendeciremos al Señor
   ahora y por siempre.

Tiempo de Adviento: Aparecerá el Señor y no faltará: si tarda, no dejen de esperarlo, pues llegará y no tardará. Aleluya.

Tiempo pascual: Han renunciado a los ídolos para consagrarse al Dios vivo. Aleluya.

Tiempo ordinario: Nuestro Dios está en el cielo, y lo que quiere lo hace. Aleluya.

Antífona 3

Tiempo de Adviento: El Señor es nuestro legislador, el Señor es nuestro rey: él vendrá y nos salvará.

Tiempo pascual: Aleluya. La salvación y la gloria y el poder son de nuestro Dios. Aleluya.

Tiempo ordinario: Alaben al Señor sus siervos todos, pequeños y grandes. Aleluya.

En el cántico siguiente se dicen todos los *Aleluya* intercalados solamente cuando el Oficio es cantado. Cuando el Oficio se dice sin canto es suficiente decir el *Aleluya* sólo al principio y al final de cada estrofa, omitiendo, por lo tanto, todos los *Aleluya* que en el texto aparecen entre paréntesis.

Cántico   Cfr. Apoc 19, 1-2. 5-7

LAS BODAS DEL CORDERO

Aleluya.
La salvación y la gloria y el poder son de nuestro Dios.
(R̷. Aleluya.)
Porque sus juicios son verdaderos y justos.
R̷. Aleluya, (aleluya).

Aleluya.
Alaben al Señor, sus siervos todos.
(R̷. Aleluya.)
Los que lo temen, pequeños y grandes.
R̷. Aleluya, (aleluya).

Aleluya.
Porque reina el Señor, nuestro Dios, dueño de todo.
(R. Aleluya.)
Alegrémonos y gocemos y démosle gracias.
R. Aleluya, (aleluya).

Aleluya.
Llegó la boda del Cordero.
(R. Aleluya.)
Su esposa se ha embellecido.
R. Aleluya, (aleluya).

Tiempo de Adviento: El Señor es nuestro legislador, el Señor es nuestro rey: él vendrá y nos salvará.

Tiempo pascual: Aleluya. La salvación y la gloria y el poder son de nuestro Dios. Aleluya.

Tiempo ordinario: Alaben al Señor sus siervos todos, pequeños y grandes. Aleluya.

En los domingos de Cuaresma, en lugar del cántico del Apocalipsis se dice el de la carta de san Pedro, con su antífona propia.

Cántico   1 Pe 2, 21b-24

PASIÓN VOLUNTARIA DE CRISTO, SIERVO DE DIOS

Cristo padeció por nosotros,
    dejándonos un ejemplo
    para que sigamos sus huellas.

Él no cometió pecado
    ni encontraron engaño en su boca;
    cuando lo insultaban,
    no devolvía el insulto;
    en su pasión no profería amenazas;
    al contrario,
    se ponía en manos del que juzga justamente.

Cargado con nuestros pecados subió al leño,
para que, muertos al pecado,
vivamos para la justicia.
Sus heridas nos han curado.

La antífona propia se repite al final.

LECTURA BREVE 2 Tes 2, 13-14

Nosotros debemos dar continuamente gracias a Dios por ustedes, hermanos, a quienes tanto ama el Señor. Dios los eligió desde toda la eternidad para darles la salud por la santificación que obra el Espíritu y por la fe en la verdad. Con tal fin los convocó por medio del mensaje de la salud, anunciado por nosotros, para darles la posesión de la gloria de nuestro Señor Jesucristo.

RESPONSORIO BREVE

℣. Nuestro Señor es grande y poderoso.
℟. Nuestro Señor es grande y poderoso.
℣. Su sabiduría no tiene medida.
℟. Nuestro Señor es grande y poderoso.
℣. Gloria al Padre, y al Hijo, y al Espíritu Santo.
℟. Nuestro Señor es grande y poderoso.

CÁNTICO EVANGÉLICO

La antífona para el cántico evangélico se toma del domingo correspondiente (p. 410 y siguientes).

Cántico de la Santísima Virgen María, p. 18.

PRECES O INTERCESIONES

Demos gloria y honor a Cristo, que puede salvar definitivamente a los que por medio de él se acercan a Dios, porque vive para interceder en su favor, y digámosle con plena confianza:

Acuérdate, Señor, de tu pueblo.

Señor Jesús, sol de justicia que iluminas nuestras vidas, al llegar al umbral de la noche te pedimos por todos los hombres,
— que todos lleguen a gozar eternamente de tu luz.

Guarda, Señor, la alianza sellada con tu sangre
— y santifica a tu Iglesia para que sea siempre inmaculada y santa.

Acuérdate de esta comunidad aquí reunida,
— que tú elegiste como morada de tu gloria.

Que los que están en camino tengan un viaje feliz
— y regresen a sus hogares con salud y alegría.

Se pueden añadir algunas intenciones libres.

Acoge, Señor, a tus hijos difuntos
— y concédeles tu perdón y la vida eterna.

Terminemos nuestras preces con la oración que Cristo nos enseñó: Padre nuestro...

Oración conclusiva

La oración conclusiva se toma del domingo correspondiente (p. 410 y siguientes).

CONCLUSIÓN

℣. El Señor nos bendiga, nos guarde de todo mal y nos lleve a la vida eterna.

℞. Amén.

LUNES II

Laudes

INVOCACIÓN INICIAL

℣. Señor, abre mis labios.

℟. Y mi boca proclamará tu alabanza.

Puede añadirse el salmo 94 (p. 20), con su antífona correspondiente. En el Tiempo ordinario se dice:

Demos vítores al Señor, aclamándolo con cantos.

HIMNO

Alfarero del hombre, mano trabajadora
que, de los hondos limos iniciales,
convocas a los pájaros a la primera aurora,
al pasto los primeros animales.

De mañana te busco, hecho de luz concreta,
de espacio puro y tierra amanecida.
De mañana te encuentro, vigor, origen, meta
de los profundos ríos de la vida.

El árbol toma cuerpo, y el agua melodía;
tus manos son recientes en la rosa;
se espesa la abundancia del mundo a mediodía,
y estás de corazón en cada cosa.

No hay brisa si no alientas, monte si no estás dentro,
ni soledad en que no te hagas fuerte.
Todo es presencia y gracia; vivir es este encuentro:
tú, por la luz; el hombre, por la muerte.

¡Que se acabe el pecado! ¡Mira que es desdecirte
dejar tanta hermosura en tanta guerra!
Que el hombre no te obligue, Señor, a arrepentirte
de haberle dado un día las llaves de la tierra. Amén.

S ALMODIA

Antífona 1

Fuera del Tiempo pascual: ¿Cuándo entraré a ver el rostro de Dios?

Tiempo pascual: Como busca la cierva corrientes de agua, así mi alma te busca a ti, Dios mío. Aleluya.

Salmo 41

DESEO DEL SEÑOR Y ANSIAS DE CONTEMPLAR EL TEMPLO

> El que tenga sed y quiera, que venga a beber el agua de la vida. (Apoc 22, 17)

Como busca la cierva
  corrientes de agua,
  así mi alma te busca
  a ti, Dios mío;

tiene sed de Dios,
  del Dios vivo:
  ¿cuándo entraré a ver
  el rostro de Dios?

Las lágrimas son mi pan
  noche y día,
  mientras todo el día me repiten:
  «¿Dónde está tu Dios?»

Recuerdo otros tiempos,
  y mi alma desfallece de tristeza:
  cómo marchaba a la cabeza del grupo,
  hacia la casa de Dios,
  entre cantos de júbilo y alabanza,
  en el bullicio de la fiesta.

¿Por qué te acongojas, alma mía,
  por qué te me turbas?
  Espera en Dios, que volverás a alabarlo:
  «Salud de mi rostro, Dios mío.»

Cuando mi alma se acongoja,
  te recuerdo,
  desde el Jordán y el Hermón
  y el Monte Menor.

Una sima grita a otra sima
  con voz de cascadas:
  tus torrentes y tus olas
  me han arrollado.

De día el Señor
  me hará misericordia,
  de noche cantaré la alabanza
  del Dios de mi vida.

Diré a Dios: «Roca mía,
  ¿por qué me olvidas?
  ¿Por qué voy andando, sombrío,
  hostigado por mi enemigo?»

Se me rompen los huesos
  por las burlas del adversario;
  todo el día me preguntan:
  «¿Dónde está tu Dios?»

¿Por qué te acongojas, alma mía,
  por qué te me turbas?
  Espera en Dios, que volverás a alabarlo:
  «Salud de mi rostro, Dios mío.»

Fuera del Tiempo pascual: ¿Cuándo entraré a ver el rostro de Dios?

Tiempo pascual: Como busca la cierva corrientes de agua, así mi alma te busca a ti, Dios mío. Aleluya.

Antífona 2

Fuera del Tiempo pascual: Muéstranos, Señor, tu gloria y tu compasión.

Tiempo pascual: Llena, Señor, a Sión de tu majestad y al templo de tu gloria. Aleluya.

Cántico   Eclo 36, 1-7. 13-16

SÚPLICA EN FAVOR DE LA CIUDAD SANTA DE JERUSALÉN

> Ésta es la vida eterna: que te conozcan a ti, único Dios verdadero, y a tu enviado Jesucristo. (Jn 17, 3)

Sálvanos, Dios del universo,
 infunde tu terror a todas las naciones;
 amenaza con tu mano al pueblo extranjero,
 para que sienta tu poder.

Como les mostraste tu santidad al castigarnos,
 muéstranos así tu gloria castigándolos a ellos:
 para que sepan, como nosotros lo sabemos,
 que no hay Dios fuera de ti.

Renueva los prodigios, repite los portentos,
 exalta tu mano, robustece tu brazo.

Reúne a todas las tribus de Jacob
 y dales su heredad como antiguamente.

Ten compasión del pueblo que lleva tu nombre,
 de Israel, a quien nombraste tu primogénito.
 Ten compasión de tu ciudad santa,
 de Jerusalén, lugar de tu reposo.

Llena a Sión de tu majestad
 y al templo de tu gloria.

Fuera del Tiempo pascual: **Muéstranos, Señor, tu gloria y tu compasión.**

Tiempo pascual: **Llena, Señor, a Sión de tu majestad y al templo de tu gloria. Aleluya.**

Antífona 3

Fuera del Tiempo pascual: **Bendito eres, Señor, en la bóveda del cielo.**

Tiempo pascual: La gloria de Dios ilumina la ciudad santa y el Cordero es su sol. Aleluya.

Salmo 18 A

ALABANZA AL DIOS CREADOR DEL UNIVERSO

> Nos visitará el sol que nace de lo alto... para guiar nuestros pasos por el camino de la paz. (Lc 1, 78-79)

El cielo proclama la gloria de Dios,
  el firmamento pregona la obra de sus manos:
  el día al día le pasa el mensaje,
  la noche a la noche se lo murmura.

Sin que hablen, sin que pronuncien,
  sin que resuene su voz,
  a toda la tierra alcanza su pregón
  y hasta los límites del orbe su lenguaje.

Allí le ha puesto su tienda al sol:
  él sale como el esposo de su alcoba,
  contento como un héroe, a recorrer su camino.

Asoma por un extremo del cielo,
  y su órbita llega al otro extremo:
  nada se libra de su calor.

Fuera del Tiempo pascual: Bendito eres, Señor, en la bóveda del cielo.

Tiempo pascual: La gloria de Dios ilumina la ciudad santa y el Cordero es su sol. Aleluya.

LECTURA BREVE   Jer 15, 16

Cuando encontraba palabras tuyas las devoraba; tus palabras eran mi gozo y la alegría de mi corazón, porque tu nombre fue pronunciado sobre mí, ¡Señor, Dios de los ejércitos!

Responsorio breve

℣. Aclamen, justos, al Señor,
que merece la alabanza de los buenos.
℞. Aclamen, justos, al Señor,
que merece la alabanza de los buenos.
℣. Cántenle un cántico nuevo.
℞. Que merece la alabanza de los buenos.
℣. Gloria al Padre, y al Hijo, y al Espíritu Santo.
℞. Aclamen, justos, al Señor,
que merece la alabanza de los buenos.

Cántico evangélico

Ant. Bendito sea el Señor, Dios de Israel, porque ha visitado y redimido a su pueblo.

Cántico de Zacarías, p. 27.

Preces para consagrar a Dios el día y el trabajo

Demos gracias a nuestro Salvador que ha hecho de nosotros un pueblo de reyes y sacerdotes, y digámosle:

Consérvanos, Señor, en tu servicio.

Señor Jesús, sacerdote eterno, que has querido que tu pueblo participara de tu sacerdocio:
— haz que ofrezcamos siempre sacrificios espirituales, agradables al Padre.

Danos, Señor, la abundancia de los frutos del Espíritu Santo:
— comprensión, bondad, amabilidad.

Que la luz de la fe ilumine este nuevo día
— y que durante el mismo caminemos por las sendas del amor.

Haz que busquemos siempre el bien de nuestros hermanos
— y les ayudemos a progresar en su salvación.

Se pueden añadir algunas intenciones libres.

Con el gozo que nos da el sabernos hijos de Dios, digamos confiadamente: Padre nuestro...

Oración conclusiva

Señor, Dios todopoderoso, que nos has hecho llegar al comienzo de este día: danos tu ayuda para que no caigamos hoy en pecado, sino que nuestras palabras, pensamientos y acciones sigan el camino de tus mandatos. Por nuestro Señor Jesucristo, tu Hijo...

℟. Amén.

Conclusión

℣. El Señor nos bendiga, nos guarde de todo mal y nos lleve a la vida eterna.

℟. Amén.

Vísperas

Invocación inicial

℣. Dios mío, ven en mi auxilio.

℟. Señor, date prisa en socorrerme.
Gloria al Padre... (Aleluya.)

Himno

Presentemos a Dios nuestras tareas,
levantemos orantes nuestras manos,
porque hemos realizado nuestras vidas
por el trabajo.

Cuando la tarde pide ya descanso
y Dios está más cerca de nosotros,
es hora de encontrarnos en sus manos,
    llenos de gozo.

En vano trabajamos la jornada,
hemos corrido en vano hora tras hora,
si la esperanza no enciende sus rayos
    en nuestra sombra.

Hemos topado a Dios en el bullicio,
Dios se cansó conmigo en el trabajo;
es hora de buscar a Dios adentro,
    enamorado.

La tarde es un trisagio de alabanza,
la tarde tiene fuego del Espíritu:
adoremos al Padre en nuestras obras,
    adoremos al Hijo. Amén.

SALMODIA

Antífona 1

Fuera del Tiempo pascual: Eres el más bello de los hombres, en tus labios se derrama la gracia.

Tiempo pascual: Bendito el que viene en nombre del Señor. Aleluya.

Salmo 44

LAS NUPCIAS DEL REY

> ¡Llega el esposo, salgan a recibirlo! (Mt 25, 6)

I

Me brota del corazón un poema bello,
    recito mis versos a un rey;
    mi lengua es ágil pluma de escribano.

Eres el más bello de los hombres,
 en tus labios se derrama la gracia,
 el Señor te bendice eternamente.

Cíñete al flanco la espada, valiente:
 es tu gala y tu orgullo;
 cabalga victorioso por la verdad y la justicia,
 tu diestra te enseñe a realizar proezas.
 Tus flechas son agudas, los pueblos se te rinden,
 se acobardan los enemigos del rey.

Tu trono, ¡oh Dios!, permanece para siempre;
 cetro de rectitud es tu cetro real;
 has amado la justicia y odiado la impiedad:
 por eso el Señor, tu Dios, te ha ungido
 con aceite de júbilo entre todos tus compañeros.

A mirra, áloe y acacia huelen tus vestidos,
 desde los palacios de marfiles te deleitan las arpas.
 Hijas de reyes salen a tu encuentro,
 de pie a tu derecha está la reina
 enjoyada con oro de Ofir.

Fuera del Tiempo pascual: Eres el más bello de los hombres, en tus labios se derrama la gracia.

Tiempo pascual: Bendito el que viene en nombre del Señor. Aleluya.

Antífona 2

Fuera del Tiempo pascual: Llega el esposo, salgan a recibirlo.

Tiempo pascual: Dichosos los invitados a la cena del Señor. Aleluya.

II

Escucha, hija, mira: inclina el oído,
 olvida tu pueblo y la casa paterna:
 prendado está el rey de tu belleza,

póstrate ante él, que él es tu señor.
La ciudad de Tiro viene con regalos,
los pueblos más ricos buscan tu favor.

Ya entra la princesa, bellísima,
vestida de perlas y brocado;
la llevan ante el rey, con séquito de vírgenes,
la siguen sus compañeras:
las traen entre alegría y algazara,
van entrando en el palacio real.

«A cambio de tus padres tendrás hijos,
que nombrarás príncipes por toda la tierra.»

Quiero hacer memorable tu nombre
por generaciones y generaciones,
y los pueblos te alabarán
por los siglos de los siglos.

Fuera del Tiempo pascual: Llega el esposo, salgan a recibirlo.

Tiempo pascual: Dichosos los invitados a la cena del Señor.
Aleluya.

Antífona 3

Fuera del Tiempo pascual: Dios proyectó hacer que todas
las cosas tuvieran a Cristo por cabeza, cuando llegara
el momento culminante.

Tiempo pascual: De su plenitud todos hemos recibido
gracia tras gracia. Aleluya.

Cántico   Ef 1, 3-10

EL PLAN DIVINO DE LA SALVACIÓN

Bendito sea Dios,
    Padre de nuestro Señor Jesucristo,
    que nos ha bendecido en la persona de Cristo
    con toda clase de bienes espirituales y celestiales.

Él nos eligió en la persona de Cristo,
antes de crear el mundo,
para que fuéramos consagrados
e irreprochables ante él por el amor.

Él nos ha destinado en la persona de Cristo,
por pura iniciativa suya,
a ser sus hijos,
para que la gloria de su gracia,
que tan generosamente nos ha concedido
en su querido Hijo,
redunde en alabanza suya.

Por este Hijo, por su sangre,
hemos recibido la redención,
el perdón de los pecados.
El tesoro de su gracia, sabiduría y prudencia
ha sido un derroche para con nosotros,
dándonos a conocer el misterio de su voluntad.

Éste es el plan
que había proyectado realizar por Cristo
cuando llegara el momento culminante:
hacer que todas las cosas
tuvieran a Cristo por cabeza,
las del cielo y las de la tierra.

Fuera del Tiempo pascual: Dios proyectó hacer que todas las cosas tuvieran a Cristo por cabeza, cuando llegara el momento culminante.

Tiempo pascual: De su plenitud todos hemos recibido gracia tras gracia. Aleluya.

LECTURA BREVE   1 Tes 2, 13
Nosotros continuamente damos gracias a Dios; porque habiendo recibido la palabra de Dios predicada por nosotros, la acogieron, no como palabra humana, sino —como es en realidad— como palabra de Dios, que ejerce su acción en ustedes, los creyentes.

RESPONSORIO BREVE

℣. Suba, Señor, a ti mi oración.

℟. Suba, Señor, a ti mi oración.

℣. Como incienso en tu presencia.

℟. A ti mi oración.

℣. Gloria al Padre, y al Hijo, y al Espíritu Santo.

℟. Suba, Señor, a ti mi oración.

CÁNTICO EVANGÉLICO

Ant. Proclame mi alma tu grandeza, Dios mío.

Cántico de la Santísima Virgen María, p. 18.

PRECES O INTERCESIONES

Alabemos a Cristo, que ama a la Iglesia y le da alimento y calor, y roguémosle confiados diciendo:

Atiende, Señor, los deseos de tu pueblo.

Haz, Señor, que todos los hombres se salven
— y lleguen al conocimiento de la verdad.

Guarda con tu protección al Papa N. y a nuestro obispo N.,
— ayúdalos con el poder de tu brazo.

Ten compasión de los que no encuentran trabajo
— y haz que consigan un empleo digno y estable.

Señor, sé refugio de los oprimidos
— y protégelos en todas sus necesidades.

Se pueden añadir algunas intenciones libres.

Te pedimos por el eterno descanso de los que durante su vida ejercieron el ministerio para el bien de tu Iglesia:
— que también te celebren eternamente en tu reino.

Fieles a la recomendación del Salvador nos atrevemos a decir: Padre nuestro...

Oración conclusiva

Dios todopoderoso y eterno, que has querido asistirnos en el trabajo que nosotros, tus siervos inútiles, hemos realizado hoy, te pedimos que, al llegar al término de este día, acojas benignamente nuestro sacrificio vespertino de acción de gracias y recibas con bondad la alabanza que te dirigimos. Por nuestro Señor Jesucristo, tu Hijo...

℟. Amén.

CONCLUSIÓN

℣. El Señor nos bendiga, nos guarde de todo mal y nos lleve a la vida eterna.

℟. Amén.

MARTES II

Laudes

INVOCACIÓN INICIAL

℣. Señor, abre mis labios.

℟. Y mi boca proclamará tu alabanza.

Puede añadirse el salmo 94 (p. 20), con su antífona correspondiente. En el Tiempo ordinario se dice:

Al Señor, al Dios grande, vengan, adorémoslo.

HIMNO

Te damos gracias, Señor,
porque has depuesto la ira
y has detenido ante el pueblo
la mano que lo castiga.

Tú eres el Dios que nos salva,
la luz que nos ilumina,
la mano que nos sostiene
y el techo que nos cobija.

Y sacaremos con gozo
del manantial de la vida
las aguas que dan al hombre
la fuerza que resucita.

Entonces proclamaremos:
«¡Cantadle con alegría!
¡El nombre de Dios es grande!
¡Su caridad infinita!

¡Que alabe al Señor la tierra!
Cantemos sus maravillas.
¡Qué grande en medio del pueblo
el Dios que nos justifica!» Amén.

SALMODIA

Antífona 1

Fuera del Tiempo pascual: **Envíame, Señor, tu luz y tu verdad.**

Tiempo pascual: **Se han acercado al monte de Sión, a la ciudad del Dios vivo. Aleluya.**

Salmo 42

DESEO DEL TEMPLO

> Yo he venido al mundo como luz.
> (Jn 12, 46)

Hazme justicia, ¡oh Dios!, defiende mi causa
   contra gente sin piedad,
   sálvame del hombre traidor y malvado.

Tú eres mi Dios y protector,
   ¿por qué me rechazas?

¿Por qué voy andando sombrío,
hostigado por mi enemigo?

Envía tu luz y tu verdad:
que ellas me guíen
y me conduzcan hasta tu monte santo,
hasta tu morada.

Que yo me acerque al altar de Dios,
al Dios de mi alegría;
que te dé gracias al son de la cítara,
Señor, Dios mío.

¿Por qué te acongojas, alma mía,
por qué te me turbas?
Espera en Dios, que volverás a alabarlo:
«Salud de mi rostro, Dios mío.»

Fuera del Tiempo pascual: Envíame, Señor, tu luz y tu verdad.

Tiempo pascual: Se han acercado al monte de Sión, a la ciudad del Dios vivo. Aleluya.

Antífona 2

Fuera del Tiempo pascual: Protégenos, Señor, todos los días de nuestra vida.

Tiempo pascual: Tú, Señor, detuviste mi alma ante la tumba vacía. Aleluya.

Cántico   Is 38, 10-14. 17-20

ANGUSTIAS DE UN MORIBUNDO Y ALEGRÍA DE LA CURACIÓN

Yo soy el que vive y estaba muerto… y tengo las llaves de la muerte.
(Apoc 1, 17. 18)

Yo pensé: «En medio de mis días
tengo que marchar hacia las puertas del abismo;
me privan del resto de mis años.»

Yo pensé: «Ya no veré más al Señor
en la tierra de los vivos,
ya no miraré a los hombres
entre los habitantes del mundo.

Levantan y enrollan mi vida
como una tienda de pastores.
Como un tejedor devanaba yo mi vida,
y me cortan la trama.»

Día y noche me estás acabando,
solloza hasta el amanecer.
Me quiebras los huesos como un león,
día y noche me estás acabando.

Estoy piando como una golondrina,
gimo como una paloma.
Mis ojos mirando al cielo se consumen:
¡Señor, que me oprimen, sal fiador por mí!

Me has curado, me has hecho revivir,
la amargura se me volvió paz
cuando detuviste mi alma ante la tumba vacía
y volviste la espalda a todos mis pecados.

El abismo no te da gracias,
ni la muerte te alaba,
ni esperan en tu fidelidad
los que bajan a la fosa.

Los vivos, los vivos son quienes te alaban:
como yo ahora.
El padre enseña a sus hijos tu fidelidad.

Sálvame, Señor, y tocaremos nuestras arpas
todos nuestros días en la casa del Señor.

Fuera del Tiempo pascual: **Protégenos, Señor, todos los días de nuestra vida.**

Tiempo pascual: **Tú, Señor, detuviste mi alma ante la tumba vacía. Aleluya.**

Antífona 3

Fuera del Tiempo pascual: ¡Oh Dios!, tú mereces un himno en Sión. †

Tiempo pascual: Tú has cuidado de nuestra tierra y la has enriquecido sin medida. Aleluya.

Salmo 64

SOLEMNE ACCIÓN DE GRACIAS

> Cuando se habla de Sión debe entenderse del reino eterno. (Orígenes)

¡Oh Dios!, tú mereces un himno en Sión,
† y a ti se te cumplen los votos,
porque tú escuchas las súplicas.

A ti acude todo mortal
a causa de sus culpas;
nuestros delitos nos abruman,
pero tú los perdonas.

Dichoso el que tú eliges y acercas
para que viva en tus atrios:
que nos saciemos de los bienes de tu casa,
de los dones sagrados de tu templo.

Con portentos de justicia nos respondes,
Dios, Salvador nuestro;
tú, esperanza del confín de la tierra
y del océano remoto;

tú que afianzas los montes con tu fuerza,
ceñido de poder;
tú que reprimes el estruendo del mar,
el estruendo de las olas
y el tumulto de los pueblos.

Los habitantes del extremo del orbe
se sobrecogen ante tus signos,

y a las puertas de la aurora y del ocaso
las llenas de júbilo.

Tú cuidas de la tierra, la riegas
y la enriqueces sin medida;
la acequia de Dios va llena de agua,
preparas los trigales;

riegas los surcos, igualas los terrones,
tu llovizna los deja mullidos,
bendices sus brotes;
coronas el año con tus bienes,
las rodadas de tu carro rezuman abundancia;

rezuman los pastos del páramo,
y las colinas se orlan de alegría;
las praderas se cubren de rebaños,
y los valles se visten de mieses,
que aclaman y cantan.

Fuera del Tiempo pascual: ¡Oh Dios!, tú mereces un himno
en Sión.

Tiempo pascual: Tú has cuidado de nuestra tierra y la
has enriquecido sin medida. Aleluya.

LECTURA BREVE   1 Tes 5, 4-5

No vivan, hermanos, en tinieblas para que el día del
Señor no los sorprenda como ladrón; porque todos ustedes son hijos de la luz e hijos del día. No somos de la
noche ni de las tinieblas.

RESPONSORIO BREVE

℣. Escucha mi voz, Señor; espero en tu palabra.
℟. Escucha mi voz, Señor; espero en tu palabra.

℣. Me adelanto a la aurora pidiendo auxilio.
℟. Espero en tu palabra.

℣. Gloria al Padre, y al Hijo, y al Espíritu Santo.

℟. Escucha mi voz, Señor; espero en tu palabra.

CÁNTICO EVANGÉLICO

Ant. De la mano de nuestros enemigos, líbranos, Señor.

Cántico de Zacarías, p. 27.

PRECES PARA CONSAGRAR A DIOS
EL DÍA Y EL TRABAJO

Bendigamos a nuestro Salvador, que con su resurrección ha iluminado el mundo, y digámosle suplicantes:

Haz, Señor, que caminemos por tu senda.

Señor Jesús, al consagrar nuestra oración matinal en memoria de tu santa resurrección,
— te pedimos que la esperanza de participar de tu gloria ilumine todo nuestro día.

Te ofrecemos, Señor, los deseos y proyectos de nuestra jornada:
— dígnate aceptarlos y bendecirlos como primicias de nuestro día.

Concédenos crecer hoy en tu amor,
— a fin de que todo concurra para nuestro bien y el de nuestros hermanos.

Haz, Señor, que el ejemplo de nuestra vida resplandezca como una luz ante los hombres,
— para que todos den gloria al Padre que está en los cielos.

Se pueden añadir algunas intenciones libres.

Porque deseamos que la luz de Cristo ilumine a todos los hombres, pidamos al Padre que su reino llegue a nosotros: Padre nuestro...

Oración conclusiva

Señor Jesucristo, luz verdadera que alumbras a todo hombre y le muestras el camino de la salvación: concédenos la abundancia de tu gracia para que preparemos, delante de ti, sendas de justicia y de paz. Tú que vives y reinas...

℟. Amén.

Conclusión

℣. El Señor nos bendiga, nos guarde de todo mal y nos lleve a la vida eterna.

℟. Amén.

Vísperas

Invocación inicial

℣. Dios mío, ven en mi auxilio.

℟. Señor, date prisa en socorrerme.
Gloria al Padre... (Aleluya.)

Himno

Mentes cansadas,
manos encallecidas,
labriegos al fin de la jornada,
jornaleros de tu viña,
venimos, Padre,
atardecidos de cansancio,
agradecidos por la lucha,
a recibir tu denario.

Llenos de polvo,
el alma hecha girones,
romeros al filo de la tarde,
peregrinos de tus montes,
venimos, Padre,
heridos por los desengaños,

contentos por servir a tu mesa,
a recibir tu denario.

Hartos de todo,
llenos de nada,
sedientos al brocal de tus pozos
y hambrientos de tu casa,
venimos, Padre,
el corazón entre tus brazos,
la frente humilde de delitos,
a recibir tu denario. Amén.

SALMODIA

Antífona 1

Fuera del Tiempo pascual: No pueden servir a Dios y al dinero.

Tiempo pascual: Aspiren a los bienes de arriba, no a los de la tierra. Aleluya.

Salmo 48

VANIDAD DE LAS RIQUEZAS

> Es muy difícil que un rico entre en el reino de los cielos. (Mt 19, 23)

I

Oigan esto, todas las naciones,
   escúchenlo, habitantes del orbe:
   plebeyos y nobles, ricos y pobres;

mi boca hablará sabiamente,
   y serán muy sensatas mis reflexiones;
   prestaré oído al proverbio
   y propondré mi problema al son de la cítara.

¿Por qué habré de temer los días aciagos,
   cuando me cerquen y me acechen los malvados,

que confían en su opulencia
y se jactan de sus inmensas riquezas,
si nadie puede salvarse
ni dar a Dios un rescate?

Es tan caro el rescate de la vida,
que nunca les bastará
para vivir perpetuamente
sin bajar a la fosa.

Miren: los sabios mueren,
lo mismo que perecen los ignorantes y necios,
y legan sus riquezas a extraños.

El sepulcro es su morada perpetua
y su casa de edad en edad,
aunque hayan dado nombre a países.

El hombre no perdura en la opulencia,
sino que perece como los animales.

Fuera del Tiempo pascual: No pueden servir a Dios y al
dinero.

Tiempo pascual: Aspiren a los bienes de arriba, no a los
de la tierra. Aleluya.

Antífona 2

Fuera del Tiempo pascual: «Acumulen tesoros en el cielo»,
dice el Señor.

Tiempo pascual: El Señor me salva de las garras del
abismo. Aleluya.

II

Éste es el camino de los confiados,
el destino de los hombres satisfechos:

son un rebaño para el abismo,
la muerte es su pastor,
y bajan derechos a la tumba;

se desvanece su figura
y el abismo es su casa.

Pero a mí, Dios me salva,
me saca de las garras del abismo
y me lleva consigo.

No te preocupes si se enriquece un hombre
y aumenta el fasto de su casa:
cuando muera, no se llevará nada,
su fasto no bajará con él.

Aunque en vida se felicitaba:
«Ponderan lo bien que lo pasas»,
irá a reunirse con sus antepasados,
que no verán nunca la luz.

El hombre rico e inconsciente
es como un animal que perece.

Fuera del Tiempo pascual: **«Acumulen tesoros en el cielo»,
dice el Señor.**

Tiempo pascual: **El Señor me salva de las garras del
abismo. Aleluya.**

Antífona 3

Fuera del Tiempo pascual: **Digno es el Cordero degollado
de recibir el honor y la gloria.**

Tiempo pascual: **Tuyos son, Señor, el poder y la riqueza,
la fuerza y la gloria. Aleluya.**

Cántico   Apoc 4, 11; 5, 9-10. 12

HIMNO A DIOS CREADOR

Eres digno, Señor Dios nuestro, de recibir la gloria,
el honor y el poder,
porque tú has creado el universo;
porque por tu voluntad lo que no existía fue creado.

Eres digno de tomar el libro y abrir sus sellos,
   porque fuiste degollado
   y por tu sangre compraste para Dios
   hombres de toda raza, lengua, pueblo y nación;
   y has hecho de ellos para nuestro Dios
   un reino de sacerdotes
   y reinan sobre la tierra.

Digno es el Cordero degollado
   de recibir el poder, la riqueza y la sabiduría,
   la fuerza y el honor, la gloria y la alabanza.

Fuera del Tiempo pascual: Digno es el Cordero degollado
de recibir el honor y la gloria.

Tiempo pascual: Tuyos son, Señor, el poder y la riqueza,
la fuerza y la gloria. Aleluya.

LECTURA BREVE   Rom 3, 23-25a

Todos pecaron y se hallan privados de la gloria de Dios;
son justificados gratuitamente, mediante la gracia de
Cristo, en virtud de la redención realizada en él, a quien
Dios ha propuesto como instrumento de propiciación.

RESPONSORIO BREVE

℣. Me saciarás de gozo en tu presencia, Señor.
℟. Me saciarás de gozo en tu presencia, Señor.
℣. De alegría perpetua a tu derecha.
℟. En tu presencia, Señor.
℣. Gloria al Padre, y al Hijo, y al Espíritu Santo.
℟. Me saciarás de gozo en tu presencia, Señor.

CÁNTICO EVANGÉLICO

Ant. Haz, Señor, obras grandes por nosotros, porque tú
eres poderoso y tu nombre es santo.

Cántico de la Santísima Virgen María, p. 18.

PRECES O INTERCESIONES

Alabemos a Cristo, pastor y obispo de nuestras vidas, que vela siempre con amor por su pueblo, y digámosle suplicantes:

Protege, Señor, a tu pueblo.

Pastor eterno, protege a nuestro obispo N.
— y a todos los pastores de la Iglesia.

Mira con bondad a los que sufren persecución
— y líbralos de todas sus angustias.

Compadécete de los pobres y necesitados
— y da pan a los hambrientos.

Ilumina a los que tienen la misión de gobernar a los pueblos
— y dales sabiduría y prudencia.

Se pueden añadir algunas intenciones libres.

No olvides, Señor, a los difuntos redimidos por tu sangre
— y admítelos en el festín de las bodas eternas.

Unidos fraternalmente como hermanos de una misma familia, invoquemos al Padre común: Padre nuestro...

Oración conclusiva

Dios todopoderoso y eterno, Señor del día y de la noche, humildemente te pedimos que la luz de Cristo, verdadero sol de justicia, ilumine siempre nuestras vidas para que así merezcamos gozar un día de aquella luz en la que tú habitas eternamente. Por nuestro Señor Jesucristo, tu Hijo...
℟. Amén.

CONCLUSIÓN

℣. El Señor nos bendiga, nos guarde de todo mal y nos lleve a la vida eterna.
℟. Amén.

MIÉRCOLES II

Laudes

Invocación inicial

℣. Señor, abre mis labios.

℟. Y mi boca proclamará tu alabanza.

Puede añadirse el salmo 94 (p. 20), con su antífona correspondiente. En el Tiempo ordinario se dice:

Aclama al Señor, tierra entera, sirvan al Señor con alegría.

Himno

Nacidos de la luz, hijos del día,
vamos hacia el Señor de la mañana.
Su claridad disipa nuestras sombras
y alegra y regocija nuestras almas.

Que nuestro Dios, el Padre de la gloria,
nos libre para siempre del pecado,
y podamos así gozar la herencia
que nos legó en su Hijo muy amado.

Honor y gloria a Dios, Padre celeste,
por medio de su Hijo Jesucristo,
y al Don de toda luz, el Santo Espíritu,
que vive por los siglos de los siglos. Amén.

Salmodia

Antífona 1

Fuera del Tiempo pascual: **Dios mío, tus caminos son santos: ¿qué dios es grande como nuestro Dios?**

Tiempo pascual: Te vio el mar, ¡oh Dios!, te vio el mar mientras guiabas a tu pueblo por las aguas caudalosas. Aleluya.

Salmo 76

RECUERDO DEL PASADO GLORIOSO DE ISRAEL

> Nos aprietan por todos lados, pero no nos aplastan. (2 Cor 4, 8)

Alzo mi voz a Dios gritando,
   alzo mi voz a Dios para que me oiga.

En mi angustia te busco, Señor mío;
   de noche extiendo las manos sin descanso,
   y mi alma rehúsa el consuelo.
   Cuando me acuerdo de Dios, gimo,
   y meditando me siento desfallecer.

Sujetas los párpados de mis ojos,
   y la agitación no me deja hablar.
   Repaso los días antiguos,
   recuerdo los años remotos;
   de noche lo pienso en mis adentros,
   y meditándolo me pregunto:

¿Es que el Señor nos rechaza para siempre
   y ya no volverá a favorecernos?
   ¿Se ha agotado ya su misericordia,
   se ha terminado para siempre su promesa?
   ¿Es que Dios se ha olvidado de su bondad,
   o la cólera cierra sus entrañas?

Y me digo: ¡Qué pena la mía!
   ¡Se ha cambiado la diestra del Altísimo!
   Recuerdo las proezas del Señor;
   sí, recuerdo tus antiguos portentos,
   medito todas tus obras
   y considero tus hazañas.

Dios mío, tus caminos son santos:
¿qué dios es grande como nuestro Dios?

Tú, ¡oh Dios!, haciendo maravillas,
mostraste tu poder a los pueblos;
con tu brazo rescataste a tu pueblo,
a los hijos de Jacob y de José.

Te vio el mar, ¡oh Dios!,
te vio el mar y tembló,
las olas se estremecieron.

Las nubes descargaban sus aguas,
retumbaban los nubarrones,
tus saetas zigzagueaban.

Rodaba el fragor de tu trueno,
los relámpagos deslumbraban el orbe,
la tierra retembló estremecida.

Tú te abriste camino por las aguas,
un vado por las aguas caudalosas,
y no quedaba rastro de tus huellas:

mientras guiabas a tu pueblo, como a un rebaño,
por la mano de Moisés y de Aarón.

Fuera del Tiempo pascual: Dios mío, tus caminos son
santos: ¿qué dios es grande como nuestro Dios?

Tiempo pascual: Te vio el mar, ¡oh Dios!, te vio el mar
mientras guiabas a tu pueblo por las aguas caudalosas.
Aleluya.

Antífona 2

Fuera del Tiempo pascual: Mi corazón se regocija por el
Señor, que humilla y enaltece.

Tiempo pascual: El Señor da la muerte y la vida. Aleluya.

Cántico   1 Sam 2, 1-10

ALEGRÍA DE LOS HUMILDES EN DIOS

> Derriba del trono a los poderosos
> y enaltece a los humildes; a los
> hambrientos los colma de bienes.
> (Lc 1, 52-53)

Mi corazón se regocija por el Señor,
  mi poder se exalta por Dios;
  mi boca se ríe de mis enemigos,
  porque gozo con tu salvación.
  No hay santo como el Señor,
  no hay roca como nuestro Dios.

No multipliquen discursos altivos,
  no echen por la boca arrogancias,
  porque el Señor es un Dios que sabe;
  él es quien pesa las acciones.

Se rompen los arcos de los valientes,
  mientras los cobardes se ciñen de valor;
  los hartos se contratan por el pan,
  mientras los hambrientos no tienen ya que trabajar;
  la mujer estéril da a luz siete hijos,
  mientras la madre de muchos se marchita.

El Señor da la muerte y la vida,
  hunde en el abismo y levanta;
  da la pobreza y la riqueza,
  humilla y enaltece.

Él levanta del polvo al desvalido,
  alza de la basura al pobre,
  para hacer que se siente entre príncipes
  y que herede un trono de gloria;
  pues del Señor son los pilares de la tierra,
  y sobre ellos afianzó el orbe.

Él guarda los pasos de sus amigos,
mientras los malvados perecen en las tinieblas,
porque el hombre no triunfa por su fuerza.

El Señor desbarata a sus contrarios,
el Altísimo truena desde el cielo,
el Señor juzga hasta el confín de la tierra.
Él da fuerza a su Rey,
exalta el poder de su Ungido.

Fuera del Tiempo pascual: **Mi corazón se regocija por el Señor, que humilla y enaltece.**

Tiempo pascual: **El Señor da la muerte y la vida. Aleluya.**

Antífona 3

Fuera del Tiempo pascual: **El Señor reina, la tierra goza. †**

Tiempo pascual: **Amanece la luz para el justo y la alegría para los rectos de corazón. Aleluya.**

Salmo 96

EL SEÑOR ES UN REY MAYOR QUE TODOS LOS DIOSES

> Este salmo canta la salvación del mundo y la conversión de todos los pueblos. (S. Atanasio)

El Señor reina, la tierra goza,
† se alegran las islas innumerables.
Tiniebla y nube lo rodean,
justicia y derecho sostienen su trono.

Delante de él avanza fuego
abrasando en torno a los enemigos;
sus relámpagos deslumbran el orbe,
y, viéndolos, la tierra se estremece.

Los montes se derriten como cera
ante el dueño de toda la tierra;

los cielos pregonan su justicia,
y todos los pueblos contemplan su gloria.

Los que adoran estatuas se sonrojan,
los que ponen su orgullo en los ídolos;
ante él se postran todos los dioses.

Lo oye Sión, y se alegra,
se regocijan las ciudades de Judá
por tus sentencias, Señor;

porque tú eres, Señor,
altísimo sobre toda la tierra,
encumbrado sobre todos los dioses.

El Señor ama al que aborrece el mal,
protege la vida de sus fieles
y los libra de los malvados.

Amanece la luz para el justo,
y la alegría para los rectos de corazón.
Alégrense, justos, con el Señor,
celebren su santo nombre.

Fuera del Tiempo pascual: El Señor reina, la tierra goza.

Tiempo pascual: Amanece la luz para el justo y la alegría
para los rectos de corazón. Aleluya.

LECTURA BREVE   Rom 8, 35. 37
¿Quién podrá apartarnos del amor de Cristo? ¿La aflicción? ¿La angustia? ¿La persecución? ¿El hambre? ¿La
desnudez? ¿El peligro? ¿La espada? En todo esto
vencemos fácilmente por aquel que nos ha amado.

RESPONSORIO BREVE
℣. Bendigo al Señor en todo momento.
℟. Bendigo al Señor en todo momento.
℣. Su alabanza está siempre en mi boca.
℟. En todo momento.

℣. Gloria al Padre, y al Hijo, y al Espíritu Santo.
℟. Bendigo al Señor en todo momento.

CÁNTICO EVANGÉLICO

Ant. Sirvamos al Señor con santidad todos nuestros días.

Cántico de Zacarías, p. 27.

PRECES PARA CONSAGRAR A DIOS
EL DÍA Y EL TRABAJO

Oremos a nuestro Señor Jesucristo, que prometió estar con nosotros todos los días hasta el fin del mundo, y digámosle confiados:

Escúchanos, Señor.

Quédate con nosotros, Señor, durante todo el día:
— que la luz de tu gracia no conozca nunca el anochecer en nuestras vidas.

Que el trabajo de este día sea como una oblación sin defecto,
— y que sea agradable a tus ojos.

Que en todas nuestras palabras y acciones seamos hoy luz del mundo
— y sal de la tierra para cuantos nos traten.

Que la gracia del Espíritu Santo habite en nuestros corazones y resplandezca en nuestras obras
— para que así permanezcamos en tu amor y en tu alabanza.

Se pueden añadir algunas intenciones libres.

Terminemos nuestra oración diciendo juntos las palabras del Señor y pidiendo al Padre que nos libre de todo mal:
Padre nuestro...

Oración conclusiva

Envía, Señor, a nuestros corazones la abundancia de tu luz, para que, avanzando siempre por el camino de tus mandatos, nos veamos libres de todo error. Por nuestro Señor Jesucristo, tu Hijo...

℟. Amén.

Conclusión

℣. El Señor nos bendiga, nos guarde de todo mal y nos lleve a la vida eterna.

℟. Amén.

Vísperas

Invocación inicial

℣. Dios mío, ven en mi auxilio.
℟. Señor, date prisa en socorrerme.
Gloria al Padre... (Aleluya.)

Himno

Señor, tú eres santo: yo adoro, yo creo;
tu cielo es un libro de páginas bellas,
do en noches tranquilas mi símbolo leo,
que escribe tu mano con signos de estrellas.

En vano con sombras el caos se cierra:
tú miras al caos, la luz nace entonces;
tú mides las aguas que ciñen la tierra,
tú mides los siglos que muerden los bronces.

El mar a la tierra pregunta tu nombre,
la tierra a las aves que tienden su vuelo;
las aves lo ignoran; preguntan al hombre,
y el hombre lo ignora; pregúntanlo al cielo.

El mar con sus ecos ha siglos que ensaya
formar ese nombre, y el mar no penetra
misterios tan hondos, muriendo en la playa,
sin que oigan los siglos o sílaba o letra.

Señor, tú eres santo: yo te amo, yo espero;
tus dulces bondades cautivan el alma;
mi pecho gastaron con diente de acero
los gustos del mundo, vacíos de calma.

Concede a mis penas la luz de bonanza,
la paz a mis noches, la paz a mis días;
tu amor a mi pecho, tu fe y tu esperanza,
que es bálsamo puro que al ánima envías. Amén.

SALMODIA

Antífona 1

Fuera del Tiempo pascual: **Aguardamos la alegre esperanza, la aparición gloriosa de nuestro Salvador.**

Tiempo pascual: **No se turbe su corazón; tan sólo crean en mí. Aleluya.**

Salmo 61

DIOS, ÚNICA ESPERANZA DEL JUSTO

> Que el Dios de la esperanza los colme de todo gozo y paz. (Rom 15, 13)

Sólo en Dios descansa mi alma,
  porque de él viene mi salvación;
  sólo él es mi roca y mi salvación,
  mi alcázar: no vacilaré.

¿Hasta cuándo arremeterán contra un hombre
  todos juntos, para derribarlo
  como a una pared que cede
  o a una tapia ruinosa?

Sólo piensan en derribarme de mi altura,
   y se complacen en la mentira:
   con la boca bendicen,
   con el corazón maldicen.

Descansa sólo en Dios, alma mía,
   porque él es mi esperanza;
   sólo él es mi roca y mi salvación,
   mi alcázar: no vacilaré.

De Dios viene mi salvación y mi gloria,
   él es mi roca firme,
   Dios es mi refugio.

Pueblo suyo, confíen en él,
   desahoguen ante él su corazón,
   que Dios es nuestro refugio.

Los hombres no son más que un soplo,
   los nobles son apariencia:
   todos juntos en la balanza subirían
   más leves que un soplo.

No confíen en la opresión,
   no pongan ilusiones en el robo;
   y aunque crezcan sus riquezas,
   no les den el corazón.

Dios ha dicho una cosa,
   y dos cosas que he escuchado:

«Que Dios tiene el poder
   y el Señor tiene la gracia;
   que tú pagas a cada uno
   según sus obras.»

Fuera del Tiempo pascual: Aguardamos la alegre esperanza, la aparición gloriosa de nuestro Salvador.

Tiempo pascual: No se turbe su corazón; tan sólo crean en mí. Aleluya.

Antífona 2

Fuera del Tiempo pascual: Que Dios ilumine su rostro sobre nosotros y nos bendiga.

Tiempo pascual: ¡Oh Dios!, que te alaben los pueblos, que se alegren por tu salvación. Aleluya.

Salmo 66

QUE TODOS LOS PUEBLOS ALABEN AL SEÑOR

> Sepan que esta salvación de Dios
> ha sido enviada a los gentiles.
> (Hech 28, 28)

El Señor tenga piedad y nos bendiga,
    ilumine su rostro sobre nosotros;
    conozca la tierra tus caminos,
    todos los pueblos tu salvación.

¡Oh Dios!, que te alaben los pueblos,
    que todos los pueblos te alaben.

Que canten de alegría las naciones,
    porque riges el mundo con justicia,
    riges los pueblos con rectitud
    y gobiernas las naciones de la tierra.

¡Oh Dios!, que te alaben los pueblos,
    que todos los pueblos te alaben.

La tierra ha dado su fruto,
    nos bendice el Señor, nuestro Dios.
    Que Dios nos bendiga; que lo teman
    hasta los confines del orbe.

Fuera del Tiempo pascual: Que Dios ilumine su rostro sobre nosotros y nos bendiga.

Tiempo pascual: ¡Oh Dios!, que te alaben los pueblos, que se alegren por tu salvación. Aleluya.

Antífona 3

Fuera del Tiempo pascual: **Todo fue creado por él y para él.**

Tiempo pascual: **Su resplandor eclipsa el cielo, la tierra se llena de su alabanza. Aleluya.**

Cántico   Cfr. Col 1, 12-20

HIMNO A CRISTO, PRIMOGÉNITO DE TODA CREATURA
Y PRIMER RESUCITADO DE ENTRE LOS MUERTOS

Damos gracias a Dios Padre,
    que nos ha hecho capaces de compartir
    la herencia del pueblo santo en la luz.

Él nos ha sacado del dominio de las tinieblas,
    y nos ha trasladado al reino de su Hijo querido,
    por cuya sangre hemos recibido la redención,
    el perdón de los pecados.

Él es imagen de Dios invisible,
    primogénito de toda creatura;
    pues por medio de él fueron creadas todas las cosas:
    celestes y terrestres, visibles e invisibles,
    tronos, dominaciones, principados, potestades;
    todo fue creado por él y para él.

Él es anterior a todo, y todo se mantiene en él.
    Él es también la cabeza del cuerpo de la Iglesia.
    Él es el principio, el primogénito de entre los
        muertos,
    y así es el primero en todo.

Porque en él quiso Dios que residiera toda plenitud.
    Y por él quiso reconciliar consigo todas las cosas:
    haciendo la paz por la sangre de su cruz
    con todos los seres, así del cielo como de la tierra.

Fuera del Tiempo pascual: **Todo fue creado por él y para él.**

Tiempo pascual: **Su resplandor eclipsa el cielo, la tierra se llena de su alabanza. Aleluya.**

LECTURA BREVE   1 Pe 5, 5b-7

Sean humildes unos con otros, porque Dios resiste a los soberbios, pero da su gracia a los humildes. Inclínense bajo la poderosa mano de Dios, para que a su tiempo los eleve. Descarguen en él todas sus preocupaciones, porque él se interesa por ustedes.

RESPONSORIO BREVE

℣. Guárdanos, Señor, como a las niñas de tus ojos.

℟. Guárdanos, Señor, como a las niñas de tus ojos.

℣. A la sombra de tus alas escóndenos.

℟. Como a las niñas de tus ojos.

℣. Gloria al Padre, y al Hijo, y al Espíritu Santo.

℟. Guárdanos, Señor, como a las niñas de tus ojos.

CÁNTICO EVANGÉLICO

Ant. Haz, Señor, proezas con tu brazo, dispersa a los soberbios y enaltece a los humildes.

Cántico de la Santísima Virgen María, p. 18.

PRECES O INTERCESIONES

Aclamemos, hermanos, a Dios, nuestro salvador, que se complace en enriquecernos con sus dones, y digámosle con fe:

> Muéstranos, Señor, tu amor y danos tu paz.

Dios eterno, mil años en tu presencia son como un ayer que pasó;
— ayúdanos a recordar siempre que nuestra vida es como una hierba que se renueva por la mañana y se seca por la tarde.

Alimenta a tu pueblo con el maná para que no perezca de hambre
— y dale el agua viva para que nunca más tenga sed.

Que tus fieles busquen y saboreen los bienes de arriba
— y te glorifiquen también con su descanso.

Concede, Señor, buen tiempo a las cosechas,
— para que la tierra dé fruto abundante.

O bien, en lugar de la petición precedente:

Líbranos, Señor, de todo peligro
— y bendice nuestros hogares (nuestra comunidad).

Se pueden añadir algunas intenciones libres.

Que los difuntos puedan contemplar tu faz
— y que nosotros tengamos un día parte en su felicidad.

Confiemos nuestras súplicas a Dios nuestro Padre, terminando nuestra oración con las palabras que Cristo nos enseñó: Padre nuestro...

Oración conclusiva

Dios nuestro, tu nombre es santo y tu misericordia llega a tus fieles de generación en generación; atiende, pues, las súplicas de tu pueblo y haz que pueda cantar eternamente tus alabanzas. Por nuestro Señor Jesucristo, tu Hijo...

℟. Amén.

CONCLUSIÓN

℣. El Señor nos bendiga, nos guarde de todo mal y nos lleve a la vida eterna.

℟. Amén.

JUEVES II

Laudes

Invocación inicial

℣. Señor, abre mis labios.
℟. Y mi boca proclamará tu alabanza.

Puede añadirse el salmo 94 (p. 20), con su antífona correspondiente. En el Tiempo ordinario se dice:

Entren en la presencia del Señor con aclamaciones.

Himno

Señor, tú me llamaste
para ser instrumento de tu gracia,
para anunciar la Buena Nueva,
para sanar las almas.

Instrumento de paz y de justicia,
pregonero de todas tus palabras,
agua para calmar la sed hiriente,
mano que bendice y que ama.

Señor, tú me llamaste
para curar los corazones heridos,
para gritar, en medio de las plazas,
que el Amor está vivo,
para sacar del sueño a los que duermen
y liberar al cautivo.
Soy cera blanda entre tus dedos,
haz lo que quieras conmigo.

Señor, tú me llamaste
para salvar al mundo ya cansado,
para amar a los hombres
que tú, Padre, me diste como hermanos.
Señor, me quieres para abolir las guerras

y aliviar la miseria y el pecado;
hacer temblar las piedras
y ahuyentar a los lobos del rebaño. Amén.

SALMODIA

Antífona 1

Fuera del Tiempo pascual: **Despierta tu poder, Señor, y ven a salvarnos.**

Tiempo pascual: **Yo soy la vid, ustedes son los sarmientos. Aleluya.**

Salmo 79

VEN A VISITAR TU VIÑA

Ven, Señor Jesús. (Apoc 22, 20)

Pastor de Israel, escucha,
   tú que guías a José como a un rebaño;
   tú que te sientas sobre querubines, resplandece
   ante Efraín, Benjamín y Manasés;
   despierta tu poder y ven a salvarnos.

¡Oh Dios!, restáuranos,
   que brille tu rostro y nos salve.

Señor Dios de los ejércitos,
   ¿hasta cuándo estarás airado
   mientras tu pueblo te suplica?

Le diste a comer llanto,
   a beber lágrimas a tragos;
   nos entregaste a las disputas de nuestros vecinos,
   nuestros enemigos se burlan de nosotros.

Dios de los ejércitos, restáuranos,
   que brille tu rostro y nos salve.

Sacaste una vid de Egipto,
   expulsaste a los gentiles, y la trasplantaste;

le preparaste el terreno y echó raíces
hasta llenar el país;

su sombra cubría las montañas,
y sus pámpanos, los cedros altísimos;
extendió sus sarmientos hasta el mar
y sus brotes hasta el Gran Río.

¿Por qué has derribado su cerca
para que la saqueen los viandantes,
la pisoteen los jabalíes
y se la coman las alimañas?

Dios de los ejércitos, vuélvete:
mira desde el cielo, fíjate,
ven a visitar tu viña,
la cepa que tu diestra plantó,
y que tú hiciste vigorosa.

La han talado y le han prendido fuego:
con un bramido hazlos perecer.
Que tu mano proteja a tu escogido,
al hombre que tú fortaleciste.
No nos alejaremos de ti:
danos vida, para que invoquemos tu nombre.

Señor Dios de los ejércitos, restáuranos,
que brille tu rostro y nos salve.

Fuera del Tiempo pascual: **Despierta tu poder, Señor, y ven a salvarnos.**

Tiempo pascual: **Yo soy la vid, ustedes son los sarmientos. Aleluya.**

Antífona 2

Fuera del Tiempo pascual: **Anuncien a toda la tierra que el Señor hizo proezas.**

Tiempo pascual: **Sacarán aguas con gozo de las fuentes de la salvación. Aleluya.**

Cántico   Is 12, 1-6

ACCIÓN DE GRACIAS DEL PUEBLO SALVADO

> El que tenga sed que venga a mí
> y que beba. (Jn 7, 37)

Te doy gracias, Señor,
  porque estabas airado contra mí,
  pero ha cesado tu ira
  y me has consolado.

Él es mi Dios y salvador:
  confiaré y no temeré,
  porque mi fuerza y mi poder es el Señor,
  él fue mi salvación.
  Y sacarán aguas con gozo
  de las fuentes de la salvación.

Aquel día, dirán:
  Den gracias al Señor,
  invoquen su nombre,
  cuenten a los pueblos sus hazañas,
  proclamen que su nombre es excelso.

Tañan para el Señor, que hizo proezas;
  anúncienlas a toda la tierra;
  griten jubilosos, habitantes de Sión:
  «¡Qué grande es en medio de ti
  el Santo de Israel!»

Fuera del Tiempo pascual: **Anuncien a toda la tierra que el Señor hizo proezas.**

Tiempo pascual: **Sacarán aguas con gozo de las fuentes de la salvación. Aleluya.**

Antífona 3

Fuera del Tiempo pascual: **Aclamen a Dios, nuestra fuerza.** †

Tiempo pascual: El Señor nos alimentó con flor de harina.
Aleluya.

Salmo 80

SOLEMNE RENOVACIÓN DE LA ALIANZA

Miren que no tenga nadie un corazón malo e incrédulo. (Heb 3, 12)

Aclamen a Dios, nuestra fuerza;
† den vítores al Dios de Jacob:

acompañen, toquen los panderos,
    las cítaras templadas y las arpas;
    toquen la trompeta por la luna nueva,
    por la luna llena, que es nuestra fiesta;

porque es una ley de Israel,
    un precepto del Dios de Jacob,
    una norma establecida para José
    al salir de Egipto.

Oigo un lenguaje desconocido:
    «Retiré sus hombros de la carga,
    y sus manos dejaron la espuerta.

Clamaste en la aflicción, y te libré,
    te respondí oculto entre los truenos,
    te puse a prueba junto a la fuente de Meribá.

Escucha, pueblo mío, doy testimonio contra ti;
    ¡ojalá me escucharas, Israel!

No tendrás un dios extraño,
    no adorarás un dios extranjero;
    yo soy el Señor Dios tuyo,
    que te saqué del país de Egipto;
    abre tu boca y yo la saciaré.

Pero mi pueblo no escuchó mi voz,
    Israel no quiso obedecer:

los entregué a su corazón obstinado,
para que anduvieran según sus antojos.

¡Ojalá me escuchara mi pueblo
y caminara Israel por mi camino!:
en un momento humillaría a sus enemigos
y volvería mi mano contra sus adversarios;

los que aborrecen al Señor te adularían,
y su suerte quedaría fijada;
te alimentaría con flor de harina,
te saciaría con miel silvestre.»

Fuera del Tiempo pascual: Aclamen a Dios, nuestra fuerza.

Tiempo pascual: El Señor nos alimentó con flor de harina. Aleluya.

LECTURA BREVE   Rom 14, 17-19

El reino de Dios no es comida ni bebida, sino justicia y paz y gozo en el Espíritu Santo, pues el que en esto sirve a Cristo es grato a Dios y acepto a los hombres. Por lo tanto, trabajemos por la paz y por nuestra mutua edificación.

RESPONSORIO BREVE

℣. Velando medito en ti, Señor.
℟. Velando medito en ti, Señor.
℣. Porque fuiste mi auxilio.
℟. Medito en ti, Señor.
℣. Gloria al Padre, y al Hijo, y al Espíritu Santo.
℟. Velando medito en ti, Señor.

CÁNTICO EVANGÉLICO

Ant. Anuncia, Señor, la salvación a tu pueblo y perdónanos nuestros pecados.

Cántico de Zacarías, p. 27.

PRECES PARA CONSAGRAR A DIOS
EL DÍA Y EL TRABAJO

Bendigamos a Dios, nuestro Padre, que mira siempre con amor a sus hijos y nunca desatiende sus súplicas, y digámosle con humildad:

Ilumínanos, Señor.

Te damos gracias, Señor, porque nos has iluminado con la luz de Jesucristo;
— que esta claridad ilumine hoy todos nuestros actos.

Que tu sabiduría nos dirija en nuestra jornada;
— así andaremos por sendas de vida nueva.

Ayúdanos a superar con fortaleza las adversidades
— y haz que te sirvamos con generosidad de espíritu.

Dirige y santifica los pensamientos, palabras y obras de nuestro día
— y danos un espíritu dócil a tus inspiraciones.

Se pueden añadir algunas intenciones libres.

Dirijamos ahora, todos juntos, nuestra oración al Padre y digámosle: Padre nuestro...

Oración conclusiva

A ti, Señor, que eres la luz verdadera y la fuente misma de toda luz, te pedimos humildemente que meditando fielmente tu palabra vivamos siempre en la claridad de tu luz. Por nuestro Señor Jesucristo, tu Hijo...
℟. Amén.

CONCLUSIÓN

℣. El Señor nos bendiga, nos guarde de todo mal y nos lleve a la vida eterna.
℟. Amén.

Vísperas

INVOCACIÓN INICIAL

℣. Dios mío, ven en mi auxilio.
℟. Señor, date prisa en socorrerme.
  Gloria al Padre... (Aleluya.)

HIMNO

Cuando la luz se hace vaga
y está cayendo la tarde,
venimos a ti, Señor,
para cantar tus bondades.

Los pájaros se despiden
piadosamente en los árboles,
y buscan calor de nido
y blandura de plumajes.

Así vuelven fatigados
los hombres a sus hogares,
cargando sus ilusiones
o escondiendo sus maldades.

Quieren olvidar la máquina,
olvidar sus vanidades;
descansar de tanto ruido
y morir a sus pesares.

Ya todo pide silencio,
se anuncia la noche amable:
convierte, Padre, sus penas
en abundancia de panes.

Alivie tu mano pródiga,
tu mano buena de Padre,
el cansancio de sus cuerpos,
sus codicias y sus males. Amén.

S ALMODIA

Antífona 1

Fuera del Tiempo pascual: Te hago luz de las naciones, para que seas mi salvación hasta el fin de la tierra.

Tiempo pascual: Cristo está constituido por Dios juez de vivos y muertos. Aleluya.

Salmo 71

PODER REAL DEL MESÍAS

> Abriendo sus cofres le ofrecieron regalos: oro, incienso y mirra. (Mt 2, 11)

I

Dios mío, confía tu juicio al rey,
   tu justicia al hijo de reyes,
   para que rija a tu pueblo con justicia,
   a tus humildes con rectitud.

Que los montes traigan paz,
   y los collados justicia;
   que él defienda a los humildes del pueblo,
   socorra a los hijos del pobre
   y quebrante al explotador.

Que dure tanto como el sol,
   como la luna, de edad en edad;
   que baje como lluvia sobre el césped,
   como llovizna que empapa la tierra.

Que en sus días florezca la justicia
   y la paz hasta que falte la luna.

Que domine de mar a mar,
   del Gran Río al confín de la tierra.

Que en su presencia se inclinen sus rivales;
   que sus enemigos muerdan el polvo;

que los reyes de Tarsis y de las islas
le paguen tributo.

Que los reyes de Saba y de Arabia
le ofrezcan sus dones;
que se postren ante él todos los reyes,
y que todos los pueblos lo sirvan.

Fuera del Tiempo pascual: Te hago luz de las naciones, para que seas mi salvación hasta el fin de la tierra.

Tiempo pascual: Cristo está constituido por Dios juez de vivos y muertos. Aleluya.

Antífona 2

Fuera del Tiempo pascual: Socorrerá el Señor a los hijos del pobre; rescatará sus vidas de la violencia.

Tiempo pascual: Él será la bendición de todos los pueblos. Aleluya.

II

Él librará al pobre que clamaba,
al afligido que no tenía protector;
él se apiadará del pobre y del indigente,
y salvará la vida de los pobres;

él rescatará sus vidas de la violencia,
su sangre será preciosa a sus ojos.

Que viva y que le traigan el oro de Saba;
él intercederá por el pobre
y lo bendecirá.

Que haya trigo abundante en los campos,
y ondee en lo alto de los montes,
den fruto como el Líbano,
y broten las espigas como hierba del campo.

Que su nombre sea eterno,
y su fama dure como el sol;

que él sea la bendición de todos los pueblos,
y lo proclamen dichoso todas las razas de la tierra.

Bendito sea el Señor, Dios de Israel,
el único que hace maravillas;
bendito por siempre su nombre glorioso,
que su gloria llene la tierra.
¡Amén, amén!

Fuera del Tiempo pascual: Socorrerá el Señor a los hijos del pobre; rescatará sus vidas de la violencia.

Tiempo pascual: Él será la bendición de todos los pueblos. Aleluya.

Antífona 3

Fuera del Tiempo pascual: Ahora se estableció la salud y el reinado de nuestro Dios.

Tiempo pascual: Ayer como hoy, Jesucristo es el mismo y lo será siempre. Aleluya.

Cántico   Apoc 11, 17-18; 12, 10b-12a

EL JUICIO DE DIOS

Gracias te damos, Señor Dios omnipotente,
el que eres y el que eras,
porque has asumido el gran poder
y comenzaste a reinar.

Se encolerizaron las naciones,
llegó tu cólera,
y el tiempo de que sean juzgados los muertos,
y de dar el galardón a tus siervos los profetas,
y a los santos y a los que temen tu nombre,
y a los pequeños y a los grandes,
y de arruinar a los que arruinaron la tierra.

Ahora se estableció la salud y el poderío,
y el reinado de nuestro Dios,

180 - Jueves II

y la potestad de su Cristo;
porque fue precipitado
el acusador de nuestros hermanos,
el que los acusaba ante nuestro Dios día y noche.

Ellos lo vencieron en virtud de la sangre del Cordero
y por la palabra del testimonio que dieron,
y no amaron tanto su vida que temieran la muerte.
Por esto, estén alegres, cielos,
y los que moran en sus tiendas.

Fuera del Tiempo pascual: Ahora se estableció la salud y el reinado de nuestro Dios.

Tiempo pascual: Ayer como hoy, Jesucristo es el mismo y lo será siempre. Aleluya.

LECTURA BREVE
1 Pe 1, 22-23

Por la obediencia a la verdad han purificado sus almas para un amor fraternal no fingido; ámense, pues, con intensidad y muy cordialmente unos a otros, como quienes han sido engendrados no de semilla corruptible, sino incorruptible, por la palabra viva y permanente de Dios.

RESPONSORIO BREVE

℣. El Señor es mi pastor, nada me falta.
℟. El Señor es mi pastor, nada me falta.
℣. En verdes praderas me hace recostar.
℟. Nada me falta.
℣. Gloria al Padre, y al Hijo, y al Espíritu Santo.
℟. El Señor es mi pastor, nada me falta.

CÁNTICO EVANGÉLICO

Ant. A los que tienen hambre de ser justos el Señor los colma de bienes.

Cántico de la Santísima Virgen María, p. 18.

PRECES O INTERCESIONES

Elevemos a Dios nuestros corazones agradecidos porque ha bendecido a su pueblo con toda clase de bienes espirituales y digámosle con fe:

Bendice, Señor, a tu pueblo.

Dios todopoderoso y lleno de misericordia, protege al Papa N. y a nuestro obispo N.,
— que tú mismo has elegido para guiar a la Iglesia.

Protege, Señor, a nuestros pueblos y ciudades
— y aleja de ellos todo mal.

Multiplica como renuevos de olivo alrededor de tu mesa hijos que se consagren a tu reino,
— siguiendo a Jesucristo en pobreza, castidad y obediencia.

Conserva el propósito de aquellas de tus hijas que han consagrado a ti su virginidad,
— para que, en la integridad de su cuerpo y de su espíritu, sigan al Cordero dondequiera que vaya.

Se pueden añadir algunas intenciones libres.

Da la paz a los difuntos
— y permítenos encontrarlos nuevamente un día en tu reino.

Ya que por Jesucristo hemos llegado a ser hijos de Dios, acudamos con confianza a nuestro Padre: Padre nuestro...

Oración conclusiva

Al ofrecerte, Señor, nuestro sacrificio vespertino de alabanza, te pedimos humildemente que, meditando día y noche en tu palabra, consigamos un día la luz y el premio de la vida eterna. Por nuestro Señor Jesucristo, tu Hijo...
R. Amén.

CONCLUSIÓN

℣. El Señor nos bendiga, nos guarde de todo mal y nos lleve a la vida eterna.

℟. Amén.

VIERNES II

Laudes

INVOCACIÓN INICIAL

℣. Señor, abre mis labios.

℟. Y mi boca proclamará tu alabanza.

Puede añadirse el salmo 94 (p. 20), con su antífona correspondiente. En el Tiempo ordinario se dice:

El Señor es bueno, bendigan su nombre.

HIMNO

Te doy gracias, Señor.
¡Tanto estabas enojado conmigo!
Tú eres un Dios de amor,
y ahora soy tu amigo,
te busco a cada instante y te persigo.

Eres tú mi consuelo,
tú eres el Dios que salva y da la vida;
eres todo el anhelo
de esta alma que va herida,
ansiándote sin tasa ni medida.

En mi tierra desierta,
tú de la salvación eres la fuente;
eres el agua cierta
que se vuelve torrente,
y el corazón arrasa dulcemente.

¡Quiero escuchar tu canto!
¡Que tu Palabra abrase mi basura
con alegría y llanto!
¡Que mi vida futura
espejo sea sin fin de tu hermosura! Amén.

SALMODIA

Antífona 1

Fuera del Tiempo pascual: Un corazón quebrantado y humillado, tú no lo desprecias, Señor.

Tiempo pascual: Confía, hijo, tus pecados son perdonados. Aleluya.

Salmo 50

CONFESIÓN DEL PECADOR ARREPENTIDO

> Renuévense en la mente y en el espíritu y vístanse de la nueva condición humana. (Cfr Ef 4, 23-24)

Misericordia, Dios mío, por tu bondad;
por tu inmensa compasión borra mi culpa;
lava del todo mi delito,
limpia mi pecado.

Pues yo reconozco mi culpa,
tengo siempre presente mi pecado:
contra ti, contra ti solo pequé,
cometí la maldad que aborreces.

En la sentencia tendrás razón,
en el juicio brillará tu rectitud.
Mira, que en la culpa nací,
pecador me concibió mi madre.

Te gusta un corazón sincero,
y en mi interior me inculcas sabiduría.

Rocíame con el hisopo: quedaré limpio;
lávame: quedaré más blanco que la nieve.

Hazme oír el gozo y la alegría,
que se alegren los huesos quebrantados.
Aparta de mi pecado tu vista,
borra en mí toda culpa.

¡Oh Dios!, crea en mí un corazón puro,
renuévame por dentro con espíritu firme;
no me arrojes lejos de tu rostro,
no me quites tu santo espíritu.

Devuélveme la alegría de tu salvación,
afiánzame con espíritu generoso:
enseñaré a los malvados tus caminos,
los pecadores volverán a ti.

Líbrame de la sangre, ¡oh Dios,
Dios, Salvador mío!,
y cantará mi lengua tu justicia.
Señor, me abrirás los labios,
y mi boca proclamará tu alabanza.

Los sacrificios no te satisfacen;
si te ofreciera un holocausto, no lo querrías.
Mi sacrificio es un espíritu quebrantado:
un corazón quebrantado y humillado
tú no lo desprecias.

Señor, por tu bondad, favorece a Sión,
reconstruye las murallas de Jerusalén:
entonces aceptarás los sacrificios rituales,
ofrendas y holocaustos,
sobre tu altar se inmolarán novillos.

Fuera del Tiempo pascual: Un corazón quebrantado y humillado, tú no lo desprecias, Señor.

Tiempo pascual: Confía, hijo, tus pecados son perdonados. Aleluya.

Antífona 2

Fuera del Tiempo pascual: En tu juicio, Señor, acuérdate de la misericordia.

Tiempo pascual: Tú, Señor, has salido con Cristo a salvar a tu pueblo. Aleluya.

Cántico   Hab 3, 2-4. 13a. 15-19

JUICIO DE DIOS

> Levántense, alcen la cabeza, se
> acerca su liberación. (Lc 21, 28)

¡Señor, he oído tu fama,
  me ha impresionado tu obra!
  En medio de los años, realízala;
  en medio de los años, manifiéstala;
  en el terremoto acuérdate de la misericordia.

El Señor viene de Temán;
  el Santo, del monte Farán:
  su resplandor eclipsa el cielo,
  la tierra se llena de su alabanza;
  su brillo es como el día,
  su mano destella velando su poder.

Sales a salvar a tu pueblo,
  a salvar a tu ungido;
  pisas el mar con tus caballos,
  revolviendo las aguas del océano.

Lo escuché y temblaron mis entrañas,
  al oírlo se estremecieron mis labios;
  me entró un escalofrío por los huesos,
  vacilaban mis piernas al andar.
  Tranquilo espero el día de la angustia
  que sobreviene al pueblo que nos oprime.

Aunque la higuera no echa yemas
  y las viñas no tienen fruto,

aunque el olivo olvida su aceituna
y los campos no dan cosechas,
aunque se acaban las ovejas del redil
y no quedan vacas en el establo,
yo exultaré con el Señor,
me gloriaré en Dios mi salvador.

El Señor soberano es mi fuerza,
él me da piernas de gacela
y me hace caminar por las alturas.

Fuera del Tiempo pascual: En tu juicio, Señor, acuérdate de la misericordia.

Tiempo pascual: Tú, Señor, has salido con Cristo a salvar a tu pueblo. Aleluya.

Antífona 3

Fuera del Tiempo pascual: Glorifica al Señor, Jerusalén. †

Tiempo pascual: Alaba a tu Dios, Sión, que ha puesto paz en tus fronteras. Aleluya.

Salmo 147

RESTAURACIÓN DE JERUSALÉN

> Ven y te mostraré la desposada, la esposa del Cordero. (Apoc 21, 9)

Glorifica al Señor, Jerusalén;
† alaba a tu Dios, Sión:
   que ha reforzado los cerrojos de tus puertas
   y ha bendecido a tus hijos dentro de ti;
   ha puesto paz en tus fronteras,
   te sacia con flor de harina.

Él envía su mensaje a la tierra,
   y su palabra corre veloz;
   manda la nieve como lana,
   esparce la escarcha como ceniza;

hace caer el hielo como migajas
  y con el frío congela las aguas;
  envía una orden, y se derriten;
  sopla su aliento, y corren.

Anuncia su palabra a Jacob,
  sus decretos y mandatos a Israel;
  con ninguna nación obró así,
  ni les dio a conocer sus mandatos.

Fuera del Tiempo pascual: **Glorifica al Señor, Jerusalén.**

Tiempo pascual: **Alaba a tu Dios, Sión, que ha puesto paz en tus fronteras. Aleluya.**

LECTURA BREVE   Ef 2, 13-16

Ahora están en Cristo Jesús. Ahora, por la sangre de Cristo, están cerca los que antes estaban lejos. Él es nuestra paz. Él ha hecho de los dos pueblos, judíos y gentiles, una sola cosa, derribando con su cuerpo el muro que los separaba: el odio. Él ha abolido la ley con sus mandamientos y reglas, haciendo las paces, para crear en él un solo hombre nuevo. Reconcilió con Dios a los dos pueblos, uniéndolos en un solo cuerpo mediante la cruz, dando muerte en él al odio.

RESPONSORIO BREVE

℣. Invoco al Dios Altísimo,
  al Dios que hace tanto por mí.
℟. Invoco al Dios Altísimo,
  al Dios que hace tanto por mí.

℣. Desde el cielo me enviará la salvación.
℟. El Dios que hace tanto por mí.

℣. Gloria al Padre, y al Hijo, y al Espíritu Santo.
℟. Invoco al Dios Altísimo,
  al Dios que hace tanto por mí.

Cántico evangélico

Ant. Por la entrañable misericordia de nuestro Dios, nos visitará el sol que nace de lo alto.

Cántico de Zacarías, p. 27.

Preces para consagrar a Dios el día y el trabajo

Adoremos a Cristo, que se ofreció a Dios como sacrificio sin mancha para purificar nuestras conciencias de las obras muertas, y digámosle con fe:

En tu voluntad, Señor, encontramos nuestra paz.

Tú que nos has dado la luz del nuevo día,
— concédenos también caminar durante sus horas por sendas de vida nueva.

Tú que todo lo has creado con tu poder y con tu providencia lo conservas,
— ayúdanos a descubrirte presente en todas tus creaturas.

Tú que has sellado con tu sangre una alianza nueva y eterna,
— haz que, obedeciendo siempre tus mandatos, permanezcamos fieles a esa alianza.

Tú que colgado en la cruz quisiste que de tu costado manara sangre y agua,
— purifica con esta agua nuestros pecados y alegra con este manantial a la ciudad de Dios.

Se pueden añadir algunas intenciones libres.

Ya que Dios nos ha adoptado como hijos, oremos al Padre como nos enseñó Jesucristo: Padre nuestro...

Oración conclusiva

Señor, Dios todopoderoso, te pedimos nos concedas que del mismo modo que hemos cantado tus alabanzas en esta celebración matutina, así también las podamos cantar plenamente en la asamblea de tus santos por toda la eternidad. Por nuestro Señor Jesucristo, tu Hijo...

℟. Amén.

CONCLUSIÓN

℣. El Señor nos bendiga, nos guarde de todo mal y nos lleve a la vida eterna.

℟. Amén.

Vísperas

INVOCACIÓN INICIAL

℣. Dios mío, ven en mi auxilio.

℟. Señor, date prisa en socorrerme.
Gloria al Padre... (Aleluya.)

HIMNO

Oh Cristo, tú no tienes
la lóbrega mirada de la muerte;
tus ojos no se cierran:
son agua limpia donde puedo verme.

Oh Cristo, tú no puedes
cicatrizar la llaga del costado:
un corazón tras ella
noches y días me estará esperando.

Oh Cristo, tú conoces
la intimidad oculta de mi vida;
tú sabes mis secretos:
te los voy confesando día a día.

Oh Cristo, tú aleteas
con los brazos unidos al madero;

¡oh valor que convida
a levantarse puro sobre el suelo!

Oh Cristo, tú sonríes
cuando te hieren sordas las espinas;
si mi cabeza hierve,
haz, Señor, que te mire y te sonría.

Oh Cristo, tú que esperas
mi último beso darte ante la tumba,
también mi joven beso
descansa en ti de la incesante lucha. Amén.

SALMODIA

Antífona 1

Fuera del Tiempo pascual: Arranca, Señor, mi vida de la muerte, mis pies de la caída.

Tiempo pascual: El Señor ha salvado mi vida de los lazos del abismo. Aleluya.

Salmo 114

ACCIÓN DE GRACIAS

> Hay que pasar mucho para entrar
> en el reino de Dios. (Hech 14, 21)

Amo al Señor, porque escucha
mi voz suplicante,
porque inclina su oído hacia mí
el día que lo invoco.

Me envolvían redes de muerte,
me alcanzaron los lazos del abismo,
caí en tristeza y angustia.
Invoqué el nombre del Señor:
«Señor, salva mi vida.»

El Señor es benigno y justo,
nuestro Dios es compasivo;

el Señor guarda a los sencillos:
estando yo sin fuerzas me salvó.

Alma mía, recobra tu calma,
que el Señor fue bueno contigo:
arrancó mi vida de la muerte,
mis ojos de las lágrimas,
mis pies de la caída.

Caminaré en presencia del Señor
en el país de la vida.

Fuera del Tiempo pascual: Arranca, Señor, mi vida de la
muerte, mis pies de la caída.

Tiempo pascual: El Señor ha salvado mi vida de los lazos
del abismo. Aleluya.

Antífona 2

Fuera del Tiempo pascual: El auxilio me viene del Señor,
que hizo el cielo y la tierra.

Tiempo pascual: El Señor guarda a su pueblo como a las
niñas de sus ojos. Aleluya.

Salmo 120

EL GUARDIÁN DEL PUEBLO

> No tendrán hambre ni sed; no les
> molestará el sol ni calor alguno.
> (Apoc 7, 16)

Levanto mis ojos a los montes:
¿de dónde me vendrá el auxilio?
El auxilio me viene del Señor,
que hizo el cielo y la tierra.

No permitirá que resbale tu pie,
tu guardián no duerme;
no duerme ni reposa
el guardián de Israel.

El Señor te guarda a su sombra,
está a tu derecha;
de día el sol no te hará daño,
ni la luna de noche.

El Señor te guarda de todo mal,
él guarda tu alma;
el Señor guarda tus entradas y salidas,
ahora y por siempre.

Fuera del Tiempo pascual: El auxilio me viene del Señor,
que hizo el cielo y la tierra.

Tiempo pascual: El Señor guarda a su pueblo como a
las niñas de sus ojos. Aleluya.

Antífona 3

Fuera del Tiempo pascual: Justos y verdaderos son tus
caminos, ¡oh Rey de los siglos!

Tiempo pascual: Mi fuerza y mi poder es el Señor, él fue
mi salvación. Aleluya.

Cántico   Apoc 15, 3-4

CANTO DE LOS VENCEDORES

Grandes y maravillosas son tus obras,
Señor, Dios omnipotente,
justos y verdaderos tus caminos,
¡oh Rey de los siglos!

¿Quién no temerá, Señor,
y glorificará tu nombre?
Porque tú solo eres santo,
porque vendrán todas las naciones
y se postrarán en tu acatamiento,
porque tus juicios se hicieron manifiestos.

Fuera del Tiempo pascual: Justos y verdaderos son tus
caminos, ¡oh Rey de los siglos!

Tiempo pascual: Mi fuerza y mi poder es el Señor, él fue mi salvación. Aleluya.

LECTURA BREVE   1 Cor 2, 7-10a

Enseñamos una sabiduría divina, misteriosa, escondida, predestinada por Dios antes de los siglos para nuestra gloria, que no conoció ninguno de los príncipes de este siglo; pues si la hubieran conocido, nunca hubieran crucificado al Señor de la gloria. Pero, según está escrito: «Ni el ojo vio, ni el oído oyó, ni vino a la mente del hombre lo que Dios ha preparado para los que lo aman.» Pero a nosotros nos lo ha revelado por su Espíritu.

RESPONSORIO BREVE

℣. Cristo murió por nuestros pecados,
para llevarnos a Dios.

℟. Cristo murió por nuestros pecados,
para llevarnos a Dios.

℣. Muerto en la carne, pero vivificado en el espíritu.

℟. Para llevarnos a Dios.

℣. Gloria al Padre, y al Hijo, y al Espíritu Santo.

℟. Cristo murió por nuestros pecados,
para llevarnos a Dios.

CÁNTICO EVANGÉLICO

Ant. Acuérdate, Señor, de tu misericordia como lo habías prometido a nuestros padres.

Cántico de la Santísima Virgen María, p. 18.

PRECES O INTERCESIONES

Bendigamos ahora al Señor Jesús, que en su vida mortal escuchó siempre con bondad las súplicas de los que acudían a él y enjugaba con amor las lágrimas de los que lloraban, y digámosle también nosotros:

Señor, ten piedad.

Señor Jesucristo, tú que consolaste a los tristes y desconsolados, pon ahora tus ojos en los sufrimientos de los pobres
— y consuela a los deprimidos.

Escucha los gemidos de los agonizantes
— y envíales tus ángeles para que los consuelen y conforten.

Que los emigrantes sientan el consuelo de tu amor en el destierro, que puedan regresar a su patria
— y que un día alcancen también la patria eterna.

Que los pecadores escuchando tu voz se conviertan,
— y encuentren en tu Iglesia el perdón y la paz.

Se pueden añadir algunas intenciones libres.

Perdona las faltas de los que han muerto
— y dales la plenitud de tu salvación.

Con el gozo que nos da el saber que somos hijos de Dios, digamos con plena confianza: Padre nuestro...

Oración conclusiva

Dios nuestro, que con el escándalo de la cruz has manifestado de una manera admirable tu sabiduría escondida, concédenos contemplar, con tal plenitud de fe, la gloria de la pasión de tu Hijo, que encontremos siempre nuestra gloria en su cruz. Por nuestro Señor Jesucristo, tu Hijo...

℞. Amén.

CONCLUSIÓN

℣. El Señor nos bendiga, nos guarde de todo mal y nos lleve a la vida eterna.

℞. Amén.

SÁBADO II

Laudes

INVOCACIÓN INICIAL

℣. Señor, abre mis labios.

℟. Y mi boca proclamará tu alabanza.

Puede añadirse el salmo 94 (p. 20), con su antífona correspondiente. En el Tiempo ordinario se dice:

Escuchemos la voz del Señor y entremos en su descanso.

HIMNO

Señor, yo sé que, en la mañana pura
de este mundo, tu diestra generosa
hizo la luz antes que toda cosa,
porque todo tuviera su figura.

Yo sé que te refleja la segura
línea inmortal del lirio y de la rosa
mejor que la embriagada y temerosa
música de los vientos de la altura.

Por eso te celebro yo en el frío
pensar exacto a la verdad sujeto,
y en la ribera sin temblor del río;

por eso yo te adoro, mudo y quieto,
y por eso, Señor, el dolor mío
para llegar hasta ti se hizo soneto. Amén.

SALMODIA

Antífona 1

Fuera del Tiempo pascual: **Por la mañana proclamamos, Señor, tu misericordia y de noche tu fidelidad.**

Tiempo pascual: Tus acciones, Señor, son mi alegría, y mi júbilo las obras de tus manos. Aleluya.

Salmo 91

ALABANZA A DIOS QUE CON SABIDURÍA Y JUSTICIA DIRIGE LA VIDA DE LOS HOMBRES

> Este salmo canta las maravillas realizadas en Cristo. (S. Atanasio)

Es bueno dar gracias al Señor
    y tocar para tu nombre, oh Altísimo,
    proclamar por la mañana tu misericordia
    y de noche tu fidelidad,
    con arpas de diez cuerdas y laúdes
    sobre arpegios de cítaras.

Tus acciones, Señor, son mi alegría,
    y mi júbilo, las obras de tus manos.
    ¡Qué magníficas son tus obras, Señor,
    qué profundos tus designios!
    El ignorante no los entiende
    ni el necio se da cuenta.

Aunque germinen como hierba los malvados
    y florezcan los malhechores,
    serán destruidos para siempre.
    Tú, en cambio, Señor,
    eres excelso por los siglos.

Porque tus enemigos, Señor, perecerán,
    los malhechores serán dispersados;
    pero a mí me das la fuerza de un búfalo
    y me unges con aceite nuevo.
    Mis ojos no temerán a mis enemigos,
    mis oídos escucharán su derrota.

El justo crecerá como una palmera
    y se alzará como un cedro del Líbano:

plantado en la casa del Señor,
crecerá en los atrios de nuestro Dios;

en la vejez seguirá dando fruto
y estará lozano y frondoso,
para proclamar que el Señor es justo,
que en mi Roca no existe la maldad.

Fuera del Tiempo pascual: Por la mañana proclamamos, Señor, tu misericordia y de noche tu fidelidad.

Tiempo pascual: Tus acciones, Señor, son mi alegría, y mi júbilo las obras de tus manos. Aleluya.

Antífona 2

Fuera del Tiempo pascual: Den gloria a nuestro Dios.

Tiempo pascual: Él nos hace morir y él nos da la vida; él nos hirió y él nos vendará. Aleluya.

Cántico   Deut 32, 1-12

BENEFICIOS DE DIOS PARA CON SU PUEBLO

> ¡Cuántas veces he querido agrupar a tus hijos como la gallina cobija a los polluelos bajo las alas! (Mt 23, 37)

Escuchen, cielos, y hablaré;
　oye, tierra, los dichos de mi boca;
　descienda como lluvia mi doctrina,
　destile como rocío mi palabra;
　como llovizna sobre la hierba,
　como sereno sobre el césped;
　voy a proclamar el nombre del Señor:
　den gloria a nuestro Dios.

Él es la Roca, sus obras son perfectas,
　sus caminos son justos,
　es un Dios fiel, sin maldad;
　es justo y recto.

Hijos degenerados, se portaron mal con él,
    generación malvada y pervertida.
    ¿Así le pagas al Señor,
    pueblo necio e insensato?
    ¿No es él tu padre y tu creador,
    el que te hizo y te constituyó?

Acuérdate de los días remotos,
    considera las edades pretéritas,
    pregunta a tu padre y te lo contará,
    a tus ancianos y te lo dirán:

Cuando el Altísimo daba a cada pueblo su heredad,
    y distribuía a los hijos de Adán,
    trazando las fronteras de las naciones,
    según el número de los hijos de Dios,
    la porción del Señor fue su pueblo,
    Jacob fue la parte de su heredad.

Lo encontró en una tierra desierta,
    en una soledad poblada de aullidos:
    lo rodeó cuidando de él,
    lo guardó como a las niñas de sus ojos.

Como el águila incita a su nidada,
    revolando sobre los polluelos,
    así extendió sus alas, los tomó
    y los llevó sobre sus plumas.

El Señor solo los condujo,
    no hubo dioses extraños con él.

Fuera del Tiempo pascual: Den gloria a nuestro Dios.

Tiempo pascual: Él nos hace morir y él nos da la vida; él nos hirió y él nos vendará. Aleluya.

Antífona 3

Fuera del Tiempo pascual: ¡Qué admirable es tu nombre, Señor, en toda la tierra!

Tiempo pascual: Coronaste de gloria y dignidad a tu Cristo. Aleluya.

Salmo 8

MAJESTAD DEL SEÑOR Y DIGNIDAD DEL HOMBRE

> Todo lo puso bajo sus pies y lo dio a la Iglesia como cabeza, sobre todo. (Ef 1, 22)

Señor, dueño nuestro,
  ¡qué admirable es tu nombre
  en toda la tierra!

Ensalzaste tu majestad sobre los cielos.
  De la boca de los niños de pecho
  has sacado una alabanza contra tus enemigos,
  para reprimir al adversario y al rebelde.

Cuando contemplo el cielo, obra de tus manos;
  la luna y las estrellas que has creado,
  ¿qué es el hombre, para que te acuerdes de él;
  el ser humano, para darle poder?

Lo hiciste poco inferior a los ángeles,
  lo coronaste de gloria y dignidad,
  le diste el mando sobre las obras de tus manos,
  todo lo sometiste bajo sus pies:

rebaños de ovejas y toros,
  y hasta las bestias del campo,
  las aves del cielo, los peces del mar,
  que trazan sendas por las aguas.

Señor, dueño nuestro,
  ¡qué admirable es tu nombre
  en toda la tierra!

Fuera del Tiempo pascual: ¡Qué admirable es tu nombre, Señor, en toda la tierra!

Tiempo pascual: Coronaste de gloria y dignidad a tu Cristo. Aleluya.

LECTURA BREVE   Rom 12, 14-16a

Bendigan a los que los persiguen, no maldigan. Alégrense con los que se alegran; lloren con los que lloran. Tengan un mismo sentir entre ustedes, sin apetecer grandezas; atraídos más bien por lo humilde.

RESPONSORIO BREVE

℣. Te aclamarán mis labios, Señor,
cuando salmodie para ti.

℟. Te aclamarán mis labios, Señor,
cuando salmodie para ti.

℣. Mi lengua recitará tu auxilio.

℟. Cuando salmodie para ti.

℣. Gloria al Padre, y al Hijo, y al Espíritu Santo.

℟. Te aclamarán mis labios, Señor,
cuando salmodie para ti.

CÁNTICO EVANGÉLICO

Ant. Guía nuestros pasos, Dios de Israel, por el camino de la paz.

Cántico de Zacarías, p. 27.

PRECES PARA CONSAGRAR A DIOS
EL DÍA Y EL TRABAJO

Celebremos la sabiduría y la bondad de Cristo, que ha querido ser amado y servido en los hermanos, especialmente en los que sufren, y supliquémosle insistentemente diciendo:

Señor, acrecienta nuestro amor.

Al recordar esta mañana tu santa resurrección,
— te pedimos, Señor, que extiendas los beneficios de tu redención a todos los hombres.

Que todo el día de hoy sepamos dar buen testimonio del nombre cristiano
— y ofrezcamos nuestra jornada como un culto espiritual agradable al Padre.

Enséñanos, Señor, a descubrir tu imagen en todos los hombres
— y a saberte servir a ti en cada uno de ellos.

Cristo, Señor nuestro, vid verdadera de la que nosotros somos sarmientos,
— haz que permanezcamos en ti y demos fruto abundante, para que con ello sea glorificado nuestro Padre que está en el cielo.

Se pueden añadir algunas intenciones libres.

Con la confianza que nos da nuestra fe, acudamos ahora al Padre, diciendo como Cristo nos enseñó: Padre nuestro...

Oración conclusiva

Que nuestra voz, Señor, nuestro espíritu y toda nuestra vida sean una continua alabanza en tu honor, y ya que toda nuestra existencia es un don gratuito de tu liberalidad, haz que también cada una de nuestras acciones te esté plenamente dedicada. Por nuestro Señor Jesucristo, tu Hijo...
℟. Amén.

Conclusión

℣. El Señor nos bendiga, nos guarde de todo mal y nos lleve a la vida eterna.
℟. Amén.

DOMINGO III

I Vísperas

℣. Dios mío, ven en mi auxilio.

℟. Señor, date prisa en socorrerme.
Gloria al Padre... (Aleluya.)

HIMNO

Luz mensajera de gozo,
hermosura de la tarde,
llama de la santa gloria,
Jesús, luz de los mortales.

Te saludamos, Señor,
oh luz del mundo que traes
en tu rostro sin pecado
pura la divina imagen.

Cuando el día se oscurece,
buscando la luz amable
nuestras miradas te siguen
a ti, lumbre inapagable.

Salve, Cristo venturoso,
Hijo y Verbo en nuestra carne,
brilla en tu frente el Espíritu,
das el corazón del Padre.

Es justo juntar las voces
en el descanso del viaje
y el himno del universo
a ti, Dios nuestro, cantarte.

Oh Cristo que glorificas
con tu vida nuestra sangre,
acepta la sinfonía
de nuestras voces filiales. Amén.

SALMODIA

Antífona 1

Tiempo de Adviento: **Alégrate, Jerusalén, porque viene a ti el Salvador. Aleluya.**

Tiempo pascual: **El Señor elevado sobre todos los cielos levanta del polvo al desvalido. Aleluya.**

Tiempo ordinario: **De la salida del sol hasta su ocaso, alabado sea el nombre del Señor.**

Salmo 112

ALABADO SEA EL NOMBRE DEL SEÑOR

> Derriba del trono a los poderosos
> y enaltece a los humildes. (Lc 1, 52)

Alaben, siervos del Señor,
  alaben el nombre del Señor.
  Bendito sea el nombre del Señor,
  ahora y por siempre:
  de la salida del sol hasta su ocaso,
  alabado sea el nombre del Señor.

El Señor se eleva sobre todos los pueblos,
  su gloria sobre los cielos.
  ¿Quién como el Señor Dios nuestro,
  que se eleva en su trono
  y se abaja para mirar
  al cielo y a la tierra?

Levanta del polvo al desvalido,
  alza de la basura al pobre,
  para sentarlo con los príncipes,

los príncipes de su pueblo;
a la estéril le da un puesto en la casa,
como madre feliz de hijos.

Tiempo de Adviento: Alégrate, Jerusalén, porque viene a
ti el Salvador. Aleluya.

Tiempo pascual: El Señor elevado sobre todos los cielos
levanta del polvo al desvalido. Aleluya.

Tiempo ordinario: De la salida del sol hasta su ocaso,
alabado sea el nombre del Señor.

Antífona 2

Tiempo de Adviento: Yo soy el Señor: mi hora está cerca;
mi salvación no tardará.

Tiempo pascual: Rompiste mis cadenas; te ofreceré un
sacrificio de alabanza. Aleluya.

Tiempo ordinario: Alzaré la copa de la salvación, invocando tu nombre, Señor.

Salmo 115

ACCIÓN DE GRACIAS EN EL TEMPLO

> Por medio de Jesús ofrezcamos
> continuamente a Dios un sacrificio
> de alabanza. (Heb 13, 15)

Tenía fe, aun cuando dije:
    «¡Qué desgraciado soy!»
Yo decía en mi apuro:
    «Los hombres son unos mentirosos.»

¿Cómo pagaré al Señor
    todo el bien que me ha hecho?
Alzaré la copa de la salvación,
    invocando su nombre.
Cumpliré al Señor mis votos
    en presencia de todo el pueblo.

Vale mucho a los ojos del Señor
la vida de sus fieles.
Señor, yo soy tu siervo,
siervo tuyo, hijo de tu esclava:
rompiste mis cadenas.

Te ofreceré un sacrificio de alabanza,
invocando tu nombre, Señor.
Cumpliré al Señor mis votos
en presencia de todo el pueblo,
en el atrio de la casa del Señor,
en medio de ti, Jerusalén.

Tiempo de Adviento: Yo soy el Señor: mi hora está cerca;
mi salvación no tardará.

Tiempo pascual: Rompiste mis cadenas; te ofreceré un
sacrificio de alabanza. Aleluya.

Tiempo ordinario: Alzaré la copa de la salvación, invocando tu nombre, Señor.

Antífona 3

Tiempo de Adviento: Envía, Señor, al Cordero que domi-
nará la tierra desde la peña del desierto al monte de Sión.

Tiempo pascual: El Hijo de Dios aprendió, sufriendo, a
obedecer; y se ha convertido para los que lo obedecen
en autor de salvación eterna. Aleluya.

Tiempo ordinario: El Señor Jesús se rebajó; por eso Dios
lo levantó sobre todo, por los siglos de los siglos.

Cántico   Flp 2, 6-11
CRISTO, SIERVO DE DIOS, EN SU MISTERIO PASCUAL

Cristo, a pesar de su condición divina,
no hizo alarde de su categoría de Dios,
al contrario, se anonadó a sí mismo,
y tomó la condición de esclavo,
pasando por uno de tantos.

Y así, actuando como un hombre cualquiera,
se rebajó hasta someterse incluso a la muerte
y una muerte de cruz.

Por eso Dios lo levantó sobre todo
y le concedió el «Nombre-sobre-todo-nombre»;
de modo que al nombre de Jesús toda rodilla se doble
en el cielo, en la tierra, en el abismo
y toda lengua proclame:
Jesucristo es Señor, para gloria de Dios Padre.

Tiempo de Adviento: Envía, Señor, al Cordero que domi-
nará la tierra desde la peña del desierto al monte de Sión.

Tiempo pascual: El Hijo de Dios aprendió, sufriendo, a
obedecer; y se ha convertido para los que lo obedecen
en autor de salvación eterna. Aleluya.

Tiempo ordinario: El Señor Jesús se rebajó; por eso Dios
lo levantó sobre todo, por los siglos de los siglos.

LECTURA BREVE   Heb 13, 20-21

El Dios de la paz, que sacó de entre los muertos, por
la sangre de la alianza eterna, al gran Pastor de las
ovejas, nuestro Señor Jesús, los haga perfectos en todo
bien, para hacer su voluntad, cumpliendo en ustedes lo
que es grato en su presencia por Jesucristo, a quien sea
la gloria por los siglos de los siglos. Amén.

RESPONSORIO BREVE

℣. Cuántas son tus obras, Señor.
℟. Cuántas son tus obras, Señor.
℣. Y todas las hiciste con sabiduría.
℟. Tus obras, Señor.
℣. Gloria al Padre, y al Hijo, y al Espíritu Santo.
℟. Cuántas son tus obras, Señor.

CÁNTICO EVANGÉLICO

La antífona para el cántico evangélico se toma del domingo correspondiente (p. 410 y siguientes).

Cántico de la Santísima Virgen María, p. 18.

PRECES O INTERCESIONES

Recordando la bondad de Cristo, que se compadeció del pueblo hambriento y obró en favor suyo los prodigios de su amor, digámosle con fe:

Escúchanos, Señor.

Reconocemos, Señor, que todos los beneficios que hoy hemos recibido proceden de tu bondad;
— haz que no sean estériles, sino que den fruto, encontrando un corazón noble de nuestra parte.

Dios nuestro, luz y salvación de todos los pueblos, protege a los que dan testimonio de ti en el mundo,
— y enciende en ellos el fuego de tu Espíritu.

Haz, Señor, que todos los hombres respeten la dignidad de sus hermanos,
— y que todos juntos edifiquemos un mundo cada vez más humano.

A ti, que eres el médico de las almas y de los cuerpos,
— te pedimos que alivies a los enfermos y des la paz a los agonizantes, visitándolos con tu bondad.

Se pueden añadir algunas intenciones libres.

Dígnate agregar a los difuntos al número de tus escogidos,
— cuyos nombres están escritos en el libro de la vida.

Porque Jesús ha resucitado, todos somos hijos de Dios; por eso nos atrevemos a decir: Padre nuestro...

Oración conclusiva

La oración conclusiva se toma del domingo correspondiente (p. 410 y siguientes).

CONCLUSIÓN

℣. El Señor nos bendiga, nos guarde de todo mal y nos lleve a la vida eterna.

℟. Amén.

Laudes

INVOCACIÓN INICIAL

℣. Señor, abre mis labios.

℟. Y mi boca proclamará tu alabanza.

Puede añadirse el salmo 94 (p. 20), con su antífona correspondiente. En el Tiempo ordinario se dice:

Vengan, aclamemos al Señor, demos vítores a la Roca que nos salva. Aleluya. †

HIMNO

Las sombras oscuras huyen,
ya va pasando la noche;
y el sol, con su luz de fuego,
nos disipa los temores.

Ya se apagan las estrellas
y se han encendido soles;
el rocío cae de los cielos
en el cáliz de las flores.

Las criaturas van vistiendo
sus galas y sus colores,
porque al nacer nuevo día
hacen nuevas las canciones.

¡Lucero, Cristo, del alba,
que paces entre esplendores,
apacienta nuestras vidas
ya sin sombras y sin noches!

¡Hermoso Cristo, el Cordero,
entre collados y montes! Amén.

SALMODIA

Antífona 1

Tiempo de Adviento: Vendrá el Señor y no tardará: iluminará lo escondido en las tinieblas y se manifestará a todos los hombres. Aleluya.

Tiempo pascual: El Señor reina vestido de majestad. Aleluya. †

Tiempo ordinario: El Señor es admirable en el cielo. Aleluya.

Salmo 92

GLORIA DEL DIOS CREADOR

> Reina el Señor, nuestro Dios, dueño de todo; alegrémonos y gocemos y démosle gracias. (Apoc 19, 6. 7)

El Señor reina vestido de majestad,
† el Señor, vestido y ceñido de poder:
  así está firme el orbe y no vacila.

Tu trono está firme desde siempre,
  y tú eres eterno.

Levantan los ríos, Señor,
  levantan los ríos su voz,
  levantan los ríos su fragor;

pero más que la voz de aguas caudalosas,
  más potente que el oleaje del mar,
  más potente en el cielo es el Señor.

Tus mandatos son fieles y seguros;
la santidad es el adorno de tu casa,
Señor, por días sin término.

Tiempo de Adviento: Vendrá el Señor y no tardará: iluminará lo escondido en las tinieblas y se manifestará a todos los hombres. Aleluya.

Tiempo pascual: El Señor reina vestido de majestad. Aleluya.

Tiempo ordinario: El Señor es admirable en el cielo. Aleluya.

Antífona 2

Tiempo de Adviento: Los montes y las colinas se abajarán. Lo torcido se enderezará y lo escabroso se igualará. Ven, Señor, no tardes. Aleluya.

Tiempo pascual: La creación será liberada para participar en la gloriosa libertad de los hijos de Dios. Aleluya.

Tiempo ordinario: Tú, Señor, eres alabado y ensalzado por los siglos. Aleluya.

Cántico   Dn 3, 57-88. 56

TODA LA CREACIÓN ALABE AL SEÑOR

Alaben al Señor, sus siervos todos.
(Apoc 19, 5)

Creaturas todas del Señor, bendigan al Señor,
    ensálcenlo con himnos por los siglos.

Ángeles del Señor, bendigan al Señor;
    cielos, bendigan al Señor.

Aguas del espacio, bendigan al Señor;
    ejércitos del Señor, bendigan al Señor.

Sol y luna, bendigan al Señor;
    astros del cielo, bendigan al Señor.

Lluvia y rocío, bendigan al Señor;
vientos todos, bendigan al Señor.

Fuego y calor, bendigan al Señor;
fríos y heladas, bendigan al Señor.

Rocíos y nevadas, bendigan al Señor;
témpanos y hielos, bendigan al Señor.

Escarchas y nieves, bendigan al Señor;
noche y día, bendigan al Señor.

Luz y tinieblas, bendigan al Señor;
rayos y nubes, bendigan al Señor.

Bendiga la tierra al Señor,
ensálcelo con himnos por los siglos.

Montes y cumbres, bendigan al Señor;
cuanto germina en la tierra, bendiga al Señor.

Manantiales, bendigan al Señor;
mares y ríos, bendigan al Señor.

Cetáceos y peces, bendigan al Señor;
aves del cielo, bendigan al Señor.

Fieras y ganados, bendigan al Señor,
ensálcenlo con himnos por los siglos.

Hijos de los hombres, bendigan al Señor;
bendiga Israel al Señor.

Sacerdotes del Señor, bendigan al Señor;
siervos del Señor, bendigan al Señor.

Almas y espíritus justos, bendigan al Señor;
santos y humildes de corazón, bendigan al Señor.

Ananías, Azarías y Misael, bendigan al Señor,
ensálcenlo con himnos por los siglos.

Bendigamos al Padre, al Hijo y al Espíritu Santo,
ensalcémoslo con himnos por los siglos.

Bendito el Señor en la bóveda del cielo,
alabado y glorioso y ensalzado por los siglos.

No se dice *Gloria al Padre.*

Tiempo de Adviento: Los montes y las colinas se abajarán.
Lo torcido se enderezará y lo escabroso se igualará. Ven,
Señor, no tardes. Aleluya.

Tiempo pascual: La creación será liberada para participar
en la gloriosa libertad de los hijos de Dios. Aleluya.

Tiempo ordinario: Tú, Señor, eres alabado y ensalzado por
los siglos. Aleluya.

Antífona 3

Tiempo de Adviento: Salvaré a Sión y mostraré mi gloria
en Jerusalén. Aleluya.

Tiempo pascual: El nombre del Señor es sublime sobre
el cielo y la tierra. Aleluya.

Tiempo ordinario: Alaben al Señor en el cielo. Aleluya. †

Salmo 148

ALABANZA DEL DIOS CREADOR

> Al que se sienta en el trono y al
> Cordero la alabanza, el honor, la
> gloria y el poder por los siglos de
> los siglos. (Apoc 5, 13)

Alaben al Señor en el cielo,
† alaben al Señor en lo alto.

Alábenlo todos sus ángeles,
alábenlo todos sus ejércitos.

Alábenlo, sol y luna;
alábenlo, estrellas lucientes.

Alábenlo, espacios celestes,
  y aguas que cuelgan en el cielo.

Alaben el nombre del Señor,
  porque él lo mandó, y existieron.

Les dio consistencia perpetua
  y una ley que no pasará.

Alaben al Señor en la tierra,
  cetáceos y abismos del mar.

Rayos, granizo, nieve y bruma,
  viento huracanado que cumple sus órdenes.

Montes y todas las sierras,
  árboles frutales y cedros.

Fieras y animales domésticos,
  reptiles y pájaros que vuelan.

Reyes y pueblos del orbe,
  príncipes y jefes del mundo.

Los jóvenes y también las doncellas,
  los viejos junto con los niños.

Alaben el nombre del Señor,
  el único nombre sublime.

Su majestad sobre el cielo y la tierra;
  él acrece el vigor de su pueblo.

Alabanza de todos sus fieles,
  de Israel, su pueblo escogido.

Tiempo de Adviento: Salvaré a Sión y mostraré mi gloria en Jerusalén. Aleluya.

Tiempo pascual: El nombre del Señor es sublime sobre el cielo y la tierra. Aleluya.

Tiempo ordinario: Alaben al Señor en el cielo. Aleluya.

LECTURA BREVE   Ez 37, 12b-14

Así dice el Señor: «Yo mismo abriré sus sepulcros, y a
ustedes los haré salir de ellos, pueblo mío, y los traeré
a la tierra de Israel. Y cuando abra sus sepulcros y los
saque de ellos, pueblo mío, sabrán que yo soy el Señor:
les infundiré mi espíritu y vivirán, los colocaré en su tierra
y sabrán que yo, el Señor, lo digo y lo hago.» Oráculo
del Señor.

RESPONSORIO BREVE

℣. Cristo, Hijo de Dios vivo, ten piedad de nosotros.
℟. Cristo, Hijo de Dios vivo, ten piedad de nosotros.
℣. Tú que estás sentado a la derecha del Padre.
℟. Ten piedad de nosotros.
℣. Gloria al Padre, y al Hijo, y al Espíritu Santo.
℟. Cristo, Hijo de Dios vivo, ten piedad de nosotros.

CÁNTICO EVANGÉLICO

La antífona para el cántico evangélico se toma del domingo
correspondiente (p. 410 y siguientes).

Cántico de Zacarías, p. 27.

PRECES PARA CONSAGRAR A DIOS
EL DÍA Y EL TRABAJO

Invoquemos a Dios Padre que envió al Espíritu Santo,
para que con su luz santísima penetrara las almas de
sus fieles, y digámosle:

Ilumina, Señor, a tu pueblo.

Te bendecimos, Señor, luz nuestra,
— porque a gloria de tu nombre nos has hecho llegar
a este nuevo día.

Tú, que por la resurrección de tu Hijo quisiste iluminar el mundo,
— haz que tu Iglesia difunda entre todos los hombres la alegría pascual.

Tú, que por el Espíritu de la verdad adoctrinaste a los discípulos de tu Hijo,
— envía este mismo Espíritu a tu Iglesia para que permanezca siempre fiel a ti.

Tú, que eres luz para todos los hombres, acuérdate de los que viven aún en las tinieblas
— y abre los ojos de su mente para que te reconozcan a ti, único Dios verdadero.

Se pueden añadir algunas intenciones libres.

Por Jesús hemos sido hechos hijos de Dios; por esto nos atrevemos a decir: Padre nuestro...

Oración conclusiva

La oración conclusiva se toma del domingo correspondiente (p. 410 y siguientes).

CONCLUSIÓN

℣. El Señor nos bendiga, nos guarde de todo mal y nos lleve a la vida eterna.

℟. Amén.

II Vísperas

INVOCACIÓN INICIAL

℣. Dios mío, ven en mi auxilio.
℟. Señor, date prisa en socorrerme.
Gloria al Padre... (Aleluya.)

HIMNO

Santa Unidad y Trinidad beata:
con los destellos de tu brillo eterno
infunde amor en nuestros corazones
mientras se va alejando el sol de fuego.

Por la mañana te cantamos loas
y por la tarde te elevamos ruegos,
pidiéndote que estemos algún día
entre los que te alaban en el cielo.

Glorificados sean por los siglos
de los siglos el Padre y su Unigénito,
y que glorificado con entrambos
sea por tiempo igual el Paracleto. Amén.

SALMODIA

Antífona 1

Tiempo de Adviento: Miren: vendrá el Señor para sentarse
con los príncipes en un trono de gloria.

Tiempo pascual: Después de llevar a cabo la purificación
de los pecados, se sentó a la diestra de la Majestad
en las alturas. Aleluya.

Tiempo ordinario: Oráculo del Señor a mi Señor: «Siéntate
a mi derecha.» Aleluya. †

Salmo 109, 1-5. 7

EL MESÍAS, REY Y SACERDOTE

Él debe reinar hasta poner todos sus enemigos bajo sus pies. (1 Cor 15, 25)

Oráculo del Señor a mi Señor:
«Siéntate a mi derecha,
† y haré de tus enemigos
estrado de tus pies.»

Desde Sión extenderá el Señor
el poder de tu cetro:
somete en la batalla a tus enemigos.

«Eres príncipe desde el día de tu nacimiento,
entre esplendores sagrados;
yo mismo te engendré, como rocío,
antes de la aurora.»

El Señor lo ha jurado y no se arrepiente:
«Tú eres sacerdote eterno
según el rito de Melquisedec.»

El Señor a tu derecha, el día de su ira,
quebrantará a los reyes.

En su camino beberá del torrente,
por eso levantará la cabeza.

Tiempo de Adviento: **Miren: vendrá el Señor para sentarse con los príncipes en un trono de gloria.**

Tiempo pascual: **Después de llevar a cabo la purificación de los pecados, se sentó a la diestra de la Majestad en las alturas. Aleluya.**

Tiempo ordinario: **Oráculo del Señor a mi Señor: «Siéntate a mi derecha.» Aleluya.**

Antífona 2

Tiempo de Adviento: **Destilen los montes alegría y los collados justicia, porque con poder viene el Señor, luz del mundo.**

Tiempo pascual: **El Señor envió la redención a su pueblo. Aleluya.**

Tiempo ordinario: **El Señor piadoso ha hecho maravillas memorables. Aleluya.**

Salmo 110

GRANDES SON LAS OBRAS DEL SEÑOR

> Grandes y maravillosas son tus obras, Señor, Dios omnipotente.
> (Apoc 15, 3)

Doy gracias al Señor de todo corazón,
    en compañía de los rectos, en la asamblea.
    Grandes son las obras del Señor,
    dignas de estudio para los que las aman.

Esplendor y belleza son su obra,
    su generosidad dura por siempre;
    ha hecho maravillas memorables,
    el Señor es piadoso y clemente.

Él da alimento a sus fieles,
    recordando siempre su alianza;
    mostró a su pueblo la fuerza de su poder,
    dándoles la heredad de los gentiles.

Justicia y verdad son las obras de sus manos,
    todos sus preceptos merecen confianza:
    son estables para siempre jamás,
    se han de cumplir con verdad y rectitud.

Envió la redención a su pueblo,
    ratificó para siempre su alianza,
    su nombre es sagrado y temible.

Primicia de la sabiduría es el temor del Señor,
   tienen buen juicio los que lo practican;
   la alabanza del Señor dura por siempre.

Tiempo de Adviento: Destilen los montes alegría y los
collados justicia, porque con poder viene el Señor, luz
del mundo.

Tiempo pascual: El Señor envió la redención a su pueblo.
Aleluya.

Tiempo ordinario: El Señor piadoso ha hecho maravillas
memorables. Aleluya.

Antífona 3

Tiempo de Adviento: Llevemos una vida honrada y religiosa, aguardando la dicha que esperamos, la venida del
Señor.

Tiempo pascual: Aleluya. Reina el Señor, nuestro Dios: alegrémonos y démosle gracias. Aleluya.

Tiempo ordinario: Reina el Señor, nuestro Dios, dueño de
todo. Aleluya.

En el cántico siguiente se dicen todos los *Aleluya* intercalados
solamente cuando el Oficio es cantado. Cuando el Oficio se
dice sin canto es suficiente decir el *Aleluya* sólo al principio y
al final de cada estrofa, omitiendo, por lo tanto, todos los *Aleluya* que en el texto aparecen entre paréntesis.

Cántico   Cfr Apoc 19, 1-2. 5-7

LAS BODAS DEL CORDERO

Aleluya.
La salvación y la gloria y el poder son de nuestro Dios.
(℟. Aleluya.)
Porque sus juicios son verdaderos y justos.
℟.   Aleluya, (aleluya).

Aleluya.
Alaben al Señor, sus siervos todos.
(℟. Aleluya.)
Los que lo temen, pequeños y grandes.
℟. Aleluya, (aleluya).

Aleluya.
Porque reina el Señor, nuestro Dios, dueño de todo.
(℟. Aleluya.)
Alegrémonos y gocemos y démosle gracias.
℟. Aleluya, (aleluya).

Aleluya.
Llegó la boda del Cordero.
(℟. Aleluya.)
Su esposa se ha embellecido.
℟. Aleluya, (aleluya).

Tiempo de Adviento: Llevemos una vida honrada y religiosa, aguardando la dicha que esperamos, la venida del Señor.

Tiempo pascual: Aleluya. Reina el Señor, nuestro Dios: alegrémonos y démosle gracias. Aleluya.

Tiempo ordinario: Reina el Señor, nuestro Dios, dueño de todo. Aleluya.

En los domingos de Cuaresma, en lugar del cántico del Apocalipsis se dice el de la carta de san Pedro, con su antífona propia.

Cántico   1 Pe 2, 21b-24

PASIÓN VOLUNTARIA DE CRISTO, SIERVO DE DIOS

Cristo padeció por nosotros,
    dejándonos un ejemplo
    para que sigamos sus huellas.

Él no cometió pecado
    ni encontraron engaño en su boca;

cuando lo insultaban,
no devolvía el insulto;
en su pasión no profería amenazas;
al contrario,
se ponía en manos del que juzga justamente.

Cargado con nuestros pecados subió al leño,
para que, muertos al pecado,
vivamos para la justicia.
Sus heridas nos han curado.

La antífona propia se repite al final.

LECTURA BREVE
1 Pe 1, 3-5

Bendito sea Dios, Padre de nuestro Señor Jesucristo, que en su gran misericordia, por la resurrección de Jesucristo de entre los muertos, nos ha hecho nacer de nuevo para una esperanza viva, para una herencia incorruptible, pura, imperecedera, que está reservada para ustedes en el cielo. La fuerza de Dios los custodia en la fe para la salvación que aguarda a manifestarse en el momento final.

RESPONSORIO BREVE

℣. Bendito eres, Señor, en la bóveda del cielo.

℟. Bendito eres, Señor, en la bóveda del cielo.

℣. Digno de gloria y alabanza por los siglos.

℟. En la bóveda del cielo.

℣. Gloria al Padre, y al Hijo, y al Espíritu Santo.

℟. Bendito eres, Señor, en la bóveda del cielo.

CÁNTICO EVANGÉLICO

La antífona para el cántico evangélico se toma del domingo correspondiente (p. 410 y siguientes).

Cántico de la Santísima Virgen María, p. 18.

PRECES O INTERCESIONES

Invoquemos a Dios, nuestro Padre, que maravillosamente creó el mundo, lo redimió de forma más admirable aún y no cesa de conservarlo con amor, y digámosle:

Renueva, Señor, las maravillas de tu amor.

Señor, tú que en el universo, obra de tus manos, nos revelas tu poder,
— haz que sepamos ver tu providencia en los acontecimientos del mundo.

Tú, que por la victoria de tu Hijo en la cruz anunciaste la paz al mundo,
— líbranos de todo desaliento y de todo temor.

A todos los que aman la justicia y trabajan por conseguirla,
— concédeles que cooperen con sinceridad y concordia en la edificación de un mundo mejor.

Ayuda a los oprimidos, consuela a los afligidos, libra a los cautivos, da pan a los hambrientos
— y fortalece a los débiles, para que en todos se manifieste el triunfo de la cruz.

Se pueden añadir algunas intenciones libres.

Tú, que al tercer día resucitaste a tu Hijo gloriosamente del sepulcro,
— haz que nuestros hermanos difuntos lleguen también a la plenitud de la vida.

Concluyamos nuestra súplica con la oración que el mismo Cristo nos enseñó: Padre nuestro...

Oración conclusiva

La oración conclusiva se toma del domingo correspondiente (p. 410 y siguientes).

℣. El Señor nos bendiga, nos guarde de todo mal y nos lleve a la vida eterna.
℟. Amén.

LUNES III

Laudes

INVOCACIÓN INICIAL
℣. Señor, abre mis labios.
℟. Y mi boca proclamará tu alabanza.

Puede añadirse el salmo 94 (p. 20), con su antífona correspondiente. En el Tiempo ordinario se dice:
Entremos a la presencia del Señor dándole gracias.

HIMNO

Eres la luz y siembras claridades;
abres los anchos cielos que sostienen,
como un pilar, los brazos de tu Padre.

Arrebatada en rojos torbellinos,
el alba apaga estrellas lejanísimas;
la tierra se estremece de rocío.

Mientras la noche cede y se disuelve,
la estrella matinal, signo de Cristo,
levanta el nuevo día y lo establece.

Eres la luz total, Día del Día,
el Uno en todo, el Trino todo en Uno:
¡gloria a tu misteriosa teofanía! Amén.

SALMODIA

Antífona 1
Fuera del Tiempo pascual: Dichosos los que viven en tu casa, Señor.

Tiempo pascual: Mi corazón y mi carne se alegran por ti, Dios vivo. Aleluya.

Salmo 83

AÑORANZA DEL TEMPLO

> No tenemos aquí ciudad permanente, sino que vamos buscando la futura. (Heb 13, 14)

¡Qué deseables son tus moradas,
    Señor de los ejércitos!
Mi alma se consume y anhela
los atrios del Señor,
    mi corazón y mi carne
    se alegran por el Dios vivo.

Hasta el gorrión ha encontrado una casa;
    la golondrina, un nido
    donde colocar sus polluelos:
tus altares, Señor de los ejércitos,
    Rey mío y Dios mío.

Dichosos los que viven en tu casa
    alabándote siempre.
Dichosos los que encuentran en ti su fuerza
    al preparar su peregrinación:

cuando atraviesan áridos valles,
    los convierten en oasis,
como si la lluvia temprana
    los cubriera de bendiciones;
caminan de altura en altura
    hasta ver a Dios en Sión.

Señor de los ejércitos, escucha mi súplica;
    atiéndeme, Dios de Jacob.
    Fíjate, ¡oh Dios!, en nuestro Escudo,
    mira el rostro de tu Ungido.

Un solo día en tu casa
vale más que otros mil,
y prefiero el umbral de la casa de Dios
a vivir con los malvados.

Porque el Señor es sol y escudo,
él da la gracia y la gloria,
el Señor no niega sus bienes
a los de conducta intachable.

¡Señor de los ejércitos, dichoso el hombre
que confía en ti!

Fuera del Tiempo pascual: Dichosos los que viven en tu casa, Señor.

Tiempo pascual: Mi corazón y mi carne se alegran por ti, Dios vivo. Aleluya.

Antífona 2

Fuera del Tiempo pascual: Vengan, subamos al monte del Señor.

Tiempo pascual: Pueblos numerosos caminarán hacia el monte del Señor. Aleluya.

Cántico   Is 2, 2-5

EL MONTE DE LA CASA DEL SEÑOR
EN LA CIMA DE LOS MONTES

> Todas las naciones vendrán y se postrarán en tu acatamiento. (Apoc 15, 4)

Al final de los días estará firme
el monte de la casa del Señor,
en la cima de los montes,
encumbrado sobre las montañas.

Hacia él confluirán los gentiles,
caminarán pueblos numerosos.

Dirán: «Vengan, subamos al monte del Señor,
a la casa del Dios de Jacob:

Él nos instruirá en sus caminos,
y marcharemos por sus sendas;
porque de Sión saldrá la ley,
de Jerusalén la palabra del Señor.»

Será el árbitro de las naciones,
el juez de pueblos numerosos.

De las espadas forjarán arados,
de las lanzas, podaderas.
No alzará la espada pueblo contra pueblo,
no se adiestrarán para la guerra.

Casa de Jacob, ven;
caminemos a la luz del Señor.

Fuera del Tiempo pascual: Vengan, subamos al monte
del Señor.

Tiempo pascual: Pueblos numerosos caminarán hacia el
monte del Señor. Aleluya.

Antífona 3

Fuera del Tiempo pascual: Canten al Señor, bendigan su
nombre.

Tiempo pascual: Digan a los pueblos: el Señor es rey.
Aleluya.

Salmo 95

EL SEÑOR, REY Y JUEZ DEL MUNDO

> Cantaban un cántico nuevo ante
> el trono, en presencia del Cordero.
> (Cfr. Apoc 14, 3)

Canten al Señor un cántico nuevo,
cante al Señor toda la tierra;

canten al Señor, bendigan su nombre,
proclamen día tras día su victoria.

Cuenten a los pueblos su gloria,
sus maravillas a todas las naciones;
porque es grande el Señor, y muy digno de alabanza,
más temible que todos los dioses.

Pues los dioses de los gentiles son apariencia,
mientras que el Señor ha hecho el cielo;
honor y majestad lo preceden,
fuerza y esplendor están en su templo.

Familias de los pueblos, aclamen al Señor,
aclamen la gloria y el poder del Señor,
aclamen la gloria del nombre del Señor,
entren en sus atrios trayéndole ofrendas.

Póstrense ante el Señor en el atrio sagrado,
tiemble en su presencia la tierra toda;
digan a los pueblos: «El Señor es rey,
él afianzó el orbe, y no se moverá;
él gobierna a los pueblos rectamente.»

Alégrese el cielo, goce la tierra,
retumbe el mar y cuanto lo llena;
vitoreen los campos y cuanto hay en ellos,
aclamen los árboles del bosque,

delante del Señor, que ya llega,
ya llega a regir la tierra:
regirá el orbe con justicia
y los pueblos con fidelidad.

Fuera del Tiempo pascual: Canten al Señor, bendigan su nombre.

Tiempo pascual: Digan a los pueblos: el Señor es rey. Aleluya.

LECTURA BREVE   Sant 2, 12-13

Hablen y actúen como quienes han de ser juzgados por una ley de libertad. Pues habrá un juicio sin misericordia para quien no practicó misericordia; pero la misericordia triunfa sobre el juicio.

RESPONSORIO BREVE

℣. Bendito el Señor ahora y por siempre.
℟. Bendito el Señor ahora y por siempre.
℣. Sólo él hizo maravillas.
℟. Ahora y por siempre.
℣. Gloria al Padre, y al Hijo, y al Espíritu Santo.
℟. Bendito el Señor ahora y por siempre.

CÁNTICO EVANGÉLICO

Ant. **Bendito sea el Señor, Dios nuestro.**

Cántico de Zacarías, p. 27.

PRECES PARA CONSAGRAR A DIOS
EL DÍA Y EL TRABAJO

Invoquemos a Dios, que puso en el mundo a los hombres para que trabajaran concordes para su gloria, y digámosle:

Haz, Señor, que te glorifiquemos.

Te bendecimos, Señor, creador del universo, porque has conservado nuestra vida hasta el día de hoy;
— haz que en toda nuestra jornada te alabemos y te bendigamos.

Míranos benigno, Señor, ahora que vamos a comenzar nuestra labor cotidiana;
— haz que, obrando conforme a tu voluntad, cooperemos en tu obra.

Que nuestro trabajo de hoy sea provechoso para nuestros hermanos,
— y así todos juntos edifiquemos un mundo grato a tus ojos.

A nosotros y a todos los que hoy entrarán en contacto con nosotros,
— concédenos el gozo y la paz.

Se pueden añadir algunas intenciones libres.

Llenos de alegría por nuestra condición de hijos de Dios, digamos confiadamente: Padre nuestro...

Oración conclusiva

Señor Dios, rey de cielos y tierra, dirige y santifica en este día nuestros cuerpos y nuestros corazones, nuestros sentidos, palabras y acciones, según tu ley y tus mandatos; para que, con tu auxilio, podamos ofrecerte hoy en todas nuestras actividades un sacrificio de alabanza grato a tus ojos. Por nuestro Señor Jesucristo, tu Hijo...

℟. Amén.

CONCLUSIÓN

℣. El Señor nos bendiga, nos guarde de todo mal y nos lleve a la vida eterna.

℟. Amén.

Vísperas

℣. Dios mío, ven en mi auxilio.
℟. Señor, date prisa en socorrerme.
Gloria al Padre... (Aleluya.)

HIMNO

Languidece, Señor, la luz del día
que alumbra la tarea de los hombres;
mantén, Señor, mi lámpara encendida,
claridad de mis días y mis noches.

Confío en ti, Señor, alcázar mío,
me guíen en la noche tus estrellas,
alejas con su luz mis enemigos,
yo sé que mientras duermo no me dejas.

Dichosos los que viven en tu casa
gozando de tu amor ya para siempre,
dichosos los que llevan la esperanza
de llegar a tu casa para verte.

Que sea de tu Día luz y prenda
este día en el trabajo ya vivido,
recibe amablemente mi tarea,
protégeme en la noche del camino.

Acoge, Padre nuestro, la alabanza
de nuestro sacrificio vespertino,
que todo de tu amor es don y gracia
en el Hijo Señor y el Santo Espíritu. Amén.

SALMODIA

Antífona 1

Fuera del Tiempo pascual: **Nuestros ojos están fijos en el Señor, esperando su misericordia.**

Tiempo pascual: El Señor será tu luz perpetua, y tu Dios será tu esplendor. Aleluya.

Salmo 122

EL SEÑOR, ESPERANZA DEL PUEBLO

> Dos ciegos... se pusieron a gritar: «Señor, ten compasión de nosotros, Hijo de David.» (Mt 20, 30)

A ti levanto mis ojos,
  a ti que habitas en el cielo.
Como están los ojos de los esclavos
  fijos en las manos de sus señores,

como están los ojos de la esclava
  fijos en las manos de su señora,
  así están nuestros ojos
  en el Señor, Dios nuestro,
  esperando su misericordia.

Misericordia, Señor, misericordia,
  que estamos saciados de desprecios;
  nuestra alma está saciada
  del sarcasmo de los satisfechos,
  del desprecio de los orgullosos.

Fuera del Tiempo pascual: Nuestros ojos están fijos en el Señor, esperando su misericordia.

Tiempo pascual: El Señor será tu luz perpetua, y tu Dios será tu esplendor. Aleluya.

Antífona 2

Fuera del Tiempo pascual: Nuestro auxilio es el nombre del Señor, que hizo el cielo y la tierra.

Tiempo pascual: La trampa se rompió y escapamos. Aleluya.

Salmo 123

NUESTRO AUXILIO ES EL NOMBRE DEL SEÑOR

El Señor dijo a Pablo: «No temas...
que yo estoy contigo.» (Hech 18,
9-10)

Si el Señor no hubiera estado de nuestra parte
—que lo diga Israel—,
si el Señor no hubiera estado de nuestra parte,
cuando nos asaltaban los hombres,
nos habrían tragado vivos:
tanto ardía su ira contra nosotros.

Nos habrían arrollado las aguas,
llegándonos el torrente hasta el cuello;
nos habrían llegado hasta el cuello
las aguas espumantes.

Bendito el Señor, que no nos entregó
como presa a sus dientes;
hemos salvado la vida como un pájaro
de la trampa del cazador:
la trampa se rompió y escapamos.

Nuestro auxilio es el nombre del Señor,
que hizo el cielo y la tierra.

Fuera del Tiempo pascual: Nuestro auxilio es el nombre del
Señor, que hizo el cielo y la tierra.

Tiempo pascual: La trampa se rompió y escapamos. Aleluya.

Antífona 3

Fuera del Tiempo pascual: Dios nos ha destinado en la
persona de Cristo a ser sus hijos.

Tiempo pascual: Cuando yo sea elevado sobre la tierra,
atraeré a todos hacia mí. Aleluya.

Cántico

EL PLAN DIVINO DE LA SALVACIÓN

Bendito sea Dios,
   Padre de nuestro Señor Jesucristo,
   que nos ha bendecido en la persona de Cristo
   con toda clase de bienes espirituales y celestiales.

Él nos eligió en la persona de Cristo,
   antes de crear el mundo,
   para que fuéramos consagrados
   e irreprochables ante él por el amor.

Él nos ha destinado en la persona de Cristo,
   por pura iniciativa suya,
   a ser sus hijos,
   para que la gloria de su gracia,
   que tan generosamente nos ha concedido
   en su querido Hijo,
   redunde en alabanza suya.

Por este Hijo, por su sangre,
   hemos recibido la redención,
   el perdón de los pecados.
   El tesoro de su gracia, sabiduría y prudencia
   ha sido un derroche para con nosotros,
   dándonos a conocer el misterio de su voluntad.

Éste es el plan
   que había proyectado realizar por Cristo
   cuando llegara el momento culminante:
   hacer que todas las cosas
   tuvieran a Cristo por cabeza,
   las del cielo y las de la tierra.

Fuera del Tiempo pascual: **Dios nos ha destinado en la persona de Cristo a ser sus hijos.**

Tiempo pascual: **Cuando yo sea elevado sobre la tierra, atraeré a todos hacia mí. Aleluya.**

LECTURA BREVE   Sant 4, 11-13a

No hablen mal unos de otros, hermanos. El que habla mal de un hermano, o juzga a un hermano, habla mal de la ley y juzga a la ley. Y si juzgas a la ley no eres cumplidor de la ley, sino su juez. Uno es el legislador y juez: el que puede salvar o perder. Pero tú, ¿quién eres para juzgar al prójimo?

RESPONSORIO BREVE

℣. Sáname, porque he pecado contra ti.
℟. Sáname, porque he pecado contra ti.
℣. Yo dije: «Señor, ten misericordia.»
℟. Porque he pecado contra ti.
℣. Gloria al Padre, y al Hijo, y al Espíritu Santo.
℟. Sáname, porque he pecado contra ti.

CÁNTICO EVANGÉLICO

Ant. Proclama mi alma la grandeza del Señor, porque Dios ha mirado mi humillación.

Cántico de la Santísima Virgen María, p. 18.

PRECES O INTERCESIONES

Cristo quiere que todos los hombres alcancen la salvación. Digámosle, pues, confiadamente:

Atrae, Señor, a todos hacia ti.

Te bendecimos, Señor, porque nos has redimido con tu preciosa sangre de la esclavitud del pecado;
— haz que participemos en la gloriosa libertad de los hijos de Dios.

Ayuda con tu gracia a nuestro obispo N. y a todos los obispos de la Iglesia,
— para que con gozo y fervor sirvan a tu pueblo.

Que todos los que consagran su vida a la investigación de la verdad logren encontrarla
— y que, habiéndola encontrado, se esfuercen por difundirla entre sus hermanos.

Atiende, Señor, a los huérfanos, a las viudas y a los que viven abandonados;
— ayúdalos en sus necesidades para que experimenten tu solicitud hacia ellos.

Se pueden añadir algunas intenciones libres.

Acoge a nuestros hermanos difuntos en la ciudad santa de la Jerusalén celestial,
— allí donde tú, con el Padre y el Espíritu Santo, serás todo en todos.

Adoctrinados por el mismo Señor, nos atrevemos a decir:
Padre nuestro...

Oración conclusiva

Señor, tú que con razón eres llamado luz indeficiente, ilumina nuestro espíritu en esta hora vespertina, y dígnate perdonar benignamente nuestras faltas. Por nuestro Señor Jesucristo, tu Hijo...
℟. Amén.

CONCLUSIÓN

℣. El Señor nos bendiga, nos guarde de todo mal y nos lleve a la vida eterna.
℟. Amén.

MARTES III

Laudes

Invocación inicial

℣. Señor, abre mis labios.
℟. Y mi boca proclamará tu alabanza.

Puede añadirse el salmo 94 (p. 20), con su antífona correspondiente. En el Tiempo ordinario se dice:

Al Señor, al gran Rey, vengan, adorémoslo.

Himno

Gracias, Señor, por el día,
por tu mensaje de amor
que nos das en cada flor;
por esta luz de alegría,
te doy las gracias, Señor.

Gracias, Señor, por la espina
que encontraré en el sendero,
donde marcho pregonero
de tu esperanza divina;
gracias, por ser compañero.

Gracias, Señor, porque dejas
que abrase tu amor mi ser,
porque haces aparecer
tus flores a mis abejas,
tan sedientas de beber.

Gracias por este camino,
donde caigo y me levanto,
donde te entrego mi canto
mientras marcho peregrino,
Señor, a tu monte santo.

Gracias, Señor, por la luz
que ilumina mi existir;
por este dulce dormir
que me devuelve a tu cruz.
¡Gracias, Señor, por vivir! Amén.

SALMODIA

Antífona 1

Fuera del Tiempo pascual: Señor, has sido bueno con tu tierra, has perdonado la culpa de tu pueblo.

Tiempo pascual: Tú nos devuelves la vida, y tu pueblo, Señor, se alegra contigo. Aleluya.

Salmo 84

NUESTRA SALVACIÓN ESTÁ CERCA

> Dios bendijo a nuestra tierra cuando le envió el Salvador. (Orígenes)

Señor, has sido bueno con tu tierra,
   has restaurado la suerte de Jacob,
   has perdonado la culpa de tu pueblo,
   has sepultado todos sus pecados,
   has reprimido tu cólera,
   has frenado el incendio de tu ira.

Restáuranos, Dios salvador nuestro;
   cesa en tu rencor contra nosotros.
   ¿Vas a estar siempre enojado,
   o a prolongar tu ira de edad en edad?

¿No vas a devolvernos la vida,
   para que tu pueblo se alegre contigo?
   Muéstranos, Señor, tu misericordia
   y danos tu salvación.

Voy a escuchar lo que dice el Señor:
   «Dios anuncia la paz

a su pueblo y a sus amigos
y a los que se convierten de corazón.»

La salvación está ya cerca de sus fieles,
   y la gloria habitará en nuestra tierra;
   la misericordia y la fidelidad se encuentran,
   la justicia y la paz se besan;

la fidelidad brota de la tierra,
   y la justicia mira desde el cielo;
   el Señor dará la lluvia,
   y nuestra tierra dará su fruto.

La justicia marchará ante él,
   la salvación seguirá sus pasos.

Fuera del Tiempo pascual: Señor, has sido bueno con tu tierra, has perdonado la culpa de tu pueblo.

Tiempo pascual: Tú nos devuelves la vida, y tu pueblo, Señor, se alegra contigo. Aleluya.

Antífona 2

Fuera del Tiempo pascual: Mi alma te ansía de noche, Señor; mi espíritu madruga por ti.

Tiempo pascual: Confiamos en el Señor; él nos dará la luz y la paz. Aleluya.

Cántico   Is 26, 1-4. 7-9. 12

HIMNO DESPUÉS DE LA VICTORIA SOBRE EL ENEMIGO

> La muralla de la ciudad se asienta
> sobre doce piedras. (Apoc 21, 14)

Tenemos una ciudad fuerte,
   ha puesto para salvarla murallas y baluartes:

Abran las puertas para que entre un pueblo justo,
   que observa la lealtad;

su ánimo está firme y mantiene la paz,
porque confía en ti.

Confíen siempre en el Señor,
porque el Señor es la Roca perpetua:

La senda del justo es recta.
Tú allanas el sendero del justo;
en la senda de tus juicios, Señor, te esperamos,
ansiando tu nombre y tu recuerdo.

Mi alma te ansía de noche,
mi espíritu en mi interior madruga por ti,
porque tus juicios son luz de la tierra,
y aprenden justicia los habitantes del orbe.

Señor, tú nos darás la paz,
porque todas nuestras empresas
nos las realizas tú.

Fuera del Tiempo pascual: Mi alma te ansía de noche,
Señor; mi espíritu madruga por ti.

Tiempo pascual: Confiamos en el Señor; él nos dará la
luz y la paz. Aleluya.

Antífona 3

Fuera del Tiempo pascual: Ilumina, Señor, tu rostro sobre
nosotros.

Tiempo pascual: La tierra ha dado su fruto: que canten
de alegría las naciones. Aleluya.

Salmo 66

QUE TODOS LOS PUEBLOS ALABEN AL SEÑOR

Sepan que esta salvación de Dios
ha sido enviada a los gentiles.
(Hech 28, 28)

El Señor tenga piedad y nos bendiga,
ilumine su rostro sobre nosotros;

conozca la tierra tus caminos,
todos los pueblos tu salvación.

¡Oh Dios!, que te alaben los pueblos,
que todos los pueblos te alaben.

Que canten de alegría las naciones,
porque riges el mundo con justicia,
riges los pueblos con rectitud
y gobiernas las naciones de la tierra.

¡Oh Dios!, que te alaben los pueblos,
que todos los pueblos te alaben.

La tierra ha dado su fruto,
nos bendice el Señor, nuestro Dios.
Que Dios nos bendiga; que lo teman
hasta los confines del orbe.

Fuera del Tiempo pascual: Ilumina, Señor, tu rostro sobre
nosotros.

Tiempo pascual: La tierra ha dado su fruto: que canten
de alegría las naciones. Aleluya.

LECTURA BREVE   1 Jn 4, 14-15

Nosotros hemos visto y damos testimonio de que el Padre
envió a su Hijo para ser Salvador del mundo. Quien
confiese que Jesús es el Hijo de Dios, Dios permanece
en él y él en Dios.

RESPONSORIO BREVE

℣. Dios mío, mi escudo y peña en que me amparo.
℞. Dios mío, mi escudo y peña en que me amparo.
℣. Mi alcázar, mi libertador.
℞. En que me amparo.
℣. Gloria al Padre, y al Hijo, y al Espíritu Santo.
℞. Dios mío, mi escudo y peña en que me amparo.

CÁNTICO EVANGÉLICO

Ant. Nos ha suscitado el Señor una fuerza de salvación, según lo había predicho por boca de sus santos profetas.

Cántico de Zacarías, p. 27.

PRECES PARA CONSAGRAR A DIOS
EL DÍA Y EL TRABAJO

Adoremos a Cristo, que con su sangre ha adquirido el pueblo de la nueva alianza, y digámosle suplicantes:

Acuérdate, Señor, de tu pueblo.

Rey y redentor nuestro, escucha la alabanza que te dirige tu Iglesia en el comienzo de este día,
— y haz que no deje nunca de glorificarte.

Que nunca, Señor, quedemos confundidos
— los que en ti ponemos nuestra fe y nuestra esperanza.

Mira compasivo nuestra debilidad y ven en ayuda nuestra,
— ya que sin ti nada podemos hacer.

Acuérdate de los pobres y desvalidos;
— que este día que comienza les traiga solaz y alegría.

Se pueden añadir algunas intenciones libres.

Ya que deseamos que la luz de Cristo ilumine a todos los hombres, pidamos al Padre que a todos llegue el reino de su Hijo: Padre nuestro...

Oración conclusiva

Dios todopoderoso, de quien dimana la bondad y hermosura de todo lo creado; haz que comencemos este día con ánimo alegre, y que realicemos nuestras obras movidos por el amor a ti y a los hermanos. Por nuestro Señor Jesucristo, tu Hijo...

R. Amén.

Conclusión

℣. El Señor nos bendiga, nos guarde de todo mal y nos lleve a la vida eterna.

℟. Amén.

Vísperas

Invocación inicial

℣. Dios mío, ven en mi auxilio.

℟. Señor, date prisa en socorrerme.
Gloria al Padre... (Aleluya.)

Himno

Como el niño que no sabe dormirse
sin cogerse a la mano de su madre,
así mi corazón viene a ponerse
sobre tus manos, al caer la tarde.

Como el niño que sabe que alguien vela
su sueño de inocencia y esperanza,
así descansará mi alma segura
sabiendo que eres tú quien nos aguarda.

Tú endulzarás mi última amargura,
tú aliviarás el último cansancio,
tú cuidarás los sueños de la noche,
tú borrarás las huellas de mi llanto.

Tú nos darás mañana nuevamente
la antorcha de la luz y la alegría,
y, por las horas que te traigo muertas,
tú me darás una mañana viva. Amén.

Salmodia

Antífona 1

Fuera del Tiempo pascual: El Señor rodea a su pueblo.

Tiempo pascual: La paz sea con ustedes; soy yo, no tengan miedo. Aleluya.

Salmo 124

EL SEÑOR VELA POR SU PUEBLO

La paz de Dios sobre Israel. (Gál 6, 16)

Los que confían en el Señor son como el monte Sión:
no tiembla, está asentado para siempre.

Jerusalén está rodeada de montañas,
y el Señor rodea a su pueblo
ahora y por siempre.

No pesará el cetro de los malvados
sobre el lote de los justos,
no sea que los justos extiendan
su mano a la maldad.

Señor, concede bienes a los buenos,
a los sinceros de corazón;
y a los que se desvían por sendas tortuosas,
que los rechace el Señor con los malhechores.
¡Paz a Israel!

Fuera del Tiempo pascual: El Señor rodea a su pueblo.

Tiempo pascual: La paz sea con ustedes; soy yo, no tengan miedo. Aleluya.

Antífona 2

Fuera del Tiempo pascual: Si no vuelven a ser como niños, no entrarán en el reino de los cielos.

Tiempo pascual: Espere Israel en el Señor. Aleluya.

Salmo 130

COMO UN NIÑO, ISRAEL SE ABANDONÓ EN BRAZOS DE DIOS

> Aprendan de mí que soy manso y
> humilde de corazón. (Mt 11, 29)

Señor, mi corazón no es ambicioso,
   ni mis ojos altaneros;
   no pretendo grandezas
   que superan mi capacidad;
   sino que acallo y modero mis deseos,
   como un niño en brazos de su madre.

Espere Israel en el Señor
   ahora y por siempre.

Fuera del Tiempo pascual: Si no vuelven a ser como niños,
no entrarán en el reino de los cielos.

Tiempo pascual: Espere Israel en el Señor. Aleluya.

Antífona 3

Fuera del Tiempo pascual: Has hecho de nosotros, Señor,
un reino de sacerdotes para nuestro Dios.

Tiempo pascual: Tema al Señor la tierra entera, porque
él lo dijo y existió. Aleluya.

Cántico   Apoc 4, 11; 5, 9-10. 12

HIMNO A DIOS CREADOR

Eres digno, Señor Dios nuestro, de recibir la gloria,
   el honor y el poder,
   porque tú has creado el universo;
   porque por tu voluntad lo que no existía fue creado.

Eres digno de tomar el libro y abrir sus sellos,
   porque fuiste degollado
   y por tu sangre compraste para Dios
   hombres de toda raza, lengua, pueblo y nación;

y has hecho de ellos para nuestro Dios
un reino de sacerdotes
y reinan sobre la tierra.

Digno es el Cordero degollado
de recibir el poder, la riqueza y la sabiduría,
la fuerza y el honor, la gloria y la alabanza.

Fuera del Tiempo pascual: Has hecho de nosotros, Señor,
un reino de sacerdotes para nuestro Dios.

Tiempo pascual: Tema al Señor la tierra entera, porque
él lo dijo y existió. Aleluya.

LECTURA BREVE   Rom 12, 9-12

Que su caridad sea sincera. Aborrezcan el mal y aplí-
quense al bien. En cuanto a la caridad fraterna, ámense
entrañablemente unos a otros. En cuanto a la mutua
estima, tengan por más dignos a los demás. Nada de
pereza en su celo, sirviendo con fervor de espíritu al
Señor. Que la esperanza los tenga alegres; estén firmes
en la tribulación, sean asiduos en la oración.

RESPONSORIO BREVE

℣. Tu palabra, Señor, es eterna,
   más estable que el cielo.
℟. Tu palabra, Señor, es eterna,
   más estable que el cielo.
℣. Tu fidelidad de generación en generación.
℟. Más estable que el cielo.
℣. Gloria al Padre, y al Hijo, y al Espíritu Santo.
℟. Tu palabra, Señor, es eterna,
   más estable que el cielo.

CÁNTICO EVANGÉLICO

Ant. Se alegra mi espíritu en Dios mi salvador.

Cántico de la Santísima Virgen María, p. 18.

PRECES O INTERCESIONES

Invoquemos a Dios, esperanza de su pueblo, diciendo:

Escúchanos, Señor.

Te damos gracias, Señor, porque hemos sido enriquecidos en todo por Cristo, tu Hijo;
— haz que por él crezcamos en todo conocimiento.

En tus manos, Señor, están el corazón y la mente de los que gobiernan;
— dales, pues, acierto en sus decisiones para que te sean gratos en su pensar y obrar.

Tú, que a los artistas concedes inspiración para plasmar la belleza que de ti procede,
— haz que con sus obras aumente el gozo y la esperanza de los hombres.

Tú, que no permites que seamos tentados por encima de nuestras fuerzas,
— da fortaleza a los débiles, levanta a los caídos.

Se pueden añadir algunas intenciones libres.

Tú, que nos has prometido la resurrección en el último día,
— no te olvides de tus hijos que ya han dejado el cuerpo mortal.

Unidos fraternalmente como hermanos de una misma familia, invoquemos al Padre común: Padre nuestro...

Oración conclusiva

Nuestra oración vespertina suba hasta ti, Padre de clemencia, y descienda sobre nosotros tu bendición; así, con tu ayuda, seremos salvados ahora y por siempre. Por nuestro Señor Jesucristo, tu Hijo...

℞. Amén.

CONCLUSIÓN

CONCLUSIÓN

℣. El Señor nos bendiga, nos guarde de todo mal y nos lleve a la vida eterna.

℞. Amén.

MIÉRCOLES III

Laudes

INVOCACIÓN INICIAL

℣. Señor, abre mis labios.

℞. Y mi boca proclamará tu alabanza.

Puede añadirse el salmo 94 (p. 20), con su antífona correspondiente. En el Tiempo ordinario se dice:

Adoremos a Dios, porque él nos ha creado.

HIMNO

¡Detente, aurora de este nuevo día,
refleja en mis pupilas tu paisaje!
Mensajera de amor, es tu equipaje
la hermosura hecha luz y profecía.

¡Detente, aurora, dulce epifanía,
rostro de Dios, qué bello es tu mensaje!
Queme tu amor mi amor que va de viaje
en lucha, y en trabajo y alegría.

Avanzamos, corremos fatigados,
mañana tras mañana enfebrecidos
por la carga de todos los pecados.

Arrópanos, Señor, con la esperanza;
endereza, Señor, los pies perdidos,
y recibe esta aurora de alabanza. Amén.

Salmodia

Antífona 1

Fuera del Tiempo pascual: **Alegra el alma de tu siervo, pues levanto mi alma hacia ti, Señor.**

Tiempo pascual: **Todos los pueblos vendrán a adorar al Señor. Aleluya.**

Salmo 85

ORACIÓN DE UN POBRE ANTE LAS DIFICULTADES

> Bendito sea Dios, que nos consuela en todas nuestras luchas. (2 Cor 1, 3. 4)

Inclina tu oído, Señor; escúchame,
    que soy un pobre desamparado;
    protege mi vida, que soy un fiel tuyo;
    salva a tu siervo, que confía en ti.

Tú eres mi Dios, piedad de mí, Señor,
    que a ti te estoy llamando todo el día;
    alegra el alma de tu siervo,
    pues levanto mi alma hacia ti;

porque tú, Señor, eres bueno y clemente,
    rico en misericordia con los que te invocan.
    Señor, escucha mi oración,
    atiende a la voz de mi súplica.

En el día del peligro te llamo,
    y tú me escuchas.
    No tienes igual entre los dioses, Señor,
    ni hay obras como las tuyas.

Todos los pueblos vendrán
    a postrarse en tu presencia, Señor;
    bendecirán tu nombre:

«Grande eres tú, y haces maravillas;
tú eres el único Dios.»

Enséñame, Señor, tu camino,
para que siga tu verdad;
mantén mi corazón entero
en el temor de tu nombre.

Te alabaré de todo corazón, Dios mío;
daré gloria a tu nombre por siempre,
por tu grande piedad para conmigo,
porque me salvaste del abismo profundo.

Dios mío, unos soberbios se levantan contra mí,
una banda de insolentes atenta contra mi vida,
sin tenerte en cuenta a ti.

Pero tú, Señor, Dios clemente y misericordioso,
lento a la cólera, rico en piedad y leal,
mírame, ten compasión de mí.

Da fuerza a tu siervo,
salva al hijo de tu esclava;
dame una señal propicia,
que la vean mis adversarios y se avergüencen,
porque tú, Señor, me ayudas y consuelas.

Fuera del Tiempo pascual: Alegra el alma de tu siervo, pues levanto mi alma hacia ti, Señor.

Tiempo pascual: Todos los pueblos vendrán a adorar al Señor. Aleluya.

Antífona 2

Fuera del Tiempo pascual: Dichoso el hombre que procede con justicia y habla con rectitud.

Tiempo pascual: Nuestros ojos contemplarán al Rey en su gloria. Aleluya.

Cántico   Is 33, 13-16

DIOS JUZGARÁ CON JUSTICIA

> La promesa vale para ustedes y
> para sus hijos y para todos los que
> llame el Señor Dios nuestro, aun-
> que estén lejos. (Hech 2, 39)

Los lejanos, escuchen lo que he hecho;
    los cercanos, reconozcan mi fuerza.

Temen en Sión los pecadores,
    y un temblor se apodera de los perversos:
    «¿Quién de nosotros habitará un fuego devorador,
    quién de nosotros habitará una hoguera perpetua?»

El que procede con justicia y habla con rectitud
    y rehúsa el lucro de la opresión;
    el que sacude la mano rechazando el soborno
    y tapa su oído a propuestas sanguinarias,
    el que cierra los ojos para no ver la maldad:
    ése habitará en lo alto,
    tendrá su alcázar en un picacho rocoso,
    con abasto de pan y provisión de agua.

Fuera del Tiempo pascual: Dichoso el hombre que procede
con justicia y habla con rectitud.

Tiempo pascual: Nuestros ojos contemplarán al Rey en
su gloria. Aleluya.

Antífona 3

Fuera del Tiempo pascual: Aclamen al Rey y Señor.

Tiempo pascual: Toda carne contemplará la salvación de
Dios. Aleluya.

Salmo 97

EL SEÑOR, JUEZ VENCEDOR

Este salmo canta la primera venida del Señor y la conversión de los
paganos. (S. Atanasio)

Canten al Señor un cántico nuevo,
porque ha hecho maravillas:
su diestra le ha dado la victoria,
su santo brazo.

El Señor da a conocer su victoria,
revela a las naciones su justicia:
se acordó de su misericordia y su fidelidad
en favor de la casa de Israel.

Los confines de la tierra han contemplado
la victoria de nuestro Dios.
Aclama al Señor, tierra entera;
griten, vitoreen, toquen:

toquen la cítara para el Señor,
suenen los instrumentos:
con clarines y al son de trompetas
aclamen al Rey y Señor.

Retumbe el mar y cuanto contiene,
la tierra y cuantos la habitan;
aplaudan los ríos, aclamen los montes
al Señor, que llega para regir la tierra.

Regirá el orbe con justicia
y los pueblos con rectitud.

Fuera del Tiempo pascual: Aclamen al Rey y Señor.

Tiempo pascual: Toda carne contemplará la salvación de
Dios. Aleluya.

Lectura breve   Job 1, 21; 2, 10b

Desnudo salí del vientre de mi madre y desnudo volveré a él. El Señor me lo dio, el Señor me lo quitó, bendito sea el nombre del Señor. Si aceptamos de Dios los bienes, ¿no vamos a aceptar los males?

Responsorio breve

℣. Inclina, Señor, mi corazón a tus preceptos.

℟. Inclina, Señor, mi corazón a tus preceptos.

℣. Dame vida con tu palabra.

℟. Inclina, Señor, mi corazón a tus preceptos.

℣. Gloria al Padre, y al Hijo, y al Espíritu Santo.

℟. Inclina, Señor, mi corazón a tus preceptos.

Cántico evangélico

Ant. Realiza, Señor, con nosotros la misericordia y recuerda tu santa alianza.

Cántico de Zacarías, p. 27.

Preces para consagrar a Dios
el día y el trabajo

Invoquemos a Cristo, que se entregó a sí mismo por la Iglesia, y le da alimento y calor, diciendo:

Acuérdate, Señor, de tu Iglesia.

Bendito seas, Señor, Pastor de la Iglesia, que nos vuelves a dar hoy la luz y la vida;
— haz que sepamos agradecerte este magnífico don.

Mira con amor a tu grey, que has congregado en tu nombre;
— haz que no se pierda ni uno solo de los que el Padre te ha dado.

Guía a tu Iglesia por el camino de tus mandatos,
— y haz que el Espíritu Santo la conserve en la fidelidad.

Que tus fieles, Señor, cobren nueva vida participando en la mesa de tu pan y de tu palabra,
— para que, con la fuerza de este alimento, te sigan con alegría.

Se pueden añadir algunas intenciones libres.

Concluyamos nuestra oración diciendo juntos las palabras de Jesús, nuestro Maestro: Padre nuestro...

Oración conclusiva

Señor Dios, que nos has creado con tu sabiduría y nos gobiernas con tu providencia, infunde en nuestras almas la claridad de tu luz, y haz que nuestra vida y nuestras acciones estén del todo consagradas a ti. Por nuestro Señor Jesucristo, tu Hijo...

℟. Amén.

CONCLUSIÓN

℣. El Señor nos bendiga, nos guarde de todo mal y nos lleve a la vida eterna.

℟. Amén.

Vísperas

INVOCACIÓN INICIAL

℣. Dios mío, ven en mi auxilio.

℟. Señor, date prisa en socorrerme.
Gloria al Padre... (Aleluya.)

HIMNO

Señor, tú eres mi paz y mi consuelo
al acabar el día su jornada,
y, libres ya mis manos del trabajo,
a hacerte ofrenda del trabajo vengo.

Señor, tú eres mi paz y mi consuelo
cuando las luces de este día acaban,
y, ante las sombras de la noche oscura,
mirarte a ti, mi luz, mirarte puedo.

Señor, tú eres mi paz y mi consuelo,
y aunque me abruma el peso del pecado,
movido por tu amor y por tu gracia,
mi salvación ponerla en ti yo quiero.

Señor, tú eres mi paz y mi consuelo,
muy dentro de mi alma tu esperanza
sostenga mi vivir de cada día,
mi lucha por el bien que tanto espero.

Señor, tú eres mi paz y mi consuelo;
por el amor de tu Hijo, tan amado,
por el Espíritu de ambos espirado,
conduce nuestra senda hacia tu encuentro. Amén.

SALMODIA

Antífona 1

Fuera del Tiempo pascual: **Los que sembraban con lágrimas cosechan entre cantares.**

Tiempo pascual: **Su tristeza se convertirá en gozo. Aleluya.**

Salmo 125

DIOS, ALEGRÍA Y ESPERANZA NUESTRA

> Como participan en el sufrimiento,
> también participan en el consuelo.
> (2 Cor 1, 7)

Cuando el Señor cambió la suerte de Sión,
  nos parecía soñar:
  la boca se nos llenaba de risas,
  la lengua de cantares.

Hasta los gentiles decían:
«El Señor ha estado grande con ellos.»
El Señor ha estado grande con nosotros,
y estamos alegres.

Que el Señor cambie nuestra suerte
como los torrentes del Negueb.
Los que sembraban con lágrimas
cosechan entre cantares.

Al ir, iban llorando,
llevando la semilla;
al volver, vuelven cantando,
trayendo sus gavillas.

Fuera del Tiempo pascual: Los que sembraban con lágrimas cosechan entre cantares.

Tiempo pascual: Su tristeza se convertirá en gozo. Aleluya.

Antífona 2

Fuera del Tiempo pascual: Que el Señor nos construya la casa y nos guarde la ciudad.

Tiempo pascual: Ya vivamos, ya muramos, del Señor somos. Aleluya.

Salmo 126

EL ESFUERZO HUMANO ES INÚTIL SIN DIOS

Ustedes son edificación de Dios.
(1 Cor 3, 9)

Si el Señor no construye la casa,
en vano se cansan los albañiles;
si el Señor no guarda la ciudad,
en vano vigilan los centinelas.

Es inútil que madruguen,
que velen hasta muy tarde,

los que comen el pan de sus sudores:
¡Dios lo da a sus amigos mientras duermen!

La herencia que da el Señor son los hijos;
una recompensa es el fruto de las entrañas:
son saetas en mano de un guerrero
los hijos de la juventud.

Dichoso el hombre que llena
con ellas su aljaba:
no quedará derrotado cuando litigue
con su adversario en la plaza.

Fuera del Tiempo pascual: Que el Señor nos construya la
casa y nos guarde la ciudad.

Tiempo pascual: Ya vivamos, ya muramos, del Señor
somos. Aleluya.

Antífona 3

Fuera del Tiempo pascual: Él es el primogénito de toda
creatura, es el primero en todo.

Tiempo pascual: De él todo procede, por él existe todo,
en él todo subsiste: a él la gloria por los siglos. Aleluya.

Cántico   Cfr. Col 1, 12-20

HIMNO A CRISTO, PRIMOGÉNITO DE TODA CREATURA
Y PRIMER RESUCITADO DE ENTRE LOS MUERTOS

Damos gracias a Dios Padre,
que nos ha hecho capaces de compartir
la herencia del pueblo santo en la luz.

Él nos ha sacado del dominio de las tinieblas,
y nos ha trasladado al reino de su Hijo querido,
por cuya sangre hemos recibido la redención,
el perdón de los pecados.

Él es imagen de Dios invisible,
primogénito de toda creatura;

pues por medio de él fueron creadas todas las cosas:
celestes y terrestres, visibles e invisibles,
tronos, dominaciones, principados, potestades;
todo fue creado por él y para él.

Él es anterior a todo, y todo se mantiene en él.
Él es también la cabeza del cuerpo de la Iglesia.
Él es el principio, el primogénito de entre los
    muertos,
y así es el primero en todo.

Porque en él quiso Dios que residiera toda plenitud.
Y por él quiso reconciliar consigo todas las cosas:
haciendo la paz por la sangre de su cruz
con todos los seres, así del cielo como de la tierra.

Fuera del Tiempo pascual: Él es el primogénito de toda creatura, es el primero en todo.

Tiempo pascual: De él todo procede, por él existe todo, en él todo subsiste: a él la gloria por los siglos. Aleluya.

LECTURA BREVE   Ef 3, 20-21

A aquel que tiene sumo poder para hacer muchísimo más de lo que pedimos o pensamos, con la energía que obra en nosotros, a él la gloria en la Iglesia y en Cristo Jesús, en todas las generaciones por los siglos de los siglos. Amén.

RESPONSORIO BREVE

℣. Sálvame, Señor, y ten misericordia de mí.
℟. Sálvame, Señor, y ten misericordia de mí.

℣. No arrebates mi alma con los pecadores.
℟. Ten misericordia de mí.

℣. Gloria al Padre, y al Hijo, y al Espíritu Santo.
℟. Sálvame, Señor, y ten misericordia de mí.

CÁNTICO EVANGÉLICO

Ant. El Poderoso ha hecho obras grandes por mí: su nombre es santo.

Cántico de la Santísima Virgen María, p. 18.

PRECES O INTERCESIONES

Invoquemos a Dios, que envió a su Hijo como salvador y modelo supremo de su pueblo, diciendo:

Que tu pueblo, Señor, te alabe.

Te damos gracias, Señor, porque nos has escogido como primicias para la salvación;
— haz que sepamos corresponder y así logremos la gloria de nuestro Señor Jesucristo.

Haz que todos los que confiesan tu santo nombre sean concordes en la verdad
— y vivan unidos por la caridad.

Creador del universo, cuyo Hijo, al venir a este mundo, quiso trabajar con sus propias manos:
— acuérdate de los trabajadores que ganan el pan con el sudor de su rostro.

Acuérdate también de todos los que viven entregados al servicio de los demás:
— que no se dejen vencer por el desaliento ante la incomprensión de los hombres.

Se pueden añadir algunas intenciones libres.

Ten piedad de nuestros hermanos difuntos
— y líbralos del poder del Maligno.

Llenos de fe invoquemos juntos al Padre común, repitiendo la oración que Jesús nos enseñó: Padre nuestro...

Oración conclusiva

Llegue a tus oídos, Señor, la voz suplicante de tu Iglesia a fin de que, conseguido el perdón de nuestros pecados,

con tu ayuda podamos dedicarnos a tu servicio y vivamos confiados en tu protección. Por nuestro Señor Jesucristo, tu Hijo...

℞. Amén.

℣. El Señor nos bendiga, nos guarde de todo mal y nos
lleve a la vida eterna.

℞. Amén.

JUEVES III

Laudes

INVOCACIÓN INICIAL

℣. Señor, abre mis labios.

℞. Y mi boca proclamará tu alabanza.

Puede añadirse el salmo 94 (p. 20), con su antífona correspondiente. En el Tiempo ordinario se dice:

Vengan, adoremos al Señor, porque él es nuestro Dios.

HIMNO

Señor, cuando florece un nuevo día
en el jardín del tiempo,
no dejes que la espina del pecado
vierta en él su veneno.

El trabajo del hombre rompe el surco
en el campo moreno;
en frutos de bondad y de justicia
convierte sus deseos.

Alivia sus dolores con la hartura
de tu propio alimento;

y que vuelvan al fuego de tu casa
cansados y contentos. Amén.

SALMODIA

Antífona 1

Fuera del Tiempo pascual: ¡Qué pregón tan glorioso para
ti, ciudad de Dios!

Tiempo pascual: Cantaremos danzando: Jerusalén, ciudad
de Dios, todas mis fuentes están en ti. Aleluya.

Salmo 86

HIMNO A JERUSALÉN, MADRE DE TODOS LOS PUEBLOS

> La Jerusalén de arriba es libre; ésa
> es nuestra madre. (Gál 4, 26)

Él la ha cimentado sobre el monte santo;
    y el Señor prefiere las puertas de Sión
    a todas las moradas de Jacob.

¡Qué pregón tan glorioso para ti,
    ciudad de Dios!
    «Contaré a Egipto y a Babilonia
    entre mis fieles;
    filisteos, tirios y etíopes
    han nacido allí.»

Se dirá de Sión: «Uno por uno
    todos han nacido en ella;
    el Altísimo en persona la ha fundado.»

El Señor escribirá en el registro de los pueblos:
    «Éste ha nacido allí.»
    Y cantarán mientras danzan:
    «Todas mis fuentes están en ti.»

Fuera del Tiempo pascual: ¡Qué pregón tan glorioso para
ti, ciudad de Dios!

Tiempo pascual: Cantaremos danzando: Jerusalén, ciudad de Dios, todas mis fuentes están en ti. Aleluya.

Antífona 2

Fuera del Tiempo pascual: El Señor llega con poder, y su recompensa lo precede.

Tiempo pascual: Como un pastor, el Señor ha reunido su rebaño. Aleluya.

Cántico   Is 40, 10-17

EL BUEN PASTOR ES EL DIOS ALTÍSIMO Y SAPIENTÍSIMO

> Mira, llego en seguida y traigo conmigo mi salario. (Apoc 22, 12)

Miren, el Señor Dios llega con poder,
   y su brazo manda.
Miren, viene con él su salario
   y su recompensa lo precede.

Como un pastor que apacienta el rebaño,
   su brazo lo reúne,
   toma en brazos los corderos
   y hace recostar a las madres.

¿Quién ha medido a puñados el mar
   o mensurado a palmos el cielo,
   o a cuartillos el polvo de la tierra?

¿Quién ha pesado en la balanza los montes
   y en la báscula las colinas?
¿Quién ha medido el aliento del Señor?
¿Quién le ha sugerido su proyecto?

¿Con quién se aconsejó para entenderlo,
   para que le enseñara el camino exacto,
   para que le enseñara el saber
   y le sugiriera el método inteligente?

Miren, las naciones son gotas de un cubo
y valen lo que el polvillo de balanza.
Miren, las islas pesan lo que un grano,
el Líbano no basta para leña,
sus fieras no bastan para el holocausto.

En su presencia, las naciones todas,
como si no existieran,
son ante él como nada y vacío.

Fuera del Tiempo pascual: El Señor llega con poder, y su recompensa lo precede.

Tiempo pascual: Como un pastor el Señor ha reunido su rebaño. Aleluya.

Antífona 3

Fuera del Tiempo pascual: Ensalcen al Señor, Dios nuestro, póstrense ante el estrado de sus pies.

Tiempo pascual: El Señor es grande en Sión, encumbrado sobre todos los pueblos. Aleluya.

Salmo 98

SANTO ES EL SEÑOR, NUESTRO DIOS

> Tú, Señor, que estás sentado sobre querubines, restauraste el mundo caído, cuando te hiciste semejante a nosotros. (S. Atanasio)

El Señor reina, tiemblen las naciones;
sentado sobre querubines, vacile la tierra.

El Señor es grande en Sión,
encumbrado sobre todos los pueblos.
Reconozcan tu nombre, grande y terrible:
Él es santo.

Reinas con poder y amas la justicia,
tú has establecido la rectitud;

tú administras la justicia y el derecho,
tú actúas en Jacob.

Ensalcen al Señor, Dios nuestro;
póstrense ante el estrado de sus pies:
Él es santo.

Moisés y Aarón con sus sacerdotes,
Samuel con los que invocan su nombre,
invocaban al Señor, y él respondía.
Dios les hablaba desde la columna de nube;
oyeron sus mandatos y la ley que les dio.

Señor, Dios nuestro, tú les respondías,
tú eras para ellos un Dios de perdón
y un Dios vengador de sus maldades.

Ensalcen al Señor, Dios nuestro;
póstrense ante su monte santo:
Santo es el Señor, nuestro Dios.

Fuera del Tiempo pascual: Ensalcen al Señor, Dios nuestro, póstrense ante el estrado de sus pies.

Tiempo pascual: El Señor es grande en Sión, encumbrado sobre todos los pueblos. Aleluya.

LECTURA BREVE   1 Pe 4, 10-11

Que cada uno, con el don que ha recibido, se ponga al servicio de los demás, como buenos administradores de la multiforme gracia de Dios. El que toma la palabra que hable palabra de Dios. El que se dedica al servicio que lo haga en virtud del encargo recibido de Dios. Así, Dios será glorificado en todo, por medio de Jesucristo, Señor nuestro, cuya es la gloria y el imperio por los siglos de los siglos. Amén.

RESPONSORIO BREVE

℣. Te invoco de todo corazón, respóndeme, Señor.

℟. Te invoco de todo corazón, respóndeme, Señor.

℣. Guardaré tus leyes.

℟. Respóndeme, Señor.

℣. Gloria al Padre, y al Hijo, y al Espíritu Santo.

℟. Te invoco de todo corazón, respóndeme, Señor.

CÁNTICO EVANGÉLICO

Ant. Sirvamos al Señor con santidad y nos librará de la mano de nuestros enemigos.

Cántico de Zacarías, p. 27.

PRECES PARA CONSAGRAR A DIOS EL DÍA Y EL TRABAJO

Demos gracias al Señor, que guía y alimenta con amor a su pueblo, y digámosle:

Te glorificamos por siempre, Señor.

Señor, rey del universo, te alabamos por el amor que nos tienes,
— porque de manera admirable nos creaste y más admirablemente aún nos redimiste.

Al comenzar este nuevo día, pon en nuestros corazones el anhelo de servirte,
— para que te glorifiquemos en todos nuestros pensamientos y acciones.

Purifica nuestros corazones de todo mal deseo,
— y haz que estemos siempre atentos a tu voluntad.

Danos un corazón abierto a las necesidades de nuestros hermanos,
— para que a nadie falte la ayuda de nuestro amor.

Se pueden añadir algunas intenciones libres.

Acudamos ahora a nuestro Padre celestial, diciendo:
Padre nuestro...

Oración conclusiva

Dios todopoderoso y eterno: a los pueblos que viven en tiniebla y en sombra de muerte, ilumínalos con tu luz, ya que con ella nos ha visitado el sol que nace de lo alto, Jesucristo, nuestro Señor. Que vive y reina contigo...
℟. Amén.

CONCLUSIÓN

℣. El Señor nos bendiga, nos guarde de todo mal y nos lleve a la vida eterna.
℟. Amén.

Vísperas

INVOCACIÓN INICIAL

℣. Dios mío, ven en mi auxilio.
℟. Señor, date prisa en socorrerme.
Gloria al Padre... (Aleluya.)

HIMNO

Enfría, Señor, mi boca;
Señor, reduce mi brasa;
dame, como te lo pido,
concordia de cuerpo y alma.

Frente al perverso oleaje,
ponme costado de gracia;
dame, como te demando,
concordia de cuerpo y alma.

Señor, mitiga mi angustia;
remite, Señor, mi ansia;
dame, como te la clamo,
concordia de cuerpo y alma.

No dejes que los sentidos
me rindan en la batalla;
Señor, Señor, no me niegues
concordia de cuerpo y alma. Amén.

SALMODIA

Antífona 1

Fuera del Tiempo pascual: Que tus fieles, Señor, te aclamen al entrar en tu morada.

Tiempo pascual: El Señor Dios le ha dado el trono de David, su padre. Aleluya.

Salmo 131

PROMESAS A LA CASA DE DAVID

El Señor Dios le dará el trono de
David, su padre. (Lc 1, 32)

I

Señor, tenle en cuenta a David
todos sus afanes:
cómo juró al Señor
e hizo voto al Fuerte de Jacob:

«No entraré bajo el techo de mi casa,
no subiré al lecho de mi descanso,
no daré sueño a mis ojos,
ni reposo a mis párpados,
hasta que encuentre un lugar para el Señor,
una morada para el Fuerte de Jacob.»

Oímos que estaba en Efrata,
la encontramos en el Soto de Jaar:
entremos en su morada,
postrémonos ante el estrado de sus pies.

Levántate, Señor, ven a tu mansión,
ven con el arca de tu poder:

que tus sacerdotes se vistan de gala,
que tus fieles te aclamen.
Por amor a tu siervo David,
no niegues audiencia a tu Ungido.

Fuera del Tiempo pascual: Que tus fieles, Señor, te aclamen al entrar en tu morada.

Tiempo pascual: El Señor Dios le ha dado el trono de David, su padre. Aleluya.

Antífona 2

Fuera del Tiempo pascual: El Señor ha elegido a Sión, ha deseado vivir en ella.

Tiempo pascual: Jesucristo es el único Soberano, el Rey de los reyes y el Señor de los señores. Aleluya.

II

El Señor ha jurado a David
una promesa que no retractará:
«A uno de tu linaje
pondré sobre tu trono.

Si tus hijos guardan mi alianza
y los mandatos que les enseño,
también sus hijos, por siempre,
se sentarán sobre tu trono.»

Porque el Señor ha elegido a Sión,
ha deseado vivir en ella:
«Ésta es mi mansión por siempre,
aquí viviré, porque la deseo.

Bendeciré sus provisiones,
a sus pobres los saciaré de pan;
vestiré a sus sacerdotes de gala,
y sus fieles aclamarán con vítores.

Haré germinar el vigor de David,
enciendo una lámpara para mi Ungido.

A sus enemigos los vestiré de ignominia,
sobre él brillará mi diadema.»

Fuera del Tiempo pascual: El Señor ha elegido a Sión, ha deseado vivir en ella.

Tiempo pascual: Jesucristo es el único Soberano, el Rey de los reyes y el Señor de los señores. Aleluya.

Antífona 3

Fuera del Tiempo pascual: El Señor le dio el poder, el honor y el reino, y todos los pueblos lo servirán.

Tiempo pascual: ¿Quién como tú, Señor, entre los dioses? ¿Quién como tú, terrible entre los santos? Aleluya.

Cántico   Apoc 11, 17-18; 12, 10b-12a

EL JUICIO DE DIOS

Gracias te damos, Señor Dios omnipotente,
    el que eres y el que eras,
    porque has asumido el gran poder
    y comenzaste a reinar.

Se encolerizaron las naciones,
    llegó tu cólera,
    y el tiempo de que sean juzgados los muertos,
    y de dar el galardón a tus siervos los profetas,
    y a los santos y a los que temen tu nombre,
    y a los pequeños y a los grandes,
    y de arruinar a los que arruinaron la tierra.

Ahora se estableció la salud y el poderío,
    y el reinado de nuestro Dios,
    y la potestad de su Cristo;
    porque fue precipitado
    el acusador de nuestros hermanos,
    el que los acusaba ante nuestro Dios día y noche.

Ellos lo vencieron en virtud de la sangre del Cordero
    y por la palabra del testimonio que dieron,

y no amaron tanto su vida que temieran la muerte.
Por esto, estén alegres, cielos,
y los que moran en sus tiendas.

Fuera del Tiempo pascual: El Señor le dio el poder, el honor y el reino, y todos los pueblos lo servirán.

Tiempo pascual: ¿Quién como tú, Señor, entre los dioses? ¿Quién como tú, terrible entre los santos? Aleluya.

LECTURA BREVE   1 Pe 3, 8-9

Procuren todos tener un mismo pensar y un mismo sentir: con afecto fraternal, con ternura, con humildad. No devuelvan mal por mal o insulto por insulto; al contrario, respondan con una bendición, porque su vocación mira a esto: a heredar una bendición.

RESPONSORIO BREVE

℣. Nos alimentó el Señor con flor de harina.
℟. Nos alimentó el Señor con flor de harina.
℣. Nos sació con miel silvestre.
℟. Con flor de harina.
℣. Gloria al Padre, y al Hijo, y al Espíritu Santo.
℟. Nos alimentó el Señor con flor de harina.

CÁNTICO EVANGÉLICO

Ant. El Señor derriba del trono a los poderosos y enaltece a los humildes.

Cántico de la Santísima Virgen María, p. 18.

PRECES O INTERCESIONES

Invoquemos a Cristo, pastor, protector y ayuda de su pueblo, diciendo:

Señor, refugio nuestro, escúchanos.

Bendito seas, Señor, que nos has llamado a tu santa Iglesia;
— haz que seamos fieles a esta dignación de tu amor.

Tú que has encomendado al Papa N. la preocupación por todas las Iglesias,
— concédele una fe inquebrantable, una esperanza viva y una caridad solícita.

Da a los pecadores la conversión, a los que caen, fortaleza,
— y concede a todos la penitencia y la salvación.

Tú que quisiste habitar en un país extranjero,
— acuérdate de los que viven lejos de su familia y de su patria.

Se pueden añadir algunas intenciones libres.

A todos los difuntos que esperaron en ti,
— concédeles el descanso eterno.

Ya que por Jesucristo somos hijos de Dios, oremos con plena confianza a Dios nuestro Padre: Padre nuestro...

Oración conclusiva

Dios todopoderoso, te damos gracias por el día que termina e imploramos tu clemencia para que nos perdones benignamente todas las faltas que, por la fragilidad de la condición humana, en él hayamos cometido. Por nuestro Señor Jesucristo, tu Hijo...
℟. Amén.

CONCLUSIÓN

℣. El Señor nos bendiga, nos guarde de todo mal y nos lleve a la vida eterna.
℟. Amén.

VIERNES III

Laudes

℣. Señor, abre mis labios.

℟. Y mi boca proclamará tu alabanza.

Puede añadirse el salmo 94 (p. 20), con su antífona correspondiente. En el Tiempo ordinario se dice:

Den gracias al Señor, porque es eterna su misericordia.

HIMNO

Creador sempiterno de las cosas,
que gobiernas las noches y los días,
y, alternando la luz y las tinieblas,
alivias el cansancio de la vida.

Pon tus ojos, Señor, en quien vacila,
que a todos corrija tu mirada:
con ella sostendrás a quien tropieza
y harás que pague su delito en lágrimas.

Alumbra con tu luz nuestros sentidos,
desvanece el sopor de nuestras mentes,
y sé el primero a quien, agradecidas,
se eleven nuestras voces cuando suenen.

Glorificado sea el Padre eterno,
así como su Hijo Jesucristo,
y así como el Espíritu Paráclito,
ahora y por los siglos de los siglos. Amén.

Sᴀʟᴍᴏᴅɪᴀ

Antífona 1

Fᴜᴇʀᴀ ᴅᴇʟ Tɪᴇᴍᴘᴏ ᴘᴀsᴄᴜᴀʟ: Contra ti, contra ti solo pequé, Señor; ten misericordia de mí.

Tɪᴇᴍᴘᴏ ᴘᴀsᴄᴜᴀʟ: Lava del todo mi delito, Señor, limpia mi pecado. Aleluya.

Salmo 50

Cᴏɴꜰᴇsɪᴏ́ɴ ᴅᴇʟ ᴘᴇᴄᴀᴅᴏʀ ᴀʀʀᴇᴘᴇɴᴛɪᴅᴏ

> Renuévense en la mente y en el espíritu y vístanse de la nueva condición humana. (Cfr Ef 4, 23-24)

Misericordia, Dios mío, por tu bondad;
   por tu inmensa compasión borra mi culpa;
   lava del todo mi delito,
   limpia mi pecado.

Pues yo reconozco mi culpa,
   tengo siempre presente mi pecado:
   contra ti, contra ti solo pequé,
   cometí la maldad que aborreces.

En la sentencia tendrás razón,
   en el juicio brillará tu rectitud.
   Mira, que en la culpa nací,
   pecador me concibió mi madre.

Te gusta un corazón sincero,
   y en mi interior me inculcas sabiduría.
   Rocíame con el hisopo: quedaré limpio;
   lávame: quedaré más blanco que la nieve.

Hazme oír el gozo y la alegría,
   que se alegren los huesos quebrantados.
   Aparta de mi pecado tu vista,
   borra en mí toda culpa.

¡Oh Dios!, crea en mí un corazón puro,
   renuévame por dentro con espíritu firme;
   no me arrojes lejos de tu rostro,
   no me quites tu santo espíritu.

Devuélveme la alegría de tu salvación,
   afiánzame con espíritu generoso:
   enseñaré a los malvados tus caminos,
   los pecadores volverán a ti.

Líbrame de la sangre, ¡oh Dios,
   Dios, Salvador mío!,
   y cantará mi lengua tu justicia.
   Señor, me abrirás los labios,
   y mi boca proclamará tu alabanza.

Los sacrificios no te satisfacen;
   si te ofreciera un holocausto, no lo querrías.
   Mi sacrificio es un espíritu quebrantado:
   un corazón quebrantado y humillado
   tú no lo desprecias.

Señor, por tu bondad, favorece a Sión,
   reconstruye las murallas de Jerusalén:
   entonces aceptarás los sacrificios rituales,
   ofrendas y holocaustos,
   sobre tu altar se inmolarán novillos.

Fuera del Tiempo pascual: Contra ti, contra ti solo pequé,
Señor; ten misericordia de mí.

Tiempo pascual: Lava del todo mi delito, Señor, limpia mi
pecado. Aleluya.

Antífona 2

Fuera del Tiempo pascual: Reconocemos, Señor, nuestra
impiedad; hemos pecado contra ti.

Tiempo pascual: Cristo, cargado con nuestros pecados,
subió al leño. Aleluya.

Cántico Jer 14, 17-21

LAMENTACIÓN DEL PUEBLO EN TIEMPO DE HAMBRE
Y DE GUERRA

> Está cerca el reino de Dios. Con-
> viértanse y crean la Buena Noticia.
> (Mc 1, 15)

Mis ojos se deshacen en lágrimas,
  día y noche no cesan:
  por la terrible desgracia de la doncella de mi pueblo,
  una herida de fuertes dolores.

Salgo al campo: muertos a espada;
  entro en la ciudad: desfallecidos de hambre;
  tanto el profeta como el sacerdote
  vagan sin sentido por el país.

¿Por qué has rechazado del todo a Judá?
  ¿Tiene asco tu garganta de Sión?
  ¿Por qué nos has herido sin remedio?
  Se espera la paz, y no hay bienestar,
  al tiempo de la cura sucede la turbación.

Señor, reconocemos nuestra impiedad,
  la culpa de nuestros padres,
  porque pecamos contra ti.

No nos rechaces, por tu nombre,
  no desprestigies tu trono glorioso;
  recuerda y no rompas tu alianza con nosotros.

Fuera del Tiempo pascual: **Reconocemos, Señor, nuestra impiedad; hemos pecado contra ti.**

Tiempo pascual: **Cristo, cargado con nuestros pecados, subió al leño. Aleluya.**

Antífona 3

Fuera del Tiempo pascual: **El Señor es Dios y nosotros somos su pueblo y ovejas de su rebaño.**

Tiempo pascual: Entren en la presencia del Señor con acla-maciones. Aleluya.

Salmo 99

ALEGRÍA DE LOS QUE ENTRAN EN EL TEMPLO

> Los redimidos deben entonar un canto de victoria. (S. Atanasio)

Aclama al Señor, tierra entera;
  sirvan al Señor con alegría,
  entren en su presencia con aclamaciones.

Sepan que el Señor es Dios:
  que él nos hizo y somos suyos,
  su pueblo y ovejas de su rebaño.

Entren por sus puertas con acción de gracias,
  por sus atrios con himnos,
  dándole gracias y bendiciendo su nombre:

«El Señor es bueno,
  su misericordia es eterna,
  su fidelidad por todas las edades.»

Fuera del Tiempo pascual: El Señor es Dios y nosotros somos su pueblo y ovejas de su rebaño.

Tiempo pascual: Entren en la presencia del Señor con acla-maciones. Aleluya.

LECTURA BREVE   2 Cor 12, 9b-10

Muy a gusto presumo de mis debilidades, porque así residirá en mí la fuerza de Cristo. Por eso vivo contento en medio de mis debilidades, de los insultos, las priva-ciones, las persecuciones y las dificultades sufridas por Cristo. Porque cuando soy débil, entonces soy fuerte.

RESPONSORIO BREVE

℣. En la mañana hazme escuchar tu gracia.
℟. En la mañana hazme escuchar tu gracia.

℣. Indícame el camino que he de seguir.

℟. Hazme escuchar tu gracia.

℣. Gloria al Padre, y al Hijo, y al Espíritu Santo.

℟. En la mañana hazme escuchar tu gracia.

CÁNTICO EVANGÉLICO

Ant. El Señor ha visitado y redimido a su pueblo.

Cántico de Zacarías, p. 27.

PRECES PARA CONSAGRAR A DIOS
EL DÍA Y EL TRABAJO

Invoquemos a Cristo, que nació, murió y resucitó por su pueblo, diciendo:

Salva, Señor, al pueblo que redimiste con tu sangre.

Te bendecimos, Señor, a ti que por nosotros aceptaste el suplicio de la cruz:
— mira con bondad a tu familia santa, redimida con tu sangre.

Tú que prometiste a los que en ti creyeran que manarían de su interior torrentes de agua viva,
— derrama tu Espíritu sobre todos los hombres.

Tú que enviaste a los discípulos a predicar el Evangelio,
— haz que los cristianos anuncien tu palabra con fidelidad.

A los enfermos y a todos los que has asociado a los sufrimientos de tu pasión,
— concédeles fortaleza y paciencia.

Se pueden añadir algunas intenciones libres.

Llenos del Espíritu de Jesucristo, acudamos a nuestro Padre común, diciendo: Padre nuestro...

Oración conclusiva

Ilumina, Señor, nuestros corazones y fortalece nuestras voluntades, para que sigamos siempre el camino de tus mandatos, reconociéndote como nuestro guía y maestro. Por nuestro Señor Jesucristo, tu Hijo...

℟. Amén.

CONCLUSIÓN

℣. El Señor nos bendiga, nos guarde de todo mal y nos lleve a la vida eterna.

℟. Amén.

Vísperas

INVOCACIÓN INICIAL

℣. Dios mío, ven en mi auxilio.

℟. Señor, date prisa en socorrerme.
Gloria al Padre... (Aleluya.)

HIMNO

Yo he sentido, Señor, tu voz amante,
en el misterio de las noches bellas,
y en el suave temblor de las estrellas
la armonía gocé de tu semblante.

No me llegó tu acento amenazante
entre el fragor de trueno y de centellas;
al ánima llamaron tus querellas
como el tenue vagido de un infante.

¿Por que no obedecí cuando te oía?
¿Quién me hizo abandonar tu franca vía
y hundirme en las tinieblas del vacío?

Haz, mi dulce Señor, que en la serena
noche vuelva a escuchar tu cantilena;
¡ya no seré cobarde, Padre mío! Amén.

SALMODIA

Antífona 1

Fuera del Tiempo pascual: El Señor es grande, nuestro
dueño más que todos los dioses.

Tiempo pascual: Yo, el Señor, soy el que te salva y el que
te rescata. Aleluya.

Salmo 134

HIMNO A DIOS POR SUS MARAVILLAS

> Ustedes son... un pueblo adquiri-
> do por Dios para proclamar las
> hazañas del que los llamó a salir
> de la tiniebla y a entrar en su luz
> maravillosa. (1 Pe 2, 9)

I

Alaben el nombre del Señor,
alábenlo, siervos del Señor,
que están en la casa del Señor,
en los atrios de la casa de nuestro Dios.

Alaben al Señor porque es bueno,
tañan para su nombre, que es amable.
Porque él se escogió a Jacob,
a Israel en posesión suya.

Yo sé que el Señor es grande,
nuestro dueño más que todos los dioses.
El Señor todo lo que quiere lo hace:
en el cielo y en la tierra,
en los mares y en los océanos.

Hace subir las nubes desde el horizonte,
con los relámpagos desata la lluvia,
suelta a los vientos de sus silos.

Él hirió a los primogénitos de Egipto,
desde los hombres hasta los animales.
Envió signos y prodigios
—en medio de ti, Egipto—
contra el Faraón y sus ministros.

Hirió de muerte a pueblos numerosos,
mató a reyes poderosos:
a Sijón, rey de los amorreos;
a Hog, rey de Basán,
y a todos los reyes de Canaán.
Y dio su tierra en heredad,
en heredad a Israel, su pueblo.

Fuera del Tiempo pascual: El Señor es grande, nuestro
dueño más que todos los dioses.

Tiempo pascual: Yo, el Señor, soy el que te salva y el que
te rescata. Aleluya.

Antífona 2

Fuera del Tiempo pascual: Casa de Israel, bendice al Señor;
tañan para su nombre, que es amable.

Tiempo pascual: Bendito el reino que viene de nuestro
padre David. Aleluya.

II

Señor, tu nombre es eterno;
Señor, tu recuerdo de edad en edad.
Porque el Señor gobierna a su pueblo
y se compadece de sus siervos.

Los ídolos de los gentiles son oro y plata,
hechura de manos humanas:

tienen boca y no hablan,
tienen ojos y no ven,

tienen orejas y no oyen,
no hay aliento en sus bocas.
Sean lo mismo los que los hacen,
cuantos confían en ellos.

Casa de Israel, bendice al Señor;
casa de Aarón, bendice al Señor;
casa de Leví, bendice al Señor;
fieles del Señor, bendigan al Señor.

Bendito en Sión el Señor,
que habita en Jerusalén.

Fuera del Tiempo pascual: Casa de Israel, bendice al Señor;
tañan para su nombre, que es amable.

Tiempo pascual: Bendito el reino que viene de nuestro
padre David. Aleluya.

Antífona 3

Fuera del Tiempo pascual: Vendrán todas las naciones y
se postrarán en tu acatamiento, Señor.

Tiempo pascual: Cantemos al Señor, sublime es su victoria. Aleluya.

Cántico   Apoc 15, 3-4

CANTO DE LOS VENCEDORES

Grandes y maravillosas son tus obras,
Señor, Dios omnipotente,
justos y verdaderos tus caminos,
¡oh Rey de los siglos!

¿Quién no temerá, Señor,
y glorificará tu nombre?

Porque tú solo eres santo,
porque vendrán todas las naciones
y se postrarán en tu acatamiento,
porque tus juicios se hicieron manifiestos.

Fuera del Tiempo pascual: Vendrán todas las naciones y se postrarán en tu acatamiento, Señor.

Tiempo pascual: Cantemos al Señor, sublime es su victoria. Aleluya.

LECTURA BREVE   Sant 1, 2-4

Hermanos míos, si están sometidos a tentaciones diversas, considérenlo como una alegría, sabiendo que la prueba de su fe produce constancia. Pero hagan que la constancia dé un resultado perfecto, para que sean perfectos e íntegros, sin defectos en nada.

RESPONSORIO BREVE

℣. Cristo nos ama y nos ha absuelto
por la virtud de su sangre.

℟. Cristo nos ama y nos ha absuelto
por la virtud de su sangre.

℣. Y ha hecho de nosotros reino y sacerdotes
para el Dios y Padre suyo.

℟. Por la virtud de su sangre.

℣. Gloria al Padre, y al Hijo, y al Espíritu Santo.

℟. Cristo nos ama y nos ha absuelto
por la virtud de su sangre.

CÁNTICO EVANGÉLICO

Ant. El Señor nos auxilia a nosotros, sus siervos, acordándose de su misericordia.

Cántico de la Santísima Virgen María, p. 18.

PRECES O INTERCESIONES

Invoquemos al Hijo de Dios, a quien el Padre entregó por nuestras faltas y lo resucitó para nuestra justificación, diciendo:

Señor, ten piedad.

Escucha, Señor, nuestras súplicas, perdona los pecados de los que se confiesen culpables
— y en tu bondad otórganos el perdón y la paz.

Tú, que por medio del Apóstol nos has enseñado que donde se multiplicó el pecado sobreabundó mucho más la gracia,
— perdona con largueza nuestros muchos pecados.

Hemos pecado mucho, Señor, pero confiamos en tu misericordia infinita;
— vuélvete a nosotros para que podamos convertirnos a ti.

Salva a tu pueblo de sus pecados, Señor,
— y sé benévolo con nosotros.

Se pueden añadir algunas intenciones libres.

Tú, que abriste las puertas del paraíso al buen ladrón,
— ábrelas también para nuestros hermanos difuntos.

Reconociendo que nuestra fuerza para no caer en la tentación se halla en Dios, digamos confiadamente:
Padre nuestro...

Oración conclusiva

Señor, Padre santo, que quisiste que tu Hijo fuera el precio de nuestro rescate, haz que vivamos de tal manera que, tomando parte en los padecimientos de Cristo, nos gocemos también en la revelación de su gloria. Por nuestro Señor Jesucristo, tu Hijo...

℟. Amén.

CONCLUSIÓN

℣. El Señor nos bendiga, nos guarde de todo mal y nos lleve a la vida eterna.

℟. Amén.

SÁBADO III

Laudes

INVOCACIÓN INICIAL

℣. Señor, abre mis labios.

℟. Y mi boca proclamará tu alabanza.

Puede añadirse el salmo 94 (p. 20), con su antífona correspondiente. En el Tiempo ordinario se dice:

Del Señor es la tierra y cuanto la llena; vengan, adorémoslo.

HIMNO

Cantemos al Señor con indecible gozo,
él guarde la esperanza de nuestro corazón,
dejemos la inquietud posar entre sus manos,
abramos nuestro espíritu a su infinito amor.

Dichoso será aquel que siempre en él confía
en horas angustiosas de lucha y de aflicción,
confiad en el Señor si andáis atribulados,
abramos nuestro espíritu a su infinito amor.

Los justos saben bien que Dios siempre nos ama,
en penas y alegrías su paz fue su bastión,
la fuerza del Señor fue gloria en sus batallas,
abramos nuestro espíritu a su infinito amor.

Envíanos, Señor, tu luz esplendorosa
si el alma se acongoja en noche y turbación,
qué luz, qué dulce paz en Dios el hombre encuentra;
abramos nuestro espíritu a su infinito amor.

Recibe, Padre santo, el ruego y la alabanza,
que a ti, por Jesucristo y por el Consolador,
dirige en comunión tu amada y santa Iglesia;
abramos nuestro espíritu a su infinito amor. Amén.

SALMODIA

Antífona 1

Fuera del Tiempo pascual: Tú, Señor, estás cerca, y todos
tus mandatos son estables.

Tiempo pascual: Mis palabras son espíritu y vida. Aleluya.

Salmo 118, 145-152

Te invoco de todo corazón;
    respóndeme, Señor, y guardaré tus leyes;
    a ti grito: Sálvame,
    y cumpliré tus decretos;
    me adelanto a la aurora pidiendo auxilio,
    esperando tus palabras.

Mis ojos se adelantan a las vigilias de la noche,
    meditando tu promesa;
    escucha mi voz por tu misericordia,
    con tus mandamientos dame vida;
    ya se acercan mis inicuos perseguidores,
    están lejos de tu voluntad.

Tú, Señor, estás cerca,
    y todos tus mandatos son estables;
    hace tiempo comprendí que tus preceptos
    los fundaste para siempre.

Fuera del Tiempo pascual: Tú, Señor, estás cerca, y todos
tus mandatos son estables.

Tiempo pascual: Mis palabras son espíritu y vida. Aleluya.

Antífona 2

Fuera del Tiempo pascual: **Mándame tu sabiduría, Señor, para que me asista en mis trabajos.**

Tiempo pascual: Edificaste, Señor, un templo y un altar en tu monte santo. Aleluya.

Cántico   Sab 9, 1-6. 9-11

DAME, SEÑOR, LA SABIDURÍA

> Les daré palabras y sabiduría a las que no podrá hacer frente... ninguno de sus adversarios. (Lc 21, 15)

Dios de los padres y Señor de la misericordia,
    que con tu palabra hiciste todas las cosas,
    y en tu sabiduría formaste al hombre,
    para que dominara sobre tus creaturas,
    y para que rigiera el mundo con santidad y justicia
    y lo gobernara con rectitud de corazón.

Dame la sabiduría asistente de tu trono
    y no me excluyas del número de tus siervos,
    porque siervo tuyo soy, hijo de tu sierva,
    hombre débil y de pocos años,
    demasiado pequeño para conocer el juicio y las leyes.

Pues aunque uno sea perfecto
    entre los hijos de los hombres,
    sin la sabiduría, que procede de ti,
    será estimado en nada.

Contigo está la sabiduría conocedora de tus obras,
    que te asistió cuando hacías el mundo,
    y que sabe lo que es grato a tus ojos
    y lo que es recto según tus preceptos.

Mándala de tus santos cielos
    y de tu trono de gloria envíala

para que me asista en mis trabajos
y venga yo a saber lo que te es grato.

Porque ella conoce y entiende todas las cosas,
y me guiará prudentemente en mis obras,
y me guardará en su esplendor.

Fuera del Tiempo pascual: Mándame tu sabiduría, Señor, para que me asista en mis trabajos.

Tiempo pascual: Edificaste, Señor, un templo y un altar en tu monte santo. Aleluya.

Antífona 3

Fuera del Tiempo pascual: La fidelidad del Señor dura por siempre.

Tiempo pascual: Yo soy el camino y la verdad y la vida. Aleluya.

Salmo 116

INVITACIÓN UNIVERSAL A LA ALABANZA DIVINA

> Así es: los gentiles glorifican a Dios por su misericordia. (Rom 15, 8. 9)

Alaben al Señor todas las naciones,
aclámenlo todos los pueblos:

Firme es su misericordia con nosotros,
su fidelidad dura por siempre.

Fuera del Tiempo pascual: La fidelidad del Señor dura por siempre.

Tiempo pascual: Yo soy el camino y la verdad y la vida. Aleluya.

LECTURA BREVE   Flp 2, 14-15

Háganlo todo sin murmuraciones ni discusiones, a fin de que sean irreprensibles y sencillos, hijos de Dios sin mancha, en medio de esta generación mala y perversa, entre la cual aparecen como antorchas en el mundo.

RESPONSORIO BREVE

℣. A ti grito, Señor, tú eres mi refugio.

℟. A ti grito, Señor, tú eres mi refugio.

℣. Mi heredad en el país de la vida.

℟. Tú eres mi refugio.

℣. Gloria al Padre, y al Hijo, y al Espíritu Santo.

℟. A ti grito, Señor, tú eres mi refugio.

CÁNTICO EVANGÉLICO

Ant. Ilumina, Señor, a los que viven en tiniebla y en sombra de muerte.

Cántico de Zacarías, p. 27.

PRECES PARA CONSAGRAR A DIOS EL DÍA Y EL TRABAJO

Invoquemos a Dios por intercesión de María, a quien el Señor colocó por encima de todas las creaturas celestiales y terrenas, diciendo:

Contempla, Señor, a la Madre de tu Hijo y escúchanos.

Padre de misericordia, te damos gracias porque nos has dado a María como madre y ejemplo;
— santifícanos por su intercesión.

Tú que hiciste que María meditara tus palabras, guardándolas en su corazón, y fuera siempre fidelísima hija tuya,
— por su intercesión haz que también nosotros seamos de verdad hijos tuyos y discípulos de tu Hijo.

Tú que quisiste que María concibiera por obra del Espíritu Santo,
— por intercesión de María otórganos los frutos de este mismo Espíritu.

Tú que diste fuerza a María para permanecer junto a la cruz y la llenaste de alegría con la resurrección de tu Hijo,
— por intercesión de María confórtanos en la tribulación y reanima nuestra esperanza.

Se pueden añadir algunas intenciones libres.

Concluyamos nuestras súplicas con la oración que el mismo Cristo nos enseñó: Padre nuestro...

Oración conclusiva

Dios misericordioso, fuente y origen de nuestra salvación, haz que, mientras dure nuestra vida aquí en la tierra, te alabemos constantemente y podamos así participar un día en la alabanza eterna del cielo. Por nuestro Señor Jesucristo, tu Hijo...

℟. Amén.

CONCLUSIÓN

℣. El Señor nos bendiga, nos guarde de todo mal y nos lleve a la vida eterna.

℟. Amén.

Semana IV

DOMINGO IV

I Vísperas

℣. Dios mío, ven en mi auxilio.
℟. Señor, date prisa en socorrerme.
  Gloria al Padre... (Aleluya.)

Himno

Hoy rompe la clausura
del surco empedernido
el grano en él hundido
por nuestra mano dura;
y hoy da su flor primera
la rama sin pecado
del árbol mutilado
por nuestra mano fiera.

Hoy triunfa el buen Cordero
que, en esta tierra impía,
se dio con alegría
por el rebaño entero;
y hoy junta su extraviada
majada y la conduce
al sitio en que reluce
la luz resucitada.

Hoy surge, viva y fuerte,
segura y vencedora,
la Vida que hasta ahora
yacía en honda muerte;
y hoy alza del olvido

sin fondo y de la nada
al alma rescatada
y al mundo redimido. Amén.

SALMODIA

Antífona 1

Tiempo de Adviento: **Miren: vendrá el deseado de todos los pueblos y se llenará de gloria la casa del Señor. Aleluya.**

Tiempo pascual: **La paz de Cristo reine en sus corazones. Aleluya.**

Tiempo ordinario: **Deseen la paz a Jerusalén.**

Salmo 121

LA CIUDAD SANTA DE JERUSALÉN

> Se han acercado al monte de Sión, ciudad del Dios vivo, Jerusalén del cielo. (Heb 12, 22)

¡Qué alegría cuando me dijeron:
  «Vamos a la casa del Señor»!
  Ya están pisando nuestros pies
  tus umbrales, Jerusalén.

Jerusalén está fundada
  como ciudad bien compacta.
  Allá suben las tribus,
  las tribus del Señor,

según la costumbre de Israel,
  a celebrar el nombre del Señor;
  en ella están los tribunales de justicia
  en el palacio de David.

Deseen la paz a Jerusalén:
  «Vivan seguros los que te aman,

haya paz dentro de tus muros,
seguridad en tus palacios.»

Por mis hermanos y compañeros,
voy a decir: «La paz contigo.»
Por la casa del Señor, nuestro Dios,
te deseo todo bien.

Tiempo de Adviento: **Miren: vendrá el deseado de todos los pueblos y se llenará de gloria la casa del Señor. Aleluya.**

Tiempo pascual: **La paz de Cristo reine en sus corazones. Aleluya.**

Tiempo ordinario: **Deseen la paz a Jerusalén.**

Antífona 2

Tiempo de Adviento: **Ven, Señor, y no tardes: perdona los pecados de tu pueblo, Israel.**

Tiempo pascual: **Por tu sangre nos compraste para Dios. Aleluya.**

Tiempo ordinario: **Desde la aurora hasta la noche mi alma aguarda al Señor.**

Salmo 129

DESDE LO HONDO A TI GRITO, SEÑOR

> Él salvará a su pueblo de los pecados. (Mt 1, 21)

Desde lo hondo a ti grito, Señor;
   Señor, escucha mi voz;
   estén tus oídos atentos
   a la voz de mi súplica.

Si llevas cuenta de los delitos, Señor,
   ¿quién podrá resistir?
   Pero de ti procede el perdón,
   y así infundes respeto.

Mi alma espera en el Señor,
    espera en su palabra;
    mi alma aguarda al Señor,
    más que el centinela la aurora.

Aguarde Israel al Señor,
    como el centinela la aurora;
    porque del Señor viene la misericordia,
    la redención copiosa;
    y él redimirá a Israel
    de todos sus delitos.

Tiempo de Adviento: Ven, Señor, y no tardes: perdona los pecados de tu pueblo, Israel.

Tiempo pascual: Por tu sangre nos compraste para Dios. Aleluya.

Tiempo ordinario: Desde la aurora hasta la noche mi alma aguarda al Señor.

Antífona 3

Tiempo de Adviento: Miren: se cumple ya el tiempo en el que Dios envía a su Hijo al mundo.

Tiempo pascual: Era necesario que el Mesías padeciera esto para entrar en su gloria. Aleluya.

Tiempo ordinario: Al nombre de Jesús toda rodilla se doble en el cielo y en la tierra. Aleluya.

Cántico   Flp 2, 6-11

CRISTO, SIERVO DE DIOS, EN SU MISTERIO PASCUAL

Cristo, a pesar de su condición divina,
    no hizo alarde de su categoría de Dios,
    al contrario, se anonadó a sí mismo,
    y tomó la condición de esclavo,
    pasando por uno de tantos.

Y así, actuando como un hombre cualquiera,
se rebajó hasta someterse incluso a la muerte
y una muerte de cruz.

Por eso Dios lo levantó sobre todo
y le concedió el «Nombre-sobre-todo-nombre»;
de modo que al nombre de Jesús toda rodilla se doble
en el cielo, en la tierra, en el abismo
y toda lengua proclame:
Jesucristo es Señor, para gloria de Dios Padre.

Tiempo de Adviento: Miren: se cumple ya el tiempo en el
que Dios envía a su Hijo al mundo.

Tiempo pascual: Era necesario que el Mesías padeciera
esto para entrar en su gloria. Aleluya.

Tiempo ordinario: Al nombre de Jesús toda rodilla se doble
en el cielo y en la tierra. Aleluya.

LECTURA BREVE   2 Pe 1, 19-21

Tenemos confirmada la palabra profética, a la que hacen
bien en prestar atención, como a lámpara que brilla en
lugar oscuro, hasta que despunte el día y salga el lucero
de la mañana en su corazón. Ante todo han de saber
que ninguna profecía de la Escritura es de interpretación
privada; pues nunca fue proferida alguna por voluntad
humana, sino que, llevados del Espíritu Santo, hablaron
los hombres de parte de Dios.

RESPONSORIO BREVE

℣. De la salida del sol hasta su ocaso,
    alabado sea el nombre del Señor.
℟. De la salida del sol hasta su ocaso,
    alabado sea el nombre del Señor.
℣. Su gloria se eleva sobre los cielos.
℟. Alabado sea el nombre del Señor.

℣. Gloria al Padre, y al Hijo, y al Espíritu Santo.
℟. De la salida del sol hasta su ocaso,
alabado sea el nombre del Señor.

CÁNTICO EVANGÉLICO

La antífona para el cántico evangélico se toma del domingo correspondiente (p. 410 y siguientes).

Cántico de la Santísima Virgen María, p. 18.

PRECES O INTERCESIONES

Invoquemos a Cristo, alegría de cuantos se refugian en él, y digámosle:

Míranos y escúchanos, Señor.

Testigo fiel y primogénito de entre los muertos, tú que nos purificaste con tu sangre,
— no permitas que olvidemos nunca tus beneficios.

Haz que aquellos a quienes elegiste como ministros de tu Evangelio
— sean siempre fieles y celosos dispensadores de los misterios del reino.

Rey de la paz, concede abundantemente tu Espíritu a los que gobiernan las naciones,
— para que cuiden con interés de los pobres y postergados.

Sé ayuda para cuantos son víctimas de cualquier segregación por causa de su raza, color, condición social, lengua o religión,
— y haz que todos reconozcan su dignidad y respeten sus derechos.

Se pueden añadir algunas intenciones libres.

A los que han muerto en tu amor dales también parte
en tu felicidad
— con María y con todos tus santos.

Porque Jesús ha resucitado, todos somos hijos de Dios;
por eso nos atrevemos a decir: Padre nuestro...

Oración conclusiva

La oración conclusiva se toma del domingo correspondiente (p.
410 y siguientes).

CONCLUSIÓN

℣. El Señor nos bendiga, nos guarde de todo mal y nos
lleve a la vida eterna.
℟. Amén.

Laudes

INVOCACIÓN INICIAL

℣. Señor, abre mis labios.
℟. Y mi boca proclamará tu alabanza.

Puede añadirse el salmo 94 (p. 20), con su antífona correspondiente. En el Tiempo ordinario se dice:

Pueblo del Señor, rebaño que él guía, bendice a tu Dios.
Aleluya.

HIMNO

Es la Pascua real, no ya la sombra,
la verdadera Pascua del Señor;
la sangre del pasado es sólo un signo,
la mera imagen de la gran unción.

En verdad, tú, Jesús, nos protegiste
con tus sangrientas manos paternales;

envolviendo en tus alas nuestras almas,
la verdadera alianza tú sellaste.

Y, en tu triunfo, llevaste a nuestra carne
reconciliada con tu Padre eterno;
y, desde arriba, vienes a llevarnos
a la danza festiva de tu cielo.

Oh gozo universal, Dios se hizo hombre
para unir a los hombres con su Dios;
se rompen las cadenas del infierno,
y en los labios renace la canción.

Cristo, Rey eterno, te pedimos
que guardes con tus manos a tu Iglesia,
que protejas y ayudes a tu pueblo
y que venzas con él a las tinieblas. Amén.

SALMODIA

Antífona 1

Tiempo de Adviento: Toquen la trompeta en Sión, porque
está cerca el día del Señor. Miren: viene a salvarnos.
Aleluya.

Tiempo pascual: No he de morir, viviré para contar las hazañas del Señor. Aleluya.

Tiempo ordinario: Den gracias al Señor porque es eterna
su misericordia. Aleluya.

Salmo 117

HIMNO DE ACCIÓN DE GRACIAS DESPUÉS DE LA VICTORIA

> Jesús es la piedra que desecharon
> ustedes, los arquitectos, y que se
> ha convertido en piedra angular.
> (Hech 4, 11)

Den gracias al Señor porque es bueno,
porque es eterna su misericordia.

Diga la casa de Israel:
  eterna es su misericordia.

Diga la casa de Aarón:
  eterna es su misericordia.

Digan los fieles del Señor:
  eterna es su misericordia.

En el peligro grité al Señor
  y me escuchó, poniéndome a salvo.

El Señor está conmigo: no temo;
  ¿qué podrá hacerme el hombre?
El Señor está conmigo y me auxilia,
  veré la derrota de mis adversarios.

Mejor es refugiarse en el Señor
  que fiarse de los hombres,
  mejor es refugiarse en el Señor
  que confiar en los magnates.

Todos los pueblos me rodeaban,
  en el nombre del Señor los rechacé;
  me rodeaban cerrando el cerco,
  en el nombre del Señor los rechacé;
  me rodeaban como avispas,
  ardiendo como fuego en las zarzas,
  en el nombre del Señor los rechacé.

Empujaban y empujaban para derribarme,
  pero el Señor me ayudó;
  el Señor es mi fuerza y mi energía,
  él es mi salvación.

Escuchen: hay cantos de victoria
  en las tiendas de los justos:
  «La diestra del Señor es poderosa,
  la diestra del Señor es excelsa,
  la diestra del Señor es poderosa.»

No he de morir, viviré
para contar las hazañas del Señor.
Me castigó, me castigó el Señor,
pero no me entregó a la muerte.

Ábranme las puertas del triunfo,
y entraré para dar gracias al Señor.

Ésta es la puerta del Señor:
los vencedores entrarán por ella.

Te doy gracias porque me escuchaste
y fuiste mi salvación.

La piedra que desecharon los arquitectos
es ahora la piedra angular.
Es el Señor quien lo ha hecho,
ha sido un milagro patente.

Éste es el día en que actuó el Señor:
sea nuestra alegría y nuestro gozo.
Señor, danos la salvación;
Señor, danos prosperidad.

Bendito el que viene en nombre del Señor,
los bendecimos desde la casa del Señor;
el Señor es Dios: él nos ilumina.

Ordenen una procesión con ramos
hasta los ángulos del altar.

Tú eres mi Dios, te doy gracias;
Dios mío, yo te ensalzo.

Den gracias al Señor porque es bueno,
porque es eterna su misericordia.

Tiempo de Adviento: **Toquen la trompeta en Sión, porque está cerca el día del Señor. Miren: viene a salvarnos. Aleluya.**

Tiempo pascual: **No he de morir, viviré para contar las hazañas del Señor. Aleluya.**

Tiempo ordinario: **Den gracias al Señor porque es eterna su misericordia. Aleluya.**

Antífona 2

Tiempo de Adviento: **Vendrá el Señor, salgan a su encuentro diciendo: «Grande es tu origen, y tu reino no tendrá fin: Dios fuerte, dominador, príncipe de la paz.» Aleluya.**

Tiempo pascual: **Bendito tu nombre, santo y glorioso. Aleluya.**

Tiempo ordinario: **Aleluya. Creaturas todas del Señor, bendigan al Señor. Aleluya.**

Cántico   Dn 3, 52-57

QUE LA CREACIÓN ENTERA ALABE AL SEÑOR

> El Creador... es bendito por los siglos. (Rom 1, 25)

Bendito eres, Señor, Dios de nuestros padres:
   a ti gloria y alabanza por los siglos.

Bendito tu nombre, santo y glorioso:
   a él gloria y alabanza por los siglos.

Bendito eres en el templo de tu santa gloria:
   a ti gloria y alabanza por los siglos.

Bendito eres sobre el trono de tu reino:
   a ti gloria y alabanza por los siglos.

Bendito eres tú, que sentado sobre querubines
      sondeas los abismos:
   a ti gloria y alabanza por los siglos.

Bendito eres en la bóveda del cielo:
   a ti honor y alabanza por los siglos.

Creaturas todas del Señor, bendigan al Señor,
    ensálcenlo con himnos por los siglos.

Tiempo de Adviento: Vendrá el Señor, salgan a su encuentro diciendo: «Grande es tu origen, y tu reino no tendrá fin: Dios fuerte, dominador, príncipe de la paz.» Aleluya.

Tiempo pascual: Bendito tu nombre, santo y glorioso. Aleluya.

Tiempo ordinario: Aleluya. Creaturas todas del Señor, bendigan al Señor. Aleluya.

Antífona 3

Tiempo de Adviento: Tu palabra omnipotente, Señor, vendrá desde tu trono real. Aleluya.

Tiempo pascual: Den gloria a nuestro Dios, él es la Roca, sus obras son perfectas, sus caminos son justos. Aleluya.

Tiempo ordinario: Todo ser que alienta, alabe al Señor. Aleluya.

Salmo 150

ALABEN AL SEÑOR

> Salmodien con el espíritu, salmodien con toda su mente, es decir, glorifiquen a Dios con el cuerpo y con el alma. (Hesiquio)

Alaben al Señor en su templo,
    alábenlo en su augusto firmamento.

Alábenlo por sus obras magníficas,
    alábenlo por su inmensa grandeza.

Alábenlo tocando trompetas,
    alábenlo con arpas y cítaras,

alábenlo con tambores y danzas,
    alábenlo con trompas y flautas,

alábenlo con platillos sonoros,
  alábenlo con platillos vibrantes.

Todo ser que alienta, alabe al Señor.

Tiempo de Adviento: Tu palabra omnipotente, Señor, vendrá desde tu trono real. Aleluya.

Tiempo pascual: Den gloria a nuestro Dios, él es la Roca, sus obras son perfectas, sus caminos son justos. Aleluya.

Tiempo ordinario: Todo ser que alienta, alabe al Señor. Aleluya.

LECTURA BREVE   2 Tim 2, 8. 11-13

Acuérdate de Cristo Jesús, del linaje de David, que vive resucitado de entre los muertos. Verdadera es la sentencia que dice: Si hemos muerto con él, viviremos también con él. Si tenemos constancia en el sufrir, reinaremos también con él; si rehusamos reconocerlo, también él nos rechazará; si le somos infieles, él permanece fiel; no puede él desmentirse a sí mismo.

RESPONSORIO BREVE

℣. Te damos gracias, ¡oh Dios!, invocando tu nombre.
℟. Te damos gracias, ¡oh Dios!, invocando tu nombre.
℣. Pregonando tus maravillas.
℟. Invocando tu nombre.
℣. Gloria al Padre, y al Hijo, y al Espíritu Santo.
℟. Te damos gracias, ¡oh Dios!, invocando tu nombre.

CÁNTICO EVANGÉLICO

La antífona para el cántico evangélico se toma del domingo correspondiente (p. 410 y siguientes).

Cántico de Zacarías, p. 27.

PRECES PARA CONSAGRAR A DIOS
EL DÍA Y EL TRABAJO

Dios nos ama y sabe lo que nos hace falta; invoquémoslo, pues, diciendo:

Te bendecimos y en ti confiamos, Señor.

Te alabamos, Dios todopoderoso, Rey del universo,
porque a nosotros, injustos y pecadores, nos has
llamado al conocimiento de la verdad;
— haz que te sirvamos con santidad y justicia.

Vuélvete hacia nosotros, Señor, tú que has querido
abrirnos la puerta de tu misericordia,
— y haz que nunca nos apartemos del camino que lleva
a la vida.

Ya que hoy celebramos la resurrección del Hijo de
tu amor,
— haz que este día transcurra lleno de gozo espiritual.

Da, Señor, a tus fieles el espíritu de oración y de
alabanza,
— para que en toda ocasión te demos gracias.

Se pueden añadir algunas intenciones libres.

Movidos ahora todos por el mismo Espíritu que nos da
Cristo resucitado acudamos a Dios, de quien somos
verdaderos hijos, diciendo: Padre nuestro...

Oración conclusiva

La oración conclusiva se toma del domingo correspondiente (p.
410 y siguientes).

CONCLUSIÓN

℣. El Señor nos bendiga, nos guarde de todo mal y nos
lleve a la vida eterna.

℟. Amén.

II Vísperas

℣. Dios mío, ven en mi auxilio.
℟. Señor, date prisa en socorrerme.
Gloria al Padre... (Aleluya.)

HIMNO

Hacedor de la luz: tú que creaste
la que brilla en los días de este suelo
y que, mediante sus primeros rayos
diste principio al universo entero.

Tú que nos ordenaste llamar día
al tiempo entre la aurora y el ocaso,
ahora que la noche se aproxima
oye nuestra oración y nuestro llanto.

Que cargados con todas nuestras culpas
no perdamos el don de la otra vida,
al no pensar en nada duradero
y al continuar pecando todavía.

Haz que, evitando todo lo dañoso
y a cubierto de todo lo perverso,
empujemos las puertas celestiales
y arrebatemos el eterno premio.

Escucha nuestra voz, piadoso Padre,
que, junto con tu Hijo Jesucristo
y con el Santo Espíritu Paráclito,
reinas y reinarás en todo siglo. Amén.

SALMODIA

Antífona 1

Tiempo de Adviento: **Contemplen cuán glorioso es el que viene a salvar a todos los pueblos.**

Tiempo pascual: Busquen los bienes de allá arriba, donde está Cristo, sentado a la derecha de Dios. Aleluya.

Tiempo ordinario: Yo mismo te engendré, entre esplendores sagrados, antes de la aurora. Aleluya.

Salmo 109, 1-5. 7

EL MESÍAS, REY Y SACERDOTE

> Él debe reinar hasta poner todos sus enemigos bajo sus pies. (1 Cor 15, 25)

Oráculo del Señor a mi Señor:
>«Siéntate a mi derecha,
> y haré de tus enemigos
> estrado de tus pies.»

Desde Sión extenderá el Señor
> el poder de tu cetro:
> somete en la batalla a tus enemigos.

«Eres príncipe desde el día de tu nacimiento,
> entre esplendores sagrados;
> yo mismo te engendré, como rocío,
> antes de la aurora.»

El Señor lo ha jurado y no se arrepiente:
>«Tú eres sacerdote eterno
> según el rito de Melquisedec.»

El Señor a tu derecha, el día de su ira,
> quebrantará a los reyes.

En su camino beberá del torrente,
> por eso levantará la cabeza.

Tiempo de Adviento: Contemplen cuán glorioso es el que viene a salvar a todos los pueblos.

Tiempo pascual: Busquen los bienes de allá arriba, donde está Cristo, sentado a la derecha de Dios. Aleluya.

Tiempo ordinario: Yo mismo te engendré, entre esplendores sagrados, antes de la aurora. Aleluya.

Antífona 2

Tiempo de Adviento: Lo torcido se enderece, lo escabroso se iguale: ven, Señor, y no tardes más. Aleluya.

Tiempo pascual: En las tinieblas brilla una luz para el justo. Aleluya.

Tiempo ordinario: Dichosos los que tienen hambre y sed de ser justos, porque ellos serán saciados.

Salmo 111

FELICIDAD DEL JUSTO

> Caminen como hijos de la luz; toda bondad, justicia y verdad son fruto de la luz. (Ef 5, 8-9)

Dichoso quien teme al Señor
  y ama de corazón sus mandatos.
  Su linaje será poderoso en la tierra,
  la descendencia del justo será bendita.

En su casa habrá riquezas y abundancia,
  su caridad es constante, sin falta.
  En las tinieblas brilla como una luz
  el que es justo, clemente y compasivo.

Dichoso el que se apiada y presta,
  y administra rectamente sus asuntos.
  El justo jamás vacilará,
  su recuerdo será perpetuo.

No temerá las malas noticias,
  su corazón está firme en el Señor.
  Su corazón está seguro, sin temor,
  hasta que vea derrotados a sus enemigos.

Reparte limosna a los pobres;
su caridad es constante, sin falta,
y alzará la frente con dignidad.

El malvado, al verlo, se irritará,
rechinará los dientes hasta consumirse.
La ambición del malvado fracasará.

Tiempo de Adviento: Lo torcido se enderece, lo escabroso se iguale: ven, Señor, y no tardes más. Aleluya.

Tiempo pascual: En las tinieblas brilla una luz para el justo. Aleluya.

Tiempo ordinario: Dichosos los que tienen hambre y sed de ser justos, porque ellos serán saciados.

Antífona 3

Tiempo de Adviento: Se dilatará su principado con una paz sin límites. Aleluya.

Tiempo pascual: Aleluya. La salvación y la gloria y el poder son de nuestro Dios. Aleluya.

Tiempo ordinario: Alaben al Señor sus siervos todos, pequeños y grandes. Aleluya.

En el cántico siguiente se dicen todos los *Aleluya* intercalados solamente cuando el Oficio es cantado. Cuando el Oficio se dice sin canto es suficiente decir el *Aleluya* sólo al principio y al final de cada estrofa, omitiendo, por lo tanto, todos los *Aleluya* que en el texto aparecen entre paréntesis.

Cántico   Cfr. Apoc 19, 1-2. 5-7

LAS BODAS DEL CORDERO

Aleluya.
La salvación y la gloria y el poder son de nuestro Dios.
(R. Aleluya.)
Porque sus juicios son verdaderos y justos.
R. Aleluya, (aleluya).

Aleluya.
Alaben al Señor, sus siervos todos.
(℟. Aleluya.)
Los que lo temen, pequeños y grandes.
℟. Aleluya, (aleluya).

Aleluya.
Porque reina el Señor, nuestro Dios, dueño de todo.
(℟. Aleluya.)
Alegrémonos y gocemos y démosle gracias.
℟. Aleluya, (aleluya).

Aleluya.
Llegó la boda del Cordero.
(℟. Aleluya.)
Su esposa se ha embellecido.
℟. Aleluya, (aleluya).

Tiempo de Adviento: Se dilatará su principado con una paz sin límites. Aleluya.

Tiempo pascual: Aleluya. La salvación y la gloria y el poder son de nuestro Dios. Aleluya.

Tiempo ordinario: Alaben al Señor sus siervos todos, pequeños y grandes. Aleluya.

En los domingos de Cuaresma, en lugar del cántico del Apocalipsis se dice el de la carta de san Pedro, con su antífona propia.

Cántico   1 Pe 2, 21b-24

PASIÓN VOLUNTARIA DE CRISTO, SIERVO DE DIOS

Cristo padeció por nosotros,
    dejándonos un ejemplo
    para que sigamos sus huellas.

Él no cometió pecado
    ni encontraron engaño en su boca;
    cuando lo insultaban,

no devolvía el insulto;
en su pasión no profería amenazas;
al contrario,
se ponía en manos del que juzga justamente.

Cargado con nuestros pecados subió al leño,
para que, muertos al pecado,
vivamos para la justicia.
Sus heridas nos han curado.

La antífona propia se repite al final.

LECTURA BREVE   Heb 12, 22-24

Ustedes se han acercado al monte de Sión, ciudad del Dios vivo, Jerusalén del cielo, a la asamblea de los innumerables ángeles, a la congregación de los primogénitos inscritos en el cielo, a Dios, juez de todos, a las almas de los justos que han llegado a su destino, al Mediador de la nueva alianza, Jesús, y a la aspersión purificadora de una sangre que habla mejor que la de Abel.

RESPONSORIO BREVE

℣. Nuestro Señor es grande y poderoso.
℟. Nuestro Señor es grande y poderoso.
℣. Su sabiduría no tiene medida.
℟. Nuestro Señor es grande y poderoso.
℣. Gloria al Padre, y al Hijo, y al Espíritu Santo.
℟. Nuestro Señor es grande y poderoso.

CÁNTICO EVANGÉLICO

La antífona para el cántico evangélico se toma del domingo correspondiente (p. 410 y siguientes).

Cántico de la Santísima Virgen María, p. 18.

PRECES O INTERCESIONES

Alegrándonos en el Señor, de quien vienen todos los dones, digámosle:

Escucha, Señor, nuestra oración.

Padre y Señor de todos, que enviaste a tu Hijo al mundo para que tu nombre fuera glorificado desde donde sale el sol hasta el ocaso,
— fortalece el testimonio de tu Iglesia entre los pueblos.

Haz que seamos dóciles a la predicación de los apóstoles,
— y sumisos a la fe verdadera.

Tú que amas la justicia,
— haz justicia a los oprimidos.

Libera a los cautivos, abre los ojos al ciego,
— endereza a los que ya se doblan, guarda a los peregrinos.

Se pueden añadir algunas intenciones libres.

Haz que nuestros hermanos que duermen ya el sueño de la paz
— lleguen, por tu Hijo, a la santa resurrección.

Unidos entre nosotros y con Jesucristo, y dispuestos a perdonarnos siempre unos a otros, dirijamos al Padre nuestra súplica confiada: Padre nuestro...

Oración conclusiva

La oración conclusiva se toma del domingo correspondiente (p. 410 y siguientes).

CONCLUSIÓN

℣. El Señor nos bendiga, nos guarde de todo mal y nos lleve a la vida eterna.
℞. Amén.

LUNES IV

Laudes

℣. Señor, abre mis labios.

℞. Y mi boca proclamará tu alabanza.

Puede añadirse el salmo 94 (p. 20), con su antífona correspondiente. En el Tiempo ordinario se dice:

Demos vítores al Señor, aclamándolo con cantos.

HIMNO

Señor, cómo quisiera
en cada aurora aprisionar el día,
y ser tu primavera
en gracia y alegría,
y crecer en tu amor más todavía.

En cada madrugada
abrir mi pobre casa, abrir la puerta,
el alma enamorada,
el corazón alerta,
y conmigo tu mano siempre abierta.

Ya despierta la vida
con su canción de ruidos inhumanos;
y tu amor me convida
a levantar mis manos
y a acariciarte en todos mis hermanos.

Hoy elevo mi canto
con toda la ternura de mi boca,
al que es tres veces santo,
a ti que eres mi Roca
y en quien mi vida toda desemboca. Amén.

SALMODIA

Antífona 1

Fuera del Tiempo pascual: Por la mañana, sácianos de tu misericordia, Señor.

Tiempo pascual: Baje a nosotros la bondad del Señor. Aleluya.

Salmo 89

BAJE A NOSOTROS LA BONDAD DEL SEÑOR

> Para el Señor un día es como mil años, y mil años como un día. (2 Pe 3, 8)

Señor, tú has sido nuestro refugio
de generación en generación.

Antes que nacieran los montes
o fuera engendrado el orbe de la tierra,
desde siempre y por siempre tú eres Dios.

Tú reduces el hombre a polvo,
diciendo: «Retornen, hijos de Adán.»
Mil años en tu presencia
son un ayer, que pasó;
una vigilia nocturna.

Los siembras año por año,
como hierba que se renueva:
que florece y se renueva por la mañana,
y por la tarde la siegan y se seca.

¡Cómo nos ha consumido tu cólera
y nos ha trastornado tu indignación!
Pusiste nuestras culpas ante ti,
nuestros secretos ante la luz de tu mirada:
y todos nuestros días pasaron bajo tu cólera,
y nuestros años se acabaron como un suspiro.

Aunque uno viva setenta años,
y el más robusto hasta ochenta,

la mayor parte son fatiga inútil,
porque pasan aprisa y vuelan.

¿Quién conoce la vehemencia de tu ira,
quién ha sentido el peso de tu cólera?
Enséñanos a calcular nuestros años,
para que adquiramos un corazón sensato.

Vuélvete, Señor, ¿hasta cuándo?
Ten compasión de tus siervos;
por la mañana sácianos de tu misericordia,
y toda nuestra vida será alegría y júbilo.

Danos alegría, por los días en que nos afligiste,
por los años en que sufrimos desdichas.
Que tus siervos vean tu acción,
y sus hijos tu gloria.

Baje a nosotros la bondad del Señor
y haga prósperas las obras de nuestras manos.

Fuera del Tiempo pascual: Por la mañana, sácianos de tu
misericordia, Señor.

Tiempo pascual: Baje a nosotros la bondad del Señor.
Aleluya.

Antífona 2

Fuera del Tiempo pascual: Llegue la alabanza del Señor
hasta el confín de la tierra.

Tiempo pascual: Convertiré ante ellos la tiniebla en luz.
Aleluya.

Cántico   Is 42, 10-16

CÁNTICO NUEVO AL DIOS VENCEDOR Y SALVADOR

Cantaban un cántico nuevo ante el
trono de Dios. (Apoc 14, 3)

Canten al Señor un cántico nuevo,
llegue su alabanza hasta el confín de la tierra;

muja el mar y lo que contiene,
las islas y sus habitantes;

alégrese el desierto con sus tiendas,
los cercados que habita Cadar;
exulten los habitantes de Petra,
clamen desde la cumbre de las montañas;
den gloria al Señor,
anuncien su alabanza en las islas.

El Señor sale como un héroe,
excita su ardor como un guerrero,
lanza el alarido,
mostrándose valiente frente al enemigo.

«Desde antiguo guardé silencio,
me callaba y aguantaba;
mas ahora grito como la mujer cuando da a luz,
jadeo y resuello.

Agostaré montes y collados,
secaré toda su hierba,
convertiré los ríos en yermo,
desecaré los estanques;
conduciré a los ciegos
por el camino que no conocen,
los guiaré por senderos que ignoran.
Ante ellos convertiré la tiniebla en luz,
lo escabroso en llano.»

Fuera del Tiempo pascual: Llegue la alabanza del Señor
hasta el confín de la tierra.

Tiempo pascual: Convertiré ante ellos la tiniebla en luz.
Aleluya.

Antífona 3

Fuera del Tiempo pascual: Alaben el nombre del Señor, los
que están en la casa del Señor.

Tiempo pascual: El Señor todo lo que quiere lo hace. Aleluya.

Salmo 134, 1-12

HIMNO A DIOS POR SUS MARAVILLAS

Ustedes son... un pueblo adquirido por Dios para proclamar las
hazañas del que los llamó a salir
de la tiniebla y a entrar en su luz
maravillosa. (1 Pe 2, 9)

Alaben el nombre del Señor,
    alábenlo, siervos del Señor,
    que están en la casa del Señor,
    en los atrios de la casa de nuestro Dios.

Alaben al Señor porque es bueno,
    tañan para su nombre, que es amable.
    Porque él se escogió a Jacob,
    a Israel en posesión suya.

Yo sé que el Señor es grande,
    nuestro dueño más que todos los dioses.
    El Señor todo lo que quiere lo hace:
    en el cielo y en la tierra,
    en los mares y en los océanos.

Hace subir las nubes desde el horizonte,
    con los relámpagos desata la lluvia,
    suelta a los vientos de sus silos.

Él hirió a los primogénitos de Egipto,
    desde los hombres hasta los animales.
    Envió signos y prodigios
    —en medio de ti, Egipto—
    contra el Faraón y sus ministros.

Hirió de muerte a pueblos numerosos,
    mató a reyes poderosos:
    a Sijón, rey de los amorreos;

a Hog, rey de Basán,
y a todos los reyes de Canaán.
Y dio su tierra en heredad,
en heredad a Israel, su pueblo.

Fuera del Tiempo pascual: Alaben el nombre del Señor, los que están en la casa del Señor.

Tiempo pascual: El Señor todo lo que quiere lo hace. Aleluya.

LECTURA BREVE
Jdt 8, 21b-23

Recuerden que Dios ha querido probarnos como a nuestros padres. Recuerden lo que hizo con Abraham, las pruebas por que hizo pasar a Isaac, lo que aconteció a Jacob. Como los puso a ellos en el crisol para sondear sus corazones, así el Señor nos hiere a nosotros, los que nos acercamos a él, no para castigarnos, sino para amonestarnos.

RESPONSORIO BREVE

℣. Aclamen, justos, al Señor,
que merece la alabanza de los buenos.
℟. Aclamen, justos, al Señor,
que merece la alabanza de los buenos.
℣. Cántenle un cántico nuevo.
℟. Que merece la alabanza de los buenos.
℣. Gloria al Padre, y al Hijo, y al Espíritu Santo.
℟. Aclamen, justos, al Señor,
que merece la alabanza de los buenos.

CÁNTICO EVANGÉLICO

Ant. Bendito sea el Señor, Dios de Israel, porque ha visitado y redimido a su pueblo.

Cántico de Zacarías, p. 27.

PRECES PARA CONSAGRAR A DIOS
EL DÍA Y EL TRABAJO

Ya que Cristo escucha y salva a cuantos en él se refugian, acudamos a él diciendo:

Escúchanos, Señor.

Te damos gracias, Señor, por el gran amor con que nos amaste;
— continúa mostrándote con nosotros rico en misericordia.

Tú que con el Padre sigues actuando siempre en el mundo,
— renueva todas las cosas con la fuerza de tu Espíritu.

Abre nuestros ojos y los de nuestros hermanos
— para que podamos contemplar hoy tus maravillas.

Ya que nos llamas hoy a tu servicio,
— haz que seamos buenos administradores de tu multiforme gracia en favor de nuestros hermanos.

Se pueden añadir algunas intenciones libres.

Acudamos a Dios Padre, tal como nos enseñó Jesucristo: Padre nuestro...

Oración conclusiva

Señor Dios, que encomendaste al hombre la guarda y el cultivo de la tierra, y creaste la luz del sol en su servicio, concédenos hoy que, con tu ayuda, trabajemos sin desfallecer para tu gloria y para el bien de nuestro prójimo. Por nuestro Señor Jesucristo, tu Hijo...
℟. Amén.

CONCLUSIÓN

℣. El Señor nos bendiga, nos guarde de todo mal y nos lleve a la vida eterna.
℟. Amén.

Vísperas

℣. Dios mío, ven en mi auxilio.

℟. Señor, date prisa en socorrerme.
Gloria al Padre... (Aleluya.)

HIMNO

Ya no temo, Señor, la tristeza,
ya no temo, Señor, la soledad;
porque eres, Señor, mi alegría,
tengo siempre tu amistad.

Ya no temo, Señor, a la noche,
ya no temo, Señor, la oscuridad;
porque brilla tu luz en las sombras,
ya no hay noche, tú eres luz.

Ya no temo, Señor, los fracasos,
ya no temo, Señor, la ingratitud;
porque el triunfo, Señor, en la vida,
tú lo tienes, tú lo das.

Ya no temo, Señor, los abismos,
ya no temo, Señor, la inmensidad;
porque eres, Señor, el camino
y la vida, la verdad. Amén.

SALMODIA

Antífona 1

Fuera del Tiempo pascual: Den gracias al Señor, porque
es eterna su misericordia.

Tiempo pascual: El que está en Cristo es una nueva creación. Aleluya.

Salmo 135

HIMNO A DIOS POR LAS MARAVILLAS
DE LA CREACIÓN Y DEL ÉXODO

> Alabar a Dios es narrar sus mara-
> villas. (Casiano)

I

Den gracias al Señor porque es bueno:
porque es eterna su misericordia.

Den gracias al Dios de los dioses:
porque es eterna su misericordia.

Den gracias al Señor de los señores:
porque es eterna su misericordia.

Sólo él hizo grandes maravillas:
porque es eterna su misericordia.

Él hizo sabiamente los cielos:
porque es eterna su misericordia.

Él afianzó sobre las aguas la tierra:
porque es eterna su misericordia.

Él hizo lumbreras gigantes:
porque es eterna su misericordia.

El sol que gobierna el día:
porque es eterna su misericordia.

La luna que gobierna la noche:
porque es eterna su misericordia.

Fuera del Tiempo pascual: Den gracias al Señor, porque
es eterna su misericordia.

Tiempo pascual: El que está en Cristo es una nueva creación. Aleluya.

Antífona 2

Fuera del Tiempo pascual: Grandes y maravillosas son tus obras, Señor, Dios omnipotente.

Tiempo pascual: Amemos a Dios porque él nos ha amado antes. Aleluya.

II

Él hirió a Egipto en sus primogénitos:
porque es eterna su misericordia.

Y sacó a Israel de aquel país:
porque es eterna su misericordia.

Con mano poderosa, con brazo extendido:
porque es eterna su misericordia.

Él dividió en dos partes el Mar Rojo:
porque es eterna su misericordia.

Y condujo por en medio a Israel:
porque es eterna su misericordia.

Arrojó en el Mar Rojo al Faraón:
porque es eterna su misericordia.

Guió por el desierto a su pueblo:
porque es eterna su misericordia.

Él hirió a reyes famosos:
porque es eterna su misericordia.

Dio muerte a reyes poderosos:
porque es eterna su misericordia.

A Sijón, rey de los amorreos:
porque es eterna su misericordia.

Y a Hog, rey de Basán:
porque es eterna su misericordia.

Les dio su tierra en heredad:
porque es eterna su misericordia.

En heredad a Israel, su siervo:
porque es eterna su misericordia.

En nuestra humillación se acordó de nosotros:
porque es eterna su misericordia.

Y nos libró de nuestros opresores:
porque es eterna su misericordia.

Él da alimento a todo viviente:
porque es eterna su misericordia.

Den gracias al Dios del cielo:
porque es eterna su misericordia.

Fuera del Tiempo pascual: Grandes y maravillosas son tus obras, Señor, Dios omnipotente.

Tiempo pascual: Amemos a Dios porque él nos ha amado antes. Aleluya.

Antífona 3

Fuera del Tiempo pascual: Dios proyectó hacer que todas las cosas tuvieran a Cristo por cabeza, cuando llegara el momento culminante.

Tiempo pascual: De su plenitud todos hemos recibido gracia tras gracia. Aleluya.

Cántico   Ef 1, 3-10

EL PLAN DIVINO DE LA SALVACIÓN

Bendito sea Dios,
    Padre de nuestro Señor Jesucristo,
    que nos ha bendecido en la persona de Cristo
    con toda clase de bienes espirituales y celestiales.

Él nos eligió en la persona de Cristo,
   antes de crear el mundo,
   para que fuéramos consagrados
   e irreprochables ante él por el amor.

Él nos ha destinado en la persona de Cristo,
   por pura iniciativa suya,
   a ser sus hijos,
   para que la gloria de su gracia,
   que tan generosamente nos ha concedido
   en su querido Hijo,
   redunde en alabanza suya.

Por este Hijo, por su sangre,
   hemos recibido la redención,
   el perdón de los pecados.
   El tesoro de su gracia, sabiduría y prudencia
   ha sido un derroche para con nosotros,
   dándonos a conocer el misterio de su voluntad.

Éste es el plan
   que había proyectado realizar por Cristo
   cuando llegara el momento culminante:
   hacer que todas las cosas
   tuvieran a Cristo por cabeza,
   las del cielo y las de la tierra.

Fuera del Tiempo pascual: Dios proyectó hacer que todas las cosas tuvieran a Cristo por cabeza, cuando llegara el momento culminante.

Tiempo pascual: De su plenitud todos hemos recibido gracia tras gracia. Aleluya.

LECTURA BREVE   1 Tes 3, 12-13

Que el Señor los haga aumentar y rebosar en amor de unos con otros y con todos, así como nosotros los amamos a ustedes, para que conserven sus corazones intachables en santidad ante Dios, Padre nuestro, cuando venga nuestro Señor Jesucristo con todos sus santos.

RESPONSORIO BREVE

℣. Suba, Señor, a ti mi oración.

℟. Suba, Señor, a ti mi oración.

℣. Como incienso en tu presencia.

℟. A ti mi oración.

℣. Gloria al Padre, y al Hijo, y al Espíritu Santo.

℟. Suba, Señor, a ti mi oración.

CÁNTICO EVANGÉLICO

Ant. Proclame mi alma tu grandeza, Dios mío.

Cántico de la Santísima Virgen María, p. 18.

PRECES O INTERCESIONES

Llenos de confianza en el Señor Jesús que no abandona nunca a los que se acogen a él, invoquémoslo diciendo:

Escúchanos, Señor, Dios nuestro.

Señor Jesucristo, tú eres nuestra luz; ilumina a tu Iglesia

— para que proclame a todas las naciones el gran misterio de piedad manifestado en tu encarnación.

Guarda a los sacerdotes y ministros de la Iglesia,

— y haz que con su palabra y su ejemplo edifiquen tu pueblo santo.

Tú que, por tu sangre, pacificaste el mundo,

— aparta de nosotros el pecado de discordia y el azote de la guerra.

Ayuda, Señor, a los que uniste con la gracia del matrimonio,

— para que su unión sea efectivamente signo del misterio de la Iglesia.

Se pueden añadir algunas intenciones libres.

Concede, por tu misericordia, a todos los difuntos el perdón de sus faltas,
— para que sean contados entre tus elegidos.

Unidos a Jesucristo, supliquemos ahora al Padre con la oración de los hijos de Dios: Padre nuestro...

Oración conclusiva

Quédate con nosotros, Señor Jesús, porque el día ya se acaba; sé nuestro compañero de camino, levanta nuestros corazones, reanima nuestra esperanza; así, nosotros, junto con nuestros hermanos, podremos reconocerte en las Escrituras y en la fracción del pan. Tú que vives y reinas...

℟. Amén.

CONCLUSIÓN

℣. El Señor nos bendiga, nos guarde de todo mal y nos lleve a la vida eterna.

℟. Amén.

MARTES IV

Laudes

℣. Señor, abre mis labios.

℟. Y mi boca proclamará tu alabanza.

Puede añadirse el salmo 94 (p. 20), con su antífona correspondiente. En el Tiempo ordinario se dice:

Al Señor, al Dios grande, vengan, adorémoslo.

HIMNO

Estáte, Señor, conmigo
siempre, sin jamás partirte,
y cuando decidas irte,
llévame, Señor, contigo;
porque el pensar que te irás
me causa un terrible miedo
de si yo sin ti me quedo,
de si tú sin mí te vas.

Llévame en tu compañía
donde tú vayas, Jesús,
porque bien sé que eres tú
la vida del alma mía;
si tú vida no me das,
yo sé que vivir no puedo,
ni si yo sin ti me quedo,
ni si tú sin mí te vas.

Por eso, más que a la muerte
temo, Señor, tu partida,
y quiero perder la vida
mil veces más que perderte;

pues la inmortal que tú das,
sé que alcanzarla no puedo,
cuando yo sin ti me quedo,
cuando tú sin mí te vas. Amén.

SALMODIA

Antífona 1

Fuera del Tiempo pascual: Para ti es mi música, Señor; voy a explicar el camino perfecto.

Tiempo pascual: El que hace la voluntad de mi Padre entrará en el reino de los cielos. Aleluya.

Salmo 100

PROPÓSITO DE UN PRÍNCIPE JUSTO

> Si me aman, guardarán mis mandatos. (Jn 14, 15)

Voy a cantar la bondad y la justicia,
  para ti es mi música, Señor;
  voy a explicar el camino perfecto:
  ¿Cuándo vendrás a mí?

Andaré con rectitud de corazón
  dentro de mi casa;
  no pondré mis ojos
  en intenciones viles.

Aborrezco al que obra mal,
  no se juntará conmigo;
  lejos de mí el corazón torcido,
  no aprobaré al malvado.

Al que en secreto difama a su prójimo
  lo haré callar;
  ojos engreídos, corazones arrogantes
  no los soportaré.

Pongo mis ojos en los que son leales,
  ellos vivirán conmigo;

el que sigue un camino perfecto,
ése me servirá.

No habitará en mi casa
quien comete fraudes;
el que dice mentiras
no durará en mi presencia.

Cada mañana haré callar
a los hombres malvados,
para excluir de la ciudad del Señor
a todos los malhechores.

Fuera del Tiempo pascual: Para ti es mi música, Señor; voy a explicar el camino perfecto.

Tiempo pascual: El que hace la voluntad de mi Padre entrará en el reino de los cielos. Aleluya.

Antífona 2

Fuera del Tiempo pascual: No nos desampares, Señor, para siempre.

Tiempo pascual: Conozcan los pueblos, Señor, tu misericordia con nosotros. Aleluya.

Cántico   Dn 3, 26-27. 29. 34-41

ORACIÓN DE AZARÍAS EN EL HORNO

Arrepiéntanse y conviértanse,
para que se borren sus pecados.
(Hech 3, 19)

Bendito seas, Señor, Dios de nuestros padres,
digno de alabanza y glorioso es tu nombre.

Porque eres justo en cuanto has hecho con nosotros
y todas tus obras son verdad,
y rectos tus caminos,
y justos todos tus juicios.

Hemos pecado y cometido iniquidad
apartándonos de ti, y en todo hemos delinquido.
Por el honor de tu nombre,
no nos desampares para siempre,
no rompas tu alianza,
no apartes de nosotros tu misericordia.

Por Abraham, tu amigo,
por Isaac, tu siervo,
por Israel, tu consagrado,
a quienes prometiste
multiplicar su descendencia
como las estrellas del cielo,
como la arena de las playas marinas.

Pero ahora, Señor, somos el más pequeño
de todos los pueblos;
hoy estamos humillados por toda la tierra
a causa de nuestros pecados.

En este momento no tenemos príncipes,
ni profetas, ni jefes;
ni holocausto, ni sacrificios,
ni ofrendas, ni incienso;
ni un sitio donde ofrecerte primicias,
para alcanzar misericordia.

Por eso, acepta nuestro corazón contrito,
y nuestro espíritu humilde,
como un holocausto de carneros y toros
o una multitud de corderos cebados;

que éste sea hoy nuestro sacrificio,
y que sea agradable en tu presencia:
porque los que en ti confían
no quedan defraudados.

Ahora te seguimos de todo corazón,
te respetamos y buscamos tu rostro.

Fuera del Tiempo pascual: No nos desampares, Señor, para siempre.

Tiempo pascual: Conozcan los pueblos, Señor, tu misericordia con nosotros. Aleluya.

Antífona 3

Fuera del Tiempo pascual: Te cantaré, Dios mío, un cántico nuevo.

Tiempo pascual: El Señor es mi escudo y mi refugio. Aleluya.

Salmo 143, 1-10

ORACIÓN POR LA VICTORIA Y POR LA PAZ

> Todo lo puedo en aquel que me conforta. (Flp 4, 13)

Bendito el Señor, mi Roca,
  que adiestra mis manos para el combate,
  mis dedos para la pelea;

mi bienhechor, mi alcázar,
  baluarte donde me pongo a salvo,
  mi escudo y mi refugio,
  que me somete los pueblos.

Señor, ¿qué es el hombre para que te fijes en él?
  ¿Qué los hijos de Adán para que pienses en ellos?
  El hombre es igual que un soplo;
  sus días, una sombra que pasa.

Señor, inclina tu cielo y desciende,
  toca los montes, y echarán humo,
  fulmina el rayo y dispérsalos,
  dispara tus saetas y desbarátalos.

Extiende la mano desde arriba:
  defiéndeme, líbrame de las aguas caudalosas,
  de la mano de los extranjeros,

cuya boca dice falsedades,
cuya diestra jura en falso.

Dios mío, te cantaré un cántico nuevo,
tocaré para ti el arpa de diez cuerdas:
para ti que das la victoria a los reyes,
y salvas a David, tu siervo.

Fuera del Tiempo pascual: Te cantaré, Dios mío, un cántico nuevo.

Tiempo pascual: El Señor es mi escudo y mi refugio. Aleluya.

LECTURA BREVE   Is 55, 1

Oigan, sedientos todos, acudan por agua, también los que no tienen dinero: vengan, compren trigo, coman sin pagar: vino y leche de balde.

RESPONSORIO BREVE

℣. Escucha mi voz, Señor; espero en tu palabra.

℞. Escucha mi voz, Señor; espero en tu palabra.

℣. Me adelanto a la aurora pidiendo auxilio.

℞. Espero en tu palabra.

℣. Gloria al Padre, y al Hijo, y al Espíritu Santo.

℞. Escucha mi voz, Señor; espero en tu palabra.

CÁNTICO EVANGÉLICO

Ant. De la mano de nuestros enemigos, líbranos, Señor.

Cántico de Zacarías, p. 27.

PRECES PARA CONSAGRAR A DIOS
EL DÍA Y EL TRABAJO

Dios nos otorga el gozo de alabarlo en este comienzo del día, reavivando con ello nuestra esperanza. Invoquémoslo, pues, diciendo:

Por el honor de tu nombre, escúchanos, Señor.

Dios y Padre de nuestro Salvador Jesucristo,
— te damos gracias porque, por mediación de tu Hijo, nos has dado el conocimiento y la inmortalidad.

Danos, Señor, un corazón humilde
— para que vivamos sujetos unos a otros en el temor de Cristo.

Infunde tu Espíritu en nosotros, tus siervos,
— para que nuestro amor fraterno sea sin fingimiento.

Tú que has dispuesto que el hombre dominara el mundo con su esfuerzo,
— haz que nuestro trabajo te glorifique y santifique a nuestros hermanos.

Se pueden añadir algunas intenciones libres.

Ya que Dios nos muestra siempre su amor de Padre, velando amorosamente por nosotros, nos atrevemos a decir: Padre nuestro...

Oración conclusiva

Aumenta, Señor, nuestra fe, para que esta alabanza que brota de nuestro corazón vaya siempre acompañada de frutos de vida eterna. Por nuestro Señor Jesucristo, tu Hijo...

℟. Amén.

CONCLUSIÓN

℣. El Señor nos bendiga, nos guarde de todo mal y nos lleve a la vida eterna.

℟. Amén.

Vísperas

℣. Dios mío, ven en mi auxilio.

℟. Señor, date prisa en socorrerme.

Gloria al Padre... (Aleluya.)

HIMNO

Tú que eres, Cristo, el esplendor y el día,
y de la noche ahuyentas las tinieblas,
Luz de Luz que a tus fieles
cual luz te manifiestas,

te pedimos, Señor, humildemente
esta noche que estés de centinela,
en ti hallemos reposo
y la paz nos concedas.

Si se entregan al sueño nuestros ojos,
en ti vigile el corazón alerta,
y rogamos tus hijos,
Señor, que nos protejas.

Defensor nuestro, míranos, rechaza
al enemigo cruel que nos acecha
y, a quienes redimiste
con tu sangre, gobierna.

A ti, Cristo, Señor del universo,
y a ti, Padre, alabanza dondequiera,
y al Amor, por los siglos
loores. Amén.

SALMODIA

Antífona 1

Fuera del Tiempo pascual: **Si me olvido de ti, Jerusalén, que se me paralice la mano derecha.**

Tiempo pascual: **Cántennos un cantar de Sión. Aleluya.**

Salmo 136, 1-6

JUNTO A LOS CANALES DE BABILONIA

> Este destierro y esclavitud material hay que tomarlo como símbolo de la esclavitud espiritual. (S. Hilario)

Junto a los canales de Babilonia
nos sentamos a llorar con nostalgia de Sión;
en los sauces de sus orillas
colgábamos nuestras cítaras.

Allí los que nos deportaron
nos invitaban a cantar;
nuestros opresores, a divertirlos:
«Cántennos un cantar de Sión.»

¡Cómo cantar un cántico del Señor
en tierra extranjera!
Si me olvido de ti, Jerusalén,
que se me paralice la mano derecha;

que se me pegue la lengua al paladar
si no me acuerdo de ti,
si no pongo a Jerusalén
en la cumbre de mis alegrías.

Fuera del Tiempo pascual: **Si me olvido de ti, Jerusalén, que se me paralice la mano derecha.**

Tiempo pascual: **Cántennos un cantar de Sión. Aleluya.**

Antífona 2

Fuera del Tiempo pascual: **Te doy gracias, Señor, delante de los ángeles.**

Tiempo pascual: **En medio de los peligros me conservaste la vida. Aleluya.**

Salmo 137

HIMNO DE ACCIÓN DE GRACIAS DE UN REY

> Los reyes de la tierra irán a llevar
> su esplendor a la ciudad santa. (Cfr
> Apoc 21, 24)

Te doy gracias, Señor, de todo corazón;
  delante de los ángeles tañeré para ti,
  me postraré hacia tu santuario,
  daré gracias a tu nombre;

por tu misericordia y tu lealtad,
  porque tu promesa supera a tu fama;
  cuando te invoqué, me escuchaste,
  acreciste el valor en mi alma.

Que te den gracias, Señor, los reyes de la tierra
  al escuchar el oráculo de tu boca;
  canten los caminos del Señor,
  porque la gloria del Señor es grande.

El Señor es sublime, se fija en el humilde,
  y de lejos conoce al soberbio.

Cuando camino entre peligros,
  me conservas la vida;
  extiendes tu izquierda contra la ira de mi enemigo,
  y tu derecha me salva.

El Señor completará sus favores conmigo:
  Señor, tu misericordia es eterna,
  no abandones la obra de tus manos.

Fuera del Tiempo pascual: **Te doy gracias, Señor, delante de los ángeles.**

Tiempo pascual: **En medio de los peligros me conservaste la vida. Aleluya.**

Antífona 3

Fuera del Tiempo pascual: **Digno es el Cordero degollado de recibir el honor y la gloria.**

Tiempo pascual: **Tuyos son, Señor, el poder y la riqueza, la fuerza y la gloria. Aleluya.**

Cántico   Apoc 4, 11; 5, 9-10. 12

HIMNO A DIOS CREADOR

Eres digno, Señor Dios nuestro, de recibir la gloria,
   el honor y el poder,
   porque tú has creado el universo;
   porque por tu voluntad lo que no existía fue creado.

Eres digno de tomar el libro y abrir sus sellos,
   porque fuiste degollado
   y por tu sangre compraste para Dios
   hombres de toda raza, lengua, pueblo y nación;
   y has hecho de ellos para nuestro Dios
   un reino de sacerdotes
   y reinan sobre la tierra.

Digno es el Cordero degollado
   de recibir el poder, la riqueza y la sabiduría,
   la fuerza y el honor, la gloria y la alabanza.

Fuera del Tiempo pascual: **Digno es el Cordero degollado de recibir el honor y la gloria.**

Tiempo pascual: **Tuyos son, Señor, el poder y la riqueza, la fuerza y la gloria. Aleluya.**

LECTURA BREVE   Col 3, 16

Que la palabra de Cristo habite entre ustedes en toda su riqueza; enséñense unos a otros con toda sabiduría; exhórtense mutuamente. Canten a Dios, denle gracias de todo corazón, con salmos, himnos y cánticos inspirados.

RESPONSORIO BREVE

℣. Me saciarás de gozo en tu presencia, Señor.

℟. Me saciarás de gozo en tu presencia, Señor.

℣. De alegría perpetua a tu derecha.

℟. En tu presencia, Señor.

℣. Gloria al Padre, y al Hijo, y al Espíritu Santo.

℟. Me saciarás de gozo en tu presencia, Señor.

CÁNTICO EVANGÉLICO

Ant. Haz, Señor, obras grandes por nosotros, porque tú eres poderoso y tu nombre es santo.

Cántico de la Santísima Virgen María, p. 18.

PRECES O INTERCESIONES

Invoquemos a Cristo, que da fuerza y poder a su pueblo, diciendo:

Señor, escúchanos.

Cristo, fortaleza nuestra, concede a todos tus fieles, a quienes has llamado a la luz de tu verdad,
— que tengan siempre fidelidad y constancia.

Haz, Señor, que los que gobiernan el mundo lo hagan conforme a tu querer,
— y que sus decisiones vayan encaminadas a la consecución de la paz.

Tú que con cinco panes saciaste a la multitud,
— enséñanos a socorrer con nuestros bienes a los hambrientos.

Que los gobernantes no cuiden sólo del bienestar de su nación,
— sino que piensen también en los otros pueblos.

Se pueden añadir algunas intenciones libres.

Cuando vengas en tu día a ser glorificado en los santos,
— da a nuestros hermanos difuntos la resurrección y la vida feliz.

Todos juntos, en familia, repitamos las palabras que nos enseñó Jesús, y oremos al Padre diciendo: Padre nuestro...

Oración conclusiva

Puestos en oración ante ti, Señor, imploramos tu clemencia y te pedimos que nuestras palabras concuerden siempre con los sentimientos de nuestro corazón. Por nuestro Señor Jesucristo, tu Hijo...

℟. Amén.

CONCLUSIÓN

℣. El Señor nos bendiga, nos guarde de todo mal y nos lleve a la vida eterna.

℟. Amén.

MIÉRCOLES IV

Laudes

INVOCACIÓN INICIAL

℣. Señor, abre mis labios.

℟. Y mi boca proclamará tu alabanza.

Puede añadirse el salmo 94 (p. 20), con su antífona correspondiente. En el Tiempo ordinario se dice:

Aclama al Señor, tierra entera, sirvan al Señor con alegría.

HIMNO

Al retornar este día,
con voz alegre y canora,
celebrando al Redentor,
cantemos de Dios la gloria.

Por Cristo, el Creador inmenso
hizo la noche y la aurora,
con inmóvil ley fijando
la sucesión de las horas.

La luz eterna eres tú,
la antigua ley perfeccionas,
y no conoces crepúsculo,
y no te apagan las sombras.

Concédenos, Padre eterno,
que vivamos hoy con loa,
con que agrademos a Cristo,
si tu Espíritu nos colma. Amén.

SALMODIA

Antífona 1

Fuera del Tiempo pascual: **Mi corazón está firme, Dios mío, mi corazón está firme.** †

Tiempo pascual: **Elévate sobre el cielo, Dios mío. Aleluya.**

Salmo 107

ALABANZA AL SEÑOR Y PETICIÓN DE AUXILIO

> Porque Cristo se ha elevado sobre el cielo, su gloria se anuncia sobre toda la tierra. (Arnobio)

Dios mío, mi corazón está firme,
† para ti cantaré y tocaré, gloria mía.
Despierten, cítara y arpa,
despertaré a la aurora.

Te daré gracias ante los pueblos, Señor,
   tocaré para ti ante las naciones:
   por tu bondad, que es más grande que los cielos;
   por tu fidelidad, que alcanza a las nubes.

Elévate sobre el cielo, Dios mío,
   y llene la tierra tu gloria;
   para que se salven tus predilectos,
   que tu mano salvadora nos responda.

Dios habló en su santuario:
   «Triunfante ocuparé Siquén,
   parcelaré el valle de Sucot;

mío es Galaad, mío Manasés,
   Efraím es yelmo de mi cabeza,
   Judá es mi cetro;

Moab, una jofaina para lavarme,
   sobre Edom echo mi sandalia,
   sobre Filistea canto victoria.»

Pero ¿quién me guiará a la plaza fuerte,
   quién me conducirá a Edom,
   si tú, ¡oh Dios!, nos has rechazado
   y no sales ya con nuestras tropas?

Auxílianos contra el enemigo,
   que la ayuda del hombre es inútil;
   con Dios haremos proezas,
   él pisoteará a nuestros enemigos.

Fuera del Tiempo pascual: Mi corazón está firme, Dios mío, mi corazón está firme.

Tiempo pascual: Elévate sobre el cielo, Dios mío. Aleluya.

Antífona 2

Fuera del Tiempo pascual: El Señor me ha revestido de justicia y santidad.

Tiempo pascual: El Señor hará brotar la justicia y los himnos ante todos los pueblos. Aleluya.

Cántico   Is 61, 10—62, 5

ALEGRÍA DEL PROFETA ANTE LA NUEVA JERUSALÉN

> Vi la ciudad santa, la nueva Jeru-
> salén..., arreglada como una no-
> via que se adorna para su esposo.
> (Cfr Apoc 21, 2)

Desbordo de gozo en el Señor,
    y me alegro con mi Dios:
    porque me ha vestido un traje de gala
    y me ha envuelto en un manto de triunfo,
    como a un novio que se pone la corona,
    o a una novia que se adorna con sus joyas.

Como el suelo echa sus brotes,
    como un jardín hace brotar sus semillas,
    así el Señor hará brotar la justicia
    y los himnos, ante todos los pueblos.

Por amor de Sión no callaré,
    por amor de Jerusalén no descansaré,
    hasta que despunte la aurora de su justicia
    y su salvación llamee como antorcha.

Los pueblos verán tu justicia,
    y los reyes, tu gloria;
    te pondrán un nombre nuevo
    pronunciado por la boca del Señor.

Serás corona fúlgida en la mano del Señor
    y diadema real en la palma de tu Dios.

Ya no te llamarán «Abandonada»;
    ni a tu tierra, «Devastada»;
    a ti te llamarán «Mi favorita»,
    y a tu tierra, «Desposada»,

porque el Señor te prefiere a ti,
y tu tierra tendrá marido.

Como un joven se casa con su novia,
así te desposa el que te construyó;
la alegría que encuentra el marido con su esposa,
la encontrará tu Dios contigo.

Fuera del Tiempo pascual: El Señor me ha revestido de
justicia y santidad.

Tiempo pascual: El Señor hará brotar la justicia y los
himnos ante todos los pueblos. Aleluya.

Antífona 3

Fuera del Tiempo pascual: Alabaré al Señor mientras viva.

Tiempo pascual: El Señor reina eternamente. Aleluya.

Salmo 145

FELICIDAD DE LOS QUE ESPERAN EN DIOS

> Alabemos al Señor mientras vivi-
> mos, es decir, con nuestras obras.
> (Arnobio)

Alaba, alma mía, al Señor:
alabaré al Señor mientras viva,
tañeré para mi Dios mientras exista.

No confíen en los príncipes,
seres de polvo que no pueden salvar;
exhalan el espíritu y vuelven al polvo,
ese día perecen sus planes.

Dichoso a quien auxilia el Dios de Jacob,
el que espera en el Señor, su Dios,
que hizo el cielo y la tierra,
el mar y cuanto hay en él;

que mantiene su fidelidad perpetuamente,
que hace justicia a los oprimidos,
que da pan a los hambrientos.

El Señor liberta a los cautivos,
el Señor abre los ojos al ciego,
el Señor endereza a los que ya se doblan,
el Señor ama a los justos,

el Señor guarda a los peregrinos;
sustenta al huérfano y a la viuda
y trastorna el camino de los malvados.

El Señor reina eternamente,
tu Dios, Sión, de edad en edad.

Fuera del Tiempo pascual: Alabaré al Señor mientras viva.

Tiempo pascual: El Señor reina eternamente. Aleluya.

LECTURA BREVE   Deut 4, 39-40a
Has de reconocer hoy y recordar que el Señor es Dios,
en lo alto del cielo y abajo en la tierra, y que no hay otro.
Guarda los mandatos y preceptos que te voy a dar hoy.

RESPONSORIO BREVE

℣. Bendigo al Señor en todo momento.
℟. Bendigo al Señor en todo momento.

℣. Su alabanza está siempre en mi boca.
℟. En todo momento.

℣. Gloria al Padre, y al Hijo, y al Espíritu Santo.
℟. Bendigo al Señor en todo momento.

CÁNTICO EVANGÉLICO

Ant. Sirvamos al Señor con santidad todos nuestros días.
Cántico de Zacarías, p. 27.

Preces para consagrar a Dios
el día y el trabajo

Cristo, reflejo de la gloria del Padre, nos ilumina con su palabra; acudamos pues a él diciendo:

Rey de la gloria, escúchanos.

Te bendecimos, Señor, autor y consumador de nuestra fe,
— porque de las tinieblas nos has trasladado a tu luz admirable.

Tú que abriste los ojos de los ciegos y diste oído a los sordos,
— aumenta nuestra fe.

Haz, Señor, que permanezcamos siempre en tu amor,
— y que este amor nos guarde fraternalmente unidos.

Ayúdanos para que resistamos a la tentación, aguantemos en la tribulación
— y te demos gracias en la prosperidad.

Se pueden añadir algunas intenciones libres.

Dejemos que el Espíritu de Dios, que ha sido derramado en nuestros corazones, se una a nuestro espíritu, para clamar: Padre nuestro...

Oración conclusiva

Recuerda, Señor, tu santa alianza consagrada con el nuevo sacramento de la sangre del Cordero, para que tu pueblo obtenga el perdón de sus pecados, y un aumento constante de salvación. Por nuestro Señor Jesucristo, tu Hijo...

℟. Amén.

℣. El Señor nos bendiga, nos guarde de todo mal y nos lleve a la vida eterna.

℟. Amén.

Vísperas

INVOCACIÓN INICIAL

℣. Dios mío, ven en mi auxilio.

℟. Señor, date prisa en socorrerme.
Gloria al Padre... (Aleluya.)

HIMNO

Te bendecimos, Cristo, en esta noche:
Verbo de Dios y Luz de Luz eterna,
emisor del Espíritu Paráclito;
te bendecimos porque nos revelas
la triple luz de una indivisa gloria
y libras nuestras almas de tinieblas.

A la noche y al día has ordenado
que se releven siempre en paz fraterna;
la noche compasiva pone término
a nuestras aflicciones y tareas,
y, para comenzar el nuevo surco,
el día alegremente nos despierta.

Da un sueño muy ligero a nuestros párpados,
para que nuestra voz no permanezca
muda por mucho tiempo en tu alabanza;
mientras dormimos se mantenga en vela
toda tu creación, cantando salmos
en compañía de la turba angélica.

Y, mientras duerme nuestro humilde cuerpo,
nuestro espíritu cante a su manera:

«Gloria al Padre y al Hijo y al Espíritu,
en el día sin noche donde reinan;
al Uno y Trino, honor, poder, victoria,
por edades y edades sempiternas.» Amén.

SALMODIA

Antífona 1

Fuera del Tiempo pascual: **Señor, tu saber me sobrepasa.**

Tiempo pascual: **La noche será clara como el día. Aleluya.**

Salmo 138, 1-18. 23-24

TODO ESTÁ PRESENTE A LOS OJOS DE DIOS

> ¿Quién ha conocido jamás la mente del Señor? ¿Quién ha sido su consejero? (Rom 11, 34)

I

Señor, tú me sondeas y me conoces;
    me conoces cuando me siento o me levanto,
    de lejos penetras mis pensamientos;
    distingues mi camino y mi descanso,
    todas mis sendas te son familiares.

No ha llegado la palabra a mi lengua,
    y ya, Señor, te la sabes toda.
    Me envuelves por doquier,
    me cubres con tu mano.
    Tanto saber me sobrepasa,
    es sublime, y no lo abarco.

¿Adónde iré lejos de tu aliento,
    adónde escaparé de tu mirada?
    Si escalo el cielo, allí estás tú;
    si me acuesto en el abismo, allí te encuentro;

si vuelo hasta el margen de la aurora,
    si emigro hasta el confín del mar,

allí me alcanzará tu izquierda,
tu diestra llegará hasta mí.

Si digo: «Que al menos la tiniebla me encubra,
que la luz se haga noche en torno a mí»,
ni la tiniebla es oscura para ti,
la noche es clara como el día.

Fuera del Tiempo pascual: Señor, tu saber me sobrepasa.

Tiempo pascual: La noche será clara como el día. Aleluya.

Antífona 2

Fuera del Tiempo pascual: Yo, el Señor, penetro el corazón, sondeo las entrañas, para dar al hombre según su conducta.

Tiempo pascual: Yo conozco mis ovejas y ellas me conocen a mí. Aleluya.

II

Tú has creado mis entrañas,
me has tejido en el seno materno.
Te doy gracias,
porque me has formado portentosamente,
porque son admirables tus obras;
conocías hasta el fondo de mi alma,
no desconocías mis huesos.

Cuando, en lo oculto, me iba formando,
y entretejiendo en lo profundo de la tierra,
tus ojos veían mis acciones,
se escribían todas en tu libro,
calculados estaban mis días
antes que llegara el primero.

¡Qué incomparables encuentro tus designios,
Dios mío, qué inmenso es su conjunto!
Si me pongo a contarlos, son más que arena;
si los doy por terminados, aún me quedas tú.

Señor, sondéame y conoce mi corazón,
   ponme a prueba y conoce mis sentimientos,
   mira si mi camino se desvía,
   guíame por el camino eterno.

Fuera del Tiempo pascual: Yo, el Señor, penetro el corazón, sondeo las entrañas, para dar al hombre según su conducta.

Tiempo pascual: Yo conozco mis ovejas y ellas me conocen a mí. Aleluya.

Antífona 3

Fuera del Tiempo pascual: Todo fue creado por él y para él.

Tiempo pascual: Su resplandor eclipsa el cielo, la tierra se llena de su alabanza. Aleluya.

Cántico   Cfr Col 1, 12-20

HIMNO A CRISTO, PRIMOGÉNITO DE TODA CREATURA
Y PRIMER RESUCITADO DE ENTRE LOS MUERTOS

Damos gracias a Dios Padre,
   que nos ha hecho capaces de compartir
   la herencia del pueblo santo en la luz.

Él nos ha sacado del dominio de las tinieblas,
   y nos ha trasladado al reino de su Hijo querido,
   por cuya sangre hemos recibido la redención,
   el perdón de los pecados.

Él es imagen de Dios invisible,
   primogénito de toda creatura;
   pues por medio de él fueron creadas todas las cosas:
   celestes y terrestres, visibles e invisibles,
   tronos, dominaciones, principados, potestades;
   todo fue creado por él y para él.

Él es anterior a todo, y todo se mantiene en él.
   Él es también la cabeza del cuerpo de la Iglesia.

Él es el principio, el primogénito de entre los
   muertos,
y así es el primero en todo.

Porque en él quiso Dios que residiera toda plenitud.
   Y por él quiso reconciliar consigo todas las cosas:
   haciendo la paz por la sangre de su cruz
   con todos los seres, así del cielo como de la tierra.

Fuera del Tiempo pascual: Todo fue creado por él y para él.

Tiempo pascual: Su resplandor eclipsa el cielo, la tierra
se llena de su alabanza. Aleluya.

LECTURA BREVE   1 Jn 2, 3-6

Sabemos que hemos llegado a conocer a Cristo si guar-
damos sus mandamientos. Quien dice: «Yo lo conozco»,
y no guarda sus mandamientos, miente; y la verdad no
está en él. Pero quien guarda su palabra posee el perfecto amor de Dios. En esto conocemos que estamos en
él. Quien dice que está siempre en él debe andar de continuo como él anduvo.

RESPONSORIO BREVE

V. Guárdanos, Señor, como a las niñas de tus ojos.
R. Guárdanos, Señor, como a las niñas de tus ojos.
V. A la sombra de tus alas escóndenos.
R. Como a las niñas de tus ojos.
V. Gloria al Padre, y al Hijo, y al Espíritu Santo.
R. Guárdanos, Señor, como a las niñas de tus ojos.

CÁNTICO EVANGÉLICO

Ant. Haz, Señor, proezas con tu brazo, dispersa a los
soberbios y enaltece a los humildes.

Cántico de la Santísima Virgen María, p. 18.

PRECES O INTERCESIONES

Invoquemos a Dios, cuya bondad para con su pueblo es más grande que los cielos, y digámosle:

Que se alegren los que se acogen a ti, Señor.

Acuérdate, Señor, que enviaste a tu Hijo al mundo, no para condenarlo, sino para salvarlo;
— haz que su muerte gloriosa nos traiga la salvación.

Tú que constituiste a tus sacerdotes servidores de Cristo y administradores de tus misterios,
— concédeles un corazón fiel, ciencia abundante y caridad intensa.

Tú que desde el principio creaste hombre y mujer,
— guarda a todas las familias unidas en el verdadero amor.

Haz que los que has llamado a la castidad perfecta por el reino de los cielos,
— sigan con fidelidad a tu Hijo.

Se pueden añadir algunas intenciones libres.

Tú que enviaste a Jesucristo al mundo para salvar a los pecadores,
— concede a todos los difuntos el perdón de sus faltas.

Movidos por el Espíritu Santo y llenos de su amor, dirijamos al Padre nuestra oración: Padre nuestro...

Oración conclusiva

Acuérdate, Señor, de tu misericordia, y, ya que a los hambrientos los colmas de bienes, socorre nuestra indigencia con la abundancia de tus riquezas. Por nuestro Señor Jesucristo, tu Hijo...
R. Amén.

CONCLUSIÓN

℣. El Señor nos bendiga, nos guarde de todo mal y nos lleve a la vida eterna.

℟. Amén.

JUEVES IV

Laudes

INVOCACIÓN INICIAL

℣. Señor, abre mis labios.

℟. Y mi boca proclamará tu alabanza.

Puede añadirse el salmo 94 (p. 20), con su antífona correspondiente. En el Tiempo ordinario se dice:

Entren en la presencia del Señor con aclamaciones.

HIMNO

Oh Dios, autor de la luz,
de los cielos la lumbrera,
que el universo sostienes
abriendo tu mano diestra.

La aurora, con mar de grana,
cubriendo está las estrellas,
bautizando humedecida
con el rocío la tierra.

Auséntanse ya las sombras,
al orbe la noche deja,
y al nuevo día el lucero,
de Cristo imagen, despierta.

Tú, Día de Día, oh Dios,
y Luz de Luz, de potencia
soberana, oh Trinidad,
doquier poderoso reinas.

Oh Salvador, ante ti
inclinamos la cabeza,
y ante el Padre y el Espíritu,
dándote gloria perpetua. Amén.

SALMODIA

Antífona 1

Fuera del Tiempo pascual: En la mañana, Señor, hazme
escuchar tu gracia.

Tiempo pascual: Por tu nombre, Señor, consérvame vivo.
Aleluya.

Salmo 142, 1-11

LAMENTACIÓN Y SÚPLICA ANTE LA ANGUSTIA

> El hombre no se justifica por cum-
> plir la ley, sino por creer en Cristo
> Jesús. (Gál 2, 16)

Señor, escucha mi oración;
   tú que eres fiel, atiende a mi súplica;
   tú que eres justo, escúchame.
No llames a juicio a tu siervo,
   pues ningún hombre vivo es inocente frente a ti.

El enemigo me persigue a muerte,
   empuja mi vida al sepulcro,
   me confina a las tinieblas
   como a los muertos ya olvidados.
Mi aliento desfallece,
   mi corazón dentro de mí está yerto.

Recuerdo los tiempos antiguos,
   medito todas tus acciones,
   considero las obras de tus manos
   y extiendo mis brazos hacia ti:
   tengo sed de ti como tierra reseca.

Escúchame en seguida, Señor,
  que me falta el aliento.
No me escondas tu rostro,
  igual que a los que bajan a la fosa.

En la mañana hazme escuchar tu gracia,
  ya que confío en ti;
  indícame el camino que he de seguir,
  pues levanto mi alma a ti.

Líbrame del enemigo, Señor,
  que me refugio en ti.
Enséñame a cumplir tu voluntad,
  ya que tú eres mi Dios.
Tu espíritu, que es bueno,
  me guíe por tierra llana.

Por tu nombre, Señor, consérvame vivo;
  por tu clemencia, sácame de la angustia.

Fuera del Tiempo pascual: En la mañana, Señor, hazme
escuchar tu gracia.

Tiempo pascual: Por tu nombre, Señor, consérvame vivo.
Aleluya.

Antífona 2

Fuera del Tiempo pascual: El Señor hará derivar hacia Jerusalén como un río la paz.

Tiempo pascual: Pronto volveré a verlos y se alegrará su
corazón. Aleluya.

Cántico   Is 66, 10-14a

CONSUELO Y GOZO PARA LA CIUDAD SANTA

> La Jerusalén de arriba es libre; ésa
> es nuestra madre. (Gál 4, 26)

Festejen a Jerusalén, gocen con ella,
  todos los que la aman,
  alégrense de su alegría,

los que por ella llevaron luto;
a su pecho serán alimentados
y se saciarán de sus consuelos,
y apurarán las delicias
de sus pechos abundantes.

Porque así dice el Señor:
«Yo haré derivar hacia ella
como un río la paz,
como un torrente en crecida,
las riquezas de las naciones.

Llevarán en brazos a sus criaturas
y sobre las rodillas las acariciarán;
como a un niño a quien su madre consuela,
así los consolaré yo
y en Jerusalén serán consolados.

Al verlo se alegrará su corazón
y sus huesos florecerán como un prado.»

Fuera del Tiempo pascual: El Señor hará derivar hacia Jerusalén como un río la paz.

Tiempo pascual: Pronto volveré a verlos y se alegrará su corazón. Aleluya.

Antífona 3

Fuera del Tiempo pascual: Nuestro Dios merece una alabanza armoniosa.

Tiempo pascual: El Señor reconstruye Jerusalén y sana los corazones destrozados. Aleluya.

Salmo 146

PODER Y BONDAD DEL SEÑOR

Señor, Dios eterno, alegres te cantamos, a ti nuestra alabanza.

Alaben al Señor, que la música es buena;
nuestro Dios merece una alabanza armoniosa.

El Señor reconstruye Jerusalén,
 reúne a los deportados de Israel;
 él sana los corazones destrozados,
 venda sus heridas.

Cuenta el número de las estrellas,
 a cada una la llama por su nombre.
 Nuestro Señor es grande y poderoso,
 su sabiduría no tiene medida.
 El Señor sostiene a los humildes,
 humilla hasta el polvo a los malvados.

Entonen la acción de gracias al Señor,
 toquen la cítara para nuestro Dios,
 que cubre el cielo de nubes,
 preparando la lluvia para la tierra;

que hace brotar hierba en los montes,
 para los que sirven al hombre;
 que da su alimento al ganado,
 y a las crías de cuervo que graznan.

No aprecia el vigor de los caballos,
 no estima los músculos del hombre:
 el Señor aprecia a sus fieles,
 que confían en su misericordia.

Fuera del Tiempo pascual: **Nuestro Dios merece una alabanza armoniosa.**

Tiempo pascual: **El Señor reconstruye Jerusalén y sana los corazones destrozados. Aleluya.**

LECTURA BREVE   Rom 8, 18-21

Los padecimientos de esta vida presente tengo por cierto que no son nada en comparación con la gloria futura que se ha de revelar en nosotros. La creación entera está en expectación, suspirando por esa manifestación gloriosa de los hijos de Dios; porque las creaturas todas quedaron sometidas al desorden, no porque a ello tendieran de suyo, sino por culpa del hombre que las sometió. Y abrigan la esperanza de quedar ellas, a su vez, libres de la esclavitud de la corrupción, para tomar parte en la libertad gloriosa que han de recibir los hijos de Dios.

RESPONSORIO BREVE

℣. Velando medito en ti, Señor.

℟. Velando medito en ti, Señor.

℣. Porque fuiste mi auxilio.

℟. Medito en ti, Señor.

℣. Gloria al Padre, y al Hijo, y al Espíritu Santo.

℟. Velando medito en ti, Señor.

CÁNTICO EVANGÉLICO

Ant. Anuncia, Señor, la salvación a tu pueblo y perdónanos nuestros pecados.

Cántico de Zacarías, p. 27.

PRECES PARA CONSAGRAR A DIOS
EL DÍA Y EL TRABAJO

Invoquemos a Dios, de quien viene la salvación para su pueblo, diciendo:

Tú, que eres nuestra vida, escúchanos, Señor.

Bendito seas, Dios, Padre de nuestro Señor Jesucristo, porque en tu gran misericordia nos has hecho nacer de nuevo para una esperanza viva,
— por la resurrección de Jesucristo de entre los muertos.

Tú que, en Cristo, renovaste al hombre, creado a imagen tuya,
— haz que reproduzcamos la imagen de tu Hijo.

Derrama en nuestros corazones, lastimados por el odio y la envidia,
— tu Espíritu de amor.

Concede hoy trabajo a quienes lo buscan, pan a los hambrientos, alegría a los tristes,
— a todos la gracia y la salvación.

Se pueden añadir algunas intenciones libres.

Por Jesús hemos sido hechos hijos de Dios; por esto nos atrevemos a decir: Padre nuestro...

Oración conclusiva

Concédenos, Señor, acoger siempre el anuncio de la salvación para que, libres de temor, arrancados de la mano de los enemigos te sirvamos, con santidad y justicia, todos nuestros días. Por nuestro Señor Jesucristo, tu Hijo...

℟. Amén.

CONCLUSIÓN

℣. El Señor nos bendiga, nos guarde de todo mal y nos lleve a la vida eterna.

℟. Amén.

Vísperas

INVOCACIÓN INICIAL

℣. Dios mío, ven en mi auxilio.

℟. Señor, date prisa en socorrerme.
Gloria al Padre... (Aleluya.)

HIMNO

Porque es tarde, Dios mío,
porque anochece ya
y se nubla el camino,

porque temo perder
las huellas que he seguido,

no me dejes tan solo
y quédate conmigo.

Porque he sido rebelde
y he buscado el peligro,
y escudriñé curioso
las cumbres y el abismo,
perdóname, Señor,
y quédate conmigo.

Porque ardo en sed de ti
y en hambre de tu trigo,
ven, siéntate a mi mesa,
dígnate ser mi amigo.
¡Qué aprisa cae la tarde…!
¡Quédate conmigo! Amén.

SALMODIA

Antífona 1

Fuera del Tiempo pascual: Tú eres, Señor, mi bienhechor,
y mi refugio donde me pongo a salvo.

Tiempo pascual: El Señor es mi refugio y mi libertador.
Aleluya.

Salmo 143

ORACIÓN POR LA VICTORIA Y POR LA PAZ

> Su brazo se adiestró en la pelea,
> cuando venció al mundo; dijo, en
> efecto: «Yo he vencido al mundo.»
> (S. Hilario)

I

Bendito el Señor, mi Roca,
  que adiestra mis manos para el combate,
  mis dedos para la pelea;

mi bienhechor, mi alcázar,
baluarte donde me pongo a salvo,
mi escudo y mi refugio,
que me somete los pueblos.

Señor, ¿qué es el hombre para que te fijes en él?
¿Qué los hijos de Adán para que pienses en ellos?
El hombre es igual que un soplo;
sus días, una sombra que pasa.

Señor, inclina tu cielo y desciende,
toca los montes, y echarán humo,
fulmina el rayo y dispérsalos,
dispara tus saetas y desbarátalos.

Extiende la mano desde arriba:
defiéndeme, líbrame de las aguas caudalosas,
de la mano de los extranjeros,
cuya boca dice falsedades,
cuya diestra jura en falso.

Fuera del Tiempo pascual: Tú eres, Señor, mi bienhechor,
y mi refugio donde me pongo a salvo.

Tiempo pascual: El Señor es mi refugio y mi libertador.
Aleluya.

Antífona 2

Fuera del Tiempo pascual: Dichoso el pueblo cuyo Dios es
el Señor.

Tiempo pascual: Gracias sean dadas a Dios que nos da
la victoria por nuestro Señor Jesucristo. Aleluya.

II

Dios mío, te cantaré un cántico nuevo,
tocaré para ti el arpa de diez cuerdas:
para ti que das la victoria a los reyes,
y salvas a David, tu siervo.

Defiéndeme de la espada cruel,
    sálvame de las manos de extranjeros,
    cuya boca dice falsedades,
    cuya diestra jura en falso.

Sean nuestros hijos un plantío,
    crecidos desde su adolescencia;
    nuestras hijas sean columnas talladas,
    estructura de un templo.

Que nuestros silos estén repletos
    de frutos de toda especie;
    que nuestros rebaños a millares
    se multipliquen en las praderas,
    y nuestros bueyes vengan cargados;
    que no haya brechas ni aberturas,
    ni alarma en nuestras plazas.

Dichoso el pueblo que esto tiene,
    dichoso el pueblo cuyo Dios es el Señor.

Fuera del Tiempo pascual: Dichoso el pueblo cuyo Dios es
el Señor.

Tiempo pascual: Gracias sean dadas a Dios que nos da
la victoria por nuestro Señor Jesucristo. Aleluya.

Antífona 3

Fuera del Tiempo pascual: Ahora se estableció la salud y
el reinado de nuestro Dios.

Tiempo pascual: Ayer como hoy, Jesucristo es el mismo
y lo será siempre. Aleluya.

Cántico   Apoc 11, 17-18; 12, 10b-12a

EL JUICIO DE DIOS

Gracias te damos, Señor Dios omnipotente,
    el que eres y el que eras,

porque has asumido el gran poder
y comenzaste a reinar.

Se encolerizaron las naciones,
  llegó tu cólera,
  y el tiempo de que sean juzgados los muertos,
  y de dar el galardón a tus siervos los profetas,
  y a los santos y a los que temen tu nombre,
  y a los pequeños y a los grandes,
  y de arruinar a los que arruinaron la tierra.

Ahora se estableció la salud y el poderío,
  y el reinado de nuestro Dios,
  y la potestad de su Cristo;
  porque fue precipitado
  el acusador de nuestros hermanos,
  el que los acusaba ante nuestro Dios día y noche.

Ellos lo vencieron en virtud de la sangre del Cordero
  y por la palabra del testimonio que dieron,
  y no amaron tanto su vida que temieran la muerte.
  Por esto, estén alegres, cielos,
  y los que moran en sus tiendas.

Fuera del Tiempo pascual: Ahora se estableció la salud y
el reinado de nuestro Dios.

Tiempo pascual: Ayer como hoy, Jesucristo es el mismo
y lo será siempre. Aleluya.

LECTURA BREVE   Col 1, 23

Perseveren firmemente fundados e inconmovibles en la
fe y no se aparten de la esperanza del Evangelio que
han oído, que ha sido predicado a toda creatura bajo
los cielos.

RESPONSORIO BREVE

℣. El Señor es mi pastor, nada me falta.

℟. El Señor es mi pastor, nada me falta.

℣. En verdes praderas me hace recostar.

℟. Nada me falta.

℣. Gloria al Padre, y al Hijo, y al Espíritu Santo.

℟. El Señor es mi pastor, nada me falta.

CÁNTICO EVANGÉLICO

Ant. A los que tienen hambre de ser justos el Señor los colma de bienes.

Cántico de la Santísima Virgen María, p. 18.

PRECES O INTERCESIONES

Invoquemos a Cristo, luz del mundo y alegría de todo ser viviente, y digámosle confiados:

Señor, danos tu luz, la salvación y la paz.

Luz indeficiente y palabra eterna del Padre, tú que has venido a salvar a los hombres,
— ilumina a los catecúmenos de la Iglesia con la luz de tu verdad.

No lleves cuenta de nuestros delitos, Señor,
— pues de ti procede el perdón.

Señor, tú que has querido que la inteligencia del hombre investigara los secretos de la naturaleza,
— haz que la ciencia y las artes contribuyan a tu gloria y al bienestar de todos los hombres.

Protege, Señor, a los que se han consagrado en el mundo al servicio de sus hermanos;
— que con libertad de espíritu y sin desánimo puedan realizar su ideal.

Se pueden añadir algunas intenciones libres.

Señor, tú que abres y nadie puede cerrar, ilumina a nuestros difuntos que yacen en tiniebla y en sombra de muerte,
— y ábreles las puertas de tu reino.

Porque todos nos sabemos hermanos, hijos de un mismo Dios, confiadamente nos atrevemos a decir: Padre nuestro...

Oración conclusiva

Acoge benigno, Señor, nuestra súplica vespertina y haz que, siguiendo las huellas de tu Hijo, fructifiquemos con perseverancia en buenas obras. Por nuestro Señor Jesucristo, tu Hijo...

℟. Amén.

CONCLUSIÓN

℣. El Señor nos bendiga, nos guarde de todo mal y nos lleve a la vida eterna.

℟. Amén.

VIERNES IV

Laudes

INVOCACIÓN INICIAL

℣. Señor, abre mis labios.

℟. Y mi boca proclamará tu alabanza.

Puede añadirse el salmo 94 (p. 20), con su antífona correspondiente. En el Tiempo ordinario se dice:

El Señor es bueno, bendigan su nombre.

HIMNO

Por el dolor creyente que brota del pecado,
por no haberte querido de todo corazón,
por haberte, Dios mío, tantas veces negado,
con súplicas te pido, de rodillas, perdón.

Por haberte perdido, por no haberte encontrado,
porque es como un desierto nevado mi oración;
porque es como una hiedra sobre el árbol cortado
el recuerdo que brota cargado de ilusión,

porque es como la hiedra, déjame que te abrace,
primero amargamente, lleno de flor después,
y que a ti, viejo tronco, poco a poco me enlace,
y que mi vieja sombra se derrame a tus pies. Amén.

SALMODIA

Antífona 1

Fuera del Tiempo pascual: Oh Dios, crea en mí un corazón
puro, renuévame por dentro con espíritu firme.

Tiempo pascual: Cristo se ha entregado como oblación y
víctima por nosotros. Aleluya.

Salmo 50

CONFESIÓN DEL PECADOR ARREPENTIDO

> Renuévense en la mente y en el es-
> píritu y vístanse de la nueva condi-
> ción humana. (Cfr Ef 4, 23-24)

Misericordia, Dios mío, por tu bondad;
    por tu inmensa compasión borra mi culpa;
    lava del todo mi delito,
    limpia mi pecado.

Pues yo reconozco mi culpa,
    tengo siempre presente mi pecado:
    contra ti, contra ti solo pequé,
    cometí la maldad que aborreces.

En la sentencia tendrás razón,
    en el juicio brillará tu rectitud.

Mira, que en la culpa nací,
pecador me concibió mi madre.

Te gusta un corazón sincero,
y en mi interior me inculcas sabiduría.
Rocíame con el hisopo: quedaré limpio;
lávame: quedaré más blanco que la nieve.

Hazme oír el gozo y la alegría,
que se alegren los huesos quebrantados.
Aparta de mi pecado tu vista,
borra en mí toda culpa.

¡Oh Dios!, crea en mí un corazón puro,
renuévame por dentro con espíritu firme;
no me arrojes lejos de tu rostro,
no me quites tu santo espíritu.

Devuélveme la alegría de tu salvación,
afiánzame con espíritu generoso:
enseñaré a los malvados tus caminos,
los pecadores volverán a ti.

Líbrame de la sangre, ¡oh Dios,
Dios, Salvador mío!,
y cantará mi lengua tu justicia.
Señor, me abrirás los labios,
y mi boca proclamará tu alabanza.

Los sacrificios no te satisfacen;
si te ofreciera un holocausto, no lo querrías.
Mi sacrificio es un espíritu quebrantado:
un corazón quebrantado y humillado
tú no lo desprecias.

Señor, por tu bondad, favorece a Sión,
reconstruye las murallas de Jerusalén:
entonces aceptarás los sacrificios rituales,
ofrendas y holocaustos,
sobre tu altar se inmolarán novillos.

Fuera del Tiempo pascual: Oh Dios, crea en mí un corazón puro, renuévame por dentro con espíritu firme.

Tiempo pascual: Cristo se ha entregado como oblación y víctima por nosotros. Aleluya.

Antífona 2

Fuera del Tiempo pascual: Alégrate, Jerusalén, porque en ti serán congregados todos los pueblos.

Tiempo pascual: Jerusalén, ciudad de Dios, brillarás con zafiros y esmeraldas. Aleluya.

Cántico   Tob 13, 10-15. 17-19

ACCIÓN DE GRACIAS POR LA LIBERACIÓN DEL PUEBLO

> Me enseñó la ciudad santa, Jerusalén, que traía la gloria de Dios.
> (Apoc 21, 10-11)

Anuncien todos los pueblos sus maravillas
    y alábenlo sus elegidos en Jerusalén,
    la ciudad del Santo;
    por las obras de tus hijos te azotará,
    pero de nuevo se compadecerá
    de los hijos de los justos.

Confiesa dignamente al Señor
    y bendice al rey de los siglos,
    para que de nuevo sea en ti
    edificado su tabernáculo con alegría,
    para que alegre en ti a los cautivos
    y muestre en ti su amor hacia los desdichados,
    por todas las generaciones y generaciones.

Brillarás cual luz de lámpara
    y todos los confines de la tierra vendrán a ti.
    Pueblos numerosos vendrán de lejos
    al nombre del Señor, nuestro Dios,
    trayendo ofrendas en sus manos,
    ofrendas para el rey del cielo.

Las generaciones de las generaciones
    exultarán en ti.
Y benditos para siempre todos los que te aman.

Alégrate y salta de gozo por los hijos de los justos,
    que serán congregados,
    y al Señor de los justos bendecirán.

Dichosos los que te aman;
    en tu paz se alegrarán.
Dichosos cuantos se entristecieron por tus azotes,
    pues en ti se alegrarán
    contemplando toda tu gloria,
    y se regocijarán para siempre.

Bendice, alma mía, a Dios, rey grande,
    porque Jerusalén con zafiros y esmeraldas
    será reedificada,
    con piedras preciosas sus muros
    y con oro puro sus torres y sus almenas.

Fuera del Tiempo pascual: Alégrate, Jerusalén, porque en ti serán congregados todos los pueblos.

Tiempo pascual: Jerusalén, ciudad de Dios, brillarás con zafiros y esmeraldas. Aleluya.

Antífona 3

Fuera del Tiempo pascual: Sión, alaba a tu Dios, que envía su mensaje a la tierra.

Tiempo pascual: Vi la nueva Jerusalén que descendía del cielo. Aleluya.

Salmo 147

RESTAURACIÓN DE JERUSALÉN

> Ven y te mostraré la desposada, la
> esposa del Cordero. (Apoc 21, 9)

Glorifica al Señor, Jerusalén;
    alaba a tu Dios, Sión:

que ha reforzado los cerrojos de tus puertas
y ha bendecido a tus hijos dentro de ti;
ha puesto paz en tus fronteras,
te sacia con flor de harina.

Él envía su mensaje a la tierra,
y su palabra corre veloz;
manda la nieve como lana,
esparce la escarcha como ceniza;

hace caer el hielo como migajas
y con el frío congela las aguas;
envía una orden, y se derriten;
sopla su aliento, y corren.

Anuncia su palabra a Jacob,
sus decretos y mandatos a Israel;
con ninguna nación obró así,
ni les dio a conocer sus mandatos.

Fuera del Tiempo pascual: Sión, alaba a tu Dios, que envía su mensaje a la tierra.

Tiempo pascual: Vi la nueva Jerusalén que descendía del cielo. Aleluya.

LECTURA BREVE   Gál 2, 19b-20

Estoy crucificado con Cristo; vivo yo, pero no soy yo, es Cristo quien vive en mí. Y, mientras vivo en esta carne, vivo de la fe en el Hijo de Dios, que me amó hasta entregarse por mí.

RESPONSORIO BREVE

℣. Invoco al Dios Altísimo,
al Dios que hace tanto por mí.

℟. Invoco al Dios Altísimo,
al Dios que hace tanto por mí.

℣. Desde el cielo me enviará la salvación.

℟. El Dios que hace tanto por mí.

℣. Gloria al Padre, y al Hijo, y al Espíritu Santo.
℟. Invoco al Dios Altísimo,
al Dios que hace tanto por mí.

CÁNTICO EVANGÉLICO

Ant. Por la entrañable misericordia de nuestro Dios, nos visitará el sol que nace de lo alto.
Cántico de Zacarías, p. 27.

PRECES PARA CONSAGRAR A DIOS
EL DÍA Y EL TRABAJO

Confiados en Dios, que cuida con solicitud de todos los que ha creado y redimido con la sangre de su Hijo, invoquémoslo diciendo:

Escucha, Señor, y ten piedad.

Dios misericordioso, asegura nuestros pasos en el camino de la verdadera santidad,
— y haz que busquemos siempre cuanto hay de verdadero, noble y justo.

No nos abandones para siempre, por amor de tu nombre
— no olvides tu alianza con nosotros.

Con alma contrita y espíritu humillado te seamos aceptos,
— porque no hay confusión para los que en ti confían.

Tú que has querido que participáramos en la misión profética de Cristo,
— haz que proclamemos ante el mundo tus maravillas.

Se pueden añadir algunas intenciones libres.

Dirijámonos al Padre, con las mismas palabras que Cristo nos enseñó: Padre nuestro...

Oración conclusiva

Te pedimos, Señor, tu gracia abundante, para que nos ayude a seguir el camino de tus mandatos, y así gocemos de tu consuelo en esta vida y alcancemos la felicidad eterna. Por nuestro Señor Jesucristo, tu Hijo...

℟. Amén.

CONCLUSIÓN

℣. El Señor nos bendiga, nos guarde de todo mal y nos lleve a la vida eterna.

℟. Amén.

Vísperas

INVOCACIÓN INICIAL

℣. Dios mío, ven en mi auxilio.

℟. Señor, date prisa en socorrerme.
Gloria al Padre... (Aleluya.)

HIMNO

Eres la luz y siembras claridades,
eres amor y siembras armonía
desde tu eternidad de eternidades.

Por tu roja frescura de alegría,
la tierra se estremece de rocío,
Hijo eterno del Padre y de María.

En el cielo del hombre, oscuro y frío,
eres la luz total, fuego del fuego,
que aplaca las pasiones y el hastío.

Entro en tus esplendores, Cristo, ciego;
mientras corre la vida paso a paso,
pongo mis horas grises en tu brazo,
y a ti, Señor, mi corazón entrego. Amén.

Sᴀʟᴍᴏᴅɪᴀ

Antífona 1

Fuera del Tiempo pascual: Día tras día te bendeciré, Señor, y explicaré tus proezas.

Tiempo pascual: Tanto amó Dios al mundo, que dio a su Hijo único. Aleluya.

Salmo 144

HIMNO A LA GRANDEZA DE DIOS

> Justo eres tú, Señor, el que es y
> el que era, el Santo. (Apoc 16, 5)

I

Te ensalzaré, Dios mío, mi rey;
  bendeciré tu nombre por siempre jamás.

Día tras día te bendeciré
  y alabaré tu nombre por siempre jamás.

Grande es el Señor, merece toda alabanza,
  es incalculable su grandeza;
  una generación pondera tus obras a la otra,
  y le cuenta tus hazañas.

Alaban ellos la gloria de tu majestad,
  y yo repito tus maravillas;
  encarecen ellos tus temibles proezas,
  y yo narro tus grandes acciones;
  difunden la memoria de tu inmensa bondad,
  y aclaman tus victorias.

El Señor es clemente y misericordioso,
  lento a la cólera y rico en piedad;
  el Señor es bueno con todos,
  es cariñoso con todas sus creaturas.

Que todas tus creaturas te den gracias, Señor,
  que te bendigan tus fieles;

que proclamen la gloria de tu reinado,
que hablen de tus hazañas;

explicando tus proezas a los hombres,
la gloria y majestad de tu reinado.
Tu reinado es un reinado perpetuo,
tu gobierno va de edad en edad.

Fuera del Tiempo pascual: Día tras día te bendeciré, Señor, y explicaré tus proezas.

Tiempo pascual: Tanto amó Dios al mundo, que dio a su Hijo único. Aleluya.

Antífona 2

Fuera del Tiempo pascual: Los ojos de todos te están aguardando, Señor; tú estás cerca de los que te invocan.

Tiempo pascual: Al Rey de los siglos, inmortal e invisible, todo honor y toda gloria. Aleluya.

II

El Señor es fiel a sus palabras,
bondadoso en todas sus acciones.
El Señor sostiene a los que van a caer,
endereza a los que ya se doblan.

Los ojos de todos te están aguardando,
tú les das la comida a su tiempo;
abres tú la mano,
y sacias de favores a todo viviente.

El Señor es justo en todos sus caminos,
es bondadoso en todas sus acciones;
cerca está el Señor de los que lo invocan,
de los que lo invocan sinceramente.

Satisface los deseos de sus fieles,
escucha sus gritos, y los salva.
El Señor guarda a los que lo aman,
pero destruye a los malvados.

Pronuncie mi boca la alabanza del Señor,
todo viviente bendiga su santo nombre
por siempre jamás.

Fuera del Tiempo pascual: Los ojos de todos te están aguardando, Señor; tú estás cerca de los que te invocan.

Tiempo pascual: Al Rey de los siglos, inmortal e invisible, todo honor y toda gloria. Aleluya.

Antífona 3

Fuera del Tiempo pascual: Justos y verdaderos son tus caminos, ¡oh Rey de los siglos!

Tiempo pascual: Mi fuerza y mi poder es el Señor, él fue mi salvación. Aleluya.

Cántico   Apoc 15, 3-4

CANTO DE LOS VENCEDORES

Grandes y maravillosas son tus obras,
    Señor, Dios omnipotente,
    justos y verdaderos tus caminos,
    ¡oh Rey de los siglos!

¿Quién no temerá, Señor,
    y glorificará tu nombre?
    Porque tú solo eres santo,
    porque vendrán todas las naciones
    y se postrarán en tu acatamiento,
    porque tus juicios se hicieron manifiestos.

Fuera del Tiempo pascual: Justos y verdaderos son tus caminos, ¡oh Rey de los siglos!

Tiempo pascual: Mi fuerza y mi poder es el Señor, él fue mi salvación. Aleluya.

LECTURA BREVE   Rom 8, 1-2

No hay ya condenación alguna para los que están en Cristo Jesús, porque la ley del espíritu de vida en Cristo Jesús me libró de la ley del pecado y de la muerte.

RESPONSORIO BREVE

V. Cristo murió por nuestros pecados,
para llevarnos a Dios.

R. Cristo murió por nuestros pecados,
para llevarnos a Dios.

V. Muerto en la carne, pero vivificado en el espíritu.

R. Para llevarnos a Dios.

V. Gloria al Padre, y al Hijo, y al Espíritu Santo.

R. Cristo murió por nuestros pecados,
para llevarnos a Dios.

CÁNTICO EVANGÉLICO

Ant. Acuérdate, Señor, de tu misericordia como lo habías
prometido a nuestros padres.

Cántico de la Santísima Virgen María, p. 18.

PRECES O INTERCESIONES

Invoquemos a Cristo, en quien confían los que conocen
su nombre, diciendo:

Confirma, Señor, lo que has realizado en nosotros.

Señor Jesucristo, consuelo de los humildes,
— dígnate sostener con tu gracia nuestra fragilidad
siempre inclinada al pecado.

Que los que por nuestra debilidad estamos inclina-
dos al mal,
— por tu misericordia obtengamos el perdón.

Señor, a quien ofende el pecado y aplaca la penitencia,
— aparta de nosotros el castigo merecido por nuestros
pecados.

Tú que perdonaste a la mujer arrepentida y cargaste
sobre los hombros la oveja descarriada,
— no apartes de nosotros tu misericordia.

Se pueden añadir algunas intenciones libres.

Tú que por nosotros aceptaste el suplicio de la cruz,
— abre las puertas del cielo a todos los difuntos que
en ti confiaron.

Siguiendo las enseñanzas de Jesucristo, digamos al
Padre celestial: Padre nuestro...

Oración conclusiva

Dios todopoderoso y eterno, que quisiste que tu Hijo
sufriera por la salvación de todos, haz que, inflamados
en tu amor, sepamos ofrecernos a ti como víctima viva.
Por nuestro Señor Jesucristo, tu Hijo...

℟. Amén.

CONCLUSIÓN

℣. El Señor nos bendiga, nos guarde de todo mal y nos
lleve a la vida eterna.

℟. Amén.

SÁBADO IV

Laudes

INVOCACIÓN INICIAL

℣. Señor, abre mis labios.
℟. Y mi boca proclamará tu alabanza.

Puede añadirse el salmo 94 (p. 20), con su antífona correspondiente. En el Tiempo ordinario se dice:

Escuchemos la voz del Señor y entremos en su descanso.

HIMNO

Dador de luz espléndido,
a cuya luz serena,

pasada ya la noche,
el día se despliega.

Mensajero de luz
que de luz centellea,
no es del alba el lucero:
eres tú, Luz de veras,

más brillante que el sol,
todo luz y pureza;
enciende nuestro pecho,
alumbra el alma nuestra.

Ven, Autor de la vida,
prez de la luz paterna,
sin cuya gracia el cuerpo
se sobresalta y tiembla.

A Cristo, rey piadoso,
y al Padre gloria eterna,
y por todos los siglos
al Espíritu sea. Amén.

SALMODIA

Antífona 1

Fuera del Tiempo pascual: **Es bueno tocar para tu nombre,
oh Altísimo, y proclamar por la mañana tu misericordia.**

Tiempo pascual: **¡Qué magníficas son tus obras, Señor!
Aleluya.**

Salmo 91

ALABANZA A DIOS QUE CON SABIDURÍA Y JUSTICIA
DIRIGE LA VIDA DE LOS HOMBRES

> Este salmo canta las maravillas
> realizadas en Cristo. (S. Atanasio)

Es bueno dar gracias al Señor
    y tocar para tu nombre, oh Altísimo,

proclamar por la mañana tu misericordia
y de noche tu fidelidad,
con arpas de diez cuerdas y laúdes
sobre arpegios de cítaras.

Tus acciones, Señor, son mi alegría,
y mi júbilo, las obras de tus manos.
¡Qué magníficas son tus obras, Señor,
qué profundos tus designios!
El ignorante no los entiende
ni el necio se da cuenta.

Aunque germinen como hierba los malvados
y florezcan los malhechores,
serán destruidos para siempre.
Tú, en cambio, Señor,
eres excelso por los siglos.

Porque tus enemigos, Señor, perecerán,
los malhechores serán dispersados;
pero a mí me das la fuerza de un búfalo
y me unges con aceite nuevo.
Mis ojos no temerán a mis enemigos,
mis oídos escucharán su derrota.

El justo crecerá como una palmera
y se alzará como un cedro del Líbano:
plantado en la casa del Señor,
crecerá en los atrios de nuestro Dios;

en la vejez seguirá dando fruto
y estará lozano y frondoso,
para proclamar que el Señor es justo,
que en mi Roca no existe la maldad.

Fuera del Tiempo pascual: Es bueno tocar para tu nombre,
oh Altísimo, y proclamar por la mañana tu misericordia.

Tiempo pascual: ¡Qué magníficas son tus obras, Señor!
Aleluya.

Antífona 2

Fuera del Tiempo pascual: Les daré un corazón nuevo y les infundiré un espíritu nuevo.

Tiempo pascual: Derramaré sobre ustedes un agua pura. Aleluya.

Cántico   Ez 36, 24-28

DIOS RENOVARÁ A SU PUEBLO

> Ellos serán su pueblo y Dios estará con ellos. (Apoc 21, 3)

Los recogeré de entre las naciones,
   los reuniré de todos los países,
   y los llevaré a su tierra.

Derramaré sobre ustedes un agua pura
   que los purificará:
   de todas sus inmundicias e idolatrías
   los he de purificar;
   y les daré un corazón nuevo,
   y les infundiré un espíritu nuevo;
   arrancaré de su carne el corazón de piedra,
   y les daré un corazón de carne.

Les infundiré mi espíritu,
   y haré que caminen según mis preceptos,
   y que guarden y cumplan mis mandatos.

Y habitarán en la tierra que di a sus padres.
   Ustedes serán mi pueblo
   y yo seré su Dios.

Fuera del Tiempo pascual: Les daré un corazón nuevo y les infundiré un espíritu nuevo.

Tiempo pascual: Derramaré sobre ustedes un agua pura. Aleluya.

Antífona 3

Fuera del Tiempo pascual: De la boca de los niños de pecho, Señor, has sacado una alabanza.

Tiempo pascual: Todo es de ustedes, y ustedes de Cristo, y Cristo de Dios. Aleluya.

Salmo 8

MAJESTAD DEL SEÑOR Y DIGNIDAD DEL HOMBRE

> Todo lo puso bajo sus pies y lo dio a la Iglesia como cabeza, sobre todo. (Ef 1, 22)

Señor, dueño nuestro,
    ¡qué admirable es tu nombre
    en toda la tierra!

Ensalzaste tu majestad sobre los cielos.
    De la boca de los niños de pecho
    has sacado una alabanza contra tus enemigos,
    para reprimir al adversario y al rebelde.

Cuando contemplo el cielo, obra de tus manos;
    la luna y las estrellas que has creado,
    ¿qué es el hombre, para que te acuerdes de él;
    el ser humano, para darle poder?

Lo hiciste poco inferior a los ángeles,
    lo coronaste de gloria y dignidad,
    le diste el mando sobre las obras de tus manos,
    todo lo sometiste bajo sus pies:

rebaños de ovejas y toros,
    y hasta las bestias del campo,
    las aves del cielo, los peces del mar,
    que trazan sendas por las aguas.

Señor, dueño nuestro,
    ¡qué admirable es tu nombre
    en toda la tierra!

Fuera del Tiempo pascual: De la boca de los niños de pecho, Señor, has sacado una alabanza.

Tiempo pascual: Todo es de ustedes, y ustedes de Cristo, y Cristo de Dios. Aleluya.

LECTURA BREVE   2 Pe 3, 13-15a

Nosotros conforme a la promesa del Señor esperamos cielos nuevos y tierra nueva, en los que tiene su morada la santidad. Por eso, carísimos, mientras esperan estos acontecimientos, procuren con toda diligencia que él los encuentre en paz, sin mancha e irreprensibles. Consideren esta paciente espera de nuestro Señor como una oportunidad para alcanzar la salud.

RESPONSORIO BREVE

℣. Te aclamarán mis labios, Señor,
cuando salmodie para ti.

℟. Te aclamarán mis labios, Señor,
cuando salmodie para ti.

℣. Mi lengua recitará tu auxilio.

℟. Cuando salmodie para ti.

℣. Gloria al Padre, y al Hijo, y al Espíritu Santo.

℟. Te aclamarán mis labios, Señor,
cuando salmodie para ti.

CÁNTICO EVANGÉLICO

Ant. Guía nuestros pasos, Dios de Israel, por el camino de la paz.

Cántico de Zacarías, p. 27.

PRECES PARA CONSAGRAR A DIOS
EL DÍA Y EL TRABAJO

Adoremos a Dios, que por su Hijo ha dado vida y esperanza al mundo, y supliquémosle diciendo:

Escúchanos, Señor.

Señor, Padre de todos, tú que nos has hecho llegar al comienzo de este día,
— haz que toda nuestra vida unida a la de Cristo sea alabanza de tu gloria.

Que vivamos siempre arraigados en la fe, esperanza y caridad,
— que tú mismo has infundido en nuestras almas.

Haz que nuestros ojos estén siempre levantados hacia ti,
— para que respondamos con presteza a tus llamadas.

Defiéndenos de los engaños y seducciones del mal,
— y presérvanos de todo pecado.

Se pueden añadir algunas intenciones libres.

Contentos por sabernos hijos de Dios, digamos a nuestro Padre: Padre nuestro...

Oración conclusiva

Dios todopoderoso y eterno, luz esplendente y día sin ocaso, al volver a comenzar un nuevo día te pedimos que nos visites con el esplendor de tu luz y disipes así las tinieblas de nuestros pecados. Por nuestro Señor Jesucristo, tu Hijo...

℟. Amén.

CONCLUSIÓN

℣. El Señor nos bendiga, nos guarde de todo mal y nos lleve a la vida eterna.

℟. Amén.

COMPLETAS

ORACIÓN PARA ANTES DEL DESCANSO NOCTURNO

Para el rezo de Completas pueden usarse los formularios asignados a cada día de la semana en este Salterio de Completas. Si se prefiere, también pueden usarse, en cualquier día, los formularios señalados para después de las I o II Vísperas del domingo, en cuyo caso debe decirse como oración conclusiva la segunda de las dos oraciones que figuran en dichos formularios de domingo.

DOMINGO Y SOLEMNIDADES

DESPUÉS DE LAS I VÍSPERAS

INVOCACIÓN INICIAL

℣. Dios mío, ven en mi auxilio.

℟. Señor, date prisa en socorrerme.
Gloria al Padre... (Aleluya.)

El *Aleluya* se omite desde el Miércoles de Ceniza hasta el Sábado Santo, inclusive.

EXAMEN DE CONCIENCIA

Es muy de alabar que, después de la invocación inicial, se haga el examen de conciencia, el cual en la celebración comunitaria puede concluirse con un acto penitencial, de la siguiente forma:

Hermanos, habiendo llegado al final de esta jornada que Dios nos ha concedido, reconozcamos sinceramente nuestros pecados.

Todos examinan en silencio su conciencia. Terminado el examen se añade una de las siguientes fórmulas penitenciales:

I

Yo confieso ante Dios todopoderoso
  y ante ustedes, hermanos,
  que he pecado mucho
  de pensamiento, palabra, obra y omisión:
  por mi culpa, por mi culpa, por mi gran culpa.

Por eso ruego a santa María, siempre Virgen,
  a los ángeles, a los santos y a ustedes, hermanos,
  que intercedan por mí ante Dios, nuestro Señor.

II

℣. Señor, ten misericordia de nosotros.
℟. Porque hemos pecado contra ti.
℣. Muéstranos, Señor, tu misericordia.
℟. Y danos tu salvación.

III

℣. Tú que has sido enviado a sanar los corazones afligidos, Señor, ten piedad.
℟. Señor, ten piedad.
℣. Tú que has venido a llamar a los pecadores, Cristo, ten piedad.
℟. Cristo, ten piedad.
℣. Tú que estas sentado a la derecha del Padre para interceder por nosotros, Señor, ten piedad.
℟. Señor, ten piedad.

Pueden usarse otras invocaciones penitenciales.
Cada una de estas fórmulas penitenciales termina del modo siguiente:

℣. El Señor todopoderoso tenga misericordia de nosotros, perdone nuestros pecados y nos lleve a la vida eterna.
℟. Amén.

Himno

Tiempos de Adviento, Navidad y ordinario:

Cuando la luz del sol es ya poniente,
gracias, Señor, es nuestra melodía;
recibe, como ofrenda, amablemente,
nuestro dolor, trabajo y alegría.

Si poco fue el amor en nuestro empeño
de darle vida al día que fenece,
convierta en realidad lo que fue un sueño
tu gran amor que todo lo engrandece.

Tu cruz, Señor, redime nuestra suerte
de pecadora en justa, e ilumina
la senda de la vida y de la muerte
del hombre que en la fe lucha y camina.

Jesús, Hijo del Padre, cuando avanza
la noche oscura sobre nuestro día,
concédenos la paz y la esperanza
de esperar cada noche tu gran día. Amén.

Tiempo de Cuaresma:

Cuando llegó el instante de tu muerte
inclinaste la frente hacia la tierra,
como todos los mortales;
mas no eras tú el hombre derribado,
sino el Hijo que muerto nos contempla.

Cuando me llegue el tránsito esperado
y siga sin retorno por mi senda,
como todos los mortales,
el sueño de tu rostro será lumbre
y tu gloria mi gloria venidera.

El silencio sagrado de la noche
tu paz y tu venida nos recuerdan,
Cristo, luz de los mortales;

acepta nuestro sueño necesario
como secreto amor que a ti se llega. Amén.

Tiempo pascual:

El corazón se dilata
sin noche en tu santo cuerpo,
oh morada iluminada,
mansión de todo consuelo.

Por tu muerte sin pecado,
por tu descanso y tu premio,
en ti, Jesús, confiamos,
y te miramos sin miedo.

Como vigilia de amor
te ofrecemos nuestro sueño;
tú que eres el paraíso,
danos un puesto en tu reino. Amén.

SALMODIA

Fuera del Tiempo pascual: Ant. 1. **Ten piedad de mí, Señor, y escucha mi oración.**

Tiempo pascual: Ant. **Aleluya, aleluya, aleluya.**

Salmo 4

ACCIÓN DE GRACIAS

El Señor hizo maravillas al resucitar
a Jesucristo de entre los muertos.
(S. Agustín)

Escúchame cuando te invoco, Dios, defensor mío;
tú que en el aprieto me diste anchura,
ten piedad de mí y escucha mi oración.

Y ustedes, ¿hasta cuándo ultrajarán mi honor,
amarán la falsedad y buscarán el engaño?

Sépanlo: el Señor hizo milagros en mi favor,
y el Señor me escuchará cuando lo invoque.

Tiemblen y no pequen, reflexionen
en el silencio de su lecho;
ofrezcan sacrificios legítimos
y confíen en el Señor.

Hay muchos que dicen: «¿Quién nos hará ver la dicha,
si la luz de tu rostro ha huido de nosotros?»

Pero tú, Señor, has puesto en mi corazón más alegría
que si abundara en trigo y en vino.

En paz me acuesto y en seguida me duermo,
porque tú solo, Señor, me haces vivir tranquilo.

Fuera del Tiempo pascual: Ant. **Ten piedad de mí, Señor,
y escucha mi oración.**

Fuera del Tiempo pascual: Ant. 2. **Durante la noche, bendigan al Señor.**

Salmo 133

ORACIÓN VESPERTINA EN EL TEMPLO

Alaben al Señor sus siervos todos,
los que lo temen, pequeños y grandes. (Apoc 19, 5)

Y ahora bendigan al Señor,
los siervos del Señor,
los que pasan la noche
en la casa del Señor:

Levanten las manos hacia el santuario,
y bendigan al Señor.

El Señor te bendiga desde Sión:
el que hizo cielo y tierra.

Fuera del Tiempo pascual: Ant. **Durante la noche, bendigan al Señor.**

Tiempo pascual: Ant. **Aleluya, aleluya, aleluya.**

LECTURA BREVE   Deut 6, 4-7

Escucha, Israel: El Señor nuestro Dios es solamente uno. Amarás al Señor tu Dios con todo el corazón, con toda el alma, con todas las fuerzas. Las palabras que hoy te digo quedarán en tu memoria; se las repetirás a tus hijos y hablarás de ellas estando en casa y yendo de camino, acostado y levantado.

RESPONSORIO BREVE

Fuera del Tiempo pascual:

℣. En tus manos, Señor, encomiendo mi espíritu.

℟. En tus manos, Señor, encomiendo mi espíritu.

℣. Tú, el Dios leal, nos librarás.

℟. Te encomiendo mi espíritu.

℣. Gloria al Padre, y al Hijo, y al Espíritu Santo.

℟. En tus manos, Señor, encomiendo mi espíritu.

Tiempo pascual:

℣. En tus manos, Señor, encomiendo mi espíritu. Aleluya, aleluya.

℟. En tus manos, Señor, encomiendo mi espíritu. Aleluya, aleluya.

℣. Tú, el Dios leal, nos librarás.

℟. Aleluya, aleluya.

℣. Gloria al Padre, y al Hijo, y al Espíritu Santo.

℟. En tus manos, Señor, encomiendo mi espíritu. Aleluya, aleluya.

CÁNTICO EVANGÉLICO

Ant. Sálvanos, Señor, despiertos, protégenos mientras dormimos, para que velemos con Cristo y descansemos en paz. (T.P. Aleluya.)

Cántico de Simeón   Lc 2, 29-32

CRISTO, LUZ DE LAS NACIONES Y GLORIA DE ISRAEL

Ahora, Señor, según tu promesa,
  puedes dejar a tu siervo irse en paz,

porque mis ojos han visto a tu Salvador,
  a quien has presentado ante todos los pueblos:

luz para alumbrar a las naciones
  y gloria de tu pueblo Israel.

Ant. Sálvanos, Señor, despiertos, protégenos mientras dormimos, para que velemos con Cristo y descansemos en paz. (T.P. Aleluya.)

Oración conclusiva

Después de las I Vísperas del domingo:

Oremos.
Guárdanos, Señor, durante esta noche y haz que mañana, ya al clarear el nuevo día, la celebración del domingo nos llene con la alegría de la resurrección de tu Hijo. Que vive y reina por los siglos de los siglos.
℟. Amén.

Después de las I Vísperas de las solemnidades que no coinciden en domingo:

Oremos.
Visita, Señor, esta habitación: aleja de ella las insidias del enemigo; que tus santos ángeles habiten en ella y nos guarden en paz y que tu bendición permanezca siempre con nosotros. Por Cristo nuestro Señor.
℟. Amén.

Conclusión

℣. El Señor todopoderoso nos conceda una noche tranquila y una santa muerte.

℟. Amén.

Antífona final de la Santísima Virgen

Se termina con una de las antífonas de la Santísima Virgen que se presentan a continuación, o con algún otro canto debidamente aprobado.

Fuera del Tiempo pascual:

I

Madre del Redentor, virgen fecunda,
   puerta del cielo siempre abierta,
   estrella del mar,

ven a librar al pueblo que tropieza
   y se quiere levantar.

Ante la admiración de cielo y tierra,
   engendraste a tu santo Creador,
   y permaneces siempre virgen.

Recibe el saludo del ángel Gabriel,
   y ten piedad de nosotros, pecadores.

II

Salve, Reina de los cielos
   y Señora de los ángeles;
   salve raíz, salve puerta,
   que dio paso a nuestra luz.

Alégrate, virgen gloriosa,
   entre todas la más bella;
   salve, agraciada doncella,
   ruega a Cristo por nosotros.

III

Dios te salve, Reina y Madre de misericordia,
vida, dulzura y esperanza nuestra,
Dios te salve.

A ti llamamos los desterrados hijos de Eva,
a ti suspiramos, gimiendo y llorando,
en este valle de lágrimas.

Ea, pues, Señora, abogada nuestra,
vuelve a nosotros tus ojos misericordiosos,
y después de este destierro muéstranos a Jesús,
fruto bendito de tu vientre.

¡Oh clemente, oh piadosa,
oh dulce Virgen María!

IV

Bajo tu amparo nos acogemos,
santa Madre de Dios,
no desprecies las oraciones
que te dirigimos en nuestras necesidades,
antes bien líbranos de todo peligro,
oh Virgen gloriosa y bendita.

En Tiempo pascual:

Reina del cielo, alégrate, aleluya,
porque Cristo,
a quien llevaste en tu seno, aleluya,
ha resucitado, según su palabra, aleluya.
Ruega al Señor por nosotros, aleluya.

DOMINGO Y SOLEMNIDADES

DESPUÉS DE LAS II VÍSPERAS

INVOCACIÓN INICIAL

℣. Dios mío, ven en mi auxilio.

℞. Señor, date prisa en socorrerme.
Gloria al Padre... (Aleluya.)

EXAMEN DE CONCIENCIA

Véase la p. 380.

HIMNO

Véanse las pp. 382-383.

SALMODIA

Fuera del Tiempo pascual: Ant. **Al amparo del Altísimo no temo el espanto nocturno.**

Tiempo pascual: Ant. **Aleluya, aleluya, aleluya.**

Salmo 90

A LA SOMBRA DEL OMNIPOTENTE

> Les he dado potestad para pisotear serpientes y escorpiones. (Lc 10,19)

Tú que habitas al amparo del Altísimo,
 que vives a la sombra del Omnipotente,
 di al Señor: «Refugio mío, alcázar mío,
 Dios mío, confío en ti.»

Él te librará de la red del cazador,
 de la peste funesta.
 Te cubrirá con sus plumas,

bajo sus alas te refugiarás:
su brazo es escudo y armadura.

No temerás el espanto nocturno,
ni la flecha que vuela de día,
ni la peste que se desliza en las tinieblas,
ni la epidemia que devasta a mediodía.

Caerán a tu izquierda mil,
diez mil a tu derecha;
a ti no te alcanzará.

Tan sólo abre tus ojos
y verás la paga de los malvados,
porque hiciste del Señor tu refugio,
tomaste al Altísimo por defensa.

No se te acercará la desgracia,
ni la plaga llegará hasta tu tienda,
porque a sus ángeles ha dado órdenes
para que te guarden en tus caminos;

te llevarán en sus palmas,
para que tu pie no tropiece en la piedra;
caminarás sobre áspides y víboras,
pisotearás leones y dragones.

«Se puso junto a mí: lo libraré;
lo protegeré porque conoce mi nombre,
me invocará y lo escucharé.

Con él estaré en la tribulación,
lo defenderé, lo glorificaré;
lo saciaré de largos días,
y le haré ver mi salvación.»

Fuera del Tiempo pascual: Ant. **Al amparo del Altísimo no temo el espanto nocturno.**

Tiempo pascual: Ant. **Aleluya, aleluya, aleluya.**

LECTURA BREVE   Apoc 22, 4-5

Verán el rostro del Señor, y tendrán su nombre en la frente. Y no habrá más noche, y no necesitarán luz de lámpara ni de sol, porque el Señor Dios alumbrará sobre ellos, y reinarán por los siglos de los siglos.

RESPONSORIO BREVE

℣. En tus manos, Señor, encomiendo mi espíritu.

℟. En tus manos, Señor, encomiendo mi espíritu.

℣. Tú, el Dios leal, nos librarás.

℟. Te encomiendo mi espíritu.

℣. Gloria al Padre, y al Hijo, y al Espíritu Santo.

℟. En tus manos, Señor, encomiendo mi espíritu.

Para el Tiempo pascual véase el responsorio en la p. 385.

CÁNTICO EVANGÉLICO

Ant. Sálvanos, Señor, despiertos, protégenos mientras dormimos, para que velemos con Cristo y descansemos en paz. (T.P. Aleluya.)

Cántico de Simeón   Lc 2, 29-32

CRISTO, LUZ DE LAS NACIONES Y GLORIA DE ISRAEL

Ahora, Señor, según tu promesa,
    puedes dejar a tu siervo irse en paz,

porque mis ojos han visto a tu Salvador,
    a quien has presentado ante todos los pueblos:

luz para alumbrar a las naciones
    y gloria de tu pueblo Israel.

Ant. Sálvanos, Señor, despiertos, protégenos mientras dormimos, para que velemos con Cristo y descansemos en paz. (T.P. Aleluya.)

Oración conclusiva

Después de las II Vísperas del domingo:

Oremos.

Humildemente te pedimos, Señor, que después de haber celebrado en este día los misterios de la resurrección de tu Hijo, sin temor alguno, descansemos en tu paz, y mañana nos levantemos alegres para cantar nuevamente tus alabanzas. Por Cristo nuestro Señor.

℟. Amén.

Después de las II Vísperas de las solemnidades que no coinciden en domingo:

Oremos.

Visita, Señor, esta habitación: aleja de ella las insidias del enemigo; que tus santos ángeles habiten en ella y nos guarden en paz y que tu bendición permanezca siempre con nosotros. Por Cristo nuestro Señor.

℟. Amén.

CONCLUSIÓN

℣. El Señor todopoderoso nos conceda una noche tranquila y una santa muerte.

℟. Amén.

Antífona final de la Santísima Virgen

Véanse las pp. 387-388.

LUNES

℣. Dios mío, ven en mi auxilio.
℟. Señor, date prisa en socorrerme.
Gloria al Padre... (Aleluya.)

Examen de conciencia

Véase la p. 380.

Himno

Véanse las pp. 382-383.

Salmodia

Fuera del Tiempo pascual: Ant. **Tú, Señor, eres clemente y rico en misericordia.**

Tiempo pascual: Ant. **Aleluya, aleluya, aleluya.**

Salmo 85

ORACIÓN DE UN POBRE ANTE LAS DIFICULTADES

> Bendito sea Dios, que nos consuela en todas nuestras luchas. (2 Cor 1, 3. 4)

Inclina tu oído, Señor; escúchame,
que soy un pobre desamparado;
protege mi vida, que soy un fiel tuyo;
salva a tu siervo, que confía en ti.

Tú eres mi Dios, piedad de mí, Señor,
que a ti te estoy llamando todo el día;
alegra el alma de tu siervo,
pues levanto mi alma hacia ti;

porque tú, Señor, eres bueno y clemente,
rico en misericordia con los que te invocan.

Señor, escucha mi oración,
atiende a la voz de mi súplica.

En el día del peligro te llamo,
y tú me escuchas.
No tienes igual entre los dioses, Señor,
ni hay obras como las tuyas.

Todos los pueblos vendrán
a postrarse en tu presencia, Señor;
bendecirán tu nombre:
«Grande eres tú, y haces maravillas;
tú eres el único Dios.»

Enséñame, Señor, tu camino,
para que siga tu verdad;
mantén mi corazón entero
en el temor de tu nombre.

Te alabaré de todo corazón, Dios mío;
daré gloria a tu nombre por siempre,
por tu grande piedad para conmigo,
porque me salvaste del abismo profundo.

Dios mío, unos soberbios se levantan contra mí,
una banda de insolentes atenta contra mi vida,
sin tenerte en cuenta a ti.

Pero tú, Señor, Dios clemente y misericordioso,
lento a la cólera, rico en piedad y leal,
mírame, ten compasión de mí.

Da fuerza a tu siervo,
salva al hijo de tu esclava;
dame una señal propicia,
que la vean mis adversarios y se avergüencen,
porque tú, Señor, me ayudas y consuelas.

Fuera del Tiempo pascual: Ant. **Tú, Señor, eres clemente
y rico en misericordia.**

Tiempo pascual: Ant. **Aleluya, aleluya, aleluya.**

LECTURA BREVE

1 Tes 5, 9-10

Dios nos ha puesto para obtener la salvación por nuestro Señor Jesucristo, que murió por nosotros, para que, velando o durmiendo, vivamos junto con él.

RESPONSORIO BREVE

℣. En tus manos, Señor, encomiendo mi espíritu.

℟. En tus manos, Señor, encomiendo mi espíritu.

℣. Tú, el Dios leal, nos librarás.

℟. Te encomiendo mi espíritu.

℣. Gloria al Padre, y al Hijo, y al Espíritu Santo.

℟. En tus manos, Señor, encomiendo mi espíritu.

Para el Tiempo pascual véase el responsorio en la p. 385.

CÁNTICO EVANGÉLICO

Ant. Sálvanos, Señor, despiertos, protégenos mientras dormimos, para que velemos con Cristo y descansemos en paz. (T.P. Aleluya.)

Cántico de Simeón

Lc 2, 29-32

CRISTO, LUZ DE LAS NACIONES Y GLORIA DE ISRAEL

Ahora, Señor, según tu promesa,
  puedes dejar a tu siervo irse en paz,

porque mis ojos han visto a tu Salvador,
  a quien has presentado ante todos los pueblos:

luz para alumbrar a las naciones
  y gloria de tu pueblo Israel.

Ant. Sálvanos, Señor, despiertos, protégenos mientras dormimos, para que velemos con Cristo y descansemos en paz. (T.P. Aleluya.)

Oración conclusiva

Oremos.
Concede, Señor, a nuestros cuerpos fatigados el descanso necesario, y haz que la simiente del reino que con nuestro trabajo hemos sembrado hoy crezca y germine para la cosecha de la vida eterna. Por Cristo nuestro Señor.

℟. Amén.

CONCLUSIÓN

℣. El Señor todopoderoso nos conceda una noche tranquila y una santa muerte.

℟. Amén.

Antífona final de la Santísima Virgen

Véanse las pp. 387-388.

MARTES

INVOCACIÓN INICIAL

℣. Dios mío, ven en mi auxilio.

℟. Señor, date prisa en socorrerme.
Gloria al Padre... (Aleluya.)

EXAMEN DE CONCIENCIA

Véase la p. 380.

HIMNO

Véanse las pp. 382-383.

SALMODIA

Fuera del Tiempo pascual: Ant. **No me escondas tu rostro, ya que confío en ti.**

Tiempo pascual: Ant. Aleluya, aleluya, aleluya.

Salmo 142, 1-11

LAMENTACIÓN Y SÚPLICA ANTE LA ANGUSTIA

> El hombre no se justifica por cumplir la ley, sino por creer en Cristo Jesús. (Gál 2, 16)

Señor, escucha mi oración;
   tú que eres fiel, atiende a mi súplica;
   tú que eres justo, escúchame.
   No llames a juicio a tu siervo,
   pues ningún hombre vivo es inocente frente a ti.

El enemigo me persigue a muerte,
   empuja mi vida al sepulcro,
   me confina a las tinieblas
   como a los muertos ya olvidados.
   Mi aliento desfallece,
   mi corazón dentro de mí está yerto.

Recuerdo los tiempos antiguos,
   medito todas tus acciones,
   considero las obras de tus manos
   y extiendo mis brazos hacia ti:
   tengo sed de ti como tierra reseca.

Escúchame en seguida, Señor,
   que me falta el aliento.
   No me escondas tu rostro,
   igual que a los que bajan a la fosa.

En la mañana hazme escuchar tu gracia,
   ya que confío en ti;
   indícame el camino que he de seguir,
   pues levanto mi alma a ti.

Líbrame del enemigo, Señor,
   que me refugio en ti.

Enséñame a cumplir tu voluntad,
ya que tú eres mi Dios.
Tu espíritu, que es bueno,
me guíe por tierra llana.

Por tu nombre, Señor, consérvame vivo;
por tu clemencia, sácame de la angustia.

Fuera del Tiempo pascual: Ant. **No me escondas tu rostro,
ya que confío en ti.**

Tiempo pascual: Ant. **Aleluya, aleluya, aleluya.**

LECTURA BREVE   1 Pe 5, 8-9

Sean sobrios, estén despiertos: su enemigo, el diablo,
como león rugiente, ronda buscando a quien devorar;
resístanlo, firmes en la fe.

RESPONSORIO BREVE

℣. En tus manos, Señor, encomiendo mi espíritu.
℟. En tus manos, Señor, encomiendo mi espíritu.
℣. Tú, el Dios leal, nos librarás.
℟. Te encomiendo mi espíritu.
℣. Gloria al Padre, y al Hijo, y al Espíritu Santo.
℟. En tus manos, Señor, encomiendo mi espíritu.

Para el Tiempo pascual véase el responsorio en la p. 385.

CÁNTICO EVANGÉLICO

Ant. **Sálvanos, Señor, despiertos, protégenos mientras
dormimos, para que velemos con Cristo y descansemos
en paz.** (T.P. **Aleluya.**)

Cántico de Simeón   Lc 2, 29-32

CRISTO, LUZ DE LAS NACIONES Y GLORIA DE ISRAEL

Ahora, Señor, según tu promesa,
    puedes dejar a tu siervo irse en paz,

porque mis ojos han visto a tu Salvador,
a quien has presentado ante todos los pueblos:

luz para alumbrar a las naciones
y gloria de tu pueblo Israel.

Ant. Sálvanos, Señor, despiertos, protégenos mientras dormimos, para que velemos con Cristo y descansemos en paz. (T.P. Aleluya.)

Oración conclusiva

Oremos.

Ilumina, Señor, nuestra noche y concédenos un descanso tranquilo; que mañana nos levantemos en tu nombre y podamos contemplar, con salud y gozo, el clarear del nuevo día. Por Cristo nuestro Señor.

℟. Amén.

CONCLUSIÓN

℣. El Señor todopoderoso nos conceda una noche tranquila y una santa muerte.

℟. Amén.

Antífona final de la Santísima Virgen

Véanse las pp. 387-388.

MIÉRCOLES

INVOCACIÓN INICIAL

℣. Dios mío, ven en mi auxilio.

℟. Señor, date prisa en socorrerme.
Gloria al Padre... (Aleluya.)

EXAMEN DE CONCIENCIA

Véase la p. 380.

HIMNO

Véanse las pp. 382-383.

SALMODIA

Fuera del Tiempo pascual: Ant. 1. **Sé tú, Señor, la roca de mi refugio, un baluarte donde me salve.**

Tiempo pascual: Ant. **Aleluya, aleluya, aleluya.**

Salmo 30, 2-6

SÚPLICA CONFIADA Y ACCIÓN DE GRACIAS

> Padre, en tus manos encomiendo
> mi espíritu. (Lc 23, 46)

A ti, Señor, me acojo:
   no quede yo nunca defraudado;
   tú, que eres justo, ponme a salvo,
   inclina tu oído hacia mí;

ven aprisa a librarme,
   sé la roca de mi refugio,
   un baluarte donde me salve,
   tú que eres mi roca y mi baluarte;

por tu nombre dirígeme y guíame:
   sácame de la red que me han tendido,
   porque tú eres mi amparo.

En tus manos encomiendo mi espíritu:
   tú, el Dios leal, me librarás.

Fuera del Tiempo pascual: Ant. **Sé tú, Señor, la roca de mi refugio, un baluarte donde me salve.**

Fuera del Tiempo pascual: Ant. 2. **Desde lo hondo a ti grito, Señor.** †

Salmo 129

DESDE LO HONDO A TI GRITO, SEÑOR

> Él salvará a su pueblo de los pe-
> cados. (Mt 1, 21)

Desde lo hondo a ti grito, Señor;
† Señor, escucha mi voz;
  estén tus oídos atentos
  a la voz de mi súplica.

Si llevas cuenta de los delitos, Señor,
  ¿quién podrá resistir?
  Pero de ti procede el perdón,
  y así infundes respeto.

Mi alma espera en el Señor,
  espera en su palabra;
  mi alma aguarda al Señor,
  más que el centinela la aurora.

Aguarde Israel al Señor,
  como el centinela la aurora;
  porque del Señor viene la misericordia,
  la redención copiosa;
  y él redimirá a Israel
  de todos sus delitos.

Fuera del Tiempo pascual: Ant. Desde lo hondo a ti grito,
Señor.

Tiempo pascual: Ant. Aleluya, aleluya, aleluya.

LECTURA BREVE   Ef 4, 26-27

No lleguen a pecar; que la puesta del sol no los sorprenda en su enojo. No dejen lugar al diablo.

RESPONSORIO BREVE

℣. En tus manos, Señor, encomiendo mi espíritu.
℟. En tus manos, Señor, encomiendo mi espíritu.

℣. Tú, el Dios leal, nos librarás.
℟. Te encomiendo mi espíritu.
℣. Gloria al Padre, y al Hijo, y al Espíritu Santo.
℟. En tus manos, Señor, encomiendo mi espíritu.

Para el Tiempo pascual véase el responsorio en la p. 385.

CÁNTICO EVANGÉLICO

Ant. Sálvanos, Señor, despiertos, protégenos mientras dormimos, para que velemos con Cristo y descansemos en paz. (T.P. Aleluya.)

Cántico de Simeón   Lc 2, 29-32

CRISTO, LUZ DE LAS NACIONES Y GLORIA DE ISRAEL

Ahora, Señor, según tu promesa,
    puedes dejar a tu siervo irse en paz,

porque mis ojos han visto a tu Salvador,
    a quien has presentado ante todos los pueblos:

luz para alumbrar a las naciones
    y gloria de tu pueblo Israel.

Ant. Sálvanos, Señor, despiertos, protégenos mientras dormimos, para que velemos con Cristo y descansemos en paz. (T.P. Aleluya.)

Oración conclusiva
Oremos.

Señor Jesucristo, tú que eres manso y humilde de corazón ofreces a los que vienen a ti un yugo llevadero y una carga ligera; dígnate, pues, aceptar los deseos y las acciones del día que hemos terminado: que podamos descansar durante la noche para que así, renovado nuestro cuerpo y nuestro espíritu, perseveremos constantes en tu servicio. Tú que vives y reinas por los siglos de los siglos.

℟. Amén.

Conclusión

℣. El Señor todopoderoso nos conceda una noche tranquila y una santa muerte.

℟. Amén.

Antífona final de la Santísima Virgen

Véanse las pp. 387-388.

JUEVES

Invocación inicial

℣. Dios mío, ven en mi auxilio.

℟. Señor, date prisa en socorrerme.

Gloria al Padre... (Aleluya.)

Examen de conciencia

Véase la p. 380.

Himno

Véanse las pp. 382-383.

Salmodia

Fuera del Tiempo pascual: Ant. **Mi carne descansa serena.**

Tiempo pascual: Ant. **Aleluya, aleluya, aleluya.**

Salmo 15

CRISTO Y SUS MIEMBROS ESPERAN LA RESURRECCIÓN

> Dios resucitó a Jesús, rompiendo las ataduras de la muerte. (Hech 2, 24)

Protégeme, Dios mío, que me refugio en ti;
  yo digo al Señor: «Tú eres mi bien.»

Los dioses y señores de la tierra
no me satisfacen.

Multiplican las estatuas
de dioses extraños;
no derramaré sus libaciones con mis manos,
ni tomaré sus nombres en mis labios.

El Señor es mi heredad y mi copa;
mi suerte está en tu mano:
me ha tocado un lote hermoso,
me encanta mi heredad.

Bendeciré al Señor, que me aconseja,
hasta de noche me instruye internamente.
Tengo siempre presente al Señor,
con él a mi derecha no vacilaré.

Por eso se me alegra el corazón,
se gozan mis entrañas,
y mi carne descansa serena.
Porque no me entregarás a la muerte,
ni dejarás a tu fiel conocer la corrupción.

Me enseñarás el sendero de la vida,
me saciarás de gozo en tu presencia,
de alegría perpetua a tu derecha.

Fuera del Tiempo pascual: Ant. **Mi carne descansa serena.**

Tiempo pascual: Ant. **Aleluya, aleluya, aleluya.**

LECTURA BREVE   1 Tes 5, 23

Que el mismo Dios de la paz los consagre totalmente y
que todo su ser, espíritu, alma y cuerpo, sea custodiado sin
reproche hasta la Parusía de nuestro Señor Jesucristo.

RESPONSORIO BREVE

℣. En tus manos, Señor, encomiendo mi espíritu.

℟. En tus manos, Señor, encomiendo mi espíritu.

℣. Tú, el Dios leal, nos librarás.

℟. Te encomiendo mi espíritu.

℣. Gloria al Padre, y al Hijo, y al Espíritu Santo.

℟. En tus manos, Señor, encomiendo mi espíritu.

Para el Tiempo pascual véase el responsorio en la p. 385.

CÁNTICO EVANGÉLICO

Ant. Sálvanos, Señor, despiertos, protégenos mientras dormimos, para que velemos con Cristo y descansemos en paz. (T.P. Aleluya.)

Cántico de Simeón   Lc 2, 29-32

CRISTO, LUZ DE LAS NACIONES Y GLORIA DE ISRAEL

Ahora, Señor, según tu promesa,
    puedes dejar a tu siervo irse en paz,

porque mis ojos han visto a tu Salvador,
    a quien has presentado ante todos los pueblos:

luz para alumbrar a las naciones
    y gloria de tu pueblo Israel.

Ant. Sálvanos, Señor, despiertos, protégenos mientras dormimos, para que velemos con Cristo y descansemos en paz. (T.P. Aleluya.)

Oración conclusiva

Oremos.

Señor, Dios nuestro, concédenos un descanso tranquilo que restaure nuestras fuerzas, desgastadas ahora por el trabajo del día; así, fortalecidos con tu ayuda, te serviremos siempre con todo nuestro cuerpo y nuestro espíritu. Por Cristo nuestro Señor.

℟. Amén.

Conclusión

℣. El Señor todopoderoso nos conceda una noche tranquila y una santa muerte.

℟. Amén.

Antífona final de la Santísima Virgen

Véanse las pp. 387-388.

VIERNES

Invocación inicial

℣. Dios mío, ven en mi auxilio.

℟. Señor, date prisa en socorrerme.
Gloria al Padre... (Aleluya.)

Examen de conciencia

Véase la p. 380.

Himno

Véanse las pp. 382-383.

Salmodia

Fuera del Tiempo pascual: Ant. Señor, Dios mío, de día te pido auxilio, de noche grito en tu presencia. †

Tiempo pascual: Ant. Aleluya, aleluya, aleluya.

Salmo 87

ORACIÓN DE UN HOMBRE GRAVEMENTE ENFERMO

> Ésta es su hora, la del poder de las tinieblas. (Lc 22, 53)

Señor, Dios mío, de día te pido auxilio,
de noche grito en tu presencia;

✝ llegue hasta ti mi súplica,
inclina tu oído a mi clamor.

Porque mi alma está colmada de desdichas,
y mi vida está al borde del abismo;
ya me cuentan con los que bajan a la fosa,
soy como un inválido.

Tengo mi cama entre los muertos,
como los caídos que yacen en el sepulcro,
de los cuales ya no guardas memoria,
porque fueron arrancados de tu mano.

Me has colocado en lo hondo de la fosa,
en las tinieblas del fondo;
tu cólera pesa sobre mí,
me echas encima todas tus olas.

Has alejado de mí a mis conocidos,
me has hecho repugnante para ellos:
encerrado, no puedo salir,
y los ojos se me nublan de pesar.

Todo el día te estoy invocando,
tendiendo las manos hacia ti.
¿Harás tú maravillas por los muertos?
¿Se alzarán las sombras para darte gracias?

¿Se anuncia en el sepulcro tu misericordia,
o tu fidelidad en el reino de la muerte?
¿Se conocen tus maravillas en la tiniebla
o tu justicia en el país del olvido?

Pero yo te pido auxilio,
por la mañana irá a tu encuentro mi súplica.
¿Por qué, Señor, me rechazas
y me escondes tu rostro?

Desde niño fui desgraciado y enfermo,
me doblo bajo el peso de tus terrores,

pasó sobre mí tu incendio,
tus espantos me han consumido:

me rodean como las aguas todo el día,
me envuelven todos a una;
alejaste de mí amigos y compañeros:
mi compañía son las tinieblas.

Fuera del Tiempo pascual: Ant. Señor, Dios mío, de día te pido auxilio, de noche grito en tu presencia.

Tiempo pascual: Ant. Aleluya, aleluya, aleluya.

LECTURA BREVE   Jer 14, 9

Tú estás en medio de nosotros, Señor, tu nombre ha sido invocado sobre nosotros: no nos abandones, Señor Dios nuestro.

RESPONSORIO BREVE

℣. En tus manos, Señor, encomiendo mi espíritu.
℟. En tus manos, Señor, encomiendo mi espíritu.
℣. Tú, el Dios leal, nos librarás.
℟. Te encomiendo mi espíritu.
℣. Gloria al Padre, y al Hijo, y al Espíritu Santo.
℟. En tus manos, Señor, encomiendo mi espíritu.

Para el Tiempo pascual véase el responsorio en la p. 385.

CÁNTICO EVANGÉLICO

Ant. Sálvanos, Señor, despiertos, protégenos mientras dormimos, para que velemos con Cristo y descansemos en paz. (T.P. Aleluya.)

Cántico de Simeón   Lc 2, 29-32

CRISTO, LUZ DE LAS NACIONES Y GLORIA DE ISRAEL

Ahora, Señor, según tu promesa,
puedes dejar a tu siervo irse en paz,

porque mis ojos han visto a tu Salvador,
a quien has presentado ante todos los pueblos:

luz para alumbrar a las naciones
y gloria de tu pueblo Israel.

Ant. Sálvanos, Señor, despiertos, protégenos mientras dormimos, para que velemos con Cristo y descansemos en paz. (T.P. Aleluya.)

Oración conclusiva

Oremos.

Señor, Dios todopoderoso: ya que con nuestro descanso vamos a imitar a tu Hijo que reposó en el sepulcro, te pedimos que, al levantarnos mañana, lo imitemos también resucitando a una vida nueva. Por Cristo nuestro Señor.

R. Amén.

CONCLUSIÓN

V. El Señor todopoderoso nos conceda una noche tranquila y una santa muerte.

R. Amén.

Antífona final de la Santísima Virgen

Véanse las pp. 387-388.

ANTÍFONAS Y ORACIONES PARA LOS DOMINGOS Y DIVERSAS CELEBRACIONES DEL AÑO LITÚRGICO

TIEMPO DE ADVIENTO

Domingo I de Adviento *Semana I del Salterio*

I Vísperas: Ant. Cánt. Evang. Miren: el Señor viene de lejos y su resplandor ilumina toda la tierra.

Oración conclusiva: Señor, despierta en tus fieles el deseo de prepararse a la venida de Cristo por la práctica de las buenas obras, para que, colocados un día a su derecha, merezcan poseer el reino celestial. Por nuestro Señor Jesucristo, tu Hijo...

Invitatorio: Ant. Al Rey que viene, al Señor que se acerca, vengan, adorémoslo.

Laudes: Ant. Cánt. Evang. El Espíritu Santo descenderá sobre ti, María; no temas, concebirás en tu seno al Hijo de Dios. Aleluya.

II Vísperas: Ant. Cánt. Evang. No temas, María, porque has encontrado gracia ante Dios. Concebirás en tu seno y darás a luz un hijo. Aleluya.

Domingo II de Adviento *Semana II del Salterio*

I Vísperas: Ant. Cánt. Evang. Ven, Señor, y danos tu paz; tu visita nos retornará a la rectitud y podremos alegrarnos en tu presencia.

Oración conclusiva: Te pedimos, Dios misericordioso, que en nuestra alegre marcha hacia el encuentro de tu

Hijo no tropecemos en impedimentos terrenos, sino que, guiados por la sabiduría celestial, merezcamos participar de la gloria de aquel que vive y reina contigo...

Invitatorio: Ant. Al Rey que viene, al Señor que se acerca, vengan, adorémoslo.

Laudes: Ant. Cánt. Evang. Mira, yo envío a mi Mensajero para que prepare mi camino delante de ti.

II Vísperas: Ant. Cánt. Evang. Dichosa tú, María, que has creído; porque lo que te ha dicho el Señor se cumplirá. Aleluya.

Domingo III de Adviento

Semana III del Salterio

Si este domingo coincide con el día 17 de diciembre, la antífona del cántico evangélico se toma del formulario asignado a dicho día.

I Vísperas: Ant. Cánt. Evang. Antes de mí no existía ningún dios y después de mí ninguno habrá; porque ante mí se doblará toda rodilla y por mí jurará toda lengua.

Oración conclusiva: Señor, que ves a tu pueblo esperando con gran fe la solemnidad del nacimiento de tu Hijo, concédenos celebrar la obra tan grande de nuestra salvación con cánticos jubilosos de alabanza y con una inmensa alegría. Por nuestro Señor Jesucristo, tu Hijo...

Invitatorio: Ant. Al Rey que viene, al Señor que se acerca, vengan, adorémoslo.

Laudes: Ant. Cánt. Evang. Habiéndose enterado Juan en la cárcel de las obras de Cristo, envió a sus discípulos a que le preguntaran: «¿Eres tú el que ha de venir o hemos de esperar a otro?»

II Vísperas: Ant. Cánt. Evang. «¿Eres tú el que ha de venir o hemos de esperar a otro?» «Vayan a contar a Juan lo que están viendo: los ciegos ven, los muertos resucitan y la Buena Noticia es anunciada a los pobres.» Aleluya.

Domingo IV de Adviento   *Semana IV del Salterio*

La antífona del cántico evangélico se toma del formulario asignado al día del mes con el cual coincida este domingo.

Invitatorio: Ant. El Señor está cerca, vengan, adorémoslo.

Oración conclusiva: Señor, derrama tu gracia sobre nosotros, que hemos conocido por el anuncio del ángel la encarnación de tu Hijo, para que lleguemos, por su pasión y su cruz, a la gloria de la resurrección. Por nuestro Señor Jesucristo, tu Hijo...

Día 17 de diciembre   *Semana en que coincida*

Invitatorio: Ant. El Señor está cerca, vengan, adorémoslo.

Laudes: Ant. Cánt. Evang. Entiendan que el reino de Dios está ya cerca; les aseguro que no tardará.

Oración conclusiva: Señor Dios, creador y restaurador de la naturaleza humana, que quisiste que tu Hijo, la Palabra eterna, se encarnara en el seno de la siempre Virgen María, atiende a nuestras súplicas y haz que tu Hijo unigénito, que ha tomado nuestra naturaleza humana, se digne hacernos participantes de su naturaleza divina y nos transforme así plenamente en hijos tuyos. Por nuestro Señor Jesucristo, tu Hijo...

Vísperas: Ant. Cánt. Evang. Oh sabiduría, que brotaste de los labios del Altísimo, abarcando del uno al otro confín y ordenándolo todo con firmeza y suavidad, ven y muéstranos el camino de la salvación.

Día 18 de diciembre

Invitatorio: Ant. El Señor está cerca, vengan, adorémoslo.

Laudes: Ant. Cánt. Evang. No dejen de velar: pronto llegará el Señor, nuestro Dios.

Oración conclusiva: Concédenos, Señor, que la renovación del misterio de la Navidad de tu Hijo, a la cual nos preparamos, nos libre del antiguo yugo del pecado por el cual estamos oprimidos. Por nuestro Señor Jesucristo, tu Hijo...

Vísperas: Ant. Cánt. Evang. Oh Adonai, Pastor de la casa de Israel, que te apareciste a Moisés en la zarza ardiente y en el Sinaí le diste tu ley, ven a librarnos con el poder de tu brazo.

Día 19 de diciembre

Invitatorio: Ant. El Señor está cerca, vengan, adorémoslo.

Laudes: Ant. Cánt. Evang. El Salvador del mundo aparecerá como el sol naciente y descenderá al seno de la Virgen como la lluvia desciende sobre el césped. Aleluya.

Oración conclusiva: Dios nuestro, que te has dignado revelar al mundo el esplendor de tu gloria por medio del parto de la santísima Virgen María, concédenos venerar con fe íntegra y celebrar con sincero rendimiento el gran misterio de la encarnación de tu Hijo. Que vive y reina contigo...

Vísperas: Ant. Cánt. Evang. Oh renuevo del tronco de Jesé, que te alzas como un signo para los pueblos, ante quien los reyes enmudecen y cuyo auxilio imploran las naciones, ven a librarnos, no tardes más.

Día 20 de diciembre

Invitatorio: Ant. El Señor está cerca, vengan, adorémoslo.

Laudes: Ant. Cánt. Evang. El ángel Gabriel fue enviado a María Virgen, desposada con José.

Oración conclusiva: Dios nuestro, cuyo Verbo inefable fue recibido por la Virgen Inmaculada cuando aceptó tu designio, manifestado por el anuncio del ángel, e, inundada por la luz del Espíritu Santo, fue convertida en mansión de la divinidad, concédenos que también nosotros, a imitación suya, aceptemos siempre sincera y humildemente tu voluntad. Por nuestro Señor Jesucristo, tu Hijo...

Vísperas: Ant. Cánt. Evang. Oh llave de David y cetro de la casa de Israel, que abres y nadie puede cerrar, cierras y nadie puede abrir, ven y libra a los cautivos que viven en tinieblas y en sombras de muerte.

Día 21 de diciembre

Invitatorio: Ant. El Señor está cerca, vengan, adorémoslo.

Laudes: Ant. Cánt. Evang. No teman, dentro de cinco días vendrá a ustedes el Señor, nuestro Dios.

Oración conclusiva: Señor, acoge benignamente las plegarias de tu pueblo que se alegra por la venida de tu Hijo en nuestra carne mortal; concédele que, cuando vuelva él revestido de gloria y majestad, pueda también alegrarse al recibir de sus manos la recompensa de la vida eterna. Por nuestro Señor Jesucristo, tu Hijo...

Vísperas: Ant. Cánt. Evang. Oh sol que naces de lo alto, resplandor de la luz eterna, sol de justicia, ven a iluminar a los que viven en tinieblas y en sombras de muerte.

Día 22 de diciembre

Invitatorio: Ant. El Señor está cerca, vengan, adorémoslo.

Laudes: Ant. Cánt. Evang. Tan pronto como tus palabras de saludo han resonado en mis oídos, la criatura ha dado saltos de contento en mi seno. Aleluya.

Oración conclusiva: Dios nuestro, que compadecido del hombre caído y sentenciado a muerte, quisiste redimirlo con la venida de tu Hijo, concede a los que en esta Navidad han de postrarse ante él con humildad para adorarlo hecho niño en Belén, que merezcan gozar eternamente de la compañía de su redentor. Que vive y reina contigo...

Vísperas: Ant. Cánt. Evang. Oh Rey de las naciones y deseado de los pueblos, piedra angular de la Iglesia que haces de dos pueblos uno solo, ven y salva al hombre que formaste del barro de la tierra.

Día 23 de diciembre

Invitatorio: Ant. El Señor está cerca, vengan, adorémoslo.

Laudes: Ant. Cánt. Evang. Se ha cumplido ya todo lo que el ángel dijo de la Virgen María.

Oración conclusiva: Dios todopoderoso y eterno, estando ya próximo el aniversario del nacimiento de tu Hijo en carne mortal, te pedimos nos hagas sentir la abundancia de su amor, que lo hizo encarnarse en el seno de la Virgen María y habitar entre nosotros. Por nuestro Señor Jesucristo, tu Hijo...

Vísperas: Ant. Cánt. Evang. Oh Emmanuel, rey y legislador nuestro, esperanza de las naciones y salvador de los pueblos, ven a salvarnos, Señor, Dios nuestro.

Día 24 de diciembre

Invitatorio: Ant. Hoy sabrán que vendrá el Señor, y mañana verán su gloria.

Laudes: Ant. Cánt. Evang. A María le llegó el tiempo de su alumbramiento, y dio a luz a su Hijo primogénito.

Oración conclusiva: Jesús, Señor nuestro, ven pronto, no tardes más, para que se reanimen con tu venida los que confían en tu amor. Tú que vives y reinas...

TIEMPO DE NAVIDAD

La Natividad del Señor
Solemnidad

Día 25 de diciembre

Himno

Hoy grande gozo en el cielo
todos tienen,
porque en un barrio del suelo nace Dios.
¡Qué gran gozo y alegría tengo yo!

Mas no nace solamente
en Belén,
nace donde hay un caliente corazón.
¡Qué gran gozo y alegría tengo yo!

Nace en mí, nace en cualquiera
si hay amor;
nace donde hay verdadera comprensión.
¡Qué gran gozo y alegría tiene Dios! Amén.

I Vísperas:

Salmodia

Ant. 1. El rey de la paz ha sido glorificado y toda la tierra desea contemplar su rostro.

Salmo 112, p. 203.

Ant. 2. Envía su mensaje a la tierra, y su palabra corre veloz.

Salmo 147, p. 186.

Ant. 3. El que era la Palabra substancial del Padre, engendrado antes del tiempo, hoy se ha anonadado a sí mismo, haciéndose carne por nosotros.

Cántico Flp 2, 6-11, p. 17.

Ant. Cánt. Evang. Cuando salga el sol, verán al Rey de reyes, que viene del Padre, como el esposo que sale de su alcoba.

Oración conclusiva: Dios nuestro, que cada año nos alegras con la festividad llena de esperanza de nuestra redención, concédenos que así como ahora acogemos a tu Hijo llenos de júbilo como redentor, así también lo recibamos llenos de confianza cuando vuelva como juez. Por nuestro Señor Jesucristo, tu Hijo...

Invitatorio: Ant. A Cristo, que por nosotros ha nacido, vengan, adorémoslo.

Laudes:

Salmodia

Ant. 1. «¿A quién han visto, pastores? Hablen, cuéntennoslo, ¿quién se ha aparecido en la tierra?» «Hemos visto al recién nacido y a los coros de ángeles alabando al Señor.» Aleluya.

Los salmos y el cántico se toman del domingo I del Salterio, p. 22.

Ant. 2. El ángel dijo a los pastores: «Les anuncio una gran alegría: hoy les ha nacido el Salvador del mundo.» Aleluya.

Ant. 3. Hoy nos ha nacido un niño que se llamará Dios poderoso. Aleluya.

Ant. Cánt. Evang. Gloria a Dios en el cielo, y en la tierra paz a los hombres que ama el Señor. Aleluya.

Oración conclusiva: Dios todopoderoso, concédenos que, al vernos envueltos en la luz nueva de tu Palabra hecha carne, hagamos resplandecer en nuestras obras la fe que haces brillar en nuestra mente. Por nuestro Señor Jesucristo, tu Hijo...

II Vísperas:

Salmodia

Ant. 1. Eres príncipe desde el día de tu nacimiento, entre esplendores sagrados; yo mismo te engendré, como rocío, antes de la aurora.

Salmo 109, 1-5. 7, p. 30.

Ant. 2. Del Señor viene la misericordia y la redención copiosa.

Salmo 129, p. 291.

Ant. 3. En el principio, antes de los siglos, la Palabra era Dios, y hoy esta Palabra ha nacido como Salvador del mundo.

Cántico cfr. Col 1, 12-20, p. 71.

Ant. Cánt. Evang. Hoy ha nacido Jesucristo; hoy ha aparecido el Salvador; hoy en la tierra cantan los ángeles, se alegran los arcángeles; hoy saltan de gozo los justos, diciendo: «Gloria a Dios en el cielo.» Aleluya.

Oración conclusiva: Dios nuestro, que de modo admirable creaste al hombre a tu imagen y semejanza y de un modo todavía más admirable elevaste su condición por medio de Jesucristo, concédenos compartir la divinidad de aquel que se ha dignado compartir nuestra humanidad. Por nuestro Señor Jesucristo, tu Hijo...

La Sagrada Familia de Jesús, María y José

Fiesta   *Domingo infraoctava de Navidad*

Cuando la Natividad del Señor cae en domingo, la fiesta de la Sagrada Familia se celebra el 30 de diciembre, pero sin I Vísperas.

I Vísperas:

Salmodia

Ant. 1. Jacob engendró a José, el esposo de María, de la cual nació Jesús, que es el Mesías.

Salmo 112, p. 203.

Ant. 2. José, hijo de David, no temas recibir a María como esposa, porque lo concebido en ella es obra del Espíritu Santo.

Salmo 147, p. 186.

Ant. 3. Los pastores vinieron presurosos y encontraron a María y a José, y al niño acostado en un pesebre.

Cántico Ef 1, 3-10, p. 45.

Ant. Cánt. Evang. El niño Jesús se quedó en Jerusalén, sin que sus padres se dieran cuenta de ello; creían ellos que vendría en la caravana y lo buscaron entre parientes y conocidos.

Oración conclusiva: Dios nuestro, que has querido darnos en la Sagrada Familia ejemplos preclaros de virtudes domésticas, concédenos saber imitar su vida y su amor recíproco, para que un día podamos ir a disfrutar con ella de la alegría eterna de tu morada. Por nuestro Señor Jesucristo, tu Hijo...

Invitatorio: Ant. A Cristo, el Hijo de Dios, que vivió sumiso a María y a José, vengan, adorémoslo.

Laudes:

Salmodia

Ant. 1. Los padres de Jesús solían ir todos los años a Jerusalén para la fiesta de la Pascua.

Los salmos y el cántico se toman del domingo I del Salterio, p. 22.

Ant. 2. Jesús iba creciendo en sabiduría y en estatura, y la gracia de Dios estaba en él.

Ant. 3. Su padre y su madre estaban maravillados de lo que se decía de él.

Ant. Cánt. Evang. Ilumínanos, Señor, con los ejemplos de tu familia, y dirige nuestros pasos por el camino de la paz.

La oración conclusiva como en las I Vísperas.

II Vísperas:

Salmodia

Ant. 1. Al cabo de tres días hallaron a Jesús en el templo, sentado en medio de los doctores, escuchándolos y haciéndoles preguntas.

Salmo 121, p. 290.

Ant. 2. Jesús bajó a Nazaret con sus padres, y vivía sumiso a ellos.

Salmo 126, p. 255.

Ant. 3. Jesús fue progresando en perfección intelectual y física, y en gracia ante Dios y ante los hombres.

Cántico Ef 1, 3-10, p. 45.

Ant. Cánt. Evang. «Hijo mío, ¿por qué te has portado así con nosotros? Tu padre y yo te buscábamos llenos de angustia.» «¿Por qué me buscaban? ¿No sabían que debo estar en la casa de mi Padre?»

La oración conclusiva como en las I Vísperas.

San Esteban, protomártir
Fiesta
Día 26 de diciembre

Invitatorio: Ant. A Cristo recién nacido, que ha otorgado a Esteban la corona de la gloria, vengan, adorémoslo.

Laudes: Ant. Cánt. Evang. Las puertas del cielo se abrieron para Esteban, que fue el primero en ingresar al ejército de los mártires, y victorioso entró coronado en los cielos.

Oración conclusiva: Concédenos, Señor, imitar las virtudes de san Esteban, cuya entrada en la gloria celebramos; y, así como él supo rogar por sus mismos perseguidores, sepamos nosotros amar a nuestros enemigos. Por nuestro Señor Jesucristo, tu Hijo...

Vísperas: Ant. Cánt. Evang. Cuando un sosegado silencio todo lo envolvía y la noche se encontraba en la mitad de su carrera, tu Palabra omnipotente, Señor, descendió del cielo, desde el trono real. Aleluya.

Oración conclusiva: Concédenos, Dios todopoderoso, que el nacimiento de tu Hijo en nuestra carne mortal nos libre de la antigua servidumbre del pecado que pesa aún sobre nosotros. Por nuestro Señor Jesucristo, tu Hijo...

San Juan, apóstol y evangelista
Fiesta
Día 27 de diciembre

Invitatorio: Ant. Vengan, adoremos al Señor, rey de los apóstoles.

Laudes: Ant. Cánt. Evang. La Palabra se hizo carne y puso su morada entre nosotros, y contemplamos su gloria. Aleluya.

Oración conclusiva: Dios nuestro, que nos descubriste los arcanos de tu Verbo por medio del apóstol san Juan, concédenos alcanzar una debida comprensión de todo aquello que él ha hecho llegar a nuestros oídos. Por nuestro Señor Jesucristo, tu Hijo...

Vísperas: Ant. Cánt. Evang. Por ti, Virgen María, han llegado a su cumplimiento los oráculos de los profetas que anunciaron a Cristo: siendo virgen, concebiste al Hijo de Dios y, permaneciendo virgen, lo engendraste.

Oración conclusiva: Dios todopoderoso, concédenos que, al vernos envueltos en la luz nueva de tu Palabra hecha carne, hagamos resplandecer en nuestras obras la fe que haces brillar en nuestra mente. Por nuestro Señor Jesucristo, tu Hijo...

Los santos Inocentes, mártires *Día 28 de diciembre*
Fiesta

Invitatorio: Ant. A Cristo recién nacido, que otorgó a los mártires Inocentes la corona de la gloria, vengan, adorémoslo.

Laudes: Ant. Cánt. Evang. Los niños Inocentes murieron por Cristo, fueron arrancados del pecho de su madre para ser asesinados: ahora siguen al Cordero sin mancha, cantando: «Gloria a ti, Señor.»

Oración conclusiva: Señor Dios, cuya gloria pregonaron en este día los Inocentes mártires, no con palabras, sino dando su vida por ti, haz que nuestra conducta testifique con hechos la fe que proclamamos con los labios. Por nuestro Señor Jesucristo, tu Hijo...

Vísperas: Ant. Cánt. Evang. La Virgen inmaculada y santa nos ha engendrado a Dios, revistiéndolo con débiles miembros y alimentándolo con su leche materna; adoremos todos a este Hijo de María que ha venido a salvarnos.

Oración conclusiva: Dios nuestro, que de modo admirable creaste al hombre a tu imagen y semejanza y de un modo todavía más admirable elevaste su condición por medio de Jesucristo, concédenos compartir la divinidad de aquel que se ha dignado compartir nuestra humanidad. Por nuestro Señor Jesucristo, tu Hijo...

Día V infraoctava de Navidad   *Día 29 de diciembre*

Invitatorio: Ant. A Cristo, que por nosotros ha nacido, vengan, adorémoslo.

Laudes: Ant. Cánt. Evang. Los pastores se dijeron unos a otros: «Vayamos a Belén a ver el suceso que nos ha dado a conocer el Señor.»

Oración conclusiva: Dios todopoderoso, Dios invisible, que con la venida de tu Hijo has disipado las tinieblas del mundo, míranos con amor y ayúdanos a celebrar con nuestros cantos y alabanzas la gloria del nacimiento de tu Hijo. Que vive y reina contigo...

Vísperas: Ant. Cánt. Evang. El Rey del cielo ha querido nacer de una Virgen, para llevar a su reino al hombre que se había extraviado.

Día VI infraoctava de Navidad   *Día 30 de diciembre*

Si la Natividad del Señor cae en domingo, en este día se celebra la fiesta de la Sagrada Familia, p. 418, pero sin I Vísperas.

Invitatorio: Ant. A Cristo, que por nosotros ha nacido, vengan, adorémoslo.

Laudes: Ant. Cánt. Evang. Al nacer el Señor, los ángeles cantaban, diciendo: «La salvación es de nuestro Dios, que está sentado en el trono, y del Cordero.»

Oración conclusiva: Concédenos, Dios todopoderoso, que el nacimiento de tu Hijo en nuestra carne mortal nos libre de la antigua servidumbre del pecado que pesa aún sobre nosotros. Por nuestro Señor Jesucristo, tu Hijo...

Vísperas: Ant. Cánt. Evang. Te glorificamos, santa Madre de Dios, porque de ti ha nacido Cristo; oh María, salva a todos los que te enaltecen.

Día VII infraoctava de Navidad *Día 31 de diciembre*

Invitatorio: Ant. A Cristo, que por nosotros ha nacido, vengan, adorémoslo.

Laudes: Ant. Cánt. Evang. Se dejó ver con el ángel una multitud del ejército celestial, que alababa a Dios, cantando: «Gloria a Dios en el cielo, y en la tierra paz a los hombres que ama el Señor.» Aleluya.

Oración conclusiva: Dios todopoderoso y eterno, que en el nacimiento de tu Hijo nos has dado la fuente y la cumbre de toda religión, concédenos contarnos siempre en el rebaño de aquel en quien está la salvación de todo el género humano. Por nuestro Señor Jesucristo, tu Hijo...

Santa María, Madre de Dios *Día 1 de enero*

Solemnidad

HIMNO

Reina del libro de la vieja alianza:
tu nombre es el versículo primero
de consuelo, promesa y esperanza.

Doncella que en tu vientre a Dios tendrías:
se estremece de júbilo tu nombre
en los labios quemados de Isaías.

Reina del libro nuevo de la vida:
reinas desde el silencio en cada página,
oh reina silenciosa y escondida,

y es tu presencia la del tallo leve
que, al reventar el lirio, se recata
debajo de los pétalos de nieve.

Reina del claro mes de los renuevos,
de la infancia del mundo y de la tierra,
y de la luz y de los nidos nuevos,

y Reina nuestra; Reina de las manos,
con sangre y con estrellas, de tu Hijo,
con flores y dolor, de sus hermanos.

Los ángeles te aclaman soberana,
pero mil veces más eres, Señora,
sangre y dolor de nuestra raza humana. Amén.

I Vísperas:

Salmodia

Ant. 1. ¡Qué admirable intercambio! El Creador del género humano, tomando cuerpo y alma, nace de una Virgen y, hecho hombre sin concurso de varón, nos hace participar de su divinidad.

Salmo 112, p. 203.

Ant. 2. Cuando naciste inefablemente de la Virgen se cumplieron las Escrituras: descendiste como el rocío sobre el vellón, para salvar a los hombres; te alabamos, Dios nuestro.

Salmo 147, p. 186.

Ant. 3. En la zarza que Moisés vio arder sin consumirse, reconocemos tu virginidad admirablemente conservada; Madre de Dios, intercede por nosotros.

Cántico Ef 1, 3-10, p. 45.

Ant. Cánt. Evang. Por el gran amor con que Dios nos amó nos envió a su Hijo en semejanza de carne de pecado: nacido de una mujer, nacido bajo la ley. Aleluya.

Oración conclusiva: Señor Dios, que por la maternidad virginal de María has dado a los hombres los tesoros de la salvación, haz que sintamos la intercesión de la Virgen Madre, de quien hemos recibido al autor de la vida, Jesucristo, Hijo tuyo y Señor nuestro. Que vive y reina contigo...

Invitatorio: Ant. Celebremos la maternidad de santa María Virgen y adoremos a su Hijo Jesucristo, el Señor.

Laudes:

Salmodia

Ant. 1. Ha brotado un renuevo del tronco de Jesé, ha salido una estrella de la casa de Jacob: la Virgen ha dado a luz al Salvador; te alabamos, Dios nuestro.

Los salmos y el cántico se toman del domingo I del Salterio, p. 22.

Ant. 2. Miren, María nos ha engendrado al Salvador, ante quien Juan exclamó: «Éste es el Cordero de Dios, que quita el pecado del mundo.» Aleluya.

Ant. 3. La Madre ha dado a luz al Rey, cuyo nombre es eterno, y la que lo ha engendrado tiene, al mismo tiempo, el gozo de la maternidad y la gloria de la virginidad: un prodigio tal no se ha visto nunca ni se verá de nuevo jamás. Aleluya.

Ant. Cánt. Evang. Hoy se nos ha manifestado un misterio admirable: en Cristo se han unido dos naturalezas, Dios se ha hecho hombre y, sin dejar de ser lo que era, ha asumido lo que no era, sin sufrir mezcla ni división.

La oración conclusiva como en las I Vísperas.

II Vísperas:

Salmodia

Las antífonas, los salmos y el cántico, se toman de las I Vísperas.

Ant. Cánt. Evang. Dichoso el seno que te llevó, oh Cristo, y el pecho que te alimentó, oh Señor y Salvador del mundo. Aleluya.

La oración conclusiva como en las I Vísperas.

La Epifanía del Señor
Solemnidad

Día 6 de enero o domingo
entre los días 2 y 8 de enero

HIMNO

Estrella nunca vista se aparece
a los remotos magos orientales
y, al juzgar de los fuegos celestiales,
otra lumbre mayor los esclarece.

Nacido sacro Rey se les ofrece,
con nuevas maravillas y señales,
para que reverentes y leales
la obediencia le den como merece.

Parten llevados de la luz y el fuego,
del fuego de su amor; luz que los guía
con claridad ardiente y soberana.

Subió al trono de Dios el pío ruego,
y, llenos de firmísima alegría,
vieron la luz de Dios por nube humana.
Gloria y loores por la eternidad
tribútense a la santa Trinidad. Amén.

I Vísperas:

Salmodia

Ant. 1. Engendrado antes de la aurora de los siglos, el Señor, nuestro Salvador, hoy se ha manifestado al mundo.
Salmo 134 (I), p. 278.

Ant. 2. El Señor, nuestro Dios, es grande, más que todos los dioses.
Salmo 134 (II), p. 279.

Ant. 3. Esta estrella resplandece como llama viva y revela al Dios, Rey de reyes; los magos la contemplaron y ofrecieron sus dones al gran Rey.
Cántico cfr. 1 Tim 3, 16, p. 506.

Ant. Cánt. Evang. Los magos, al ver la estrella, se dijeron: «Éste es el signo del gran Rey; vayamos a buscarlo y ofrezcámosle nuestros dones: oro, incienso y mirra.» Aleluya.

Oración conclusiva: Señor, tú que manifestaste a tu Hijo en este día a todas las naciones por medio de una estrella, concédenos, a los que ya te conocemos por la fe, llegar a contemplar, cara a cara, la hermosura infinita de tu gloria. Por nuestro Señor Jesucristo, tu Hijo...

Invitatorio: Ant. A Cristo, que se nos ha manifestado, vengan, adorémoslo.

Laudes:

Salmodia

Ant. 1. Los magos, abriendo sus cofres, ofrecieron al Señor oro, incienso y mirra. Aleluya.

Los salmos y el cántico se toman del domingo I del Salterio, p. 22.

Ant. 2. Mares y ríos, bendigan al Señor; manantiales, ensalcen con himnos a nuestro Dios. Aleluya.

Ant. 3. Llega tu luz, Jerusalén, y la gloria del Señor alborea sobre ti y caminarán las naciones a tu luz. Aleluya.

Ant. Cánt. Evang. Hoy la Iglesia se ha unido a su celestial Esposo, porque, en el Jordán, Cristo ha lavado los pecados de ella, los magos acuden con regalos a las bodas del Rey y los invitados se alegran por el agua convertida en vino. Aleluya.

La oración conclusiva como en las I Vísperas.

II Vísperas:

Salmodia

Ant. 1. El Rey de la paz ha sido glorificado por encima de todos los reyes de la tierra.

Salmo 109, 1-5. 7, p. 30.

Ant. 2. Ha brillado una luz en las tinieblas para los hombres de buena voluntad: el Señor justo, clemente y compasivo.

Salmo 111, p. 305.

Ant. 3. Vendrán todas las naciones y se postrarán en tu acatamiento, Señor.

Cántico Apoc 15, 3-4, p. 99.

Ant. Cánt. Evang. Veneramos este día santo, honrado con tres prodigios: hoy la estrella condujo a los magos al pesebre; hoy el agua se convirtió en vino en las bodas de Caná; hoy Cristo fue bautizado por Juan en el Jordán, para salvarnos. Aleluya.

La oración conclusiva como en las I Vísperas.

El Bautismo del Señor
Fiesta

En aquellos lugares donde la solemnidad de la Epifanía del Señor se celebra el domingo que ocurre entre los días 2 y 8 de enero, si el domingo después del 6 de enero es el día 7 o el día 8, en él se celebra la solemnidad de la Epifanía del Señor; en este caso, la fiesta del Bautismo del Señor se traslada al lunes siguiente y no tiene I Vísperas.

I Vísperas:
Salmodia

Ant. 1. Juan bautizaba en el desierto, predicando un bautismo de arrepentimiento para remisión de los pecados.

Salmo 134 (I), p. 278.

Ant. 2. Yo los bautizo con agua; pero él los bautizará con el Espíritu Santo y con fuego.

Salmo 134 (II), p. 279.

Ant. 3. En seguida que fue bautizado, Jesús salió del agua y, de pronto, se le abrieron los cielos.

Cántico cfr. 1 Tim 3, 16, p. 506.

Ant. Cánt. Evang. El Salvador vino a ser bautizado para renovar al hombre envejecido; quiso restaurar por el agua nuestra naturaleza deteriorada y nos vistió con su incorruptibilidad.

Oración conclusiva: Dios todopoderoso y eterno, que proclamaste solemnemente a Cristo como tu Hijo amado, cuando era bautizado en el Jordán y descendía el Espíritu Santo sobre él, concede a tus hijos de adopción, renacidos del agua y del Espíritu Santo, que se conserven siempre dignos de tu complacencia. Por nuestro Señor Jesucristo, tu Hijo...

Invitatorio: Ant. Vengan, adoremos a Cristo, el Hijo amado, en quien el Padre tiene sus complacencias.

Laudes:

Salmodia

Ant. 1. El soldado bautizaba a su Rey, el siervo a su Señor, Juan al Salvador: el agua del Jordán se estremece, la Paloma da testimonio, la voz del Padre declara: «Éste es mi Hijo.»

Los salmos y el cántico se toman del domingo I del Salterio, p. 22.

Ant. 2. Al manifestarse al mundo la gloria de Cristo, las aguas del Jordán fueron santificadas: saquen aguas con gozo de las fuentes del Salvador; Cristo, el Señor, ha santificado la creación entera.

Ant. 3. Te glorificamos, Señor, Dios y redentor, a ti que con el Espíritu y el fuego purificas a los hombres de su pecado.

Ant. Cánt. Evang. Cristo es bautizado y el universo entero se purifica; el Señor nos obtiene el perdón de los pecados: purifiquémonos todos por el agua y el Espíritu.

La oración conclusiva como en las I Vísperas.

II Vísperas:

Salmodia

Ant. 1. Se oyó una voz que venía del cielo y se oyó la voz del Padre: «Éste es mi Hijo amado, en quien tengo mis complacencias, escúchenlo.»

Salmo 109, 1-5. 7, p. 30.

Ant. 2. En el río Jordán aplastó nuestro Salvador la cabeza del antiguo dragón y nos libró a todos de su esclavitud.

Salmo 111, p. 305.

Ant. 3. Hoy se nos revela un gran misterio, porque el Creador del universo nos purifica de nuestros pecados en el Jordán.

Cántico Apoc 15, 3-4, p. 99.

Ant. Cánt. Evang. Cristo Jesús nos amó, nos ha librado de nuestros pecados por su sangre, nos ha convertido en un reino y nos ha hecho sacerdotes de Dios, su Padre; a él la gloria y el poder por los siglos de los siglos.

La oración conclusiva como en las I Vísperas.

Después de la fiesta del Bautismo del Señor comienza el Tiempo ordinario.

TIEMPO DE CUARESMA

Domingo I de Cuaresma
Semana I del Salterio

I Vísperas:

Salmodia

Ant. 1. Con espíritu humilde y corazón contrito te seamos aceptos; que éste sea hoy nuestro sacrificio, y que sea agradable en tu presencia, Señor, Dios nuestro.

Los salmos y el cántico se toman del domingo I del Salterio, p. 14.

Ant. 2. Entonces clamarás al Señor y él te responderá, gritarás y él te dirá: «Aquí estoy.»

Ant. 3. Cristo murió por nuestros pecados, el justo por los injustos, para llevarnos a Dios; muerto en la carne, pero vivificado en el espíritu.

Ant. Cánt. Evang. No sólo de pan vive el hombre, sino de toda palabra que sale de la boca de Dios.

Oración conclusiva: Te pedimos, Señor todopoderoso, que las celebraciones y las penitencias de esta Cuaresma nos ayuden a progresar en el camino de nuestra conversión: así conoceremos mejor y viviremos con mayor plenitud las riquezas inagotables del misterio de Cristo. Que vive y reina contigo...

Invitatorio: Ant. A Cristo, el Señor, que por nosotros fue tentado y por nosotros murió, vengan, adorémoslo.

Laudes:

Salmodia

Ant. 1. Toda mi vida te bendeciré, Señor, y alzaré las manos invocándote.

Los salmos y el cántico se toman del domingo I del Salterio, p. 22.

Ant. 2. Canten y exalten a Dios eternamente.

Ant. 3. El Señor ama a su pueblo y adorna con la victoria a los humildes.

Ant. Cánt. Evang. Fue llevado Jesús por el Espíritu al desierto, para ser tentado por el demonio; y, después de ayunar cuarenta días y cuarenta noches, sintió hambre.

La oración conclusiva como en las I Vísperas.

II Vísperas:

Salmodia

Ant. 1. Al Señor, tu Dios, adorarás y a él solo darás culto.

Los salmos y el cántico se toman del domingo I del Salterio, p. 30.

Ant. 2. Ahora es el tiempo propicio, ahora es el día de salvación.

Ant. 3. Ya ven que subimos a Jerusalén y todas las cosas que fueron escritas acerca del Hijo del hombre van a tener ya su cumplimiento.

Ant. Cánt. Evang. Vela sobre nosotros, Salvador eterno; sé tú nuestro protector, que no nos sorprenda el tentador astuto.

La oración conclusiva como en las I Vísperas.

Domingo II de Cuaresma
Semana II del Salterio

I Vísperas:

Salmodia

Ant. 1. Jesús tomó consigo a Pedro, a Santiago y a su hermano Juan, y los llevó aparte a un alto monte, y se transfiguró en su presencia.

Los salmos y el cántico se toman del domingo II del Salterio, p. 109.

Ant. 2. Su rostro se puso brillante como el sol y sus vestidos se volvieron blancos como la luz.

Ant. 3. Moisés y Elías hablaban de la muerte que Jesús iba a padecer en Jerusalén.

Ant. Cánt. Evang. De la nube salió una voz que dijo: «Éste es mi Hijo amado, en quien tengo mis complacencias, escúchenlo.»

Oración conclusiva: Señor, Padre santo, que nos has mandado escuchar a tu amado Hijo, aliméntanos con el gozo interior de tu palabra, para que, purificados por ella, podamos contemplar tu gloria con mirada limpia en la perfección de tus obras. Por nuestro Señor Jesucristo, tu Hijo...

Invitatorio: Ant. A Cristo, el Señor, que por nosotros fue tentado y por nosotros murió, vengan, adorémoslo.

Laudes:

Salmodia

Ant. 1. La diestra del Señor es poderosa, la diestra del Señor es excelsa.

Los salmos y el cántico se toman del domingo II del Salterio, p. 116.

Ant. 2. Cantemos el himno que cantaban los tres jóvenes en el horno de fuego, bendiciendo al Señor.

Ant. 3. Alaben al Señor por sus obras magníficas.

Ant. Cánt. Evang. Por medio del Evangelio, nuestro Salvador Jesucristo destruyó la muerte y sacó a la luz la vida inmortal.

La oración conclusiva como en las I Vísperas.

II Vísperas:

Salmodia

Ant. 1. Desde Sión extenderá el Señor el poder de tu cetro, entre esplendores sagrados.

Los salmos y el cántico se toman del domingo II del Salterio, p. 123.

Ant. 2. Adoramos a un solo Dios, que hizo el cielo y la tierra.

Ant. 3. Dios no perdonó a su propio Hijo, sino que lo entregó a la muerte por todos nosotros.

Ant. Cánt. Evang. A nadie den a conocer esta visión hasta que el Hijo del hombre resucite de entre los muertos.

La oración conclusiva como en las I Vísperas.

Domingo III de Cuaresma   *Semana III del Salterio*
I Vísperas:

Salmodia

Ant. 1. «Conviértanse y crean la Buena Noticia», dice el Señor.

Los salmos y el cántico se toman del domingo III del Salterio, p. 203.

Ant. 2. Te ofreceré un sacrificio de alabanza, invocando tu nombre, Señor.

Ant. 3. Nadie me quita la vida; yo mismo la entrego de mi propia voluntad, para volverla a tomar.

Ant. Cánt. Evang.

Año A: Ya que hemos recibido la justificación por la fe, estamos en paz con Dios, por medio de nuestro Señor Jesucristo.

Año B: Cantemos a Cristo crucificado: escándalo para los judíos, necedad para los gentiles; pero salvación de Dios para los llamados.

Año C: Todo lo que acontecía a nuestros padres en la antigüedad se cumple para nosotros en la plenitud de los tiempos.

Oración conclusiva: Dios nuestro, fuente de toda bondad y misericordia, que nos otorgas un remedio para nuestros pecados por el ayuno, la oración y la limosna, recibe con agrado la confesión que te hacemos de nuestra debilidad y, ya que nos oprime el peso de nuestras culpas, levántanos con el auxilio de tu misericordia. Por nuestro Señor Jesucristo, tu Hijo...

Invitatorio: Ant. A Cristo, el Señor, que por nosotros fue tentado y por nosotros murió, vengan, adorémoslo.

Laudes:

Salmodia

Ant. 1. Tus mandatos, Señor, son fieles y seguros, más que la voz de aguas caudalosas.

Los salmos y el cántico se toman del domingo III del Salterio, p. 209.

Ant. 2. Manantiales, bendigan al Señor, ensálcenlo con himnos por los siglos.

Ant. 3. Reyes y pueblos del orbe, alaben al Señor.

Ant. Cánt. Evang.

Año A: Dios es espíritu: adórenlo en espíritu y en verdad.

Año B: «Destruyan este templo –dice el Señor– y yo lo levantaré en tres días»; esto lo decía refiriéndose al templo de su propio cuerpo.

Año C: El Señor, el Dios de sus padres, me ha enviado a ustedes.

La oración conclusiva como en las I Vísperas.

II Vísperas:

Salmodia

Ant. 1. Señor, Dios todopoderoso, líbranos por la gloria de tu nombre y concédenos un espíritu de conversión.

Los salmos y el cántico se toman del domingo III del Salterio, p. 217.

Ant. 2. Nos rescataron a precio de la sangre de Cristo, el cordero sin defecto ni mancha.

Ant. 3. Él soportó nuestros sufrimientos y aguantó nuestros dolores.

Ant. Cánt. Evang.

Año A: Dice el Señor: «El que beba del agua que yo le dé no tendrá ya sed jamás.»

Año B: «La casa de mi Padre es casa de oración», dice el Señor.

Año C: El que permanece en mí da mucho fruto.

La oración conclusiva como en las I Vísperas.

Domingo IV de Cuaresma   *Semana IV del Salterio*

I Vísperas:

Salmodia

Ant. 1. Vamos a la casa del Señor, con alegría.

Los salmos y el cántico se toman del domingo IV del Salterio, p. 290.

Ant. 2. Despierta, tú que duermes, surge de entre los muertos; y Cristo con su luz te alumbrará.

Ant. 3. Dios, por el gran amor con que nos amó, aun cuando estábamos muertos por nuestros pecados, nos vivificó con Cristo.

Ant. Cánt. Evang.

Año A: Éramos tinieblas; ahora somos luz en el Señor.

Año B: Tanto amó Dios al mundo que le entregó su Hijo único; el que cree en él no perece, sino que tiene vida eterna.

Año C: Cristo ha reconciliado al mundo con Dios; ha hecho de nosotros una creatura nueva.

Oración conclusiva: Señor Dios, que por tu Palabra hecha carne has reconciliado contigo admirablemente al género humano, haz que el pueblo cristiano se apreste a celebrar las próximas fiestas pascuales con una fe viva y con una entrega generosa a ti. Por nuestro Señor Jesucristo, tu Hijo...

Invitatorio: Ant. A Cristo, el Señor, que por nosotros fue tentado y por nosotros murió, vengan, adorémoslo.

Laudes:

Salmodia

Ant. 1. Tú eres mi Dios, te doy gracias; Dios mío, yo te ensalzo.

Los salmos y el cántico se toman del domingo IV del Salterio, p. 296.

Ant. 2. Capaz eres, Señor, de liberarnos de la mano del poderoso; líbranos, Señor, Dios nuestro.

Ant. 3. Alaben al Señor por sus obras magníficas.

Ant. Cánt. Evang.

Año A: Nadie, a no ser Cristo, el Hijo de Dios, ha dado la vista a un ciego de nacimiento.

Año B: Con inmenso amor, Dios, aun cuando estábamos muertos por nuestros pecados, nos ha vivificado con Cristo.

Año C: Padre, he pecado contra ti; ya no merezco ser hijo tuyo.

La oración conclusiva como en las I Vísperas.

II Vísperas:

Salmodia

Ant. 1. Él ha sido constituido por Dios juez de vivos y muertos.

Los salmos y el cántico se toman del domingo IV del Salterio, p. 304.

Ant. 2. Dichoso el que se apiada por amor del Señor: su recuerdo será perpetuo.

Ant. 3. Lo que Dios había dicho por los profetas, que su Mesías tenía que padecer, lo ha cumplido.

Ant. Cánt. Evang.

Año A: He lavado mis ojos en la fuente; ahora veo, Señor, y creo en ti.

Año B: El Hijo del hombre será levantado en alto: el que crea en él tendrá vida eterna.

Año C: Este hermano tuyo había muerto y ha vuelto a la vida, se había perdido y lo hemos hallado: hagamos fiesta y alegrémonos.

La oración conclusiva como en las I Vísperas.

Domingo V de Cuaresma   *Semana I del Salterio*

I Vísperas:

Salmodia

Ant. 1. Pondré mi ley en sus corazones; yo seré su Dios, y ellos serán mi pueblo.

Los salmos y el cántico se toman del domingo I del Salterio, p. 14.

Ant. 2. Todo lo estimo pérdida comparado con la excelencia del conocimiento de Cristo Jesús, mi Señor.

Ant. 3. A pesar de ser Hijo, aprendió en sus padecimientos la obediencia.

Ant. Cánt. Evang.

Año A: El Padre, que ha resucitado a Cristo de entre los muertos, nos vivificará; su Espíritu habita en nosotros.

Año B: El grano de trigo que cae a tierra queda infecundo, si no muere; pero, si muere, produce mucho fruto.

Año C: No es la ley lo que nos justifica, sino la fe en Cristo.

Oración conclusiva: Te pedimos, Señor, que enciendas nuestros corazones en aquel mismo amor con que tu Hijo ama al mundo y que lo impulsó a entregarse a la muerte por salvarlo. Por nuestro Señor Jesucristo, tu Hijo...

Invitatorio: Ant. A Cristo, el Señor, que por nosotros fue tentado y por nosotros murió, vengan, adorémoslo.

Laudes:

Salmodia

Ant. 1. Tú, Señor, fuiste mi auxilio.

Los salmos y el cántico se toman del domingo I del Salterio, p. 22.

Ant. 2. Líbranos según tus maravillas, y sálvanos del poder de la muerte.

Ant. 3. Ha llegado la hora en que va a ser glorificado el Hijo del hombre.

Ant. Cánt. Evang.

Año A: Nuestro amigo Lázaro está dormido; pero voy a ir a despertarlo.

Año B: Haré con ustedes una alianza nueva: yo seré su Dios y ustedes serán mi pueblo.

Año C: «No piensen en lo antiguo –dice el Señor–; miren que realizo algo nuevo.»

La oración conclusiva como en las I Vísperas.

II Vísperas:

Salmodia

Ant. 1. Así como fue levantada en alto la serpiente en el desierto, así deberá ser levantado en alto el Hijo del hombre.

Los salmos y el cántico se toman del domingo I del Salterio, p. 30.

Ant. 2. El Señor de los ejércitos es protección liberadora, rescate salvador.

Ant. 3. Él fue herido por nuestras rebeldías, triturado por nuestros crímenes, por sus llagas hemos sido curados.

Ant. Cánt. Evang.

Año A: Yo soy la resurrección y la vida; quien a mí se una con viva fe, aunque muera, vivirá.

Año B: Cuando sea yo levantado en alto sobre la tierra, atraeré a todos hacia mí.

Año C: Mujer, yo no te condeno; vete, y en adelante no peques más.

La oración conclusiva como en las I Vísperas.

Domingo de la Pasión del Señor o de Ramos

Semana II del Salterio

Himno

El pueblo que fue cautivo
y que tu mano libera
no encuentra mayor palmera
ni abunda en mejor olivo.
Viene con aire festivo
para enramar tu victoria,
y no te ha visto en su historia,
Dios de Israel, más cercano:
ni tu poder más a mano
ni más humilde tu gloria.

¡Gloria, alabanza y honor!
Gritad: «¡Hosanna!», y haceos
como los niños hebreos
al paso del Redentor.
¡Gloria y honor
al que viene en el nombre del Señor! Amén.

I Vísperas:

Salmodia

Ant. 1. Todos los días me sentaba en el templo para enseñar y nunca me prendieron; ahora, flagelado, me llevan para ser crucificado.

Los salmos y el cántico se toman del domingo II del Salterio, p. 109.

Ant. 2. El Señor me ayuda, por eso no sentía los ultrajes.

Ant. 3. El Señor Jesús se rebajó hasta someterse incluso a la muerte y una muerte de cruz.

Ant. Cánt. Evang. Salve, Rey nuestro, Hijo de David, Redentor del mundo; ya los profetas te anunciaron como el Salvador que había de venir.

Oración conclusiva: Dios todopoderoso y eterno, que quisiste que nuestro Salvador se anonadase, haciéndose hombre y muriendo en la cruz, para que todos nosotros imitáramos su ejemplo de humildad, concédenos seguir las enseñanzas de su pasión, para que un día participemos en su resurrección gloriosa. Por nuestro Señor Jesucristo, tu Hijo...

Invitatorio: Ant. A Cristo, el Señor, que por nosotros fue tentado y por nosotros murió, vengan, adorémoslo.

Laudes:

Salmodia

Ant. 1. El numeroso gentío, que había venido a la fiesta, aclamaba al Señor: «Bendito el que viene en nombre del Señor. Hosanna en el cielo.»

Los salmos y el cántico se toman del domingo II del Salterio, p. 116.

Ant. 2. Con los ángeles y los niños, cantemos al triunfador de la muerte: «Hosanna en el cielo.»

Ant. 3. Bendito el que viene en nombre del Señor. Paz en el cielo y gloria en las alturas.

Ant. Cánt. Evang. Aclamemos con palmas de victoria al Señor que viene, y salgamos a su encuentro con himnos y cantos, dándole gloria y diciendo: «Bendito eres, Señor.»

La oración conclusiva como en las I Vísperas.

II Vísperas:

Salmodia

Ant. 1. Herido y humillado, Dios lo exaltó con su diestra.

Los salmos y el cántico se toman del domingo II del Salterio, p. 123.

Ant. 2. La sangre de Cristo nos purificará, para dar culto al Dios vivo.

Ant. 3. Cargado con nuestros pecados subió al leño, para que, muertos al pecado, vivamos para la justicia.

Ant. Cánt. Evang. «Dice la Escritura: "Heriré al pastor y se dispersarán las ovejas del rebaño"; pero, después de mi resurrección, iré delante de ustedes a Galilea; allí me verán», dice el Señor.

La oración conclusiva como en las I Vísperas.

TRIDUO PASCUAL

Jueves de la Cena del Señor   *Semana II del Salterio*

Hoy las Vísperas sólo las rezan quienes no participan en la acción litúrgica de la Cena del Señor.

Himno

En la Cena del Cordero
y habiendo ya cenado,
acabada la figura, comenzó lo figurado.

Por mostrar Dios a los suyos
cómo está de amor llagado,
todas las mercedes juntas
en una las ha cifrado.

Pan y vino material
en sus manos ha tomado
y, en lugar de pan y vino,
cuerpo y sangre les ha dado.

Si un bocado nos dio muerte,
la vida se da en bocado;
si el pecado dio el veneno,
el remedio Dios lo ha dado.

Haga fiesta el cielo y tierra
y alégrese lo criado,
pues Dios, no cabiendo en ello,
en mi alma se ha encerrado. Amén.

Vísperas: Ant. Cánt. Evang. Cuando estaban cenando, Jesús tomó pan, rezó la bendición, lo partió y lo dio a sus discípulos.

Oración conclusiva: Dios nuestro, que, para tu mayor gloria y para la salvación del género humano, has constituido a Jesucristo como sumo y eterno sacerdote, haz que el pueblo que él conquistó con su sangre reciba plenamente, al participar del memorial de su pasión, los tesoros que dimanan de su muerte y resurrección. Por nuestro Señor Jesucristo, tu Hijo...

Viernes Santo de la muerte del Señor

HIMNO

Brazos rígidos y yertos,
por dos garfios traspasados,
que aquí estáis, por mis pecados,
para recibirme abiertos,
para esperarme clavados.

Cuerpo llagado de amores,
yo te adoro y yo te sigo;
yo, Señor de los señores,
quiero partir tus dolores
subiendo a la cruz contigo.

Quiero en la vida seguirte
y por sus caminos irte
alabando y bendiciendo,
y bendecirte sufriendo
y muriendo bendecirte.

Que no ame la poquedad
de cosas que van y vienen;
que adore la austeridad
de estos sentires que tienen
sabores de eternidad;

que sienta una dulce herida
de ansia de amor desmedida;
que ame tu ciencia y tu luz;
que vaya, en fin, por la vida
como tú estás en la cruz:

de sangre los pies cubiertos,
llagadas de amor las manos,
los ojos al mundo muertos
y los dos brazos abiertos
para todos mis hermanos. Amén.

Invitatorio: Ant. A Cristo, Hijo de Dios, que nos redimió
con su sangre preciosa, vengan, adorémoslo.

Laudes:

Salmodia

Ant. 1. Dios no perdonó a su propio Hijo, sino que lo
entregó a la muerte por todos nosotros.

Salmo 50, p. 89.

Ant. 2. Jesucristo nos ama y nos ha lavado de nuestros pecados con su sangre.

Cántico Hab 3, 2-4. 13a. 15-19, p. 185.

Ant. 3. Tu cruz adoramos, Señor, y tu santa resurrección alabamos y glorificamos; por el madero ha venido la alegría al mundo entero.

Salmo 147, p. 186.

Ant. Cánt. Evang. Fijaron encima de su cabeza un letrero indicando el motivo de su condenación: «Éste es Jesús, el rey de los judíos.»

Oración conclusiva: Mira, Señor, con bondad a tu familia santa, por la cual Jesucristo nuestro Señor aceptó el tormento de la cruz, entregándose a sus propios enemigos. Por nuestro Señor Jesucristo, tu Hijo...

Vísperas:

Salmodia

Ant. 1. Escuchen, pueblos todos, y miren mi dolor.

Salmo 115, p. 204.

Ant. 2. Mi aliento desfallece, mi corazón dentro de mí está yerto.

Salmo 142, 1-11, p. 350.

Ant. 3. Jesús, después de haber probado el vinagre, exclamó: «Todo está cumplido»; e, inclinando la cabeza, expiró.

Cántico Flp 2, 6-11, p. 17.

Ant. Cánt. Evang. Siendo enemigos, hemos sido reconciliados con Dios por la muerte de su Hijo.

La oración conclusiva como en las Laudes.

Sábado Santo

HIMNO

Venid al huerto, perfumes,
enjugad la blanca sábana:

en el tálamo nupcial
el Rey descansa.

Muertos de negros sepulcros,
venid a la tumba santa:
la Vida espera dormida,
la Iglesia aguarda.

Llegad al jardín, creyentes,
tened en silencio el alma:
ya empiezan a ver los justos
la noche clara.

Oh dolientes de la tierra,
verted aquí vuestras lágrimas:
en la gloria de este cuerpo
serán bañadas.

Salve, cuerpo cobijado
bajo las divinas alas;
salve, casa del Espíritu,
nuestra morada. Amén.

Invitatorio: Ant. Cristo, el Señor, que por nosotros murió, y por nosotros fue sepultado, vengan, adorémoslo.

Laudes:

Salmodia

Ant. 1. Harán llanto como llanto por el hijo único, porque siendo inocente fue muerto el Señor.

Salmo 63, p. 496.

Ant. 2. Líbrame, Señor, de las puertas del abismo.

Cántico Is 38, 10-14. 17-20, p. 144.

Ant. 3. Estaba muerto, pero ahora vivo por los siglos de los siglos, y tengo las llaves de la muerte y del hades.

Salmo 150, p. 119.

Ant. Cánt. Evang. Salvador del mundo, sálvanos; tú que con tu cruz y con tu sangre nos redimiste, socórrenos, Dios nuestro.

Oración conclusiva: Dios todopoderoso, cuyo Unigénito descendió al lugar de los muertos y salió victorioso del sepulcro, te pedimos que concedas a todos tus fieles, sepultados con Cristo por el bautismo, resucitar también con él a la vida eterna. Por nuestro Señor Jesucristo, tu Hijo...

Vísperas:

Salmodia

Ant. 1. Oh muerte, yo seré tu muerte; país de los muertos, yo seré tu aguijón.

Salmo 115, p. 204.

Ant. 2. Como estuvo Jonás en el vientre del cetáceo tres días y tres noches, así estará el Hijo del hombre en el seno de la tierra.

Salmo 142, 1-11, p. 350.

Ant. 3. «Destruyan este templo –dice el Señor– y yo lo levantaré en tres días»; esto lo decía refiriéndose al templo de su propio cuerpo.

Cántico Flp 2, 6-11, p. 17.

Ant. Cánt. Evang. Ahora ha entrado el Hijo del hombre en su gloria, y Dios ha recibido su glorificación por él; Dios, a su vez, pronto lo revestirá de su misma gloria.

La oración conclusiva como en las Laudes.

TIEMPO PASCUAL

Domingo de Pascua de la Resurrección del Señor

Semana I del Salterio

Himno

Al fin será la paz y la corona,
los vítores, las palmas sacudidas,

y un aleluya inmenso como el cielo
para cantar la gloria del Mesías.

Será el estrecho abrazo de los hombres,
sin muerte, sin pecado, sin envidia;
será el amor perfecto del encuentro,
será como quien llora de alegría.

Porque hoy remonta el vuelo el sepultado
y va por el sendero de la vida
a saciarse de gozo junto al Padre
y a preparar la mesa de familia.

Se fue, pero volvía, se mostraba,
lo abrazaban, hablaba, compartía;
y escondido la Iglesia lo contempla,
lo adora más presente todavía.

Hundimos en sus ojos la mirada,
y ya es nuestra su historia que principia,
nuestros son los laureles de su frente,
aunque un día le dimos las espinas.

Que el tiempo y el espacio limitados
sumisos al Espíritu se rindan,
y dejen paso a Cristo omnipotente,
a quien gozoso el mundo glorifica. Amén.

Invitatorio: Ant. Verdaderamente ha resucitado el Señor.
Aleluya.

Laudes:

Salmodia

Ant. 1. Cristo ha resucitado y con su claridad ilumina al
pueblo rescatado con su sangre. Aleluya.

Los salmos y el cántico se toman del domingo I del Salterio,
p. 22.

Ant. 2. Ha resucitado del sepulcro nuestro Redentor;
cantemos un himno al Señor, nuestro Dios. Aleluya.

Ant. 3. Aleluya. Ha resucitado el Señor, tal como lo había anunciado. Aleluya.

Ant. Cánt. Evang. Muy de madrugada, el primer día de la semana, llegaron al sepulcro, apenas salido el sol. Aleluya.

Oración conclusiva: Dios nuestro, que en este día nos abriste las puertas de la vida por medio de tu Hijo, vencedor de la muerte, concédenos a todos los que celebramos su gloriosa resurrección que, por la nueva vida que tu Espíritu nos comunica, lleguemos también nosotros a resucitar a la luz de la vida eterna. Por nuestro Señor Jesucristo, tu Hijo...

Vísperas:

Salmodia

Ant. 1. María Magdalena y la otra María fueron a ver el sepulcro. Aleluya.

Los salmos y el cántico se toman del domingo I del Salterio, p. 30.

Ant. 2. Vengan y vean el lugar donde habían puesto al Señor. Aleluya.

Ant. 3. Dijo Jesús: «No teman. Vayan a decir a mis hermanos que vayan a Galilea, que allí me verán.» Aleluya.

Ant. Cánt. Evang. La tarde de aquel mismo día, el primero de la semana, estando cerradas las puertas del lugar donde se hallaban los discípulos, se presentó Jesús; y en presencia de todos exclamó: «La paz sea con ustedes.» Aleluya.

La oración conclusiva como en las Laudes.

Lunes de la octava de Pascua

Invitatorio: Ant. Verdaderamente ha resucitado el Señor. Aleluya.

Laudes: Ant. Cánt. Evang. Vayan en seguida a decir a sus discípulos: «Ha resucitado el Señor de entre los muertos.» Aleluya.

Oración conclusiva: Dios nuestro, que haces crecer a tu Iglesia, dándole continuamente nuevos hijos por el bautismo, concédenos ser siempre fieles en nuestra vida a la fe que en ese sacramento hemos recibido. Por nuestro Señor Jesucristo, tu Hijo...

Vísperas: Ant. Cánt. Evang. Jesús salió al encuentro de las mujeres y les dijo: «Buenos días.» Ellas se acercaron y se abrazaron a sus pies. Aleluya.

Martes de la octava de Pascua

Invitatorio: Ant. Verdaderamente ha resucitado el Señor. Aleluya.

Laudes: Ant. Cánt. Evang. Jesús dijo: «¡María!» Ella, volviéndose, exclamó: «¡Maestro!» Jesús le dijo: «Suéltame, que aún no he subido al Padre.» Aleluya.

Oración conclusiva: Señor Dios, que nos has proporcionado el remedio de nuestros males por el misterio pascual, colma a tu pueblo de tus dones celestiales, para que alcance la perfecta libertad y llegue a gozar plenamente en el cielo de la alegría que ya ha comenzado a gustar en la tierra. Por nuestro Señor Jesucristo, tu Hijo...

Vísperas: Ant. Cánt. Evang. Mientras estaba llorando junto al sepulcro, vi a mi Señor. Aleluya.

Miércoles de la octava de Pascua

Invitatorio: Ant. Verdaderamente ha resucitado el Señor. Aleluya.

Laudes: Ant. Cánt. Evang. Empezando por Moisés y continuando por todos los profetas, Jesús les fue explicando todos los pasajes de la Escritura que a él se referían. Aleluya.

Oración conclusiva: Dios nuestro, que todos los años nos alegras con la solemnidad de la resurrección del Señor, concédenos que la celebración de estas fiestas aquí en la tierra nos lleve a gozar de la eterna alegría en el cielo. Por nuestro Señor Jesucristo, tu Hijo...

Vísperas: Ant. Cánt. Evang. Entró Jesús y se quedó con ellos; y, estando juntos a la mesa, tomó el pan y, pronunciada la bendición, lo partió y se lo dio. Aleluya.

Jueves de la octava de Pascua

Invitatorio: Ant. Verdaderamente ha resucitado el Señor. Aleluya.

Laudes: Ant. Cánt. Evang. Se presentó Jesús en medio de sus discípulos y les dijo: «La paz sea con ustedes.» Aleluya.

Oración conclusiva: Oh Dios, que has reunido a pueblos diversos en la confesión de tu nombre, concede a los que han renacido en la fuente bautismal una misma fe en su espíritu y una misma caridad en sus vidas. Por nuestro Señor Jesucristo, tu Hijo...

Vísperas: Ant. Cánt. Evang. Miren mis manos y mis pies; soy yo. Aleluya.

Viernes de la octava de Pascua

Invitatorio: Ant. Verdaderamente ha resucitado el Señor. Aleluya.

Laudes: Ant. Cánt. Evang. Ésta fue la tercera vez que se apareció Jesús a los discípulos después de su resurrección de entre los muertos. Aleluya.

Oración conclusiva: Dios todopoderoso y eterno, que por el misterio pascual restableciste tu alianza con los hombres, concédenos realizar en nuestra vida lo que en estas fiestas proclama nuestra fe. Por nuestro Señor Jesucristo, tu Hijo...

Vísperas: Ant. Cánt. Evang. El discípulo predilecto de Jesús dijo: «¡Es el Señor!» Aleluya.

Sábado de la octava de Pascua

Invitatorio: Ant. Verdaderamente ha resucitado el Señor. Aleluya.

Laudes: Ant. Cánt. Evang. Después de su resurrección, que tuvo lugar en la mañana del primer día de la semana, Jesús se apareció primero a María Magdalena, de la que había arrojado siete demonios. Aleluya.

Oración conclusiva: Dios nuestro, que con la abundancia de tu gracia no cesas de aumentar en todos los pueblos el número de tus hijos, mira con amor a tus elegidos que han nacido a una nueva vida por el sacramento del bautismo y concédeles alcanzar una dichosa inmortalidad. Por nuestro Señor Jesucristo, tu Hijo...

Domingo II de Pascua o de la Misericordia Divina

Las antífonas, los salmos y el cántico se toman del domingo de Pascua, p. 446.

I Vísperas: Ant. Cánt. Evang. Ocho días después, estando cerradas las puertas, se presentó Jesús y, en presencia de todos, exclamó: «La paz sea con ustedes.» Aleluya.

Oración conclusiva: Señor Dios, cuya misericordia es eterna, tú que reanimas la fe de tu pueblo con la celebración anual de las fiestas pascuales, aumenta en nosotros los dones de tu gracia, para que comprendamos mejor la excelencia del bautismo que nos ha purificado, la grandeza del Espíritu que nos ha reengendrado y el precio de la sangre que nos ha redimido. Por nuestro Señor Jesucristo, tu Hijo...

Invitatorio: Ant. Verdaderamente ha resucitado el Señor. Aleluya.

Laudes: Ant. Cánt. Evang. Trae tu mano y métela en mi costado; y no seas incrédulo, sino fiel. Aleluya.

II Vísperas: Ant. Cánt. Evang. ¿No has creído, Tomás, sino después de haberme visto? Dichosos los que sin ver han creído. Aleluya.

Domingo III de Pascua
Semana III del Salterio

I Vísperas: Ant. Cánt. Evang.

Año A: Quédate con nosotros, Señor, porque ya es tarde y el día se va. Aleluya.

Año B: En Cristo se ha cumplido todo lo escrito en la ley de Moisés, en los profetas y en los salmos. Aleluya.

Año C: El discípulo predilecto de Jesús dijo a Pedro: «¡Es el Señor!» Aleluya.

Oración conclusiva: Señor, que tu pueblo se regocije siempre al verse renovado y rejuvenecido por la resurrección de Jesucristo, y que la alegría de haber recobrado la dignidad de la adopción filial le dé la firme esperanza de resucitar gloriosamente como Jesucristo. Que vive y reina contigo...

Invitatorio: Ant. Verdaderamente ha resucitado el Señor. Aleluya.

Laudes: Ant. Cánt. Evang.

Año A: El Mesías tenía que morir y resucitar de entre los muertos al tercer día. Aleluya.

Año B: Se presentó Jesús en medio de sus discípulos y les dijo: «La paz sea con ustedes.» Aleluya.

Año C: Ninguno de los discípulos se atrevía a preguntar a Jesús quién era, sabiendo que era el Señor. Aleluya.

II Vísperas: Ant. Cánt. Evang.

Año A: Jesús explicó a los discípulos el misterio de la Pascua en todos los pasajes de la Escritura, desde Moisés hasta los profetas. Aleluya.

Año B: Los discípulos reconocieron a Jesús al partir el pan. Aleluya.

Año C: Confiado en la palabra de Cristo, Pedro arrastró la red llena de peces. ¡Gloria a Dios! Aleluya.

Domingo IV de Pascua
Semana IV del Salterio

I Vísperas: Ant. Cánt. Evang. «Yo soy la puerta –dice el Señor–, el que entre por mí se salvará y encontrará pastos abundantes.» Aleluya.

Oración conclusiva: Dios todopoderoso y eterno, que has dado a tu Iglesia el gozo inmenso de la resurrección de Jesucristo, te pedimos que nos lleves a gozar de las alegrías celestiales, para que así llegue también el humilde rebaño hasta donde penetró su victorioso Pastor. Que vive y reina contigo...

Invitatorio: Ant. Verdaderamente ha resucitado el Señor. Aleluya.

Laudes: Ant. Cánt. Evang. Yo soy el Pastor de las ovejas; yo soy el camino, la verdad y la vida; yo soy el buen Pastor, y conozco a mis ovejas y ellas me conocen a mí. Aleluya.

II Vísperas: Ant. Cánt. Evang. Mis ovejas atienden a mi voz, y yo, el Señor, las conozco a ellas. Aleluya.

Domingo V de Pascua
Semana I del Salterio

I Vísperas: Ant. Cánt. Evang.

Año A: Yo soy el camino, la verdad y la vida. Nadie va al Padre sino por mí. Aleluya.

Año B: Ustedes están ya limpios por mi palabra, que les he hablado. Aleluya.

Año C: El Hijo del hombre ha entrado en su gloria, y por él Dios ha recibido su exaltación. Aleluya.

Oración conclusiva: Dios nuestro, que nos has enviado la redención y concedido la filiación adoptiva, protege con bondad a los hijos que tanto amas, y concédenos, por nuestra fe en Cristo, la verdadera libertad y la herencia eterna. Por nuestro Señor Jesucristo, tu Hijo...

Invitatorio: Ant. Verdaderamente ha resucitado el Señor. Aleluya.

Laudes: Ant. Cánt. Evang.

Año A: Jesús dijo: «El que me ve, ve también al Padre.» Aleluya.

Año B: El que permanece en mí, como yo en él, da mucho fruto. Aleluya.

Año C: En esto conocerán todos que son discípulos míos: en que tienen caridad unos con otros. Aleluya.

II Vísperas: Ant. Cánt. Evang.

Año A: Voy a prepararles un lugar; y los llevaré conmigo para que donde yo esté estén también ustedes. Aleluya.

Año B: Si permanecen en mí, pedirán lo que quieran y se les dará. Aleluya.

Año C: Les doy un mandato nuevo: que se amen mutuamente como yo los he amado. Aleluya.

Domingo VI de Pascua
Semana II del Salterio

I Vísperas: Ant. Cánt. Evang.

Año A: Yo rogaré al Padre y él les dará otro Abogado que esté con ustedes para siempre. Aleluya.

Año B: Guarden mis mandamientos, para que mi gozo esté en ustedes, y su gozo quede colmado. Aleluya.

Año C: El Espíritu Santo, que el Padre enviará en mi nombre, les traerá a la memoria todo lo que les he hablado. Aleluya.

Oración conclusiva: Concédenos, Dios todopoderoso, continuar celebrando con amor ferviente estos días de alegría en honor de Cristo resucitado, y que los misterios que estamos recordando transformen nuestra vida y se manifiesten en nuestras obras. Por nuestro Señor Jesucristo, tu Hijo...

Invitatorio: Ant. Verdaderamente ha resucitado el Señor. Aleluya.

Laudes: Ant. Cánt. Evang.

Año A: Ustedes conocen al Espíritu Santo, porque permanece con ustedes y está con ustedes. Aleluya.

Año B: Como el Padre me amó, así también yo los he amado a ustedes; permanezcan en mi amor. Aleluya.

Año C: La palabra que están oyendo no es mía; es del Padre, que me ha enviado. Aleluya.

II Vísperas: Ant. Cánt. Evang.

Año A: El que me ama guardará mi palabra; mi Padre lo amará y vendremos a fijar en él nuestra morada. Aleluya.

Año B: Ustedes son mis amigos si hacen lo que les mando. Aleluya.

Año C: La paz les dejo, mi paz les doy. Aleluya.

La Ascensión del Señor
Solemnidad

HIMNO

«No, yo no dejo la tierra.
No, yo no olvido a los hombres.
Aquí, yo he dejado la guerra;
arriba, están vuestros nombres.»

¿Qué hacéis mirando al cielo,
varones, sin alegría?
Lo que ahora parece un vuelo
ya es vuelta y es cercanía.

El gozo es mi testigo.
La paz, mi presencia viva,
que, al irme, se va conmigo
la cautividad cautiva.

El cielo ha comenzado.
Vosotros sois mi cosecha.
El Padre ya os ha sentado
conmigo, a su derecha.

Partid frente a la aurora.
Salvad a todo el que crea.
Vosotros marcáis mi hora.
Comienza vuestra tarea. Amén.

I Vísperas:

Salmodia

Ant. 1. Salí del Padre y vine al mundo; ahora dejo el mundo y voy al Padre. Aleluya.

Salmo 112, p. 203.

Ant. 2. Después de haber tratado con ellos, el Señor Jesús fue elevado al cielo, y allí está sentado a la diestra de Dios. Aleluya.

Salmo 116, p. 105.

Ant. 3. Nadie sube al cielo sino aquel que ha bajado del cielo, el Hijo del hombre, que está en el cielo. Aleluya.

Cántico Apoc 11, 17-18; 12, 10b-12a, p. 85.

Ant. Cánt. Evang. Padre, he dado a conocer tu nombre a los hombres que me diste; te ruego por ellos, no por el mundo, ahora que voy a ti. Aleluya.

Oración conclusiva: Concédenos, Señor, rebosar de alegría al celebrar la gloriosa ascensión de tu Hijo, y elevar a ti una cumplida acción de gracias, pues el triunfo de Cristo es ya nuestra victoria y, ya que él es la cabeza de la Iglesia, haz que nosotros, que somos su cuerpo, nos sintamos atraídos por una irresistible esperanza hacia donde él nos precedió. Por nuestro Señor Jesucristo, tu Hijo...

Invitatorio: Ant. Aleluya. A Cristo, el Señor, que asciende al cielo, vengan, adorémoslo. Aleluya.

Laudes:

Salmodia

Ant. 1. Hombres de Galilea, ¿qué hacen ahí mirando el cielo? Ese Jesús, que ha sido llevado al cielo, vendrá de la misma manera que lo han visto subir allá. Aleluya.

Los salmos y el cántico se toman del domingo I del Salterio, p. 22.

Ant. 2. Ensalcen al Rey de reyes, y canten un himno a Dios. Aleluya.

Ant. 3. Se elevó en presencia de ellos, y una nube, en el cielo, lo ocultó a su vista. Aleluya.

Ant. Cánt. Evang. Subo a mi Padre y a su Padre, a mi Dios y a su Dios. Aleluya.

La oración conclusiva como en las I Vísperas.

II Vísperas:

Salmodia

Ant. 1. Subió al cielo, y está sentado a la derecha del Padre. Aleluya.

Salmo 109, 1-5. 7, p. 30.

Ant. 2. Dios asciende entre aclamaciones; el Señor, al son de trompetas. Aleluya.

Salmo 46, p. 65.

Ant. 3. Ya ha entrado el Hijo del hombre en su gloria, y Dios ha recibido su glorificación por él. Aleluya.

Cántico Apoc 11, 17-18; 12, 10b-12a, p. 85.

Ant. Cánt. Evang. Oh Rey de la gloria, Señor del universo, que hoy asciendes triunfante al cielo: No nos dejes huérfanos, envía hacia nosotros la promesa del Padre, el Espíritu de verdad. Aleluya.

La oración conclusiva como en las I Vísperas.

Domingo VII de Pascua
Semana III del Salterio

I Vísperas: Ant. Cánt. Evang. No los dejaré huérfanos; me voy pero volveré a ustedes, y se alegrará su corazón. Aleluya.

Oración conclusiva: Señor, atiende benignamente nuestras súplicas, y haz que, así como creemos que el Salvador del género humano está contigo en la gloria, así también sintamos que permanece con nosotros hasta la consumación de los siglos, como él mismo lo prometió. Por nuestro Señor Jesucristo, tu Hijo...

Invitatorio: Ant. A Cristo, el Señor, que nos prometió el Espíritu Santo, vengan, adorémoslo. Aleluya.

Laudes: Ant. Cánt. Evang. Padre, yo te he glorificado sobre la tierra, llevando a cabo la obra que me tienes encomendada. Aleluya.

II Vísperas: Ant. Cánt. Evang. Cuando venga el Abogado, que les enviaré yo de parte del Padre, el Espíritu de verdad, que procede del Padre, él mismo declarará en mi favor. Aleluya.

Domingo de Pentecostés
Solemnidad

HIMNO:

Hoy desciende el Espíritu de fuego
al corazón creyente de la Iglesia,
el Señor que la quema y atraviesa
enciende con su llama al universo.

Ebrios del Santo Espíritu, los Doce
rebosan de carismas y alabanzas;
Dios baja al Sinaí, y en llamarada
y en ímpetu de amor retumba el monte.

Razas y pueblos quedan convocados;
Dios se muestra en Sión, la bella altura,
y en voz concorde aquí a los hombres junta,
desde Babel dispersos en pecado.

Se lanzan por el mundo los testigos;
y sin ceñir espadas lo conquistan,
y sin oro a los pobres dan la vida;
el Espíritu guía y Cristo invicto.

El Viento es brisa y fuerza de huracanes,
y el Agua viva mueve los océanos;
alzan los brazos y oran bendiciendo
y el gozo transfigura sus semblantes.

Espíritu de amor y de verdad,
Espíritu confín de las promesas,
oh santo, a ti la gloria siempre sea,
y a nosotros de ti la santidad. Amén.

I Vísperas:

Salmodia

Ant. 1. Cuando llegó el día de Pentecostés, estaban todos reunidos en un mismo lugar. Aleluya.

Salmo 112, p. 203.

Ant. 2. Aparecieron sobre los apóstoles unas como lenguas de fuego, y se posó sobre cada uno de ellos el Espíritu Santo. Aleluya.

Salmo 146, p. 352.

Ant. 3. El Espíritu, que procede del Padre, él me glorificará. Aleluya.

Cántico Apoc 15, 3-4, p. 99.

Ant. Cánt. Evang. Ven, Espíritu Santo, llena los corazones de tus fieles y enciende en ellos el fuego de tu amor, tú que con la diversidad de lenguas congregaste todos los pueblos en la confesión de una sola fe. Aleluya.

Oración conclusiva: Dios todopoderoso y eterno, que has querido que la celebración del misterio pascual se prolongara simbólicamente durante cincuenta días, te pedimos que por la acción del Espíritu Santo, lleves a la unidad en el amor a todas las naciones de la tierra, y que sus diversas lenguas se unan para proclamar unánimemente la gloria de tu nombre. Por nuestro Señor Jesucristo, tu Hijo...

Invitatorio: Ant. Aleluya. El Espíritu del Señor llena el universo, vengan, adorémoslo. Aleluya.

Laudes:

Salmodia

Ant. 1. Señor, cuán bueno y cuán suave es tu Espíritu que habita en nosotros. Aleluya.

Los salmos y el cántico se toman del domingo I del Salterio, p. 22.

Ant. 2. Manantiales y cuanto se mueve en las aguas, canten un himno a Dios. Aleluya.

Ant. 3. Los apóstoles hablaban en otras lenguas las grandezas de Dios. Aleluya.

Ant. Cánt. Evang. Reciban el Espíritu Santo; quedan perdonados los pecados a quienes los perdonen. Aleluya.

Oración conclusiva: Dios nuestro, que por el misterio de Pentecostés santificas a tu Iglesia en todo pueblo y nación, derrama los dones del Espíritu Santo por toda la extensión de la tierra, y aquellas maravillas que obraste en los comienzos de la predicación evangélica, continúa realizándolas ahora en los corazones de tus fieles. Por nuestro Señor Jesucristo, tu Hijo...

II Vísperas:

Salmodia

Ant. 1. El Espíritu del Señor llena el universo. Aleluya.

Salmo 109, 1-5. 7, p. 30.

Ant. 2. Confirma, oh Dios, lo que has realizado en nosotros, desde tu santo templo de Jerusalén. Aleluya.

Salmo 113 A, p. 31.

Ant. 3. Todos quedaron llenos del Espíritu Santo y comenzaron a hablar. Aleluya.

Cántico cfr. Apoc 19, 1-2. 5-7, p. 33.

Ant. Cánt. Evang. Hoy han llegado a su término los días de Pentecostés, aleluya; hoy el Espíritu Santo se apareció a los discípulos en forma de lenguas de fuego y los enriqueció con sus dones, enviándolos a predicar a todo el mundo y a dar testimonio de que el que crea y se bautice se salvará. Aleluya.

La oración conclusiva como en las Laudes.

TIEMPO ORDINARIO

La Santísima Trinidad
Solemnidad

Domingo después de Pentecostés

HIMNO

Oh tú, santa Unidad en Trinidad,
que riges con poder el universo,
recibe las canciones de alabanza
que, en vela matinal, cantan tus siervos.

El lucero del alba ya refulge,
caminando ante el sol cual mensajero;
al caer las tinieblas de la noche,
nos alumbra tu santa luz de nuevo.

Demos gloria a Dios Padre, autor de todo,
y al Señor Jesucristo, su unigénito,
y al Santo Defensor de nuestras almas,
ahora y por los siglos sempiternos. Amén.

I Vísperas:

Salmodia

Ant. 1. Gloria a ti, oh Dios único en tres personas iguales, antes de los siglos, ahora y por toda la eternidad.

Salmo 112, p. 203.

Ant. 2. Bendita sea la Trinidad santa y la Unidad indivisa; démosle gracias porque ha tenido misericordia de nosotros.

Salmo 147, p. 186.

Ant. 3. Gloria y honor por los siglos al Dios uno en tres personas, Padre, Hijo y Espíritu Santo.

Cántico Ef 1, 3-10, p. 45.

Ant. Cánt. Evang. Gracias a ti, Señor Dios; gracias a ti, Trinidad única y verdadera, Dios único y supremo, Unidad única y santa.

Oración conclusiva: Dios Padre, que has enviado al mundo la Palabra de verdad y el Espíritu de santificación para revelar a los hombres tu misterio admirable, concédenos que, al profesar la fe verdadera, reconozcamos la gloria de la eterna Trinidad y adoremos la Unidad de tu majestad omnipotente. Por nuestro Señor Jesucristo, tu Hijo...

Invitatorio: Ant. Al Dios verdadero, que es uno solo en tres personas, vengan, adorémoslo.

Laudes:

Salmodia

Ant. 1. A ti el honor y el imperio, a ti la gloria y el poder, a ti la alabanza y las aclamaciones por todos los siglos, oh excelsa Trinidad.

Los salmos y el cántico se toman del domingo I del Salterio, p. 22.

Ant. 2. A ti con justicia te alaban, te adoran y glorifican todas las creaturas, oh bienaventurada Trinidad.

Ant. 3. De él, por él y para él son todas las cosas. ¡Gloria a él por todos los siglos!

Ant. Cánt. Evang. **Bendita sea la santísima e indivisible Trinidad, que ha creado el universo y lo gobierna, bendita sea ahora y siempre y por todos los siglos.**

La oración conclusiva como en las I Vísperas.

II Vísperas:

Salmodia

Ant. 1. ¡Oh verdadera, excelsa y eterna Trinidad, Padre, Hijo y Espíritu Santo!

Salmo 109, 1-5. 7, p. 30.

Ant. 2. Líbranos, sálvanos, danos vida eterna, oh Trinidad santísima.

Salmo 113 A, p. 31.

Ant. 3. Santo, santo, santo es el Señor Dios todopoderoso, el que era, el que es, el que será.

Cántico cfr. Apoc 19, 1-2. 5-7, p. 33.

Ant. Cánt. Evang. **A ti, Dios Padre no engendrado, a ti, Hijo único del Padre, a ti, Espíritu Santo paráclito, santa e indivisa Trinidad, te confesamos con todo el corazón y con los labios, te alabamos y te bendecimos. ¡Para ti la gloria por los siglos!**

La oración conclusiva como en las I Vísperas.

El Santísimo Cuerpo y Sangre de Cristo

Solemnidad

Jueves después de la Santísima Trinidad

HIMNO

Sin dejar la derecha de su Padre,
y para consumar su obra divina,
el sumo Verbo, que ha venido al mundo,
llega al fin a la tarde de su vida.

Antes de ser, por uno de los suyos,
dado a quienes la muerte le darían,
en el vital banquete del cenáculo
se dio a los suyos como vianda viva.

Se dio a los suyos, bajo dos especies,
en su carne y su sangre sacratísimas,
a fin de alimentar en cuerpo y alma
a cuantos hombres en este mundo habitan.

Se dio, naciendo, como compañero;
comiendo, se entregó como comida;
muriendo, se empeñó como rescate;
reinando, como premio se nos brinda.

Hostia de salvación, que abres las puertas
celestes de la gloria prometida:
fortalece y socorre nuestras almas,
asediadas por fuerzas enemigas.

Glorificada eternamente sea
la perpetua deidad, que es una y trina,
y que ella finalmente nos conceda,
en la patria sin fin, vida infinita. Amén.

I Vísperas:

Salmodia

Ant. 1. El Señor es clemente, él da alimento a sus fieles en memoria de sus maravillas.

Salmo 110, p. 218.

Ant. 2. El Señor da la paz a su Iglesia, la sacia con flor de harina.

Salmo 147, p. 186.

Ant. 3. Yo les digo con toda verdad: Moisés no les dio el pan del cielo; es mi Padre el que les da el verdadero pan del cielo. Aleluya.

Cántico Apoc 11, 17-18; 12, 10b-12a, p. 85.

Ant. Cánt. Evang. Señor, cuán suave es tu Espíritu; para hacer sentir tu dulzura a tus hijos, los llenas de bienes con un pan delicioso que les mandas del cielo; dejas, en cambio, sin nada a los ricos insolentes.

Oración conclusiva: Señor nuestro Jesucristo, que en este sacramento admirable nos dejaste el memorial de tu pasión, concédenos venerar de tal modo los sagrados misterios de tu cuerpo y de tu sangre, que experimentemos constantemente en nosotros el fruto de tu redención. Tú que vives y reinas...

Invitatorio: Ant. A Cristo el Señor, el pan de vida, vengan, adorémoslo.

Laudes:

Salmodia

Ant. 1. Alimentaste a tu pueblo con manjar de ángeles y les enviaste pan desde el cielo. Aleluya.

Los salmos y el cántico se toman del domingo I del Salterio, p. 22.

Ant. 2. Los sacerdotes consagrados ofrecen a Dios incienso y panes. Aleluya.

Ant. 3. Al vencedor le daré del maná escondido y un nombre nuevo. Aleluya.

Ant. Cánt. Evang. Yo soy el pan vivo bajado del cielo; todo el que coma de este pan vivirá eternamente. Aleluya.

La oración conclusiva como en las I Vísperas.

II Vísperas:

Salmodia

Ant. 1. Cristo, el Señor, sacerdote eterno según el rito de Melquisedec, ofreció pan y vino.

Salmo 109, 1-5. 7, p. 30.

Ant. 2. Alzaré la copa de la salvación y te ofreceré un sacrificio de alabanza.

Salmo 115, p. 204.

Ant. 3. Señor, tú eres el camino, tú eres la verdad, tú eres la vida del mundo.

Cántico cfr. Apoc 19, 1-2. 5-7, p. 33.

Ant. Cánt. Evang. ¡Oh sagrado banquete en que Cristo se da como alimento! En él se renueva la memoria de su pasión, el alma se llena de gracia y se nos da una prenda de la futura gloria. Aleluya.

La oración conclusiva como en las I Vísperas.

El Sagrado Corazón de Jesús

Solemnidad

Viernes posterior al domingo II
después de Pentecostés

HIMNO

Desde la cruz redentora,
el Señor nos dio el perdón,
y, para darnos su amor,
todo a la vez, sin medida,
abrió en su pecho una herida
y nos dio su corazón.

Santa cruz de Jesucristo,
abierta como dos brazos:
rumbo de Dios y regazo
en la senda del dolor,
brazos tendidos de amor
sosteniendo nuestros pasos.

Sólo al chocar en las piedras
el río canta al Creador;
del mismo modo el dolor,
como piedra de mi río,
saca del corazón mío
el mejor canto de amor. Amén.

I Vísperas:

Salmodia

Ant. 1. Con amor eterno nos amó Dios; por eso levantado sobre la tierra nos atrajo a su corazón, compadeciéndose de nosotros.

Salmo 112, p. 203.

Ant. 2. Aprendan de mí que soy manso y humilde de corazón y hallarán descanso para sus almas.
Salmo 145, p. 340.

Ant. 3. Yo soy el buen pastor que apaciento mis ovejas, y doy mi vida por las ovejas.
Cántico Apoc 4, 11; 5, 9-10. 12, p. 59.

Ant. Cánt. Evang. He venido a traer fuego al mundo, y ¡cuánto deseo que esté ya ardiendo!

Oración conclusiva: Te pedimos, Dios todopoderoso y eterno, que, al celebrar la grandeza del amor que resplandece en el corazón de tu Hijo, recibamos de esta fuente divina gracias cada vez más abundantes. Por nuestro Señor Jesucristo, tu Hijo...

Invitatorio: Ant. Al Corazón de Jesús, herido por nuestro amor, vengan, adorémoslo.

Laudes:
Salmodia

Ant. 1. Jesús, puesto en pie, exclamó en alta voz: «El que tenga sed que venga a mí y que beba.»
Los salmos y el cántico se toman del domingo I del Salterio, p. 22.

Ant. 2. Vengan a mí todos los que andan rendidos y agobiados, que yo les daré descanso.

Ant. 3. Hijo mío, entrégame el corazón y acepta de buena gana mi camino.

Ant. Cánt. Evang. Por su entrañable misericordia Dios nos ha visitado y ha redimido a su pueblo. Aleluya.
La oración conclusiva como en las I Vísperas.

II Vísperas:
Salmodia

Ant. 1. Con tu yugo suave, Señor, somete el corazón de tus enemigos.
Salmo 109, 1-5. 7, p. 30.

Ant. 2. El Señor es piadoso y clemente; él da alimento a sus fieles.

Salmo 110, p. 218.

Ant. 3. Éste es el Cordero de Dios, que quita el pecado del mundo.

Cántico Flp 2, 6-11, p. 17.

Ant. Cánt. Evang. El Señor nos ha acogido en su corazón, acordándose de su misericordia. Aleluya.

La oración conclusiva como en las I Vísperas.

Domingo II
Semana II del Salterio

I Vísperas: Ant. Cánt. Evang.

Año A: Éste es el Cordero de Dios que quita el pecado del mundo. Aleluya.

Año B: Al oír las palabras de Juan Bautista, dos de los discípulos siguieron al Señor.

Año C: ¡Oh boda feliz de Caná de Galilea, en la que estaba invitado Jesús, con María, su madre!

Oración conclusiva: Dios todopoderoso y eterno, que gobiernas a un tiempo cielo y tierra, escucha paternalmente las súplicas de tu pueblo y haz que los días de nuestra vida transcurran en tu paz. Por nuestro Señor Jesucristo, tu Hijo...

Laudes: Ant. Cánt. Evang.

Año A: El Espíritu Santo bajó del cielo como una paloma y se posó sobre Jesús.

Año B: «Maestro, ¿dónde vives?» Jesús les contestó: «Vengan y lo verán.»

Año C: Jesús, a petición de María su madre, cambió el agua en el vino de la nueva Alianza.

II Vísperas: Ant. Cánt. Evang.

Año A: Juan, testigo de la luz, dice: «Jesús es el Hijo de Dios.»

Año B: Andrés dijo a Simón Pedro: «Hemos dado con el Mesías.» Y lo presentó a Jesús.

Año C: En Caná de Galilea dio Jesús la primera señal por la que reveló su gloria.

Domingo III
Semana III del Salterio

I Vísperas: Ant. Cánt. Evang.

Año A: Iba Jesús proclamando la Buena Noticia del reino y sanaba todas las enfermedades de la gente.

Año B: «Se ha cumplido el tiempo y está cerca el reino de Dios», dice el Señor.

Año C: El sábado, según su costumbre, Jesús entró en la sinagoga a leer las palabras de los profetas.

Oración conclusiva: Dios todopoderoso y eterno, dirige nuestras acciones según tu voluntad, para que, invocando el nombre de tu Hijo, abundemos en buenas obras. Por nuestro Señor Jesucristo, tu Hijo...

Laudes: Ant. Cánt. Evang.

Año A: «Arrepiéntanse –dice el Señor–, porque se acerca el reino de Dios.»

Año B: «Conviértanse y crean la Buena Noticia», dice el Señor.

Año C: El Espíritu del Señor está sobre mí, me envió a evangelizar a los pobres.

II Vísperas: Ant. Cánt. Evang.

Año A: Dejando al momento las redes, los discípulos siguieron a Jesús.

Año B: «Vengan en pos de mí –dice el Señor–, y los haré pescadores de hombres.»

Año C: Hoy tiene su cumplimiento ante sus ojos lo que han oído contar de mí en las palabras de la Escritura.

Domingo IV
Semana IV del Salterio

I Vísperas: Ant. Cánt. Evang.

Año A: Sentado Jesús en lo alto, sobre la montaña, enseñaba al pueblo, y sus discípulos lo rodeaban.

Año B: Estaban todos admirados de la doctrina de Jesús, pues les enseñaba como quien tiene autoridad.

Año C: Todos se maravillaban de las palabras que salían de la boca de Dios.

Oración conclusiva: Concédenos, Señor, Dios nuestro, venerarte con toda el alma y amar a todos los hombres con afecto espiritual. Por nuestro Señor Jesucristo, tu Hijo...

Laudes: Ant. Cánt. Evang.

Año A: Dichosos los limpios de corazón, porque ellos verán a Dios.

Año B: Jesús de Nazaret, el Santo de Dios, ha visitado a su pueblo y lo ha redimido.

Año C: Jesús, hablando en Nazaret, donde se había criado, dijo: «Tengan por cierto que ningún profeta es bien recibido en su patria.»

II Vísperas: Ant. Cánt. Evang.

Año A: Dichosos los que obran la paz, porque ellos serán llamados hijos de Dios.

Año B: La fama de Jesús se extendió rápidamente por todas partes en el país de Galilea, y todos glorificaban a Dios.

Año C: Querían matar a Jesús, pero él, atravesando por medio de ellos, siguió su camino.

Domingo V
Semana I del Salterio

I Vísperas: Ant. Cánt. Evang.

Año A: Sean como la luz que alumbra a todos los que están en la casa.

Año B: Llegada la tarde, después de haberse puesto ya el sol, le presentaron a Jesús todos los enfermos y poseídos por el demonio, y él los curó.

Año C: La gente se agolpaba sobre Jesús, para escuchar la palabra de Dios.

Oración conclusiva: Señor, protege a tu pueblo con tu amor siempre fiel y, ya que sólo en ti hemos puesto nuestra esperanza, defiéndenos siempre con tu poder. Por nuestro Señor Jesucristo, tu Hijo...

Laudes: Ant. Cánt. Evang.

Año A: Ustedes son la luz del mundo; alumbre su luz a los hombres para que, viendo sus buenas obras, den gloria a su Padre celestial.

Año B: Se levantó Jesús muy de mañana y fue a un lugar solitario, donde se puso a hacer oración.

Año C: Maestro, toda la noche hemos estado trabajando y no hemos recogido nada, pero, ya que tú lo mandas, voy a echar la red.

II Vísperas: Ant. Cánt. Evang.

Año A: Ustedes, mis discípulos, son la sal de la tierra y la luz del mundo.

Año B: Para eso he venido, para traer a todos el mensaje de la salvación.

Año C: «Apártate de mí, Señor, que soy un hombre pecador.» «Ten ánimo, Simón. De hoy en adelante vas a ser pescador de hombres.»

Domingo VI *Semana II del Salterio*

I Vísperas: Ant. Cánt. Evang.

Año A: Si la virtud de ustedes no es superior a la de los escribas y fariseos, no entrarán en el reino de los cielos.

Año B: Jesús tocó con la mano al leproso y al instante desapareció la lepra.

Año C: Dichosos ustedes, los pobres, porque suyo es el reino de Dios. Dichosos los que ahora padecen hambre, porque serán saciados.

Oración conclusiva: Oh Dios, has prometido permanecer con los rectos y sinceros de corazón; concédenos vivir de tal manera que merezcamos tenerte siempre con nosotros. Por nuestro Señor Jesucristo, tu Hijo...

Laudes: Ant. Cánt. Evang.

Año A: Si al llevar tu ofrenda al altar no estás en paz con el hermano, ve primero a reconciliarte con él; luego, presenta tu ofrenda.

Año B: «Señor, si tú quieres, puedes curarme.» Respondió Jesús: «Quiero, queda limpio.»

Año C: Dichosos los que ahora lloran, porque reirán.

II Vísperas: Ant. Cánt. Evang.

Año A: Quien cumpla y enseñe mi ley será grande en el reino de los cielos.

Año B: El leproso curado proclamaba ante todo el mundo las maravillas del Señor.

Año C: Dichosos serán cuando los hombres los aborrezcan, a causa del Hijo del hombre; alégrense entonces y salten de gozo, porque será grande en el cielo su recompensa.

Domingo VII _Semana III del Salterio_

I Vísperas: Ant. Cánt. Evang.

Año A: Amen a sus enemigos y oren por los que los persiguen; así serán hijos verdaderos del Padre.

Año B: Trajeron a Jesús un paralítico. Al ver Jesús la fe de aquellos hombres, dijo: «Hijo mío, quedan perdonados tus pecados.»

Año C: A ustedes que me están escuchando, yo les digo: Amen a sus enemigos, hagan el bien a los que los aborrecen.

Oración conclusiva: Concédenos, Dios todopoderoso, que la constante meditación de tu doctrina nos impulse a hablar y a actuar siempre según tu voluntad. Por nuestro Señor Jesucristo, tu Hijo...

Laudes: Ant. Cánt. Evang.

Año A: Dios, su Padre, hace salir el sol sobre malos y buenos.

Año B: El Hijo del hombre tiene poder en la tierra para perdonar los pecados. Aleluya.

Año C: «Como quieren que los demás hagan con ustedes, háganlo igualmente con ellos», dice el Señor.

II Vísperas: Ant. Cánt. Evang.

Año A: Sean perfectos como su Padre celestial es perfecto.

Año B: El paralítico ha sido curado por Cristo; toma la camilla en que yacía y vuelve a su casa, mientras todo el pueblo glorifica a Dios.

Año C: «Perdonen y Dios los perdonará. Den y Dios les dará», dice el Señor.

Domingo VIII   *Semana IV del Salterio*

I Vísperas: Ant. Cánt. Evang.

Año A: Busquen primero el reino de Dios y su justicia, y todas las demás cosas se les darán por añadidura. Aleluya.

Año B: «Nadie echa vino nuevo en odres viejos; el vino nuevo debe ponerse en odres nuevos», dice el Señor.

Año C: No es el discípulo más que el maestro; el que llegue a ser como el maestro será perfecto.

Oración conclusiva: Dirige, Señor, la marcha del mundo, según tu voluntad, por los caminos de la paz, y que tu Iglesia se regocije con la alegría de tu servicio. Por nuestro Señor Jesucristo, tu Hijo...

Laudes: Ant. Cánt. Evang.

Año A: No pueden servir a Dios y al dinero; Dios es el único Señor.

Año B: Cristo, Esposo y Señor de la Iglesia, quédate siempre con nosotros.

Año C: Un árbol bueno no puede dar frutos malos ni un árbol malo puede dar frutos buenos.

II Vísperas: Ant. Cánt. Evang.

Año A: Dios Padre, que alimenta a las aves del cielo y hace crecer los lirios del campo, ¿no hará mucho más por ustedes, sus hijos?

Año B: En los días de tristeza, mientras el esposo está lejos, no pierdan la esperanza: Cristo volverá.

Año C: El hombre bueno saca cosas buenas del tesoro de bondad que tiene en su corazón.

Domingo IX *Semana I del Salterio*

I Vísperas: Ant. Cánt. Evang.

Año A: No todo el que me dice: «¡Señor, Señor!» entrará en el reino de los cielos, sino el que cumpla la voluntad de mi Padre celestial.

Año B: Jesús, apenado por la dureza de corazón de los fariseos, les dijo: «El sábado se ha hecho para el hombre, no el hombre para el sábado.»

Año C: Jesús, a petición de los ancianos, se fue a casa del centurión para curar a su criado.

Oración conclusiva: Señor Dios, cuya providencia no se equivoca en sus designios, te pedimos humildemente que apartes de nosotros todo lo que pueda causarnos algún daño, y nos concedas lo que pueda sernos de provecho. Por nuestro Señor Jesucristo, tu Hijo…

Laudes: Ant. Cánt. Evang.

Año A: «El que, después de haber escuchado estas palabras que acabo de decir, no las pone por obra —dice el Señor— será como el necio, que construyó su casa sobre arena.»

Año B: ¿No es más apropiado para un sábado hacer el bien y salvar una vida?

Año C: Señor, yo no soy digno de que entres en mi casa; pero basta que digas una palabra y mi criado quedará sano.

II Vísperas: Ant. Cánt. Evang.

Año A: Todo el que escucha estas mis palabras y las pone por obra será como el varón inteligente, que construyó su casa sobre roca.

Año B: Jesús dice: «El Hijo del hombre es dueño también del sábado.»

Año C: «Ni siquiera en Israel he encontrado una fe tan grande», dice el Señor.

Domingo X
Semana II del Salterio

I Vísperas: Ant. Cánt. Evang.

Año A: Jesús, al pasar, llamó a Mateo, el publicano; él se levantó y siguió al Señor.

Año B: «Si en una familia anida la discordia, no puede durar mucho tiempo», dice el Señor.

Año C: A la entrada de la ciudad de Naím, Jesús confortó a una madre viuda, diciéndole: «Mujer, no llores.»

Oración conclusiva: Dios nuestro, de quien todo bien procede, concédenos seguir siempre tus inspiraciones, para que tratemos de hacer continuamente lo que es recto y, con tu ayuda, lo llevemos siempre a cabo. Por nuestro Señor Jesucristo, tu Hijo…

Laudes: Ant. Cánt. Evang.

Año A: Muchos publicanos y pecadores se sentaron a la mesa con Jesús.

Año B: Todo será perdonado; pero el que blasfeme contra el Espíritu Santo no obtendrá jamás perdón.

Año C: Jesús dijo al joven que estaba muerto: «Levántate.» Y lo llevó a su madre.

II Vísperas: Ant. Cánt. Evang.

Año A: Yo quiero misericordia y no sacrificios, pues no he venido a llamar a los justos, sino a los pecadores.

Año B: El que hace la voluntad de Dios es mi hermano y mi hermana y mi madre.

Año C: Un gran profeta ha surgido entre nosotros: Dios ha visitado a su pueblo.

Domingo XI
Semana III del Salterio

I Vísperas: Ant. Cánt. Evang.

Año A: A la vista de las multitudes, Jesús se movió a compasión, porque estaban extenuados y abatidos, como ovejas sin pastor.

Año B: Jesús anunciaba el reino de Dios con muchas parábolas.

Año C: Una mujer pecadora bañaba con sus lágrimas los pies del Señor y derramaba perfume sobre ellos.

Oración conclusiva: Oh Dios, fuerza de los que en ti esperan, escucha nuestras súplicas y, puesto que el hombre es frágil y sin ti nada puede, concédenos la ayuda de tu gracia, para observar tus mandamientos y agradarte con nuestros deseos y acciones. Por nuestro Señor Jesucristo, tu Hijo...

Laudes: Ant. Cánt. Evang.

Año A: Señor, envía más trabajadores a tu mies.

Año B: Sucede con el reino de Dios como con un hombre que siembra la semilla en la tierra. Ya duerma, ya vele todo el día, el grano germina y va creciendo.

Año C: Mujer, quedan perdonados tus pecados, porque has amado mucho.

II Vísperas: Ant. Cánt. Evang.

Año A: Prediquen el reino, curen a los enfermos, arrojen a los demonios; den gratuitamente lo que de gracia han recibido.

Año B: La pequeña semilla se transforma en un árbol, y ofrece cobijo a las aves del cielo.

Año C: Dijo Jesús a aquella mujer: «Tu fe te ha salvado, vete en paz.»

Domingo XII
Semana IV del Salterio

I Vísperas: Ant. Cánt. Evang.

Año A: A todo aquel que me reconozca ante los hombres, lo reconoceré yo también ante mi Padre.

Año B: En medio de la tempestad, Jesús dormía. Los discípulos gritaron: «¡Señor, sálvanos, que perecemos!»

Año C: El Señor preguntó: «Y ustedes, ¿quién dicen que soy yo?» «Tú eres el ungido del Señor.»

Oración conclusiva: Concédenos vivir siempre, Señor, en el amor y respeto a tu santo nombre, porque jamás dejas de dirigir a quienes estableces en el sólido fundamento de tu amor. Por nuestro Señor Jesucristo, tu Hijo…

Laudes: Ant. Cánt. Evang.

Año A: «Lo que les confío al oído, pregónenlo de lo alto de los terrados», dice el Señor.

Año B: Se levantó el Señor e increpó al viento y al mar; y sobrevino gran bonanza.

Año C: El Hijo del hombre tiene que sufrir mucho: tie-ne que ser condenado y muerto, pero al tercer día resucitará.

II Vísperas: Ant. Cánt. Evang.

Año A: No tengan miedo a los que matan el cuerpo, pero no pueden matar el alma.

Año B: Los discípulos se preguntaban unos a otros: «¿Quién es éste? ¡Hasta el viento y el mar lo obedecen!»

Año C: Si alguno quiere venir en pos de mí, renúnciese a sí mismo, tome cada día su cruz y sígame.

Domingo XIII
Semana I del Salterio

I Vísperas: Ant. Cánt. Evang.

Año A: El que a ustedes recibe a mí me recibe, y recibe también a aquel que me ha enviado.

Año B: Una mujer enferma tocó el vestido de Jesús y, al instante, notó en su cuerpo que estaba curada.

Año C: Con ánimo decidido, Jesús subía a Jerusalén, al encuentro de su pasión.

Oración conclusiva: Dios nuestro, que quisiste hacernos hijos de la luz por la adopción de la gracia, concédenos que no seamos envueltos por las tinieblas del error, sino que permanezcamos siempre en el esplendor de la verdad. Por nuestro Señor Jesucristo, tu Hijo...

Laudes: Ant. Cánt. Evang.

Año A: «El que no toma su cruz y sigue en pos de mí no es digno de mí», dice el Señor.

Año B: Hija mía, tu fe te ha curado; vete en paz.

Año C: Las raposas tienen sus cuevas, y los pájaros del cielo sus nidos; pero el Hijo del hombre no tiene dónde reclinar su cabeza.

II Vísperas: Ant. Cánt. Evang.

Año A: Quien quiera conservar su vida la perderá, quien por mi causa la pierda la encontrará.

Año B: Entrando en la casa Jesús dijo: «La niña no está muerta; está durmiendo.» La tomó de la mano y exclamó: «Niña, yo te lo mando, levántate.»

Año C: Nadie que pone la mano en el arado y mira atrás es apto para el reino de Dios.

Domingo XIV
Semana II del Salterio

I Vísperas: Ant. Cánt. Evang.

Año A: Tomen sobre ustedes mi yugo, y aprendan de mí que soy manso y humilde de corazón.

Año B: Jesús recorría las aldeas y predicaba en las sinagogas.

Año C: La mies es mucha y los operarios son pocos. Rueguen, pues, al dueño de la mies que envíe trabajadores a ella.

Oración conclusiva: Oh Dios, que por medio de la humillación de tu Hijo levantaste a la humanidad caída, conserva a tus fieles en continua alegría y concede los gozos del cielo a quienes has librado de la muerte eterna. Por nuestro Señor Jesucristo, tu Hijo...

Laudes: Ant. Cánt. Evang.

Año A: Yo te bendigo, oh Padre, Señor del cielo y de la tierra, porque has ocultado estas cosas a los sabios y prudentes y las has descubierto a los pequeños.

Año B: Muchos quedaban admirados de Cristo y se preguntaban: «¿De dónde le viene tanta sabiduría?»

Año C: En cualquier casa donde entren, digan: «La paz sea en esta casa»; y que su paz los inunde.

II Vísperas: Ant. Cánt. Evang.

Año A: Vengan a mí todos los que andan rendidos y agobiados, que yo les daré descanso.

Año B: Jesús vino a los suyos, y los suyos no lo recibieron. Pero a cuantos lo recibieron, les dio poder de llegar a ser hijos de Dios.

Año C: Los discípulos llegaron llenos de gozo porque los demonios se les sometían. Jesús les dijo: «Alégrense más bien porque sus nombres están escritos en el cielo.»

Domingo XV _Semana III del Salterio_

I Vísperas: Ant. Cánt. Evang.

Año A: Jesús subió a una barca, y con muchas parábolas enseñaba a la gente.

Año B: Llamó Jesús junto a sí a los Doce y comenzó a enviarlos de dos en dos a anunciar la salvación.

Año C: Así está escrito en la ley: «Amarás al Señor tu Dios con todo tu corazón, y a tu prójimo como a ti mismo.»

Oración conclusiva: Señor Dios, que muestras la luz de tu verdad a los que andan extraviados, para que puedan volver al camino recto, concede a todos los cristianos que se aparten de todo lo que sea indigno de ese nombre que llevan, y que cumplan lo que ese nombre significa. Por nuestro Señor Jesucristo, tu Hijo...

Laudes: Ant. Cánt. Evang.

Año A: La semilla es la palabra de Dios, el sembrador es Cristo; todo el que lo escuche vivirá eternamente.

Año B: Enviados por el Señor, los discípulos arrojaban a los demonios, ungían con aceite a muchos enfermos y los sanaban.

Año C: El buen samaritano se acercó al herido y le curó las llagas.

II Vísperas: Ant. Cánt. Evang.

Año A: Jesús dijo a sus discípulos: «A ustedes ha concedido Dios conocer los misterios del reino de los cielos.»

Año B: Los discípulos, sin llevar pan, ni alforja, ni dinero, predicaban a la gente para que se convirtieran.

Año C: Ten cuidado del prójimo, y yo te abonaré a mi vuelta lo que hayas gastado en su favor.

Domingo XVI
Semana IV del Salterio

I Vísperas: Ant. Cánt. Evang.

Año A: Abriré mis labios para hablar en parábolas; declararé cosas que han estado ocultas desde la creación del mundo.

Año B: «Vengan conmigo a retirarse a un lugar apartado y descansen un poco», dice el Señor.

Año C: Entró Jesús en una aldea, y Marta lo hospedó en su casa y lo servía.

Oración conclusiva: Mira con misericordia a estos tus hijos, Señor, y multiplica tu gracia sobre nosotros, para que, fervorosos en la fe, la esperanza y el amor, perseveremos en el fiel cumplimiento de tus mandamientos. Por nuestro Señor Jesucristo, tu Hijo...

Laudes: Ant. Cánt. Evang.

Año A: El reino de los cielos se parece a la levadura que una mujer mezcla con tres medidas de harina, hasta que se fermenta toda la masa.

Año B: Volvieron a reunirse los apóstoles con Jesús y le refirieron todo lo que habían hecho y enseñado.

Año C: Una hermana de Marta, llamada María, sentada a los pies del Señor, escuchaba sus palabras.

II Vísperas: Ant. Cánt. Evang.

Año A: Al fin de los tiempos, el Hijo del hombre separará el trigo de la cizaña; entonces los santos brillarán como el sol en el reino de su Padre.

Año B: Desde todas las aldeas, se dirigieron hacia Jesús; y él se movió a compasión, porque estaban como ovejas sin pastor.

Año C: Sólo una cosa es necesaria; María ha escogido la mejor parte, y no se la quitarán nunca.

Domingo XVII
Semana I del Salterio

I Vísperas: Ant. Cánt. Evang.

Año A: Un letrado que entiende del reino de los cielos es como un padre de familia que va sacando del arca lo nuevo y lo antiguo.

Año B: Jesús, viendo que venía a él una gran multitud, preguntó a Felipe: «¿Dónde compraremos panes, para que coma toda esta gente?»

Año C: Estaba Jesús un día haciendo oración y, después que terminó, uno de sus discípulos le dijo: «Señor, enséñanos a orar.»

Oración conclusiva: Oh Dios, protector de los que en ti esperan, sin ti nada es fuerte ni santo; aumenta los signos de tu misericordia sobre nosotros, para que, bajo tu dirección, de tal modo nos sirvamos de las cosas pasajeras que por ellas alcancemos con mayor plenitud las eternas. Por nuestro Señor Jesucristo, tu Hijo...

Laudes: Ant. Cánt. Evang.

Año A: Sucede con el reino de los cielos como con una red que se echa en el mar; una vez llena, separan los peces buenos y tiran los malos.

Año B: Un muchacho ofreció cinco panes de cebada y dos peces. Jesús dijo la acción de gracias y los repartió, dándoles cuanto querían.

Año C: Si ustedes, siendo malos como son, saben dar cosas buenas a sus hijos, ¿con cuánta mayor razón dará su Padre desde el cielo el Espíritu Santo a quienes se lo pidan?

II Vísperas: Ant. Cánt. Evang.

Año A: El reino de los cielos es una perla fina: el que la encuentra vende todo lo que tiene y la compra.

Año B: La gente, al ver la señal que Jesús había hecho, comenzó a decir: «Éste es, sin duda, el profeta que iba a venir al mundo.»

Año C: Pidan y recibirán; busquen y hallarán; llamen y se les abrirá.

Domingo XVIII   *Semana II del Salterio*

I Vísperas: Ant. Cánt. Evang.

Año A: Vengan, compren sin pagar, y coman un pan que satisface para siempre.

Año B: Dios hizo llover maná para el pueblo, les dio pan del cielo. Aleluya.

Año C: No se afanen por los bienes de la tierra; su abundancia no es bastante para salvar la vida.

Oración conclusiva: Señor, danos tu misericordia y atiende a las súplicas de tus hijos; concede la tranquilidad y la paz a los que nos gloriamos de tenerte como creador y como guía, y consérvalas en nosotros para siempre. Por nuestro Señor Jesucristo, tu Hijo...

Laudes: Ant. Cánt. Evang.

Año A: Jesús multiplicó los panes, y comieron todos hasta quedar satisfechos.

Año B: Yo soy el pan de vida; el que venga a mí no tendrá más hambre, y el que crea en mí jamás tendrá sed.

Año C: Si han sido resucitados con Cristo, busquen las cosas de arriba. Aleluya.

II Vísperas: Ant. Cánt. Evang.

Año A: Conmovido por la gente que lo seguía y escuchaba su palabra, Jesús les dio pan en abundancia.

Año B: Trabajen no por el alimento perecedero, sino por el alimento que permanece y que da vida eterna.

Año C: Si en verdad desean llegar a ser ricos, amen las riquezas verdaderas.

Domingo XIX   *Semana III del Salterio*

I Vísperas: Ant. Cánt. Evang.

Año A: Jesús subió a un monte apartado a orar y, llegada la noche, permaneció allí solo.

Año B: Con la fuerza de aquella comida, Elías caminó cuarenta días y cuarenta noches hasta el monte de Dios.

Año C: Estén alerta como los siervos que están esperando a su amo.

Oración conclusiva: Dios todopoderoso y eterno, a quien confiadamente invocamos con el nombre de Padre, intensifica en nosotros el espíritu de hijos adoptivos tuyos, para que merezcamos entrar en posesión de la herencia que nos tienes prometida. Por nuestro Señor Jesucristo, tu Hijo...

Laudes: Ant. Cánt. Evang.

Año A: De madrugada, Jesús, caminando por encima del mar, vino hacia sus discípulos y les dijo: «Tengan valor, que soy yo; no tengan miedo.»

Año B: El pan que yo voy a dar es mi carne ofrecida por la vida del mundo.

Año C: Donde está tu tesoro, allí está tu corazón.

II Vísperas: Ant. Cánt. Evang.

Año A: Jesús extendió la mano para salvar a Pedro del agua, y le dijo: «Hombre de poca fe, ¿por qué has dudado?»

Año B: Yo les aseguro con toda verdad: el que cree en mí tiene vida eterna. Aleluya.

Año C: Dichosos aquellos siervos, a quienes el amo a su llegada encuentra velando; les aseguro que los hará sentar a la mesa y se prestará a servirlos.

Domingo XX   *Semana IV del Salterio*

I Vísperas: Ant. Cánt. Evang.

Año A: Mi casa es casa de oración y así la llamarán todos los pueblos; a ella los traeré y en ella los alegraré.

Año B: Vengan a comer de mi pan y a beber el vino que he mezclado; sigan el camino de la prudencia.

Año C: Saben juzgar el aspecto del cielo, ¿y no son capaces de juzgar las señales de los tiempos mesiánicos?

Oración conclusiva: Oh Dios, que has preparado bienes invisibles para los que te aman, infunde el amor de tu nombre en nuestros corazones, para que, amándote en todo y sobre todas las cosas, consigamos tus promesas que superan todo deseo. Por nuestro Señor Jesucristo, tu Hijo...

Laudes: Ant. Cánt. Evang.

Año A: Dios encerró a todos los hombres en la desobediencia, a fin de hacer misericordia con todos.

Año B: El que come mi carne y bebe mi sangre permanece en mí, y yo en él.

Año C: Jesús quiso recibir el bautismo del sufrimiento y beber el cáliz de la pasión.

II Vísperas: Ant. Cánt. Evang.

Año A: Mujer, grande es tu fe; que se cumpla lo que deseas.

Año B: Yo soy el pan vivo bajado del cielo. El que coma de este pan vivirá para siempre. Aleluya.

Año C: He venido a traer fuego al mundo, y ¡cuánto deseo que esté ya ardiendo!

Domingo XXI   *Semana I del Salterio*

I Vísperas: Ant. Cánt. Evang.

Año A: Pondré en el hombro de mi siervo la llave de mi casa: lo que él abra nadie lo cerrará, lo que él cierre nadie lo abrirá.

Año B: El Hijo del hombre ha subido al cielo, de donde había bajado; pan que da la vida al mundo.

Año C: «Yo vendré para reunir a los pueblos de toda lengua: acudirán para ver mi gloria», dice el Señor.

Oración conclusiva: Señor Dios, que unes en un mismo sentir los corazones de los que te aman, impulsa a tu pueblo a amar lo que pides y a desear lo que prometes, para que, en medio de la inestabilidad de las cosas humanas, estén firmemente anclados nuestros corazones en el deseo de la verdadera felicidad. Por nuestro Señor Jesucristo, tu Hijo...

Laudes: Ant. Cánt. Evang.

Año A: «Tú eres el Mesías, el Hijo del Dios vivo.» «Bienaventurado eres tú, Simón: mi Padre te lo ha revelado.»

Año B: El espíritu es el que da vida; la carne no vale nada. Las palabras que acabo de decirles son espíritu y son vida.

Año C: «Procuren entrar por la puerta estrecha —dice el Señor—; es la puerta de la vida.»

II Vísperas: Ant. Cánt. Evang.

Año A: Yo te daré las llaves del reino de los cielos, Simón Pedro: todo lo que ates sobre la tierra será atado en el cielo, y todo lo que desates sobre la tierra será desatado en el cielo.

Año B: Señor, ¿a quién vamos a ir? Tú tienes palabras de vida eterna; y nosotros hemos creído y sabemos que tú eres el Mesías, el Hijo de Dios. Aleluya.

Año C: Vendrán muchos del oriente y del occidente a sentarse con Abraham, Isaac y Jacob en el reino de los cielos.

Domingo XXII   *Semana II del Salterio*

I Vísperas: Ant. Cánt. Evang.

Año A: El Hijo del hombre vendrá revestido de la gloria de su Padre, y entonces pagará a cada uno según su conducta.

Año B: Cumplan los preceptos del Señor, porque ellos son la sabiduría y la prudencia de ustedes a los ojos de los pueblos.

Año C: Hazte pequeño en las grandezas humanas, y alcanzarás el favor de Dios; porque él revela sus secretos a los humildes.

Oración conclusiva: Oh Dios todopoderoso, de quien procede todo don perfecto, infunde en nuestros corazones el amor de tu nombre, para que, haciendo más religiosa nuestra vida, aumentes el bien en nosotros y con solicitud amorosa lo conserves. Por nuestro Señor Jesucristo, tu Hijo...

Laudes: Ant. Cánt. Evang.

Año A: Presenten sus cuerpos como hostia viva, santa, agradable a Dios; éste es su culto razonable.

Año B: Reciban con docilidad la palabra de Dios que ha sido sembrada en ustedes, y que tiene poder para salvar sus almas.

Año C: Invita a tu mesa a los pobres que no tienen con qué pagarte; porque Dios te lo recompensará en la resurrección de los justos.

II Vísperas: Ant. Cánt. Evang.

Año A: ¿De qué le sirve al hombre ganar todo el mundo, si arruina su vida?

Año B: Escuchen y comprendan las tradiciones que el Señor les ha dado.

Año C: Cuando te inviten a una boda, ve a ponerte en el último puesto; el que te invitó te pondrá junto a sí, y será esto para ti un honor ante todos los comensales.

Domingo XXIII *Semana III del Salterio*

I Vísperas: Ant. Cánt. Evang.

Año A: Si tu hermano comete un pecado, ve y corrígelo a solas. Si te hace caso, habrás ganado a tu hermano para Dios.

Año B: Los oídos de los sordos se abrirán y la lengua del mudo cantará: es Dios mismo quien nos viene a salvar. Aleluya.

Año C: ¿Quién conocerá tu designio, si tú no le das la sabiduría enviando tu Santo Espíritu desde el cielo?

Oración conclusiva: Dios nuestro, que nos has enviado la redención y concedido la filiación adoptiva, protege con bondad a los hijos que tanto amas, y concédenos, por nuestra fe en Cristo, la verdadera libertad y la herencia eterna. Por nuestro Señor Jesucristo, tu Hijo…

Laudes: Ant. Cánt. Evang.

Año A: El único deber de ustedes ha de ser amarse los unos a los otros. Porque quien ama al prójimo ya ha cumplido la ley.

Año B: Abre, Señor, nuestro corazón para que comprendamos tus palabras; abre nuestros labios y proclamaremos tu alabanza.

Año C: Dice el Señor: El que no renuncia a todos sus bienes no puede ser mi discípulo.

II Vísperas: Ant. Cánt. Evang.

Año A: «Donde estén dos o tres reunidos en mi nombre, allí estoy yo en medio de ellos», dice el Señor.

Año B: Todo lo ha hecho bien, ha hecho oír a los sordos y hablar a los mudos. Aleluya.

Año C: «El que no carga su cruz para venir en pos de mí no puede ser mi discípulo», dice el Señor.

Domingo XXIV   *Semana IV del Salterio*

I Vísperas: Ant. Cánt. Evang.

Año A: Recuerda la alianza del Señor, y perdona las ofensas de tu prójimo.

Año B: Nuestra gloria es la cruz de nuestro Señor Jesucristo.

Año C: Haz fiesta y alégrate: tu hermano había muerto y ha vuelto a la vida, se había perdido y lo hemos hallado.

Oración conclusiva: Señor Dios, creador y soberano de todas las cosas, vuelve a nosotros tus ojos de bondad y haz que te sirvamos con todo el corazón, para que experimentemos los efectos de tu misericordia. Por nuestro Señor Jesucristo, tu Hijo...

Laudes: Ant. Cánt. Evang.

Año A: El Padre celestial los perdonará, si ustedes perdonan de corazón a su hermano.

Año B: El que quiera venir en pos de mí, que renuncie a sí mismo, que tome su cruz y que me siga.

Año C: Sentencia verdadera y digna de universal adhesión es ésta: Cristo Jesús vino al mundo para salvar a los pecadores. Aleluya.

II Vísperas: Ant. Cánt. Evang.

Año A: «No debes perdonar hasta siete veces, sino hasta setenta veces siete», dice el Señor.

Año B: «El que pierda su vida por mí y por el Evangelio, la salvará», dice el Señor.

Año C: Hay gran alegría entre los ángeles de Dios, por un solo pecador que se arrepiente.

Domingo XXV   *Semana I del Salterio*

I Vísperas: Ant. Cánt. Evang.

Año A: «Como el cielo es más alto que la tierra, mis caminos son más altos que los de ustedes», dice el Señor.

Año B: Todo el que acoge a uno de estos niños por amor a mí, me acoge a mí en persona y a aquel que me ha enviado.

Año C: Granjéense amigos con estas riquezas de pecado; para que, cuando vengan ellas a faltar, haya quien los reciba en las moradas eternas.

Oración conclusiva: Oh Dios, has hecho del amor a ti y a los hermanos la plenitud de la ley; concédenos cumplir tus mandamientos y llegar así a la vida eterna. Por nuestro Señor Jesucristo, tu Hijo...

Laudes: Ant. Cánt. Evang.

Año A: El rico hacendado sale muy de mañana a contratar jornaleros para su viña.

Año B: El Hijo del hombre tenía que sufrir y resucitar para salvar al mundo.

Año C: Sean fieles en lo poco, y Dios les confiará las riquezas verdaderas.

II Vísperas: Ant. Cánt. Evang.

Año A: «Vayan también ustedes a mi viña y les daré lo que sea justo», dice el Señor.

Año B: «El mayor de entre ustedes hágase el servidor de todos —dice el Señor—, pues el que se humilla será levantado.» Aleluya.

Año C: Nadie puede servir a dos señores; no pueden servir a Dios y al dinero.

Domingo XXVI
Semana II del Salterio

I Vísperas: Ant. Cánt. Evang.

Año A: «Si el malvado recapacita y se convierte de los delitos cometidos, ciertamente vivirá», dice el Señor.

Año B: ¡Ojalá que todo el pueblo del Señor fuera profeta y recibiera el espíritu del Señor!

Año C: Si no quieren hacer caso a Moisés y a los profetas, tampoco se dejarán convencer aunque resucite un muerto.

Oración conclusiva: Señor Dios, que manifiestas tu poder de una manera admirable sobre todo cuando perdonas y ejerces tu misericordia, infunde constantemente tu gracia en nosotros, para que, tendiendo hacia lo que nos prometes, consigamos los bienes celestiales. Por nuestro Señor Jesucristo, tu Hijo...

Laudes: Ant. Cánt. Evang.

Año A: Todo el que hace la voluntad del Padre es verdadero hijo de Dios. Aleluya.

Año B: «El que no está contra nosotros está a nuestro favor», dice el Señor.

Año C: Dichosos los pobres de espíritu, porque de ellos es el reino de los cielos.

II Vísperas: Ant. Cánt. Evang.

Año A: No todo el que me diga: «Señor, Señor», entrará en el reino de los cielos, sino el que cumpla la voluntad de mi Padre celestial. Aleluya.

Año B: «Todo aquel que les dé a beber un vaso de agua por el hecho de que son de Cristo, yo les aseguro que de ninguna manera perderá su recompensa», dice el Señor.

Año C: Hijo, recuerda que ya recibiste tus bienes durante tu vida; Lázaro, en cambio, recibió males. Ahora él recibe aquí consuelo, y tú tormento.

Domingo XXVII
Semana III del Salterio

I Vísperas: Ant. Cánt. Evang.

Año A: La viña del Señor de los ejércitos es la casa de Israel. Aleluya.

Año B: El hombre se unirá a su mujer y serán los dos una sola carne. ¡Gran misterio es éste! Y yo lo refiero a Cristo y a la Iglesia.

Año C: He aquí que sucumbe quien no tiene el alma recta, pero el justo vivirá por su fe.

Oración conclusiva: Dios todopoderoso y eterno, que con la magnificencia de tu amor sobrepasas los méritos y aun los deseos de los que te suplican, derrama sobre nosotros tu misericordia, para que libres nuestra conciencia de toda inquietud y nos concedas aun aquello que no nos atrevemos a pedir. Por nuestro Señor Jesucristo, tu Hijo...

Laudes: Ant. Cánt. Evang.

Año A: La piedra que rechazaron los constructores vino a convertirse en piedra angular para el nuevo templo de Dios.

Año B: Quien no recibe la doctrina del reino de Dios con las disposiciones de un niño no puede entrar en la casa del Padre.

Año C: Conserva el precioso depósito de la fe, bajo la acción del Espíritu Santo que mora en nosotros. Aleluya.

II Vísperas: Ant. Cánt. Evang.

Año A: A los malvados les dará una muerte afrentosa, y arrendará su viña a otros viñadores que le entreguen los frutos a su tiempo.

Año B: Dejen que los niños vengan a mí porque de los que son como ellos es el reino de los cielos.

Año C: Somos solamente tus siervos, Señor; no hemos hecho más que lo que teníamos que hacer.

Domingo XXVIII   *Semana IV del Salterio*

I Vísperas: Ant. Cánt. Evang.

Año A: Dios ha preparado para todos los pueblos un festín. Aleluya.

Año B: ¡Qué difícilmente entrarán en el reino de Dios los que poseen riquezas!

Año C: ¿No ha vuelto ninguno a dar gloria a Dios, sino este extranjero? Levántate y vete; tu fe te ha salvado.

Oración conclusiva: Te pedimos, Señor, que tu gracia continuamente nos preceda y acompañe, de manera que estemos dispuestos a obrar siempre el bien. Por nuestro Señor Jesucristo, tu Hijo…

Laudes: Ant. Cánt. Evang.

Año A: Salgan a las encrucijadas, y a todos cuantos encuentren invítenlos a las bodas.

Año B: Invoqué y vino a mí un espíritu de sabiduría; todos los bienes me vinieron con ella.

Año C: Si tenemos constancia en el sufrir, reinaremos con Cristo; si le somos infieles, él permanece fiel.

II Vísperas: Ant. Cánt. Evang.

Año A: A la hora de la cena el Señor llama a todos los invitados: «Vengan, que ya está todo preparado.» Aleluya.

Año B: Ustedes, que lo han dejado todo y me han seguido, recibirán el ciento por uno y poseerán la vida eterna.

Año C: Uno de los leprosos curados por Jesús volvió sobre sus pasos, glorificando a Dios a grandes voces.

Domingo XXIX   *Semana I del Salterio*

I Vísperas: Ant. Cánt. Evang.

Año A: De oriente a occidente no hay otro dios fuera de mí. Yo soy el Señor y no hay otro.

Año B: «Ustedes beberán el cáliz que yo he de beber y recibirán el bautismo que yo he de recibir», dice el Señor.

Año C: Moisés sostuvo en alto las manos hasta la puesta del sol.

Oración conclusiva: Dios todopoderoso y eterno, haz que nuestra voluntad sea siempre dócil a la tuya y que te sirvamos con un corazón sincero. Por nuestro Señor Jesucristo, tu Hijo...

Laudes: Ant. Cánt. Evang.

Año A: Jesús, maestro, tú enseñas con veracidad la manera de vivir según Dios. Aleluya.

Año B: El que quiera ser el mayor, que sea su servidor; y el que quiera ser el primero, que sea esclavo de todos.

Año C: Dios hará justicia a sus elegidos que claman a él día y noche.

II Vísperas: Ant. Cánt. Evang.

Año A: Den al César lo que es del César, y a Dios lo que es de Dios. Aleluya.

Año B: El Hijo del hombre ha venido a servir y a dar su vida en rescate por las multitudes.

Año C: Cuando venga el Hijo del hombre, ¿encontrará fe sobre la tierra?

Domingo XXX   *Semana II del Salterio*

I Vísperas: Ant. Cánt. Evang.

Año A: La caridad no hace nada malo al prójimo; así que amar es cumplir la ley entera.

Año B: El Señor salva a su pueblo, conduce al ciego y al cojo por un camino llano. Aleluya.

Año C: El Señor recibe benévolamente a los que lo honran; los gritos del pobre atraviesan las nubes.

Oración conclusiva: Dios todopoderoso y eterno, aumenta en nosotros la fe, la esperanza y la caridad, y para que alcancemos lo que nos prometes haz que amemos lo que nos mandas. Por nuestro Señor Jesucristo, tu Hijo...

Laudes: Ant. Cánt. Evang.

Año A: Amarás al prójimo como a ti mismo.

Año B: ¡Hijo de David, ten compasión de mí! ¡Señor, que vea!

Año C: El publicano, quedándose a cierta distancia y sin levantar los ojos, se daba golpes de pecho e iba repitiendo: «¡Dios mío, ten compasión de mí, que soy un pecador!»

II Vísperas: Ant. Cánt. Evang.

Año A: El principal mandamiento es éste: Amarás al Señor, tu Dios, con todo tu corazón. Aleluya.

Año B: Jesús dijo al ciego: «Anda, tu fe te ha salvado.» Al instante recobró la vista y fue siguiéndolo.

Año C: El publicano bajó a su casa justificado, porque todo aquel que se exalta será humillado, y el que se humilla será exaltado.

Domingo XXXI
Semana III del Salterio

I Vísperas: Ant. Cánt. Evang.

Año A: El que se exalta será humillado, y el que se humilla será exaltado.

Año B: El Señor, Dios nuestro, es el único. Ama al Señor, tu Dios, con todo tu corazón, con toda tu alma, con toda tu mente y con todas tus fuerzas. Guarda en tu corazón sus mandamientos.

Año C: Amas a todos los seres, Señor, y nada de lo que hiciste aborreces; para que todos se aparten del mal y crean en ti, Dios nuestro.

Oración conclusiva: Señor de poder y de misericordia, cuyo favor hace digno y agradable el servicio de tus fieles, concédenos caminar sin tropiezos hacia los bienes que nos prometes. Por nuestro Señor Jesucristo, tu Hijo...

Laudes: Ant. Cánt. Evang.

Año A: Uno solo es su Padre: el Dios de cielo y tierra.

Año B: Amar al prójimo como a sí mismo vale más que todos los holocaustos y sacrificios.

Año C: Zaqueo, muy contento, recibió a Jesús en su casa. A esta casa hoy ha llegado la salvación.

II Vísperas: Ant. Cánt. Evang.

Año A: Uno solo es su maestro, el que está en el cielo: Cristo, el Señor.

Año B: Ama al Señor, tu Dios, con todo tu corazón, ama a tu prójimo como a ti mismo. No existe otro mandamiento mayor que estos dos.

Año C: El Hijo del hombre ha venido a buscar y a salvar lo que estaba perdido.

Domingo XXXII   *Semana IV del Salterio*

I Vísperas: Ant. Cánt. Evang.

Año A: Aunque el esposo tarde, velen, porque no saben el día ni la hora.

Año B: Esta mujer ha dado todo su sustento al Señor: y no le falta lo necesario para vivir.

Año C: Vale la pena morir a manos de los hombres, cuando se espera que Dios mismo nos resucitará.

Oración conclusiva: Dios omnipotente y misericordioso, aparta de nosotros todos los males, para que, con el alma y el cuerpo bien dispuestos, podamos libremente cumplir tu voluntad. Por nuestro Señor Jesucristo, tu Hijo…

Laudes: Ant. Cánt. Evang.

Año A: Saldremos al encuentro del Señor, y así estaremos siempre con él.

Año B: Nos tienen como gente triste, aunque estamos siempre alegres; por mendigos, aun cuando enriquecemos a muchos; o por gente que nada tiene, cuando en realidad todo lo poseemos: poseemos al Señor de cielo y tierra.

Año C: El que alcance a ser digno de tener parte en el otro mundo es hijo de la resurrección e hijo de Dios.

II Vísperas: Ant. Cánt. Evang.

Año A: A media noche se oyó una voz que decía: «Miren, el Esposo viene, salgan a su encuentro.»

Año B: Esta pobre viuda ha dado más que todos, porque de su misma pobreza ha dado todo lo que tenía.

Año C: Dios no es un Dios de muertos, sino de vivos, pues para él todos viven. Aleluya.

Domingo XXXIII
Semana I del Salterio

I Vísperas: Ant. Cánt. Evang.

Año A: «Al que tiene se le dará, y tendrá abundante, pero al que no tiene se le quitará hasta lo que tiene», dice el Señor.

Año B: El cielo y la tierra pasarán, pero mis palabras no pasarán.

Año C: «A los que respetan mi nombre los alumbraré con el sol de la justicia», dice el Señor.

Oración conclusiva: Señor, Dios nuestro, concédenos alegrarnos siempre en tu servicio, porque la profunda y verdadera alegría está en ser fiel a ti, autor de todo bien. Por nuestro Señor Jesucristo, tu Hijo...

Laudes: Ant. Cánt. Evang.

Año A: Nosotros somos hijos de la luz e hijos del día; por eso, estemos alerta en espera del Señor.

Año B: Los justos brillarán como el fulgor del firmamento por toda la eternidad.

Año C: Por mi causa los perseguirán; eso les dará ocasión de profesar su fe: yo les daré palabras y sabiduría a las que no podrá hacer frente ningún adversario de ustedes.

II Vísperas: Ant. Cánt. Evang.

Año A: Muy bien, siervo bueno, ya que has sido fiel en lo poco, entra a participar en el gozo de tu Señor.

Año B: Verán venir al Hijo del hombre sobre las nubes del cielo con gran poder y majestad.

Año C: «Con su perseverancia salvarán sus vidas», dice el Señor.

Domingo XXXIV
NUESTRO SEÑOR JESUCRISTO, REY UNIVERSAL
Solemnidad

I Vísperas

INVOCACIÓN INICIAL

℣. Dios mío, ven en mi auxilio.
℟. Señor, date prisa en socorrerme.
Gloria al Padre... (Aleluya.)

HIMNO

Oh príncipe absoluto de los siglos,
oh Jesucristo, rey de las naciones:
te confesamos árbitro supremo
de las mentes y de los corazones.

En la tierra te adoran los mortales
y los santos te alaban en el cielo,
unidos a sus voces te aclamamos
proclamándote rey del universo.

Oh Jesucristo, príncipe pacífico:
somete a los espíritus rebeldes,
y haz que encuentren el rumbo los perdidos
y que en un solo aprisco se congreguen.

Para eso pendes de una cruz sangrienta,
y abres en ella tus divinos brazos;
para eso muestras en tu pecho herido
tu ardiente corazón atravesado.

Para eso estás oculto en los altares
tras las imágenes del pan y el vino;
para eso viertes de tu pecho abierto
sangre de salvación para tus hijos.

Por regir con amor el universo,
glorificado seas, Jesucristo,
y que contigo y con tu eterno Padre
también reciba gloria el Santo Espíritu. Amén.

SALMODIA

Ant. 1. Será llamado Príncipe de la paz, y su trono estará firmemente asentado para siempre.

Salmo 112, p. 203.

Ant. 2. Su reino es un reino eterno, y todos los imperios lo servirán y lo obedecerán.

Salmo 116, p. 105.

Ant. 3. A Cristo se le ha otorgado el imperio, el honor y la realeza: todos los pueblos, naciones y lenguas por siempre lo servirán.

Cántico Apoc 4, 11; 5, 9-10. 12, p. 59.

LECTURA BREVE   Cfr Ef 1, 20-23

Dios resucitó a Cristo de entre los muertos y lo constituyó a su diestra en los cielos, por encima de todo principado, potestad, virtud y dominación, y de todo ser que exista no sólo en el mundo presente, sino también en el futuro. Todo lo puso bajo sus pies y lo dio a la Iglesia, que es su cuerpo, como cabeza, sobre todo, es decir, como plenitud de aquel que lo llena todo en todo.

RESPONSORIO BREVE

℣. Tuya es la grandeza y el poder,
tuyo, Señor, es el reino.

℟. Tuya es la grandeza y el poder,
tuyo, Señor, es el reino.

℣. Tú gobiernas todo el universo.

℟. Tuyo, Señor, es el reino.

℣. Gloria al Padre, y al Hijo, y al Espíritu Santo.

℟. Tuya es la grandeza y el poder,
tuyo, Señor, es el reino.

CÁNTICO EVANGÉLICO

Ant. El Señor Dios le dará el trono de David, su padre; reinará en la casa de Jacob para siempre, y su reino no tendrá fin. Aleluya.

Cántico de la Santísima Virgen María, p. 18.

PRECES O INTERCESIONES

Hermanos, adoremos a Cristo Rey, el cual existe antes que todas las cosas, y en quien todas las cosas tienen su razón de ser. Elevemos a él nuestra voz, clamando:

Que venga tu reino, Señor.

Cristo, nuestro rey y pastor, congrega a tus ovejas de todos los puntos de la tierra
—y apaciéntalas en verdes praderas de pastos abundantes.

Cristo, nuestro salvador y nuestro guía, reúne a todos los hombres dentro de tu pueblo santo: sana a los enfermos, busca a los extraviados, conserva a los fuertes,
—haz volver a los que se han alejado, congrega a los dispersos, alienta a los desanimados.

Juez eterno, cuando pongas tu reino en manos de tu Padre, colócanos a tu derecha
—y haz que poseamos el reino que nos ha sido preparado desde la creación del mundo.

Príncipe de la paz, quebranta las armas homicidas
—e infunde en todas las naciones el amor a la paz.

Heredero universal de todas las naciones, haz entrar a la humanidad con todos sus bienes al reino de tu Iglesia que tu Padre te ha dado,
—para que todos, unidos en el Espíritu Santo, te reconozcan como su cabeza.

Se pueden añadir algunas intenciones libres.

Cristo, primogénito de entre los muertos y primicia de los que duermen,
— admite a los fieles difuntos a la gloria de tu resurrección.

Con la confianza que nos da el ser participantes de la realeza de Cristo y coherederos de su reino, elevemos nuestra voz al Padre celestial: Padre nuestro...

Oración conclusiva

Dios todopoderoso y eterno, que quisiste fundar todas las cosas en tu Hijo muy amado, rey del universo, haz que toda creatura, libertada de toda esclavitud, sirva a tu majestad y te alabe eternamente. Por nuestro Señor Jesucristo, tu Hijo...

℞. Amén.

CONCLUSIÓN

℣. El Señor nos bendiga, nos guarde de todo mal y nos lleve a la vida eterna.

℞. Amén.

Laudes

INVOCACIÓN INICIAL

℣. Señor, abre mis labios.

℞. Y mi boca proclamará tu alabanza.

Puede añadirse el salmo 94 (p. 20), con la antífona siguiente:

A Jesucristo, rey de reyes, vengan, adorémoslo.

HIMNO

¡Qué hermoso el Rey en la campaña!
Iba vestido de verdad,
y era su espada de conquista
el fuerte amor que vence al mal.

¡Qué hermosa aquella estirpe suya,
desde el divino manantial!

Es rey de la casa de David,
nacido en cuna virginal.

Murió en la cruz ajusticiado
por rey del pueblo de Abraham.
¡Éste es el Rey del universo!;
si Dios lo ha escrito, escrito está.

Rey que desarmas las conciencias,
rey vencedor de Satanás,
sobre las ruinas del pecado
tú sólo creas vida y paz.

Oh Jesucristo, mi Señor,
rey poderoso que vendrás,
a tus hermanos pecadores
mira con rostro familiar.

¡Bendito el Rey crucificado,
el Rey de reyes inmortal,
desde la altura de tu Padre
reina con cetro de piedad! Amén.

SALMODIA

Ant. 1. He aquí un varón cuyo nombre es Germen, se sentará en su trono para reinar y proclamará la paz a las naciones.

Los salmos y el cántico se toman del domingo I del Salterio, p. 22.

Ant. 2. Se mostrará él, grande hasta los confines de la tierra, y él será nuestra paz.

Ant. 3. Dios le otorgó el imperio, el honor y la realeza, y todos los pueblos, naciones y lenguas lo servirán.

LECTURA BREVE   Ef 4, 15-16

Realizando la verdad en el amor, hagamos crecer todas las cosas hacia él, que es la cabeza: Cristo, del cual todo el cuerpo, bien ajustado y unido a través de todo el complejo de junturas que lo nutren y actuando a la medida de cada parte, se procura su propio crecimiento, para construcción de sí mismo en el amor.

RESPONSORIO BREVE

℣. Que tus fieles, Señor,
proclamen la gloria de tu reinado.

℟. Que tus fieles, Señor,
proclamen la gloria de tu reinado.

℣. Y que hablen de tus hazañas.

℟. Que proclamen la gloria de tu reinado.

℣. Gloria al Padre, y al Hijo, y al Espíritu Santo.

℟. Que tus fieles, Señor,
proclamen la gloria de tu reinado.

CÁNTICO EVANGÉLICO

Ant. Cristo es el primogénito de entre los muertos y el príncipe de los reyes de la tierra; él ha hecho de nosotros un reino para Dios, su Padre. Aleluya.

Cántico de Zacarías, p. 27.

PRECES PARA CONSAGRAR A DIOS
EL DÍA Y EL TRABAJO

Hermanos, adoremos a Cristo Rey, el cual existe antes que todas las cosas, y en quien todas las cosas tienen su razón de ser. Elevemos a él nuestra voz, clamando:

Que venga tu reino, Señor.

Cristo, salvador nuestro, tú que eres nuestro Dios y Señor, nuestro rey y pastor,
— conduce a tu pueblo a los pastos de vida.

Buen Pastor, que diste la vida por tus ovejas,
— si tú nos guías en nuestra vida, nada nos faltará.

Redentor nuestro, que fuiste constituido rey sobre toda la tierra,

— haz que todos los hombres te reconozcan como cabeza de toda la creación.

Rey del universo, que viniste al mundo para dar testimonio de la verdad,
— haz que todos proclamemos tu absoluta primacía en todo.

Tú que eres nuestro maestro y modelo, y que nos has admitido a tu reino,
— concédenos llevar desde hoy ante tus ojos una vida santa, sin mancha y sin culpa.

Se pueden añadir algunas intenciones libres.

Pidamos fervientemente al Padre celestial la llegada del reino de su Hijo a cada uno de los hombres, nuestros hermanos: Padre nuestro...

La oración conclusiva como en las I Vísperas.

CONCLUSIÓN

℣. El Señor nos bendiga, nos guarde de todo mal y nos lleve a la vida eterna.

℞. Amén.

II Vísperas

INVOCACIÓN INICIAL

℣. Dios mío, ven en mi auxilio.

℞. Señor, date prisa en socorrerme.
Gloria al Padre... (Aleluya.)

El himno como en las I Vísperas.

SALMODIA

Ant. 1. Se sentará sobre el trono de David para reinar eternamente. Aleluya.

Salmo 109, 1-5. 7, p. 30.

Ant. 2. Tu reinado es un reinado perpetuo, tu gobierno va de edad en edad.

Salmo 144 (I), p. 369.

Ant. 3. Lleva escrito sobre su manto y en su estandarte este nombre: «Rey de reyes y Señor de señores.» A él la gloria y el poder por los siglos de los siglos.

Cántico cfr. Apoc 19, 1-2. 5-7, p. 33.

LECTURA BREVE   1 Cor 15, 25-28

Cristo debe reinar hasta poner a todos sus enemigos bajo sus pies. El último enemigo aniquilado será la muerte. Porque Dios ha sometido todas las cosas bajo sus pies. Mas cuando él dice que «todo está sometido», es evidente que se excluye a aquel que ha sometido a él todas las cosas. Cuando hayan sido sometidas a él todas las cosas, entonces también el Hijo se someterá a aquel que ha sometido a él todas las cosas, para que Dios sea todo en todo.

RESPONSORIO BREVE

℣. Tu trono, Señor, permanece para siempre.
℞. Tu trono, Señor, permanece para siempre.

℣. Tu cetro real es cetro de rectitud.
℞. Permanece para siempre.

℣. Gloria al Padre, y al Hijo, y al Espíritu Santo.
℞. Tu trono, Señor, permanece para siempre.

CÁNTICO EVANGÉLICO

Ant. «Me ha sido dado todo poder en el cielo y en la tierra», dice el Señor.

Cántico de la Santísima Virgen María, p. 18.

Las preces y la oración conclusiva como en las I Vísperas.

Conclusión

℣. El Señor nos bendiga, nos guarde de todo mal y nos lleve a la vida eterna.

℟. Amén.

Salmo y cántico complementarios
Salmo 63

Escucha, ¡oh Dios!, la voz de mi lamento,
    protege mi vida del terrible enemigo;
    escóndeme de la conjura de los perversos
    y del motín de los malhechores:

afilan sus lenguas como espadas
    y disparan como flechas palabras venenosas,
    para herir a escondidas al inocente,
    para herirlo por sorpresa y sin riesgo.

Se animan al delito,
    calculan cómo esconder trampas,
    y dicen: «¿Quién lo descubrirá?»
    Inventan maldades y ocultan sus invenciones,
    porque su mente y su corazón no tienen fondo.

Pero Dios los acribilla a flechazos,
    por sorpresa los cubre de heridas;
    su misma lengua los lleva a la ruina,
    y los que lo ven menean la cabeza.

Todo el mundo se atemoriza,
    proclama la obra de Dios
    y medita sus acciones.

El justo se alegra con el Señor,
    se refugia en él,
    y se felicitan los rectos de corazón.

Cántico   Cfr 1 Tim 3, 16

℟. Alaben al Señor, todas las naciones.

Cristo, manifestado en fragilidad humana,
    santificado por el Espíritu.

℟. Alaben al Señor, todas las naciones.

Cristo, mostrado a los ángeles,
    proclamado a los gentiles.

℟. Alaben al Señor, todas las naciones.

Cristo, objeto de fe para el mundo,
    elevado a la gloria.

℟. Alaben al Señor, todas las naciones.

SOLEMNIDADES, FIESTAS Y MEMORIAS DIVERSAS

La conversión de san Pablo, apóstol   Día 25 de enero
Fiesta

Invitatorio: Ant. Aclamemos al Señor, en esta fiesta de la conversión de Maestro de los gentiles.

Laudes: Ant. Cánt. Evang. Celebremos la conversión del apóstol san Pablo, que de perseguidor pasó a ser un instrumento escogido.

Oración conclusiva: Señor Dios, que has iluminado al mundo entero con la palabra del apóstol san Pablo, haz que quienes recordamos hoy su conversión, imitando sus ejemplos, anunciemos el Evangelio al mundo y seamos así testigos de tu verdad. Por nuestro Señor Jesucristo, tu Hijo...

Vísperas: Ant. Cánt. Evang. Apóstol san Pablo, predicador de la verdad y maestro de los gentiles, intercede por nosotros ante Dios que te eligió.

La Presentación del Señor   Día 2 de febrero
Fiesta

Las I Vísperas sólo se celebran cuando cae en domingo.

I Vísperas: Ant. Cánt. Evang. El anciano llevaba al niño, pero era el niño quien guiaba al anciano; la Virgen lo dio a luz, permaneciendo virgen después del parto; y adoró a quien ella misma había engendrado.

Oración conclusiva: Dios todopoderoso y eterno, en este día en que tu Hijo único fue presentado en el templo con un cuerpo como el nuestro, te pedimos nos concedas a nosotros poder ser presentados ante ti, plenamente renovados en nuestro espíritu. Por nuestro Señor Jesucristo, tu Hijo...

Invitatorio: Ant. Miren, el Señor llega a su templo santo, vengan, adorémoslo.

Laudes: Ant. Cánt. Evang. Cuando entraban sus padres con el niño Jesús, Simeón lo tomó en sus brazos y bendijo a Dios.

II Vísperas: Ant. Cánt. Evang. Hoy la Virgen María presentó al niño Jesús en el templo, y Simeón, lleno del Espíritu Santo, lo tomó en sus brazos y bendijo a Dios.

San Felipe de Jesús, protomártir mexicano
Día 5 de febrero
México: Fiesta

Del Común de mártires: para un mártir, p. 563.

Laudes

INVOCACIÓN INICIAL

℣. Señor, abre mis labios.

℟. Y mi boca proclamará tu alabanza.

Puede añadirse el salmo 94 (p. 20), con la antífona siguiente:

Vengan, adoremos al Señor, rey de los mártires.

HIMNO

Salve, atleta victorioso,
ornato del Nuevo Mundo,
con tu sangre has fecundado
las espigas en el surco.

Tú, el primero del Anáhuac,
presentaste al Rey eterno
las primicias de la siembra
de la fe del Evangelio.

Los colores encendidos
de las rosas del ayate,
cual respuesta de tu raza
florecieron en tu sangre.

Que ese firme testimonio
que sellaste con tu muerte
dé a tu patria una fe viva,
invencible y siempre fuerte.

A Dios Padre demos gloria
por la gloria de sus santos,
a su Hijo Jesucristo
y al Espíritu Paráclito. Amén.

LECTURA BREVE   Rom 10, 10-15

Con el corazón creemos para obtener la justificación
y con la boca hacemos profesión de nuestra fe para
alcanzar la salvación. Pues dice la Escritura: «Todo el
que crea en él no será confundido.» Porque ya no hay
distinción entre judío y gentil, ya que uno mismo es
el Señor de todos, rico para todos los que lo invocan.
Pues todo el que invoque el nombre del Señor se
salvará. Pero, ¿cómo invocarán a aquel en quien no
han creído? Y ¿cómo van a creer en aquel de quien
nada han oído? Y ¿cómo oirán si nadie les predica?
Y ¿cómo predicarán si no son enviados? Como dice
la Escritura: «¡Qué hermosos son los pies de los que
anuncian el bien!»

RESPONSORIO BREVE

V. Dichoso el hombre que soporta la prueba.

R. Dichoso el hombre que soporta la prueba.

V. Porque, una vez aquilatado,
recibirá la corona de la vida.

R. El hombre que soporta la prueba.

V. Gloria al Padre, y al Hijo, y al Espíritu Santo.

R. Dichoso el hombre que soporta la prueba.

CÁNTICO EVANGÉLICO

Ant. Un tiempo ustedes eran tinieblas, pero ahora son
luz en el Señor; caminen, pues, como hijos de la luz.
Cántico de Zacarías, p. 27.

PRECES PARA CONSAGRAR A DIOS
EL DÍA Y EL TRABAJO

Agradezcamos al Señor que en san Felipe de Jesús nos ha dado un modelo para servirlo a él y a nuestros hermanos hasta el completo sacrificio:

Concédenos, Señor, servir generosamente a nuestros hermanos.

Te alabamos, Señor, pues por medio de san Felipe de Jesús y sus compañeros mártires nos muestras el camino de la completa autenticidad;
—concédenos profesar abnegada y generosamente nuestra fe.

Te bendecimos, Señor, porque quisiste que san Felipe de Jesús fuera portador del mensaje de la cruz a lejanas tierras;
—haz que México sea siempre fiel a tu doctrina y la difunda entre las naciones que menos te conocen.

Te glorificamos, Señor, porque por medio de tus misioneros continúas tu presencia entre nosotros y en el mundo;
—concédenos que nuestros misioneros sean totalmente fieles a su misión de servir a tu palabra.

Te damos gracias, Señor, porque has querido que el testimonio del santo Evangelio vaya arraigando en nuestro patrio suelo y que desde él se difunda a otras naciones;
—concédenos saber confesar siempre nuestra fe con la palabra y con las obras.

Se pueden añadir algunas intenciones libres.

Revistiéndonos del Espíritu de Jesús, digamos confiadamente la oración que él mismo nos enseñó: Padre nuestro...

Oración conclusiva

Dios nuestro, que te dignaste aceptar la sangre de san Felipe de Jesús como una primicia de la fe de nuestro pueblo, concédenos, por su intercesión, madurar en esa misma fe, para que demos testimonio de ella no sólo con las palabras, sino sobre todo con los actos de nuestra vida diaria. Por nuestro Señor Jesucristo, tu Hijo...

℞. Amén.

CONCLUSIÓN

℣. El Señor nos bendiga, nos guarde de todo mal y nos lleve a la vida eterna.

℞. Amén.

Vísperas

INVOCACIÓN INICIAL

℣. Dios mío, ven en mi auxilio.

℞. Señor, date prisa en socorrerme.
Gloria al Padre... (Aleluya.)

HIMNO

Felipe santo,
Felipe higuera,
Felipe, signo
de nuestra América:

Haznos apóstoles,
de Dios profetas,
casta de príncipes,
vívidas piedras.

Cuando tú subes
la dura cuesta
de la esperanza,
la cruz te espera.

Amado. Amada.
Los dos se estrechan

en un abrazo
y en una entrega.

La muerte muere
de muerte negra
cuando tu sangre
moja la tierra.

Porque otra llama
tu sangre quema,
triunfas perdiendo,
callando enseñas.

Eternos himnos
por tu proeza
México entone,
de Dios poeta.

Gloria sea al Padre
y al Hijo sea,
en el Espíritu,
laude perfecta. Amén.

SALMODIA

Ant. 1. Felipe sufrió el martirio y confesó el nombre de nuestro Señor Jesucristo.

Salmo 114, p. 190.

Ant. 2. San Felipe exclamó: «Jesús, Jesús, Jesús», y entregó su espíritu al Señor.

Salmo 115, p. 204.

Ant. 3. Te doy gracias, Señor Jesucristo, porque he merecido dar testimonio de tu fe.

Cántico Apoc 4, 11; 5, 9-10. 12, p. 59.

LECTURA BREVE   Flp 1, 18-21

Como quiera que sea, si Cristo es predicado, yo me alegro y me alegraré. Sé que esto redundará en provecho mío, debido a la oración de ustedes y a la asistencia del Espíritu de Jesucristo. Tengo la firme esperanza de que en ningún caso he de fracasar, y que con toda seguridad, ahora como siempre, Cristo será enaltecido en mí, ya sea por mi vida o ya sea por mi muerte. Que para mí la vida es Cristo, y la muerte una ganancia.

RESPONSORIO BREVE

℣. Para mí la vida es Cristo,
y la muerte es una ganancia.

℟. Para mí la vida es Cristo,
y la muerte es una ganancia.

℣. Cristo será enaltecido en mí,
ya sea por mi vida o ya sea por mi muerte.

℟. Y la muerte es una ganancia.

℣. Gloria al Padre, y al Hijo, y al Espíritu Santo.

℟. Para mí la vida es Cristo,
y la muerte es una ganancia.

CÁNTICO EVANGÉLICO

Ant. Abriéronse las puertas del cielo al bienaventurado Felipe, que, entre los protomártires del Japón, fue el primero en recibir la corona.

Cántico de la Santísima Virgen María, p. 18.

PRECES O INTERCESIONES

Poniendo nuestro gozo en el Padre de los cielos, de quien procede todo bien, digámosle:

Señor, haz que seamos instrumentos de tu paz.

Padre nuestro, que nos amaste hasta darnos a tu Hijo único, para que con su muerte nos diera la vida,
— concédenos que, como san Felipe de Jesús, amemos a nuestros hermanos, los hombres, hasta el sacrificio de nosotros mismos.

Padre celestial, que enviaste a tu Hijo al mundo para enseñarnos el verdadero amor y el perdón de las injurias,

— concédenos que no busquemos sólo ser amados, sino, sobre todo, amar y perdonar.

Padre eterno, que con el Verbo y el Espíritu Santo renuevas todas las cosas,
— concédenos que, como san Felipe de Jesús, renovemos nuestro ser bajo el impulso de tu gracia.

Se pueden añadir algunas intenciones libres.

Padre bondadoso, que por la cruz de tu Hijo otorgaste la vida eterna a nuestro santo Patrono,
— otorga también esa vida a todos los fieles difuntos.

Y ahora digamos todos juntos la oración del amor y del perdón: Padre nuestro...

La oración conclusiva como en las Laudes.

CONCLUSIÓN

℣. El Señor nos bendiga, nos guarde de todo mal y nos lleve a la vida eterna.

℟. Amén.

La Cátedra de san Pedro, apóstol
Fiesta

Día 22 de febrero

Invitatorio: Ant. Vengan, adoremos al Señor, rey de los apóstoles.

Laudes: Ant. Cánt. Evang. Dijo el Señor a Simón Pedro: «Yo he rogado por ti, para que tu fe no desfallezca; y tú, una vez convertido, confirma a tus hermanos.»

Oración conclusiva: No permitas, Señor, que ninguna desorientación llegue a perturbar nunca la fe de la Iglesia, que tú quisiste estuviera cimentada sobre la roca sólida de la confesión del apóstol san Pedro. Por nuestro Señor Jesucristo, tu Hijo...

Vísperas: Ant. Cánt. Evang. Tú eres pastor de las ovejas, Príncipe de los apóstoles; a ti te han sido entregadas las llaves del Reino de los cielos.

San José,
esposo de santa María Virgen

Día 19 de marzo

Solemnidad

HIMNO

¡Oh qué dichoso este día
en que José, dulce suerte,
entre Jesús y María
rinde tributo a la muerte!

Tuvo en la tierra su cielo;
por un favor nunca visto,
con la Virgen, su consuelo
fue vivir sirviendo a Cristo.

Ya con suprema leticia
los justos lo aclamarán,
lleva la buena noticia
hasta el seno de Abraham.

Si fue grande la agonía
que sufrió en la encarnación,
será inmensa la alegría
que tendrá en resurrección.

Quiera Dios que en nuestro trance
no nos falte su favor,
y piadoso nos alcance
ver benigno al Redentor.

Que en Jesús, José y María,
gloria de la humanidad,
resplandezca tu armonía,
¡oh indivisa Trinidad! Amén.

I Vísperas: Ant. Cánt. Evang. Éste es el administrador fiel y solícito a quien el amo ha puesto al frente de su servidumbre. (T.P. Aleluya.)

Oración conclusiva: Dios todopoderoso, que, en los albores del Nuevo Testamento, encomendaste a san

José los misterios de nuestra salvación, haz que ahora tu Iglesia, sostenida por la intercesión del esposo de María, lleve a su pleno cumplimiento la obra de la salvación de los hombres. Por nuestro Señor Jesucristo, tu Hijo...

Invitatorio: Ant. Adoremos a Cristo, el Señor, en esta solemnidad de san José. (T.P. Aleluya.)

Laudes: Ant. Cánt. Evang. José se estableció en una ciudad llamada Nazaret; así se cumplió lo que de Cristo habían anunciado los profetas: que sería llamado Nazareno. (T.P. Aleluya.)

II Vísperas: Ant. Cánt. Evang. Jesús tenía unos treinta años y era considerado hijo de José. (T.P. Aleluya.)

La Anunciación del Señor
Solemnidad

Día 25 de marzo

HIMNO

Que hoy bajó Dios a la tierra
es cierto; pero más cierto
es que, bajando a María,
bajó Dios a mejor cielo.

Conveniencia fue de todos
este divino misterio,
pues el hombre, de fortuna,
y Dios mejoró de asiento.

Su sangre le dio María
a logro, porque a su tiempo
la que reciben encarnando
restituya redimiendo.

Un arcángel a pedir
bajó su consentimiento,
guardándole, en ser rogada,
de reina sus privilegios.

¡Oh grandeza de María,
que cuanto usa el Padre eterno

de dominio con su Hijo,
use con ella de ruego!

A estrecha cárcel reduce
de su grandeza lo inmenso
y en breve morada cabe
quien sólo cabe en sí
mismo. Amén

I Vísperas: Ant. Cánt. Evang. El Espíritu Santo descenderá sobre ti, María, y el poder del Altísimo te envolverá como una nube. (T.P. Aleluya.)

Oración conclusiva: Señor Dios nuestro, que quisiste que tu Verbo se hiciera hombre en el seno de la Virgen María, concede a quienes proclamamos que nuestro Redentor es realmente Dios y hombre que lleguemos a ser partícipes de su naturaleza divina. Por nuestro Señor Jesucristo, tu Hijo...

Invitatorio: Ant. Adoremos al que es la Palabra y se ha hecho carne por nosotros. (T.P. Aleluya.)

Laudes: Ant. Cánt. Evang. Por el gran amor con que Dios nos amó, nos envió a su Hijo en semejanza de carne de pecado. (T.P. Aleluya.)

II Vísperas: Ant. Cánt. Evang. El ángel Gabriel saludó a María, diciendo: «Alégrate, llena de gracia, el Señor está contigo, bendita tú entre las mujeres.» (T.P. Aleluya.)

San Marcos, evangelista   *Día 25 de abril*
Fiesta

Invitatorio: Ant. Vengan, adoremos al Señor, que nos habla por medio del Evangelio. Aleluya.

Laudes: Ant. Cánt. Evang. La gracia de Cristo ha constituido, a unos, evangelistas y, a otros, doctores, y los ha enviado al pueblo creyente como ministros de la fe. Aleluya.

Oración conclusiva: Señor, tú que diste a san Marcos el carisma de anunciar el Evangelio, haz que sepamos aprovecharnos de sus escritos y por ellos aprendamos a seguir fielmente a Jesucristo. Que vive y reina contigo...

Vísperas: Ant. Cánt. Evang. La palabra del Señor permanece eternamente y ésta es la palabra: la Buena Noticia anunciada a ustedes. Aleluya.

La Exaltación de la Santa Cruz   *Día 3 de mayo*
Colombia y México: Fiesta

Las I Vísperas sólo se celebran cuando cae en domingo.

I Vísperas: Ant. Cánt. Evang. El Mesías tenía que padecer y resucitar de entre los muertos, para así entrar en su gloria. Aleluya.

Oración conclusiva: Señor, Dios nuestro, que has querido salvar a los hombres por medio de tu Hijo muerto en la cruz, te pedimos, ya que nos has dado a conocer en la tierra la fuerza misteriosa de la cruz de Cristo, que podamos alcanzar en el cielo los frutos de la redención. Por nuestro Señor Jesucristo, tu Hijo...

Invitatorio: Ant. A Cristo, Rey y Señor, que por nosotros fue exaltado en la cruz, vengan, adorémoslo. Aleluya.

Laudes: Ant. Cánt. Evang. Tu cruz adoramos, Señor, y tu santa resurrección alabamos y glorificamos; por el madero ha venido la alegría al mundo entero. Aleluya.

II Vísperas: Ant. Cánt. Evang. Oh cruz victoriosa, signo admirable, ayúdanos a alcanzar el triunfo eterno. Aleluya.

Santos Felipe y Santiago, apóstoles   *Día 4 de mayo*
Fiesta

Laudes: Ant. Cánt. Evang. Felipe se encontró con Natanael, y le dijo: «Hemos encontrado a aquel de quien escribieron Moisés en la ley y los profetas: a Jesús de Nazaret, el hijo de José.»(T.P. Aleluya.)

Oración conclusiva: Señor, tú que nos alegras todos los años con esta fiesta de los santos apóstoles Felipe y Santiago, concédenos, por su intercesión, que, viviendo ahora íntimamente unidos a la muerte y resurrección de tu Hijo, podamos, en la eternidad, contemplar la gloria de tu rostro. Por nuestro Señor Jesucristo, tu Hijo...

Vísperas: Ant. Cánt. Evang. Si permanecen en mí y mis palabras permanecen en ustedes, pidan lo que quieran y lo conseguirán. Aleluya.

San Matías, apóstol

Día 14 de mayo

Fiesta

Laudes: Ant. Cánt. Evang. Hay aquí entre nosotros hombres que han andado en nuestra compañía todo el tiempo del ministerio público de Jesús, el Señor; es, pues, preciso que elijamos a uno de ellos para que, junto con nosotros, dé testimonio de la verdad de la resurrección. (T.P. Aleluya.)

Oración conclusiva: Señor Dios, tú que, para completar el número de los doce apóstoles, elegiste a san Matías, concédenos, por la intercesión de este apóstol, a nosotros, que hemos recibido el don de tu amistad, poder ser contados un día entre tus elegidos. Por nuestro Señor Jesucristo, tu Hijo...

Vísperas: Ant. Cánt. Evang. No son ustedes los que me han elegido, soy yo quien los he elegido; y los he destinado para que vayan y den fruto, y su fruto dure. (T.P. Aleluya.)

Santos Cristóbal Magallanes y 24 compañeros, mártires

Día 21 de mayo

Memoria

Del Común de mártires: para varios mártires, p. 560.

Oración conclusiva: Dios todopoderoso y eterno, que concediste a los santos Cristóbal Magallanes, presbítero, y sus compañeros, el don de la fortaleza para ser fieles servidores de Cristo Rey hasta el martirio, concédenos, por su intercesión, que perseverando en la confesión de la fe verdadera, obedezcamos siempre con amor los mandamientos de tu Hijo Jesucristo, que vive y reina contigo en la unidad del Espíritu Santo y es Dios por los siglos de los siglos.

La Visitación
de la Santísima Virgen María
Fiesta
Día 31 de mayo

Invitatorio: Ant. Aclamemos al Señor en esta fiesta de la Visitación de María Virgen. (T.P. Aleluya.)

Laudes: Ant. Cánt. Evang. Así que Isabel oyó el saludo de María, en alta voz exclamó: «¿Cómo he merecido yo que la madre de mi Señor venga a mi casa?» (T.P. Aleluya.)

Oración conclusiva: Dios todopoderoso y eterno, tú que, cuando María llevaba en su seno a tu Hijo, le inspiraste que visitara a su prima santa Isabel, haz que nosotros seamos siempre dóciles a las inspiraciones de tu Espíritu, para que, con María, podamos proclamar eternamente tu grandeza. Por nuestro Señor Jesucristo, tu Hijo...

Vísperas: Ant. Cánt. Evang. Me felicitarán todas las generaciones, porque Dios ha mirado la humillación de su esclava. (T.P. Aleluya.)

Jesucristo,
sumo y eterno sacerdote
Fiesta

Jueves después de Pentecostés

Invitatorio: Ant. A Cristo, sacerdote eterno, démosle gloria.

Laudes: Ant. Cánt. Evang. Padre, que todos sean uno, para que el mundo crea que tú me has enviado.

Oración conclusiva: Dios nuestro, que para gloria tuya y salvación de todos los hombres constituiste sumo y eterno sacerdote a tu Hijo, Jesucristo, concede a quienes él ha elegido como ministros suyos y administradores de sus sacramentos y de su Evangelio la gracia de ser fieles en el cumplimiento de su ministerio. Por nuestro Señor Jesucristo, tu Hijo...

Vísperas: Ant. Cánt. Evang. Padre, yo ruego por ellos, porque son tuyos, y yo por ellos me santifico, para que también ellos sean santificados en la verdad.

El Inmaculado Corazón de la Santísima Virgen María
Memoria

Sábado posterior al domingo II
después de Pentecostés

Del Común de la Santísima Virgen María, p. 545.

Laudes

CÁNTICO EVANGÉLICO

Ant. Mi corazón y mi carne se alegran por el Dios vivo.

Oración conclusiva: Señor Dios, que en el corazón de santa María Virgen preparaste al Espíritu Santo una digna morada, haz que también nosotros, por intercesión de María, seamos transformados en templos de tu gloria. Por nuestro Señor Jesucristo, tu Hijo...

El nacimiento de san Juan Bautista
Solemnidad   *Día 24 de junio*

HIMNO

«¿Qué será este niño?», decía la gente
al ver a su padre mudo de estupor.
«¿Si será un profeta?, ¿si será un vidente?»
¡De una madre estéril nace el precursor!

Antes de nacer, sintió su llegada,
al fuego del niño lo cantó Isabel,

y llamó a la Virgen: «Bienaventurada»,
porque ella era el arca donde estaba él.

El ya tan Antiguo y Nuevo Testamento
en él se soldaron como en piedra imán;
muchos se alegraron de su nacimiento:
fue ese mensajero que se llamó Juan.

Lo envió el Altísimo para abrir las vías
del que trae al mundo toda redención:
como el gran profeta, como el mismo Elías,
a la faz del Hijo de su corazón.

Él no era la luz: vino a ser testigo
de la que ya habita claridad sin fin;
él no era el Señor: vino a ser su amigo,
su siervo, su apóstol y su paladín.

Cántanle los siglos, como Zacarías:
«Y tú serás, niño, quien marche ante él;
eres el heraldo que anuncia al Mesías,
eres la esperanza del nuevo Israel.»

El mundo se llena de gran regocijo,
Juan es el preludio de la salvación;
alabanza al Padre que nos dio tal Hijo,
la gloria al Espíritu que fraguó la acción. Amén.

I Vísperas: Ant. Cánt. Evang. Cuando entró Zacarías en el santuario del Señor, se le apareció el ángel Gabriel, de pie a la derecha del altar del incienso.

Oración conclusiva: Dios todopoderoso, haz que tu pueblo, siguiendo las exhortaciones de san Juan Bautista, progrese por las sendas de la salvación y llegue así, con seguridad, al encuentro del Mesías, anunciado por el santo precursor. Por nuestro Señor Jesucristo, tu Hijo...

Invitatorio: Ant. Vengan, adoremos al Cordero de Dios, a quien Juan anunció lleno de alegría.

Laudes: Ant. Cánt. Evang. Zacarías recuperó el uso de la lengua e, inspirado, dijo: «Bendito sea el Señor, Dios de Israel.»

Oración conclusiva: Dios todopoderoso, que suscitaste a san Juan Bautista, para que le preparara a Cristo un pueblo bien dispuesto, concede a tu pueblo el don de la alegría espiritual y guíanos por el camino de la salvación y de la paz. Por nuestro Señor Jesucristo, tu Hijo...

II Vísperas: Ant. Cánt. Evang. El niño que nos ha nacido es más que un profeta; es aquel de quien dice el Salvador: «Entre los nacidos de mujer no ha surgido nadie mayor que Juan Bautista.»

Santos Pedro y Pablo, apóstoles
Día 29 de junio
Solemnidad

HIMNO

La hermosa luz de eternidad inunda
con fulgores divinos este día,
que presenció la muerte de estos Príncipes
y al pecador abrió el camino de la vida.

Hoy lleváis la corona de la gloria,
padres de Roma y jueces de los pueblos:
el maestro del mundo, por la espada;
y, por la cruz, el celestial portero.

Dichosa tú que fuiste ennoblecida,
oh Roma, con la sangre de estos Príncipes,
y que, vestida con tan regia púrpura,
excedes en nobleza a cuanto existe.

Honra, poder y sempiterna gloria
sean al Padre, al Hijo y al Espíritu,
que en unidad gobiernan toda cosa
por infinitos e infinitos siglos. Amén.

I Vísperas: Ant. Cánt. Evang. Estos dos gloriosos apóstoles de Cristo, a quienes en la vida los unió un estrecho afecto, ni en la muerte fueron separados.

Oración conclusiva: Señor, Dios nuestro, concédenos la poderosa ayuda de los santos apóstoles Pedro y Pablo, para que aquellos mismos que nos comunicaron las primeras enseñanzas de la fe nos obtengan ahora, con su intercesión, el auxilio necesario para llegar a la salvación eterna. Por nuestro Señor Jesucristo, tu Hijo...

Invitatorio: Ant. Vengan, adoremos al Señor, rey de los apóstoles.

Laudes: Ant. Cánt. Evang. Dijo Simón Pedro: «Señor, ¿a quién vamos a ir? Tú tienes palabras de vida eterna; y nosotros hemos creído y sabemos que tú eres el Santo de Dios.» Aleluya.

Oración conclusiva: Dios nuestro, que nos llenas de santa alegría con la solemnidad de los santos apóstoles Pedro y Pablo, haz que tu Iglesia se mantenga siempre fiel a las enseñanzas de estos apóstoles, de quienes recibió el primer anuncio de la fe. Por nuestro Señor Jesucristo, tu Hijo...

II Vísperas: Ant. Cánt. Evang. Pedro, apóstol, y Pablo, maestro de los gentiles, nos han anunciado tu palabra, Señor.

Santo Tomás, apóstol *Día 3 de julio*
Fiesta

Laudes: Ant. Cánt. Evang. ¿No has creído, Tomás sino después de haberme visto? Dichosos los que sin ver han creído. Aleluya.

Oración conclusiva: Concédenos, Señor, celebrar con alegría la fiesta de santo Tomás; que la intercesión de este apóstol, que reconoció y confesó a Cristo como a su Señor y su Dios, nos haga crecer en la fe, para que así, creyendo en Jesús, el Mesías, tengamos vida en su nombre. Por nuestro Señor Jesucristo, tu Hijo...

Vísperas: Ant. Cánt. Evang. Introduje mis dedos en el lugar de los clavos, puse mi mano en su costado, y exclamé: «¿Señor mío y Dios mío!.» Aleluya.

Santiago, apóstol
Día 25 de julio
Fiesta

Laudes: Ant. Cánt. Evang. Jesús tomó consigo a Pedro, a Santiago y a su hermano Juan, y los llevó aparte a un alto monte, y se transfiguró en su presencia.

Oración conclusiva: Dios todopoderoso y eterno, que quisiste que Santiago fuera el primero de entre los apóstoles en derramar su sangre por la predicación del Evangelio, fortalece a tu Iglesia con el testimonio de su martirio y confórtala con su valiosa protección. Por nuestro Señor Jesucristo, tu Hijo...

Vísperas: Ant. Cánt. Evang. Quien aspire a ser el mayor sea siervo suyo; y quien aspire a ser el primero sea servidor de todos.

Santa María de Jesús Sacramentado Venegas, virgen
Día 30 de julio
Memoria libre

Oración conclusiva: Dios todopoderoso y eterno, que en la sencilla y humilde santa María de Jesús Sacramentado nos has dado ejemplo admirable de servicio a los enfermos, pobres y ancianos, concédenos, por su intercesión, que, practicando el bien en todas partes, seamos signos de tu amor en el mundo. Por nuestro Señor Jesucristo, tu Hijo...

La Transfiguración del Señor
Día 6 de agosto
Fiesta

Las I Vísperas sólo se celebran cuando cae en domingo.

I Vísperas: Ant. Cánt. Evang. Jesucristo es el resplandor del Padre, la imagen de su ser; con su poderosa palabra sostiene al universo; él, después de haber llevado a cabo la expiación de nuestros pecados, ha manifestado hoy su gloria desde un monte excelso.

Oración conclusiva: Señor Dios, que en la gloriosa transfiguración de Jesucristo confirmaste los misterios de la fe con el testimonio de Moisés y de Elías, y nos hiciste entrever en la gloria de tu Hijo la grandeza de nuestra definitiva adopción filial, haz que escuchemos siempre la voz de tu Hijo amado y lleguemos a ser un día sus coherederos en la gloria. Por nuestro Señor Jesucristo, tu Hijo...

Invitatorio: Ant. A Cristo, el rey supremo de la gloria, vengan, adorémoslo.

Laudes: Ant. Cánt. Evang. De la nube salió una voz que dijo: «Éste es mi Hijo amado, en quien tengo mis complacencias, escúchenlo.» Aleluya.

II Vísperas: Ant. Cánt. Evang. Al oír la voz, los discípulos cayeron sobre sus rostros, sobrecogidos de temor; pero Jesús se llegó a ellos y, tocándolos con la mano, les dijo: «Levántense, no tengan miedo.» Aleluya.

San Lorenzo, diácono y mártir
Día 10 de agosto
Fiesta

Laudes: Ant. Cánt. Evang. Hijo mío, no temas, que contigo estoy yo; cuando pases por el fuego, no te quemarás, la llama no te abrasará.

Oración conclusiva: Dios nuestro, que inflamaste con el fuego de tu amor a san Lorenzo, para que brillara por la fidelidad a su servicio diaconal y por la gloria de un heroico martirio, haz que nosotros te amemos siempre como él te amó y practiquemos lo que él enseñó. Por nuestro Señor Jesucristo, tu Hijo...

Vísperas: Ant. Cánt. Evang. El bienaventurado Lorenzo dijo: «Mi noche no tiene oscuridad alguna, todo en ella está iluminado con una gran luz.»

La Asunción
de la Santísima Virgen María
Día 15 de agosto
Solemnidad

HIMNO

Sólo la Niña aquella, la Niña inmaculada,
la Madre que del hijo recibió su hermosura,
la Virgen que le dice a su Creador criatura,
sólo esa Niña bella al cielo fue elevada.

Los luceros formaron innumerables filas,
tapizaron las nubes el cielo en su grandeza;
y aquella Niña dulce de sin igual belleza
llenaba todo el cielo con su claras pupilas.

Nuestro barro pequeño, de nostalgia extasiado,
ardientemente quiere subir un día cualquiera
al cielo, donde el barro de nuestra Niña espera
purificar en gracia nuestro barro manchado. Amén.

I Vísperas: Ant. Cánt. Evang. Me felicitarán todas las generaciones, porque el Poderoso ha hecho obras grandes por mí. Aleluya.

Oración conclusiva: Señor Dios todopoderoso, tú que, mirando complacido la profunda humildad de la siempre Virgen María, la elevaste a la excelsa dignidad de ser madre de tu Hijo hecho hombre y, en este día, la coronaste de gloria y de honor, concédenos, por su intercesión, que, ya que como María tenemos parte en tu redención, alcancemos, también como ella, la gloria del reino de los cielos. Por nuestro Señor Jesucristo, tu Hijo...

Invitatorio: Ant. Vengan, adoremos al Rey de reyes, cuya Madre ha sido elevada a lo más alto del cielo.

Laudes: Ant. Cánt. Evang. Eres bella y hermosa, Hija de Jerusalén; subes al cielo, resplandeciente como la aurora cuando amanece.

Oración conclusiva: Dios todopoderoso y eterno, que has elevado en cuerpo y alma a los cielos a la inmaculada Virgen María, madre de tu Hijo, haz que nosotros, ya desde este mundo, tengamos todo nuestro ser totalmente orientado hacia el cielo, para que podamos llegar a participar de su misma gloria. Por nuestro Señor Jesucristo, tu Hijo...

II Vísperas: Ant. Cánt. Evang. Hoy la Virgen María ha subido al cielo; alegrémonos, porque reina ya eternamente con Cristo.

San Bartolomé, apóstol
Día 24 de agosto
Fiesta

Oración conclusiva: Fortalece, Señor, nuestra fe, para que nos adhiramos a Cristo, tu Hijo, con la misma sinceridad con que lo hizo el apóstol san Bartolomé, y haz que, por la intercesión de este santo, sea siempre tu Iglesia sacramento de salvación universal para todos los hombres. Por nuestro Señor Jesucristo, tu Hijo...

San Junípero Serra, presbítero
Día 26 de agosto
Memoria libre

Oración conclusiva: Dios nuestro, por tu inefable misericordia has querido agregar a tu Iglesia a muchos pueblos de América, por medio de san Junípero Serra; concédenos, por su intercesión, que nuestros corazones estén unidos a ti en la caridad de tal manera que podamos llevar ante los hombres, siempre y en todas partes, la imagen de tu Hijo unigénito, nuestro Señor Jesucristo. Que vive y reina contigo....

Santa Rosa de Lima, virgen.
Patrona de América Latina
Día 30 de agosto
Argentina y México: Fiesta

Invitatorio: Ant. Vengan, adoremos al Señor, rey de las vírgenes.

O bien: Aclamemos al Señor, en esta fiesta de santa Rosa de Lima.

Laudes: Ant. Cánt. Evang. Para mí la vida es Cristo, y la muerte una ganancia; he de gloriarme en la cruz de nuestro Señor Jesucristo.

Oración conclusiva: Dios nuestro, que impulsaste a santa Rosa de Lima a apartarse de la vida del mundo por amor tuyo y a consagrarse sólo a ti, en la austeridad y en la penitencia, concédenos, por su intercesión, que sepamos seguir, en este mundo, el camino que conduce a la verdadera vida, para que lleguemos a gozar del torrente de tus delicias allá en el cielo. Por nuestro Señor Jesucristo, tu Hijo...

Vísperas: Ant. Cánt. Evang. Mi Señor Jesucristo se desposó conmigo con su anillo, y como verdadera esposa me adornó con una corona.

La Natividad de la Santísima Virgen María
Día 8 de septiembre

Fiesta

Invitatorio: Ant. Celebremos el nacimiento de santa María Virgen y adoremos a su Hijo Jesucristo, el Señor.

Laudes: Ant. Cánt. Evang. Tu nacimiento, santa Madre de Dios, ha anunciado la alegría al mundo entero, pues de ti nació el sol de justicia, Cristo, nuestro Dios: él ha sido quien, destruyendo la maldición, nos ha aportado la bendición y, aniquilando la muerte, nos ha otorgado la vida eterna.

Oración conclusiva: Concede a tus siervos, Señor, el don de tu gracia, para que, a quienes recibimos las primicias de la salvación por la maternidad de la Virgen María, la fiesta anual de su nacimiento nos traiga aumento de paz. Por nuestro Señor Jesucristo, tu Hijo...

Vísperas: Ant. Cánt. Evang. Celebremos el nacimiento glorioso de la Virgen María, quien, ante el anuncio del ángel, concibió al Redentor del mundo, porque Dios había mirado su humillación.

San José María de Yermo y Parres, presbítero

Día 19 de septiembre

Memoria libre

Oración conclusiva: Señor todopoderoso, rico en misericordia, que encendiste en el corazón de san José María, presbítero, un amor ardiente en favor de los pobres y desamparados, concédenos que, a ejemplo suyo, descubramos en cada hermano el rostro de Cristo, tu Hijo, y, llenos de caridad evangélica, nos pongamos al servicio de nuestros hermanos. Por nuestro Señor Jesucristo, tu Hijo...

San Mateo, apóstol y evangelista

Día 21 de septiembre

Fiesta

Laudes: Ant. Cánt. Evang. Jesús vio a un hombre, llamado Mateo, sentado ante la mesa de cobro de los impuestos, y le dijo: «Sígueme»; él se levantó y lo siguió.

Oración conclusiva: Dios nuestro, que, en tu inefable misericordia, elegiste a san Mateo, para transformarlo de recaudador de impuestos en un apóstol, haz que también nosotros, imitando su ejemplo y apoyados por su intercesión, te sigamos con fidelidad, cualesquiera que sean las circunstancias de nuestra vida. Por nuestro Señor Jesucristo, tu Hijo...

Vísperas: Ant. Cánt. Evang. «Yo quiero misericordia y no sacrificios –dice el Señor–; porque no he venido a llamar a los justos, sino a los pecadores.»

Santos arcángeles Miguel, Gabriel y Rafael

Día 29 de septiembre

Fiesta

Invitatorio: Ant. Vengan, adoremos al Señor, delante de los ángeles.

Laudes: Ant. Cánt. Evang. Se lo digo con toda verdad: «Habrán de ver el cielo abierto y a los ángeles de Dios, subiendo y bajando en servicio del Hijio del hombre.»

Oración conclusiva: Señor Dios todopoderoso, que, con una providencia admirable, llamas a los ángeles y a los hombres para que cooperen a tu plan de salvación, haz que, durante nuestro peregrinar en la tierra, nos sintamos siempre protegidos por los ángeles, que en el cielo están en tu presencia para servirte y gozan ya contemplando tu rostro. Por nuestro Señor Jesucristo, tu Hijo...

Vísperas: Ant. Cánt. Evang. El ángel Gabriel dijo a María: «Concebirás y darás a luz un hijo, a quien llamarás Jesús.»

San Lucas, evangelista
Fiesta

Día 18 de octubre

Invitatorio: Ant. Vengan, adoremos al Señor, que nos habla por medio del Evangelio.

Laudes: Ant. Cánt. Evang. Al entregarnos su evangelio, san Lucas nos anunció a Cristo, el sol que nace de lo alto.

Oración conclusiva: Señor Dios, que elegiste a san Lucas para que, con su predicación y sus escritos, revelara al mundo tu amor hacia los pobres, concede a quienes nos gloriamos de ser cristianos y vivir unidos con un solo corazón y una sola alma y haz que todos los pueblos lleguen a contemplar a tu Salvador. Que vive y reina contigo...

Vísperas: Ant. Cánt. Evang. El bienaventurado evangelista Lucas, escriba de la mansedumbre de Cristo, merece las alabanzas de la Iglesia.

San Rafael Guízar y Valencia, obispo
Fiesta
Día 24 de octubre

Oración conclusiva: Señor, Dios nuestro, que hiciste a san Rafael Guízar pastor eximio e incansable en el anuncio del Evangelio, concédenos, por su intercesión, que, encendidos por el fuego apostólico y fortalecidos por la gracia divina, llevemos a nuestros hermanos a Cristo y así podamos gozar con ellos de la recompensa eterna. Por nuestro Señor Jesucristo, tu Hijo...

Santos Simón y Judas, apóstoles
Fiesta
Día 28 de octubre

Oración conclusiva: Dios nuestro, que quisiste que te conociéramos por la predicación de los apóstoles, concédenos, por la intercesión de los santos Simón y Judas, que tu Iglesia siga creciendo en el mundo, acogiendo continuamente en su seno a nuevos pueblos que vengan a la fe en ti. Por nuestro Señor Jesucristo, tu Hijo...

Todos los Santos
Solemnidad
Día 1 de noviembre

HIMNO

Vosotros sois luz del mundo
y ardiente sal de la tierra,
ciudad esbelta en el monte,
fermento en la masa nueva.

Vosotros sois los sarmientos,
y yo la Vid verdadera;
si el Padre poda las ramas,
más fruto llevan las cepas.

Vosotros sois la abundancia
del reino que ya está cerca,

los doce mil señalados
que no caerán en la siega.

Dichosos, porque sois limpios
y ricos en la pobreza,
y es vuestro el reino que sólo
se gana con la violencia. Amén.

I Vísperas: Ant. Cánt. Evang. A ti, Señor, te alaba el coro celestial de los apóstoles, la multitud de los profetas te enaltece, el ejército glorioso de los mártires te aclama; todos los santos y elegidos te ensalzan unánimes, Trinidad santa, único Dios.

Oración conclusiva: Dios todopoderoso y eterno, que nos concedes celebrar los méritos de todos los santos en una misma solemnidad, te rogamos que, por las súplicas de tan numerosos intercesores, nos concedas en abundancia los dones que te pedimos. Por nuestro Señor Jesucristo, tu Hijo...

Invitatorio: Ant. Vengan, adoremos al Señor, a quien glorifica la asamblea de los santos.

Laudes: Ant. Cánt. Evang. Los santos brillarán como el sol en el reino de su Padre. Aleluya.

II Vísperas: Ant. Cánt. Evang. ¡Cuán glorioso es el reino en el que todos los santos gozan con Cristo!; vestidos de túnicas blancas, siguen siempre al Cordero.

Conmemoración
de todos los fieles difuntos
Día 2 de noviembre

Como en el Oficio de difuntos, p. 554.

Oración conclusiva: Escucha, Señor, nuestras súplicas y haz que, al proclamar nuestra fe en la resurrección de tu Hijo, se avive también nuestra esperanza en la resurrección de nuestros hermanos. Por nuestro Señor Jesucristo, tu Hijo...

Dedicación
de la Basílica de Letrán
Fiesta

Cuando cae en domingo se celebran las I Vísperas.

I Vísperas: Ant. Cánt. Evang. Gocen con Jerusalén, todos los que la aman, y alégrense por siempre más de su alegría.

Oración conclusiva: Señor, tú que con piedras vivas y elegidas edificas el templo eterno de tu gloria: acrecienta los dones que el Espíritu ha dado a la Iglesia para que tu pueblo fiel, creciendo como cuerpo de Cristo, llegue a ser la nueva y definitiva Jerusalén. Por nuestro Señor Jesucristo, tu Hijo…

Invitatorio: Ant. Vengan, adoremos a Cristo, que amó a la Iglesia y se entregó por ella.

Laudes: Ant. Cánt. Evang. «Zaqueo, baja en seguida, porque hoy tengo que alojarme en tu casa.» Él bajó en seguida, y lo recibió muy contento. «Hoy Dios ha dado la salvación a esta casa.»

II Vísperas: Ant. Cánt. Evang. Santificó el Señor su tabernáculo, porque ésta es la casa de Dios, donde se invoca su nombre, del cual está escrito: «Mi nombre habitará allí», dice el Señor.

San Andrés, apóstol
Fiesta

Laudes: Ant. Cánt. Evang. Salve, oh cruz preciosa, recibe al discípulo de aquel que en ti estuvo clavado, Cristo mi maestro.

Oración conclusiva: Dios todopoderoso y eterno, escucha la oración de tu pueblo y concédenos que, así como el apóstol san Andrés fue en la tierra predicador del Evangelio y pastor de tu Iglesia, así ahora en el cielo sea nuestro poderoso abogado ante ti. Por nuestro Señor Jesucristo, tu Hijo…

Vísperas: Ant. Cánt. Evang. Andrés fue siervo de Cristo, digno apóstol de Dios, hermano de Pedro y compañero suyo en el martirio.

La Inmaculada Concepción
de la Santísima Virgen María   *Día 8 de diciembre*
Solemnidad

HIMNO

Pureza inmaculada,
espejo del Señor,
¡oh fuente de la gracia,
unida al Redentor!

Belleza sin mancilla,
encanto virginal,
tú eres la alegría,
la gloria del mortal.

¡Oh vara florecida
del tronco de Jesé!,
en gracia concebida,
¡oh gloria de Israel!

Dichosa por los siglos
los pueblos te dirán:
tú fuiste del Dios vivo
la aurora celestial. Amén.

I Vísperas: Ant. Cánt. Evang. Me felicitarán todas las generaciones, porque el Poderoso ha hecho obras grandes por mí. Aleluya.

Oración conclusiva: Dios todopoderoso, que, por la inmaculada concepción de la Virgen María, preparaste una digna morada para tu Hijo y, en previsión de la muerte de Jesucristo, preservaste a su madre de toda mancha de pecado, concédenos también a nosotros, por intercesión de esta madre inmaculada, que lleguemos a ti limpios de toda culpa. Por nuestro Señor Jesucristo, tu Hijo...

Invitatorio: Ant. Celebremos a María, concebida sin pecado, y adoremos a su Hijo, Jesucristo el Señor.

Laudes: Ant. Cánt. Evang. El Señor Dios dijo a la serpiente: «Pongo hostilidad entre ti y la mujer, entre tu linaje y el suyo: ella herirá tu cabeza.» Aleluya.

II Vísperas: Ant. Cánt. Evang. Alégrate, María, llena de gracia, el Señor está contigo; bendita tú entre las mujeres y bendito el fruto de tu vientre. Aleluya.

San Juan Diego
Día 9 de diciembre
Memoria libre
(en la arquidiócesis de México: Memoria)

Oración conclusiva: Señor y Dios nuestro, que por medio de san Juan Diego quisiste manifestar a tu pueblo el amor de la Virgen Santa María de Guadalupe, concédenos, por la intercesión de tu humilde siervo, que dóciles al consejo y ejemplo de la madre de tu Hijo y madre nuestra, hagamos siempre y en todo tu santa voluntad. Por nuestro Señor Jesucristo, tu Hijo...

Nuestra Señora de Guadalupe, Patrona de la América Latina y de las Islas Filipinas
Día 12 de diciembre
Fiesta (en México: Solemnidad)

Las I Vísperas sólo se dicen en México y en aquellas iglesias en las que la festividad de Nuestra Señora de Guadalupe se celebra como solemnidad.

I Vísperas
INVOCACIÓN INICIAL

℣. Dios mío, ven en mi auxilio.
℟. Señor, date prisa en socorrerme.
Gloria al Padre... Aleluya.

HIMNO

Como a Belén llegaste a dar a luz al Hijo,
del Padre la sustancia, de tu carne vestido,
al Tepeyac desciendes por engendrar al indio
al amor de una patria y a la fe en Jesucristo.

A prueba de unas rosas nacidas del invierno
tú pides que se erija en la colina un templo;
de tu vientre nos naces a doble alumbramiento,
flor de patria mestiza y fruto de Evangelio.

Diego cree que en su ayate va una carga de rosas,
que a vista del obispo como argumento arroja;
sólo una Rosa impresa de tez morena asoma,
a pinceles pintada por Quien pintó la aurora.

Danos la paz y el trigo, Señora y Niña nuestra,
una patria que sume hogar, templo y escuela,
un pan que alcance a todos y una fe que se encienda
por tus manos unidas, por tus ojos de estrella. Amén.

SALMODIA

Ant. 1. ¿Qué es eso que sube del desierto, como nube
de incienso y de mirra y de perfumes preciosos?
Salmo 112, p. 203.

Ant. 2. Brotan flores en el páramo, y las colinas se ciñen de alegría.
Salmo 147, p. 186.

Ant. 3. Serás como huerto bien regado, como manantial
cuyas aguas nunca faltan.
Cántico Ef 1, 3-10, p. 45.

LECTURA BREVE   Apoc 11, 19–12, 1

Se abrió el santuario de Dios en el cielo, y apareció el
arca de su alianza en el santuario y se produjeron relámpagos, fragor de truenos, temblor de tierra y fuerte
granizada. Una gran señal apareció en el cielo: una Mujer,
vestida del sol, con la luna bajo sus pies, y una corona de doce estrellas sobre su cabeza.

RESPONSORIO BREVE

℣. Transformará el desierto en un jardín,
y hará brotar fuentes de la roca.

℟. Transformará el desierto en un jardín,
y hará brotar fuentes de la roca.

℣. Habrá allí regocijo y cantos de alegría.

℟. Y hará brotar fuentes de la roca.

℣. Gloria al Padre, y al Hijo, y al Espíritu Santo.

℟. Transformará el desierto en un jardín,
y hará brotar fuentes de la roca.

CÁNTICO EVANGÉLICO

Ant. Soy morena pero hermosa, como las tiendas del desierto, como los pabellones de Salomón, pues el sol me ha bronceado.

Cántico de la Santísima Virgen María, p. 18.

PRECES O INTERCESIONES

Elevemos nuestras súplicas a Dios, que quiso enviarnos a la Santísima Virgen María para darnos consuelo en nuestras penas y llevarnos hacia él; pidámosle confiadamente:

Concédenos su amor, auxilio y defensa.

Tú que has hecho surgir a la Santísima Virgen María como el sol sobre los montes para iluminar a tu Iglesia,
— haz que, bajo el influjo de su belleza y de su amor, reine la justicia y la paz en todo el mundo.

Señor, Dios nuestro, que quisiste que la Madre de tu Hijo imprimiera su figura en el ayate del indio Juan Diego y tomara nuestros rasgos,
— haz que copiemos en nosotros sus virtudes y su amor hacia los pobres y desamparados.

Tú que, por medio de María, convertiste la aridez del Tepeyac en jardín florido y perfumado,
— transforma a nuestro pueblo, por medio de ella, en un plantío fecundo de verdaderos cristianos.

Haz que aprendamos de Juan Diego la sencillez y la humildad,
— la constancia en el sufrimiento y la fidelidad a tu santísima Madre.

Se pueden añadir algunas intenciones libres.

Tú que has constituido a la Virgen María como protectora de todos los que la invoquen y en ella confíen,
— haz llegar la luz de su consuelo hasta los miembros de tu pueblo santo que ya han salido de este mundo.

Unidos fraternalmente bajo la protección maternal de María, digamos a Dios con profunda confianza filial:
Padre nuestro...

La oración conclusiva como en las Laudes.

CONCLUSIÓN

℣. El Señor nos bendiga, nos guarde de todo mal y nos lleve a la vida eterna.
℟. Amén.

Laudes

INVOCACIÓN INICIAL

℣. Señor, abre mis labios.
℟. Y mi boca proclamará tu alabanza.

Puede añadirse el salmo 94 (p. 20), con la antífona siguiente:

Vengan, adoremos a Cristo, hijo de la siempre Virgen María.

HIMNO

Ayer, Alba en el alba, subiste presurosa
por servir a tu prima, cual sierva ante los siervos.
Hoy a México bajas, cual Rosa misteriosa,
para anunciar al indio que en sus ratos acerbos

jamás estará solo; porque jamás, oh Madre,
has sido en nuestra historia cobarde subterfugio;
porque tú eres la escala ante el Hijo del Padre:
¡tú el regazo y el puente; tú, defensa y refugio!

Eres cifra y compendio de nuestra patria suave;
eres signo y substancia de nuestra nueva raza;
eres lámpara y cuna, eres báculo y ave,
eres vínculo y nudo, eres tilma, eres casa.

Por tus manos en hueco, patena de ternura,
consagramos al Padre de todos los consuelos,
por el Hijo, en la Llama quemaste la amargura
del sudor hecho lágrimas y el júbilo hecho anhelos.
Amén.

SALMODIA

Ant. 1. ¿Quién es esa que surge como el alba, hermosa
como la luna y límpida como el sol, imponente como
escuadrón a banderas desplegadas?

Los salmos y el cántico se toman del domingo I del Salterio,
p. 22.

Ant. 2. Yo soy la siempre Virgen santa María, Madre del
verdadero Dios por quien se vive.

Ant. 3. Como el águila incita a volar a sus polluelos y
revolotea sobre el nido, así extendió ella sus alas y los
llevó sobre su plumaje.

LECTURA BREVE   Cfr Eclo 50, 5-10

¡Qué majestuosa cuando salía detrás del velo! Como
estrella matutina en medio de las nubes, como la luna

en los días de plenilunio, como el sol cuando brilla sobre el templo del Altísimo, como el arco iris que ilumina las nubes de gloria, como flor de rosal en primavera, como lirio junto a un manantial, como vaso de oro macizo adornado con piedras preciosas.

RESPONSORIO BREVE

℣. Levanto mis ojos a los montes,
   ¿de dónde me vendrá el auxilio?

℟. Levanto mis ojos a los montes,
   ¿de dónde me vendrá el auxilio?

℣. Señor, por ti madrugo, dame una señal propicia.

℟. ¿De dónde me vendrá el auxilio?

℣. Gloria al Padre, y al Hijo, y al Espíritu Santo.

℟. Levanto mis ojos a los montes,
   ¿de dónde me vendrá el auxilio?

CÁNTICO EVANGÉLICO

Ant. Sube a un alto monte, alegre mensajero de Jerusalén, di a las ciudades de Judá: «¡Aquí está su Dios! Como un pastor pastorea a su pueblo.»

Cántico de Zacarías, p. 27.

PRECES PARA CONSAGRAR A DIOS
EL DÍA Y EL TRABAJO

Alabemos a Dios Padre todopoderoso, el Creador por quien se vive, y digámosle:

Señor, por quien vivimos, escucha nuestras plegarias.

Bendito seas, Señor del universo, que en tu inmensa piedad nos enviaste a la Madre de tu Hijo,
— para llamarnos a la fe y hacernos ingresar a tu pueblo santo.

Te bendecimos, Señor, porque ocultaste tu mensaje a los sabios y prudentes según el mundo

— y lo revelaste a los pequeños, a los que son tenidos por insignificantes y despreciables.

Concédenos ser, como Juan Diego, embajadores tuyos muy dignos de confianza,
— que llevemos a todos los hombres y a todas las naciones tu mensaje de amor y de paz.

Tú que, con la presencia de María, haces brillar los riscos como perlas y las espinas como el oro,
— haz que el amor de la Santísima Virgen María nos transforme en otros cristos.

Haz que, como Juan Diego, seamos siempre fieles al culto divino y a tus mandatos,
— para que merezcamos, también nosotros, que la Virgen María nos salga al paso en el camino de nuestra vida.

Se pueden añadir algunas intenciones libres.

Con la confianza que nos da la predilección mostrada por la santa Madre de Dios hacia nosotros, digámosle al Padre de los Cielos, con profundo amor filial: Padre nuestro...

Oración conclusiva

Señor, Dios nuestro, que has concedido a tu pueblo la protección maternal de la siempre Virgen María, Madre de tu Hijo, concédenos, por su intercesión, permanecer siempre firmes en la fe y servir con sincero amor a nuestros hermanos. Por nuestro Señor Jesucristo, tu Hijo...
℟. Amén.

CONCLUSIÓN

℣. El Señor nos bendiga, nos guarde de todo mal y nos lleve a la vida eterna.
℟. Amén.

II Vísperas

℣. Dios mío, ven en mi auxilio.
℟. Señor, date prisa en socorrerme.
Gloria al Padre... Aleluya.

HIMNO

Morenez de morena hermosura,
no nevado candor de jazmín;
sí amalgama, crisol que madura
nuestra sed del Amor, mar sin fin.

Ella es reina, nosotros vasallos;
ella es río, nosotros la sed;
ella estrella, nosotros los rayos;
ella nave, nosotros la red.

Sobre el surco del llanto, sus ojos,
sobre el hambre de Madre, su amor;
sus dos manos, un viento de rezos,
en la noche de América, sol.

Cuando el valle se viste de sombras
y el silencio es la voz del hogar,
te loamos, Señor, que te nombras
el Amor no agotado de amar. Amén.

SALMODIA

Ant. 1. He elegido y santificado este lugar, para que en él permanezca mi nombre para siempre y estén fijos en él mis ojos y mi corazón.
Salmo 121, p. 290.

Ant. 2. Reconozcan, Señor, que aquí está tu mano, que eres tú quien lo ha hecho.
Salmo 126, p. 255.

Ant. 3. El gorrión ha encontrado una casa, y la tórtola ha hallado un nido para colocar a sus polluelos.

Cántico Ef 1, 3-10, p. 45.

LECTURA BREVE   Apoc 21, 2-3

Vi la ciudad santa, la nueva Jerusalén, que descendía del cielo, enviada por Dios, arreglada como una novia que se adorna para su esposo. Y escuché una voz potente que decía desde el trono: «Ésta es la morada de Dios con los hombres, y acampará entre ellos. Ellos serán su pueblo y Dios estará con ellos.»

RESPONSORIO BREVE

℣. Se levantaron sus hijos,
   y la proclamaron bienaventurada.
℟. Se levantaron sus hijos,
   y la proclamaron bienaventurada.
℣. Ella abrió sus labios con sabiduría
   y su lengua pronunció palabras de amor.
℟. Y la proclamaron bienaventurada.
℣. Gloria al Padre, y al Hijo, y al Espíritu Santo.
℟. Se levantaron sus hijos,
   y la proclamaron bienaventurada.

CÁNTICO EVANGÉLICO

Ant. Las aguas torrenciales no han podido apagar el amor, ni los ríos extinguirlo.

Cántico de la Santísima Virgen María, p. 18.

Las preces como en las I Vísperas.

La oración conclusiva como en las Laudes.

CONCLUSIÓN

℣. El Señor nos bendiga, nos guarde de todo mal y nos lleve a la vida eterna.
℟. Amén.

OFICIOS COMUNES

COMÚN DE LA SANTÍSIMA VIRGEN MARÍA

I Vísperas

INVOCACIÓN INICIAL

℣. Dios mío, ven en mi auxilio.

℟. Señor, date prisa en socorrerme.
Gloria al Padre... (Aleluya.)

El himno como en las II Vísperas.

SALMODIA

Ant. 1. Dichosa eres, Virgen María, que llevaste en tu seno al Creador del universo. (T.P. Aleluya.)

Salmo 112, p. 203.

Ant. 2. Engendraste al que te creó y permanecerás virgen para siempre. (T.P. Aleluya.)

Salmo 147, p. 186.

Ant. 3. Tú eres la mujer a quien Dios ha bendecido, y por ti hemos recibido el fruto de la vida. (T.P. Aleluya.)

Cántico Ef 1, 3-10, p. 45.

LECTURA BREVE   Gál 4, 4-5

Cuando se cumplió el tiempo, envió Dios a su Hijo, nacido de una mujer, nacido bajo la ley, para rescatar a los que estaban bajo la ley, para que recibiéramos el ser hijos por adopción.

RESPONSORIO BREVE

℣. Después del parto, ¡oh Virgen!,
has permanecido intacta. (T.P. Aleluya, aleluya.)

℟. Después del parto, ¡oh Virgen!,
has permanecido intacta. (T.P. Aleluya, aleluya.)

℣. Madre de Dios, intercede por nosotros.
℟. ¡Oh Virgen!,
has permanecido intacta. [T.P. Aleluya, aleluya.]
℣. Gloria al Padre, y al Hijo, y al Espíritu Santo.
℟. Después del parto, ¡oh Virgen!,
has permanecido intacta. (T.P. Aleluya, aleluya.)

CÁNTICO EVANGÉLICO

Ant. El Señor ha mirado mi humillación y el Poderoso ha hecho obras grandes por mí. (T.P. Aleluya.)

Cántico de la Santísima Virgen María, p. 18.

Las preces como en las II Vísperas.

La oración conclusiva como en las Laudes.

Laudes

INVOCACIÓN INICIAL

℣. Señor, abre mis labios.
℟. Y mi boca proclamará tu alabanza.

Puede añadirse el salmo 94 (p. 20), con la antífona siguiente:

Vengan, adoremos a Cristo, Hijo de María Virgen. (T.P. Aleluya.)

HIMNO

Eres tú la mujer llena de gloria,
alzada por encima de los astros;
con tu sagrado pecho das la leche
al que en su providencia te ha creado.

Lo que Eva nos perdió tan tristemente,
tú lo devuelves por tu fruto santo;
para que al cielo ingresen los que lloran,
eres tú la ventana del costado.

Tú eres la puerta altísima del Rey
y la entrada fulgente de la luz;

la vida que esta Virgen nos devuelve
aplauda el pueblo que alcanzó salud.

Sea la gloria a ti, Señor Jesús,
que de María Virgen has nacido,
gloria contigo al Padre y al Paráclito,
por sempiternos y gozosos siglos. Amén.

SALMODIA

Ant. 1. Dichosa eres, María, porque de ti vino la salvación del mundo; tú que ahora vives ya en la gloria del Señor, intercede por nosotros ante tu Hijo. (T.P. Aleluya.)

Los salmos y el cántico se toman del domingo I del Salterio, p. 22.

Ant. 2. Tú eres la gloria de Jerusalén; tú, la alegría de Israel; tú, el orgullo de nuestra raza. (T.P. Aleluya.)

Ant. 3. ¡Alégrate, Virgen María! Tú llevaste en el seno a Cristo, el Salvador. (T.P. Aleluya.)

LECTURA BREVE   Is 61, 10

Desbordo de gozo en el Señor, y me alegro con mi Dios: porque me ha vestido un traje de gala y me ha envuelto en un manto de triunfo, como a una novia que se adorna con sus joyas.

RESPONSORIO BREVE

℣. El Señor la eligió
y la predestinó. (T.P. Aleluya, aleluya.)

℟. El Señor la eligió
y la predestinó. (T.P. Aleluya, aleluya.)

℣. La hizo morar en su templo santo.

℟. Y la predestinó. [T.P. Aleluya, aleluya.]

℣. Gloria al Padre, y al Hijo, y al Espíritu Santo.

℟. El Señor la eligió
y la predestinó. (T.P. Aleluya, aleluya.)

CÁNTICO EVANGÉLICO

Ant. Por Eva se cerraron a los hombres las puertas del paraíso, y por María Virgen han sido abiertas de nuevo. (T.P. Aleluya.)

Cántico de Zacarías, p. 27.

PRECES PARA CONSAGRAR A DIOS
EL DÍA Y EL TRABAJO

Elevemos nuestras súplicas al Salvador, que quiso nacer de María Virgen, y digámosle:

Que tu santa Madre, Señor, interceda por nosotros.

Sol de justicia, a quien María Virgen precedía cual aurora luciente,
— haz que vivamos siempre iluminados por la claridad de tu presencia.

Palabra eterna del Padre, tú que elegiste a María como arca de tu morada,
— líbranos de toda ocasión de pecado.

Salvador del mundo, que quisiste que tu Madre estuviera junto a tu cruz,
— por su intercesión concédenos compartir con alegría tus padecimientos.

Señor Jesús, que colgado en la cruz entregaste a María a Juan como madre,
— haz que nosotros vivamos también como hijos suyos.

Se pueden añadir algunas intenciones libres.

Según el mandato del Señor, digamos confiadamente: Padre nuestro...

Oración conclusiva

Se dice la oración propia o, en su defecto, una de las siguientes:

Tiempo ordinario:

Señor Dios todopoderoso, haz que, por la intercesión de santa María, la Virgen, nosotros, tus hijos, gocemos de plena salud de alma y cuerpo, vivamos alegres en medio de las dificultades del mundo y alcancemos la felicidad de tu reino eterno. Por nuestro Señor Jesucristo, tu Hijo...

Tiempo de Adviento:

Señor, Dios nuestro, que ante el anuncio del ángel quisiste que tu Hijo se encarnara en el seno de la Virgen María, escucha nuestras súplicas, y haz que sintamos la ayuda de María pues creemos que ella es la verdadera madre de Dios. Por nuestro Señor Jesucristo...

Tiempo de Navidad:

Señor, Dios nuestro, que por la maternidad virginal de María has dado a los hombres los tesoros de la salvación, haz que sintamos la intercesión de la Virgen Madre, pues por ella recibimos ya al autor de la vida, Jesucristo, Hijo tuyo y Señor nuestro. Que vive y reina contigo...

Tiempo de Cuaresma:

Derrama, Señor, tu gracia sobre nosotros, que, por el anuncio del ángel, hemos conocido la encarnación de tu Hijo, para que lleguemos por su pasión y su cruz a la gloria de la resurrección. Por nuestro Señor Jesucristo...

Tiempo pascual:

Oh Dios, que por la resurrección de tu Hijo, nuestro Señor Jesucristo, has llenado el mundo de alegría, concédenos, por intercesión de su Madre, la Virgen María, llegar a alcanzar los gozos eternos. Por nuestro Señor Jesucristo...

II Vísperas

INVOCACIÓN INICIAL

℣. Dios mío, ven en mi auxilio.
℟. Señor, date prisa en socorrerme.
Gloria al Padre... (Aleluya.)

Himno

Salve, del mar Estrella,
salve, Madre sagrada
de Dios y siempre virgen,
puerta del cielo santa.

Tomando de Gabriel
el «Ave», Virgen alma,
mudando el nombre de Eva,
paces divinas trata.

La vista restituye,
las cadenas desata,
todos los males quita,
todos los bienes causa.

Muéstrate madre, y llegue
por ti nuestra esperanza
a quien, por darnos vida,
nació de tus entrañas.

Entre todas piadosa,
Virgen, en nuestras almas,
libres de culpa, infunde
virtud humilde y casta.

Vida nos presta pura,
camino firme allana,
que quien a Jesús llega
eterno gozo alcanza.

Al Padre, al Hijo, al Santo
Espíritu alabanzas;
una a los tres le demos,
y siempre eternas gracias. Amén.

Salmodia

Ant. 1. **Alégrate, María, llena de gracia, el Señor está contigo.** (T.P. Aleluya.)

Salmo 121, p. 290.

Ant. 2. Aquí está la esclava del Señor, hágase en mí según tu palabra. (T.P. Aleluya.)

Salmo 126, p. 255.

Ant. 3. Bendita tú entre las mujeres y bendito el fruto de tu vientre. (T.P. Aleluya.)

Cántico Ef 1, 3-10, p. 45.

LECTURA BREVE   Gál 4, 4-5

Cuando se cumplió el tiempo, envió Dios a su Hijo, nacido de una mujer, nacido bajo la ley, para rescatar a los que estaban bajo la ley, para que recibiéramos el ser hijos por adopción.

RESPONSORIO BREVE

℣. Alégrate, María, llena de gracia,
   el Señor está contigo. (T.P. Aleluya, aleluya.)

℟. Alégrate, María, llena de gracia,
   el Señor está contigo. (T.P. Aleluya, aleluya.)

℣. Bendita tú entre las mujeres
   y bendito el fruto de tu vientre.

℟. El Señor está contigo. [T.P. Aleluya, aleluya.]

℣. Gloria al Padre, y al Hijo, y al Espíritu Santo.

℟. Alégrate, María, llena de gracia,
   el Señor está contigo. (T.P. Aleluya, aleluya.)

CÁNTICO EVANGÉLICO

Ant. Dichosa tú, María, que has creído; porque lo que te ha dicho el Señor se cumplirá. (T.P. Aleluya.)

Cántico de la Santísima Virgen María, p. 18.

PRECES O INTERCESIONES

Proclamemos las grandezas de Dios Padre todopoderoso, que quiso que todas las generaciones felicitaran a María, la madre de su Hijo, y supliquémosle diciendo:

Que la llena de gracia interceda por nosotros.

Señor, Dios nuestro, admirable siempre en tus obras, que has querido que la inmaculada Virgen María participara en cuerpo y alma de la gloria de Jesucristo,
— haz que todos tus hijos deseen y caminen hacia esta misma gloria.

Tú que nos diste a María por madre, concede por su mediación salud a los enfermos, consuelo a los tristes, perdón a los pecadores
— y a todos abundancia de salud y de paz.

Tú que hiciste de María la llena de gracia,
— concede la abundancia de tu gracia a todos los hombres.

Haz, Señor, que tu Iglesia tenga un solo corazón y una sola alma por el amor,
— y que todos los fieles perseveren unánimes en la oración con María, la madre de Jesús.

Se pueden añadir algunas intenciones libres.

Tú que coronaste a María como reina del cielo,
— haz que los difuntos puedan alcanzar con todos los santos la felicidad de tu reino.

Confiando en el Señor, que hizo obras grandes en María, pidamos al Padre que colme también de bienes al mundo hambriento: Padre nuestro...

La oración conclusiva como en las Laudes.

COMÚN DE APÓSTOLES

I Vísperas

Invocación inicial

℣. Dios mío, ven en mi auxilio.

℟. Señor, date prisa en socorrerme.
Gloria al Padre... (Aleluya.)

El himno como en las II Vísperas.

Salmodia

Ant. 1. Llamó Jesús a sus discípulos, escogió doce entre ellos, y les dio el nombre de apóstoles. (T.P. Aleluya.)

Salmo 116, p. 105.

Ant. 2. Dejaron las redes y siguieron al Señor, su redentor. (T.P. Aleluya.)

Salmo 147, p. 186.

Ant. 3. Ustedes son mis amigos, porque permanecieron en mi amor. (T.P. Aleluya.)

Cántico Ef 1, 3-10, p. 45.

Lectura breve   Hech 2, 42-45

Los hermanos eran constantes en escuchar la enseñanza de los apóstoles, en la vida común, en la fracción del pan y en las oraciones. Todo el mundo estaba impresionado por los muchos prodigios y signos que los apóstoles hacían en Jerusalén. Los creyentes vivían todos unidos, y lo tenían todo en común; vendían posesiones y bienes, y lo repartían entre todos según la necesidad de cada uno.

Responsorio breve

℣. En esto conocerán todos
que son mis discípulos. (T.P. Aleluya, aleluya.)

℟. En esto conocerán todos
que son mis discípulos. (T.P. Aleluya, aleluya.)

℣. En que se amen unos a otros.

℟. En esto conocerán todos
que son mis discípulos. [T.P. Aleluya, aleluya.]

℣. Gloria al Padre, y al Hijo, y al Espíritu Santo.

℟. En esto conocerán todos
que son mis discípulos. (T.P. Aleluya, aleluya.)

CÁNTICO EVANGÉLICO

Ant. No son ustedes los que me han elegido, soy yo
quien los he elegido; y los he destinado para que vayan
y den fruto, y su fruto dure. (T.P. Aleluya.)

Cántico de la Santísima Virgen María, p. 18.

Las preces como en las II Vísperas.

La oración conclusiva como en las Laudes.

Laudes

INVOCACIÓN INICIAL

℣. Señor, abre mis labios.

℟. Y mi boca proclamará tu alabanza.

Puede añadirse el salmo 94 (p. 20), con la antífona siguiente:

(T.P. Aleluya.) Vengan, adoremos al Señor, rey de los
apóstoles. (T.P. Aleluya.)

HIMNO

Vosotros, que escuchasteis la llamada
de viva voz que Cristo os dirigía,
abrid nuestro vivir y nuestra alma
al mensaje de amor que él nos envía.

Vosotros, que invitados al banquete
gustasteis el sabor del nuevo vino,
llenad el vaso, del amor que ofrece,
al sediento de Dios en su camino.

Vosotros, que tuvisteis tan gran suerte
de verle dar a muertos nueva vida,
no dejéis que el pecado y que la muerte
nos priven de la vida recibida.

Vosotros, que lo visteis ya glorioso,
hecho Señor de gloria sempiterna,
haced que nuestro amor conozca el gozo
de vivir junto a él la vida eterna. Amén.

SALMODIA

Ant. 1. Éste es mi mandamiento: que se amen unos a otros como yo los he amado. (T.P. Aleluya.)

Los salmos y el cántico se toman del domingo I del Salterio, p. 22.

Ant. 2. Nadie tiene amor más grande que el que da la vida por sus amigos. (T.P. Aleluya.)

Ant. 3. Ustedes son mis amigos si hacen lo que yo les mando. (T.P. Aleluya.)

LECTURA BREVE   Ef 2, 19-22

Ya no son extranjeros ni forasteros, sino que son ciudadanos del pueblo de Dios y miembros de la familia de Dios. Están edificados sobre el cimiento de los apóstoles y profetas, y el mismo Cristo Jesús es la piedra angular. Por él todo el edificio queda ensamblado, y se va levantando hasta formar un templo consagrado al Señor. Por él también ustedes se van integrando en la construcción, para ser morada de Dios por el Espíritu.

RESPONSORIO BREVE

V. Los nombrarás príncipes
sobre toda la tierra. (T.P. Aleluya, aleluya.)

R. Los nombrarás príncipes
sobre toda la tierra. (T.P. Aleluya, aleluya.)

V. Harán memorable tu nombre, Señor.

R. Sobre toda la tierra. [T.P. Aleluya, aleluya.]

℣. Gloria al Padre, y al Hijo, y al Espíritu Santo.
℟. Los nombrarás príncipes
sobre toda la tierra. (T.P. Aleluya, aleluya.)

CÁNTICO EVANGÉLICO

Ant. El muro de la ciudad tenía doce cimientos que llevaban doce nombres: los nombres de los apóstoles del Cordero: y su lámpara es el Cordero. (T.P. Aleluya.)
Cántico de Zacarías, p. 27.

PRECES PARA CONSAGRAR A DIOS
EL DÍA Y EL TRABAJO

Demos gracias a nuestro Padre que está en los cielos, porque por medio de los apóstoles nos ha dado parte en la herencia de los elegidos, y aclamémoslo diciendo:

El coro de los apóstoles te alaba, Señor.

Te alabamos, Señor, porque por medio de los apóstoles nos has dado la mesa de tu cuerpo y de tu sangre:
— en ella encontramos nuestra fuerza y nuestra vida.

Te alabamos, Señor, porque por medio de los apóstoles nos has preparado la mesa de tu palabra:
— por ella crecemos en el conocimiento de la verdad y se acrecienta nuestro gozo.

Te alabamos, Señor, porque por medio de los apóstoles has fundado tu Iglesia:
— por ella nos edificas en la unidad de tu pueblo.

Te alabamos, Señor, porque por medio de los apóstoles nos has dado el bautismo y la penitencia:
— por ellos nos purificas de todas nuestras culpas.

Se pueden añadir algunas intenciones libres.

Concluyamos nuestra oración con la plegaria que Jesús enseñó a los apóstoles: Padre nuestro...
Se dice la oración conclusiva propia.

II Vísperas

INVOCACIÓN INICIAL

℣. Dios mío, ven en mi auxilio.
℟. Señor, date prisa en socorrerme.
Gloria al Padre... (Aleluya.)

HIMNO

¡Columnas de la Iglesia, piedras vivas!
¡Apóstoles de Dios, grito del Verbo!
Benditos vuestros pies, porque han llegado
para anunciar la paz al mundo entero.

De pie en la encrucijada de la vida,
del hombre peregrino y de los pueblos,
lleváis agua de Dios a los cansados,
hambre de Dios lleváis a los hambrientos.

De puerta en puerta va vuestro mensaje,
que es verdad y es amor y es Evangelio.
No temáis, pecadores, que sus manos
son caricias de paz y de consuelo.

Gracias, Señor, que el pan de tu palabra
nos llega por tu amor, pan verdadero;
gracias, Señor, que el pan de vida nueva
nos llega por tu amor, partido y tierno. Amén.

SALMODIA

Ant. 1. Ustedes son los que han perseverado conmigo
en mis pruebas. (T.P. Aleluya.)

Salmo 115, p. 204.

Ant. 2. Yo estoy en medio de ustedes como el que sirve.
(T.P. Aleluya.)

Salmo 125, p. 254.

Ant. 3. Ya no los llamo siervos, a ustedes los llamo amigos, porque todo lo que he oído a mi Padre se lo he dado a conocer. (T.P. Aleluya.)

Cántico Ef 1, 3-10, p. 45.

LECTURA BREVE   Ef 4, 11-13

Cristo ha constituido a unos, apóstoles; a otros, profetas; a otros, evangelistas; a otros, pastores y doctores, para el perfeccionamiento de los fieles, en función de su ministerio, y para la edificación del cuerpo de Cristo; hasta que lleguemos todos a la unidad en la fe y en el conocimiento del Hijo de Dios, al hombre perfecto, a la medida de Cristo en su plenitud.

RESPONSORIO BREVE

℣. Cuenten a los pueblos
la gloria del Señor. (T.P. Aleluya, aleluya.)

℟. Cuenten a los pueblos
la gloria del Señor. (T.P. Aleluya, aleluya.)

℣. Sus maravillas a todas las naciones.

℟. Cuenten a los pueblos
la gloria del Señor. [T.P. Aleluya, aleluya.]

℣. Gloria al Padre, y al Hijo, y al Espíritu Santo.

℟. Cuenten a los pueblos
la gloria del Señor. (T.P. Aleluya, aleluya.)

CÁNTICO EVANGÉLICO

Ant. Cuando llegue la renovación y el Hijo del hombre se siente en el trono de su gloria, se sentarán también ustedes en doce tronos para regir a las doce tribus de Israel. (T.P. Aleluya.)

Cántico de la Santísima Virgen María, p. 18.

PRECES O INTERCESIONES

Hermanos: Edificados sobre el cimiento de los apóstoles, oremos al Padre por su pueblo santo, diciendo:

Acuérdate, Señor, de tu Iglesia.

Padre santo, que quisiste que tu Hijo resucitado de entre los muertos se manifestara en primer lugar a los apóstoles,
— haz que también nosotros seamos testigos de Cristo hasta los confines del mundo.

Padre santo, tú que enviaste a tu Hijo al mundo para dar la Buena Noticia a los pobres,
— haz que el Evangelio sea proclamado a toda la creación.

Tú que enviaste a tu Hijo a sembrar la semilla de la palabra,
— haz que, sembrando también tu palabra con nuestro esfuerzo, recojamos sus frutos con alegría.

Tú que enviaste a tu Hijo para que reconciliara el mundo contigo,
— haz que también nosotros cooperemos a la reconciliación de los hombres.

Se pueden añadir algunas intenciones libres.

Tú que quisiste que tu Hijo resucitara el primero de entre los muertos,
— concede a todos los que son de Cristo resucitar con él, el día de su venida.

Oremos ahora al Padre, como Jesús enseñó a los apóstoles: Padre nuestro...

La oración conclusiva como en las Laudes.

COMÚN DE MÁRTIRES

I Vísperas

℣. Dios mío, ven en mi auxilio.

℟. Señor, date prisa en socorrerme.
Gloria al Padre... (Aleluya.)

El himno como en las II Vísperas.

SALMODIA

Antífona 1

Para varios mártires: **Muchos tormentos sufrieron los santos antes de alcanzar la palma del martirio.** (T.P. Aleluya.)

Para un mártir: **Si uno se pone de mi parte ante los hombres, también el Hijo del hombre se pondrá de su parte ante el Padre.** (T.P. Aleluya.)

Salmo 117 (I), hasta: pero no me entregó a la muerte, p. 116.

Antífona 2

Para varios mártires: **Los santos han llegado al reino con la palma del martirio, y de la mano de Dios han recibido una corona de gloria.** (T.P. Aleluya.)

Para un mártir: **El que me sigue no camina en las tinieblas, sino que tendrá la luz de la vida.** (T.P. Aleluya.)

Salmo 117 (II), desde: Ábranme las puertas del triunfo, p. 117.

Antífona 3

Para varios mártires: **Los mártires murieron por Cristo, pero ahora viven eternamente.** (T.P. Aleluya.)

Para un mártir: **Si los sufrimientos de Cristo rebosan sobre nosotros, también por Cristo rebosa nuestro consuelo.** (T.P. Aleluya.)

Cántico 1 Pe 2, 21b-24, p. 34.

LECTURA BREVE

Fuera del Tiempo pascual: Rom 8, 35. 37-39

¿Quién podrá apartarnos del amor de Cristo? ¿La aflicción? ¿La angustia? ¿La persecución? ¿El hambre? ¿La desnudez? ¿El peligro? ¿La espada? En todo esto vencemos fácilmente por aquel que nos ha amado. Pues estoy convencido de que ni muerte, ni vida, ni ángeles, ni principados, ni presente, ni futuro, ni potencias, ni altura, ni profundidad, ni creatura alguna, podrá apartarnos del amor de Dios manifestado en Cristo Jesús, Señor nuestro.

Tiempo pascual: Apoc 3, 10-12

Porque has guardado la palabra de mi constancia, yo también te guardaré en la hora de la prueba que va a venir sobre el mundo entero, para probar a los habitantes de la tierra. Llegaré pronto: sostén lo que tengas, para que nadie te quite tu corona. Al que venza lo haré columna en el templo de mi Dios, y ya nunca saldrá fuera, y sobre él escribiré el nombre de mi Dios y el nombre de la ciudad de mi Dios, de la nueva Jerusalén, que baja del cielo desde mi Dios, y mi nombre nuevo.

RESPONSORIO BREVE

Para varios mártires:

℣. Las almas de los justos
están en las manos de Dios.

℟. Las almas de los justos
están en las manos de Dios.

℣. Y no los alcanzará tormento alguno.

℟. Las almas de los justos
están en las manos de Dios.

℣. Gloria al Padre, y al Hijo, y al Espíritu Santo.

℟. Las almas de los justos
están en las manos de Dios.

Para un mártir:

℣. Lo coronaste, Señor, de gloria y dignidad.

℟. Lo coronaste, Señor, de gloria y dignidad.

℣. Lo colocaste por encima de todas tus creaturas.

℟. Lo coronaste, Señor, de gloria y dignidad.

℣. Gloria al Padre, y al Hijo, y al Espíritu Santo.

℟. Lo coronaste, Señor, de gloria y dignidad.

Para una mártir:

℣. El Señor la eligió y la predestinó.

℟. El Señor la eligió y la predestinó.

℣. La hizo morar en su templo santo.

℟. Y la predestinó.

℣. Gloria al Padre, y al Hijo, y al Espíritu Santo.

℟. El Señor la eligió y la predestinó.

Tiempo pascual:

℣. Santos y justos, alégrense en el Señor.
Aleluya, aleluya.

℟. Santos y justos, alégrense en el Señor.
Aleluya, aleluya.

℣. Dios los ha elegido como herencia suya.

℟. Aleluya, aleluya.

℣. Gloria al Padre, y al Hijo, y al Espíritu Santo.

℟. Santos y justos, alégrense en el Señor.
Aleluya, aleluya.

CÁNTICO EVANGÉLICO

Antífona

Fuera del Tiempo pascual:

Para varios mártires: **A éstos pertenece el reino de los cielos, porque no sobrepreciaron la vida de la tierra, y, lavando sus túnicas con la sangre del Cordero, alcanzaron los premios del reino eterno.**

Para un mártir: Este santo combatió hasta la muerte por ser fiel al Señor, sin temer las amenazas de los enemigos; estaba cimentado sobre roca firme.

Para una mártir: Se ciñó la cintura con firmeza y desplegó la fuerza de sus brazos; por ello, no se apagará nunca más su lámpara.

Tiempo pascual:

Una luz sin ocaso iluminará a tus santos, Señor, y la eternidad los esclarecerá. Aleluya.

Cántico de la Santísima Virgen María, p. 18.

Las preces como en las II Vísperas.

La oración conclusiva como en las Laudes.

Laudes

Invocación inicial

℣. Señor, abre mis labios.

℟. Y mi boca proclamará tu alabanza.

Puede añadirse el salmo 94 (p. 20), con la antífona siguiente:

Vengan, adoremos al Señor, rey de los mártires. (T.P. Aleluya.)

Himno

Para varios mártires:

> Testigos de la sangre
> con sangre rubricada,
> frutos de amor cortados
> al golpe de la espada.
>
> Testigos del amor
> en sumisión callada;
> canto y cielo en los labios
> al golpe de la espada.

Testigos del dolor
de vida enamorada;
diario placer de muerte
al golpe de la espada.

Testigos del cansancio
de una vida inmolada
a golpe de Evangelio
y al golpe de la espada.

Demos gracias al Padre
por la sangre sagrada;
pidamos ser sus mártires,
y a cada madrugada
poder morir la vida
al golpe de la espada. Amén.

Para un mártir:

Palabra del Señor ya rubricada
es la vida del mártir, ofrecida
como prueba fiel de que la espada
no puede ya truncar la fe vivida.

Fuente de fe y de luz es su memoria,
coraje para el justo en la batalla
del bien, de la verdad, siempre victoria
que, en vida y muerte, el justo en Cristo halla.

Martirio es el dolor de cada día,
si en Cristo y con amor es aceptado,
fuego lento de amor que en la alegría
de servir al Señor es consumado.

Concédenos, oh Padre, sin medida,
y tú, Señor Jesús crucificado,
el fuego del Espíritu de vida
para vivir el don que nos has dado. Amén.

Salmodia

Antífona 1

Para varios mártires: En medio de sus tormentos, los mártires de Cristo contemplaban su gloria y decían: «Ayúdanos, Señor.» (T.P. Aleluya.)

Para un mártir: Te alabarán mis labios, Señor, porque tu gracia vale más que la vida. (T.P. Aleluya.)

Los salmos y el cántico se toman del domingo I del Salterio, p. 22.

Antífona 2

Para varios mártires, fuera del Tiempo de Cuaresma: Almas y espíritus justos, canten un himno a Dios. Aleluya.

Para varios mártires, en Tiempo de Cuaresma: Mártires del Señor, bendigan al Señor por los siglos.

Para un mártir: Mártires del Señor, bendigan al Señor por los siglos. (T.P. Aleluya.)

Antífona 3

Para varios mártires: Mártires del Señor, alaben al Señor en el cielo. (T.P. Aleluya.)

Para un mártir: «Al vencedor lo pondré de columna en mi santuario», dice el Señor. (T.P. Aleluya.)

Lectura breve

Fuera del Tiempo pascual: 2 Cor 1, 3-5

Bendito sea Dios, Padre de nuestro Señor Jesucristo, Padre de misericordia y Dios de todo consuelo; él nos consuela en todas nuestras luchas, para que nosotros podamos consolar a los que están en toda tribulación, mediante el consuelo con que nosotros somos consolados por Dios. Porque si es cierto que los sufrimientos de Cristo rebosan sobre nosotros, también por Cristo rebosa nuestro consuelo.

Tiempo pascual: 1 Jn 5, 3-5

En esto consiste el amor a Dios: en que guardemos sus mandamientos. Y sus mandamientos no son pesados, pues todo el que ha nacido de Dios vence al mundo. Y ésta es la victoria que vence al mundo: nuestra fe; porque, ¿quién es el que vence al mundo, sino el que cree que Jesús es el Hijo de Dios?

RESPONSORIO BREVE

Fuera del Tiempo pascual:

Para varios mártires:

℣. Los justos viven eternamente.

℟. Los justos viven eternamente.

℣. Reciben de Dios su recompensa.

℟. Viven eternamente.

℣. Gloria al Padre, y al Hijo, y al Espíritu Santo.

℟. Los justos viven eternamente.

Para un mártir:

℣. El Señor es mi fuerza y mi energía.

℟. El Señor es mi fuerza y mi energía.

℣. Él es mi salvación.

℟. Y mi energía.

℣. Gloria al Padre, y al Hijo, y al Espíritu Santo.

℟. El Señor es mi fuerza y mi energía.

Tiempo pascual:

℣. La alegría eterna coronará a los santos.
Aleluya, aleluya.

℟. La alegría eterna coronará a los santos.
Aleluya, aleluya.

℣. Vivirán en el gozo y la exultación.

℟. Aleluya, aleluya.

℣. Gloria al Padre, y al Hijo, y al Espíritu Santo.
℟. La alegría eterna coronará a los santos.
Aleluya, aleluya.

CÁNTICO EVANGÉLICO

Antífona

Fuera del Tiempo pascual:

Para varios mártires: Dichosos los perseguidos por causa de la justicia, pues de ellos es el reino de los cielos.

Para un mártir: El que se aborrece a sí mismo en este mundo se guardará para la vida eterna.

Tiempo pascual:

Estén alegres y contentos, santos de Dios, pues su recompensa es grande en el cielo. Aleluya.

Cántico de Zacarías, p. 27.

PRECES PARA CONSAGRAR A DIOS
EL DÍA Y EL TRABAJO

Celebremos, amados hermanos, a Jesús, el testigo fiel, y al recordar hoy a los santos mártires sacrificados a causa de la palabra de Dios, aclamémoslo, diciendo:

Nos has comprado, Señor, con tu sangre.

Por la intercesión de los santos mártires que entregaron su vida como testimonio de la fe,
— concédenos, Señor, la verdadera libertad de espíritu.

Por la intercesión de los santos mártires que proclamaron la fe hasta derramar su sangre,
— concédenos, Señor, la integridad y la constancia de la fe.

Por la intercesión de los santos mártires que soportando la cruz siguieron tus pasos,
— concédenos, Señor, soportar con generosidad las contrariedades de la vida.

Por la intercesión de los santos mártires que blanquearon su manto en la sangre del Cordero,
— concédenos, Señor, vencer las obras del mundo y de la carne.

Se pueden añadir algunas intenciones libres.

Dirijamos ahora nuestra oración al Padre que está en los cielos, diciendo: Padre nuestro...

Oración conclusiva

Se dice la oración propia o, en su defecto, una de las siguientes:

Fuera del Tiempo pascual:

Para varios mártires:

Dios todopoderoso y eterno, que diste a los santos mártires N. y N. la valentía de aceptar la muerte por el nombre de Cristo: concede también tu fuerza a nuestra debilidad para que, a ejemplo de aquellos que no dudaron en morir por ti, nosotros sepamos también ser fuertes, confesando tu nombre con nuestras vidas. Por nuestro Señor Jesucristo, tu Hijo...

Para las mártires vírgenes:

Tú, Señor, que nos alegras hoy con la fiesta anual de las santas N. y N., concédenos la ayuda de sus méritos, ya que has querido iluminarnos con el ejemplo de su virginidad y de su fortaleza. Por nuestro Señor Jesucristo, tu Hijo...

Para las santas mujeres mártires:

Señor, ya que por don tuyo la fuerza se realiza en la debilidad, concede a cuantos estamos celebrando la victoria de las santas mártires N. y N. que obtengamos la fortaleza de vencer nuestras dificultades como ellas vencieron los tormentos del martirio. Por nuestro Señor Jesucristo, tu Hijo...

Para un mártir:

Dios de poder y misericordia, que diste tu fuerza al mártir san N. para que pudiera resistir el dolor de su martirio, concédenos que quienes celebramos hoy el día de su victoria, con tu protección, vivamos libres de las asechanzas del enemigo. Por nuestro Señor Jesucristo, tu Hijo...

Para una mártir virgen:

Tú, Señor, que nos alegras hoy con la fiesta anual de santa N., concédenos la ayuda de sus méritos, ya que has querido iluminarnos con el ejemplo de su virginidad y de su fortaleza. Por nuestro Señor Jesucristo, tu Hijo...

Para una santa mujer mártir:

Señor, ya que por don tuyo la fuerza se realiza en la debilidad, concede a cuantos estamos celebrando la victoria de la santa mártir N. que obtengamos la fortaleza de vencer nuestras dificultades como ella venció los tormentos del martirio. Por nuestro Señor Jesucristo, tu Hijo...

Tiempo pascual:

Para varios mártires:

Señor y Dios nuestro, que nos das constancia en la fe y fortaleza en la debilidad, concédenos, por el ejemplo y los méritos de los santos N. y N., participar en la muerte y resurrección de tu Hijo para que también gocemos contigo, en compañía de tus mártires, de la plena alegría de tu reino. Por nuestro Señor Jesucristo...

Para un mártir:

Señor, tú que has hecho más hermosa a la Iglesia al glorificar con el triunfo del martirio a san N., concédenos, te rogamos, que así como a él le diste la gracia de imitar con su muerte la pasión de Cristo, alcancemos nosotros, siguiendo las huellas de tu mártir, los premios eternos. Por nuestro Señor Jesucristo...

Para una virgen mártir:

Padre nuestro del cielo, que hoy nos alegras con la fiesta anual de santa N. (de las santas N. y N.), concédenos la ayuda de sus méritos a los que hemos sido iluminados con el ejemplo de su virginidad y de su fortaleza. Por nuestro Señor Jesucristo...

Para una santa mujer mártir:

Padre todopoderoso, por gracia tuya la fuerza se realiza en la debilidad; por eso te pedimos que a cuantos celebramos el triunfo de tu mártir santa N. (de tus mártires santas N. y N.), nos concedas el don de fortaleza con el que ella salió vencedora (ellas salieron vencedoras) en el martirio. Por nuestro Señor Jesucristo...

II Vísperas

INVOCACIÓN INICIAL

℣. Dios mío, ven en mi auxilio.
℟. Señor, date prisa en socorrerme.
Gloria al Padre... (Aleluya.)

HIMNO

Para varios mártires:

Espíritus sublimes,
¡oh mártires gloriosos!,
felices moradores
de la inmortal Sión,
rogad por los que luchan
en las batallas recias,
que alcancen la victoria
y eterno galardón.

¡Oh mártires gloriosos
de rojas vestiduras,

que brillan con eternos
fulgores ante Dios!
Con vuestro riego crezca
de Cristo la semilla,
y el campo de las mieses
se cubra ya en sazón. Amén.

Para un mártir:

Oh Dios, que eres el premio, la corona
y la suerte de todos tus soldados,
líbranos de los lazos de las culpas
por este mártir a quien hoy cantamos.

Él conoció la hiel que está escondida
en la miel de los goces de este suelo,
y, por no haber cedido a sus encantos,
está gozando los del cielo eterno.

Él afrontó con ánimo seguro
lo que sufrió con varonil coraje,
y consiguió los celestiales dones
al derramar por ti su noble sangre.

Oh piadosísimo Señor de todo,
te suplicamos con humilde ruego
que, en el día del triunfo de este mártir,
perdones los pecados de tus siervos.

Gloria eterna al divino Jesucristo,
que nació de una Virgen impecable,
y gloria eterna al Santo Paracleto,
y gloria eterna al sempiterno Padre. Amén.

SALMODIA

Antífona 1

Para varios mártires: Los cuerpos de los santos fueron
sepultados en paz, y su fama vive por generaciones
(T.P. Aleluya.)

Para un mártir: El que quiera seguirme, que se niegue a sí mismo, cargue con su cruz y venga conmigo. (T.P. Aleluya.)

Salmo 114, p. 190.

Antífona 2

Para varios mártires: Vi las almas de los sacrificados a causa de la palabra de Dios y del testimonio que mantuvieron. (T.P. Aleluya.)

Para un mártir: A quien me sirva, mi Padre el cielo lo premiará. (T.P. Aleluya.)

Salmo 115, p. 204.

Antífona 3

Para varios mártires: Éstos son aquellos santos que entregaron sus cuerpos para ser fieles a la alianza de Dios y han lavado sus vestiduras con la sangre del Cordero. (T.P. Aleluya.)

Para un mártir: El que pierda su vida por mí, la encontrará para siempre. (T.P. Aleluya.)

Cántico Apoc 4, 11; 5, 9-10. 12, p. 59.

LECTURA BREVE

FUERA DEL TIEMPO PASCUAL: 1 Pe 4, 13-14

Queridos hermanos: Estén alegres cuando comparten los padecimientos de Cristo, para que, cuando se manifieste su gloria, rebosen de gozo. Si los ultrajan por el nombre de Cristo, dichosos ustedes: porque el Espíritu de la gloria, el Espíritu de Dios, reposa sobre ustedes.

PASCUAL: Apoc 7, 14-17

los que vienen de la gran tribulación; han lavado sus vestiduras y las han blanqueado con la sangre del Cordero; por eso están delante del trono de Dios, dándole culto día y noche en su santuario; y el que está sentado en el trono extenderá su tienda sobre ellos. Ya no tendrán hambre ni sed; ya no los molestará el sol ni calor alguno; porque el Cordero que está en medio del trono los apacentará y los guiará a los manantiales de las aguas de la vida. Y Dios enjugará toda lágrima de sus ojos.

RESPONSORIO BREVE

Fuera del Tiempo pascual:

Para varios mártires:

℣. Alégrense, justos, y gocen con el Señor.

℟. Alégrense, justos, y gocen con el Señor.

℣. Aclámenlo, los rectos de corazón.

℟. Y gocen con el Señor.

℣. Gloria al Padre, y al Hijo, y al Espíritu Santo.

℟. Alégrense, justos, y gocen con el Señor.

Para un mártir:

℣. Oh Dios, nos pusiste a prueba,
pero nos has dado respiro.

℟. Oh Dios, nos pusiste a prueba,
pero nos has dado respiro.

℣. Nos refinaste como refinan la plata.

℟. Pero nos has dado respiro.

℣. Gloria al Padre, y al Hijo, y al Espíritu Santo.

℟. Oh Dios, nos pusiste a prueba,
pero nos has dado respiro.

Tiempo pascual:

℣. Resplandecerán los justos en presencia de Dios.
Aleluya, aleluya.

℟. Resplandecerán los justos en presencia de Dios.
Aleluya, aleluya.

℣. Y se alegrarán los rectos de corazón.

℟. Aleluya, aleluya.

℣. Gloria al Padre, y al Hijo, y al Espíritu Santo.

℟. Resplandecerán los justos en presencia de Dios. Aleluya, aleluya.

CÁNTICO EVANGÉLICO

Antífona

Fuera del Tiempo pascual:

Para varios mártires: Se alegran en el cielo los santos que siguieron las huellas de Cristo; y, porque lo amaron hasta derramar su sangre, reinan con el Señor eternamente.

Para un mártir: Los santos tienen su morada en el reino de Dios, y allí han encontrado descanso eterno.

Tiempo pascual:

Para varios mártires: Alégrense, santos, ante el trono del Cordero; hereden el reino preparado para ustedes desde la creación del mundo. Aleluya.

Para un mártir: Si el grano de trigo no cae en tierra y muere, queda infecundo; pero, si muere, da mucho fruto. Aleluya.

Cántico de la Santísima Virgen María, p. 18.

PRECES O INTERCESIONES

En esta hora en la que el Señor, cenando con sus discípulos, presentó al Padre su propia vida que luego entregó en la cruz, aclamemos al Rey de los mártires, diciendo:

Te glorificamos, Señor.

Te damos gracias, Señor, principio, ejemplo y rey de los mártires, porque nos amaste hasta el extremo.

Te damos gracias, Señor, porque no cesas de llamar a los pecadores arrepentidos y les das parte en los premios de tu reino.

Te damos gracias, Señor, porque hoy hemos ofrecido, como sacrificio para el perdón de los pecados, la sangre de la alianza nueva y eterna.

Te damos gracias, Señor, porque con tu gracia nos has dado perseverar en la fe durante el día que ahora termina.

Se pueden añadir algunas intenciones libres.

Te damos gracias, Señor, porque has asociado a nuestros hermanos difuntos a tu muerte.

Dirijamos ahora nuestra oración al Padre que está en los cielos, diciendo: Padre nuestro...

La oración conclusiva como en las Laudes.

COMÚN DE SANTOS

I Vísperas

<small>INVOCACIÓN INICIAL</small>

℣. Dios mío, ven en mi auxilio.

℟. Señor, date prisa en socorrerme.
Gloria al Padre... (Aleluya.)

El himno como en las II Vísperas.

<small>SALMODIA</small>

Ant. 1. Alaben a nuestro Dios, todos sus santos. (T.P. Aleluya.)

Salmo 112, p. 203.

Ant. 2. Dichosos los que tienen hambre y sed de justicia, porque ellos quedarán saciados. (T.P. Aleluya.)

Salmo 145, p. 340.

Ant. 3. Bendito sea Dios, que nos ha elegido para ser santos e inmaculados en el amor. (T.P. Aleluya.)

Cántico Ef 1, 3-10, p. 45.

<small>LECTURA BREVE</small> Flp 3, 7-8

Todo lo que para mí era ganancia lo he estimado pérdida comparado con Cristo. Más aún, todo lo estimo pérdida comparado con la excelencia del conocimiento de Cristo Jesús, mi Señor. Por él lo perdí todo, y todo lo estimo basura con tal de ganar a Cristo.

<small>RESPOSORIO BREVE</small>

Fuera del tiempo pascual:

℣. El Señor lo(la) amó y lo(la) enalteció.

℟. El Señor lo(la) amó y lo(la) enalteció.

℣. Lo(la) revistió con vestidura de gloria.

℟. El Señor lo(la) amó y lo(la) enalteció.

℣. Gloria al Padre, y al Hijo, y al Espíritu Santo.
℟. El Señor lo(la) amó y lo(la) enalteció.

Tiempo pascual:

℣. El Señor lo(la) amó y lo(la) enalteció. Aleluya, aleluya.
℟. El Señor lo(la) amó y lo(la) enalteció. Aleluya, aleluya.
℣. Lo(la) revistió con vestidura de gloria.
℟. Aleluya, aleluya.
℣. Gloria al Padre, y al Hijo, y al Espíritu Santo.
℟. El Señor lo(la) amó y lo(la) enalteció. Aleluya, aleluya.

CÁNTICO EVANGÉLICO

Antífona

Para un santo: Lo asemejaré a un hombre prudente, que edificó su casa sobre roca. (T.P. Aleluya.)

Para varios santos: Los ojos del Señor están puestos en sus fieles, en los que esperan en su misericordia. (T.P. Aleluya.)

Para una santa: Cántenle por el éxito de su trabajo, que sus obras la alaben en la plaza. (T.P. Aleluya.)

Para varias santas: Gloríense de su nombre santo, que se alegren los que buscan al Señor. (T.P. Aleluya.)

Cántico de la Santísima Virgen María, p. 18.

Las preces como en las II Vísperas.

La oración conclusiva como en las Laudes.

Laudes

INVOCACIÓN INICIAL

℣. Señor, abre mis labios.
℟. Y mi boca proclamará tu alabanza.

Puede añadirse el salmo 94 (p. 20), con la antífona siguiente:

Vengan, adoremos al Señor, aclamemos al Dios admirable en sus santos. (T.P. Aleluya.)

O bien: Aclamemos al Señor, en esta fiesta de san (santa) N. (T.P. Aleluya.)

HIMNO

Vosotros sois luz del mundo
y ardiente sal de la tierra,
ciudad esbelta en el monte,
fermento en la masa nueva.

Vosotros sois los sarmientos,
y yo la Vid verdadera;
si el Padre poda las ramas,
más fruto llevan las cepas.

Vosotros sois la abundancia
del reino que ya está cerca,
los doce mil señalados
que no caerán en la siega.

Dichosos, porque sois limpios
y ricos en la pobreza,
y es vuestro el reino que sólo
se gana con la violencia. Amén.

SALMODIA

Ant. 1. El Señor les concedió una gloria eterna y su nombre no será nunca olvidado. (T.P. Aleluya.)

Los salmos y el cántico se toman del domingo I del Salterio, p. 22.

Ant. 2. Siervos del Señor, bendigan al Señor eternamente. (T.P. Aleluya.)

Ant. 3. Que los santos festejen su gloria y canten jubilosos en filas. (T.P. Aleluya.))

LECTURA BREVE   Rom 12, 1-2

Los exhorto, por la misericordia de Dios, a presentar sus cuerpos como hostia viva, santa, agradable a Dios; éste es su culto razonable. Y no se ajusten a este mundo, sino transfórmense por la renovación de la mente, para que sepan discernir lo que es la voluntad de Dios, lo bueno, lo que agrada, lo perfecto.

RESPOSORIO BREVE

Fuera del tiempo pascual:
Para un santo o santa:

℣. Lleva en el corazón la ley de su Dios.
℟. Lleva en el corazón la ley de su Dios.
℣. Y sus pasos no vacilan.
℟. Lleva en el corazón la ley de su Dios.
℣. Gloria al Padre, y al Hijo, y al Espíritu Santo.
℟. Lleva en el corazón la ley de su Dios.

Para varios santos o santas:

℣. Los justos gozan en la presencia de Dios.
℟. Los justos gozan en la presencia de Dios.
℣. Rebosando de alegría.
℟. En la presencia de Dios.
℣. Gloria al Padre, y al Hijo, y al Espíritu Santo.
℟. Los justos gozan en la presencia de Dios.

Tiempo pascual:
Para un santo o santa:

℣. Lleva en el corazón la ley de su Dios.
Aleluya, aleluya.
℟. Lleva en el corazón la ley de su Dios.
Aleluya, aleluya.

℣. Y sus pasos no vacilan.

℟. Aleluya, aleluya.

℣. Gloria al Padre, y al Hijo, y al Espíritu Santo.

℟. Lleva en el corazón la ley de su Dios.
Aleluya, aleluya.

Para varios santos o santas:

℣. Los justos gozan en la presencia de Dios.
Aleluya, aleluya.

℟. Los justos gozan en la presencia de Dios.
Aleluya, aleluya.

℣. Rebosando de alegría.

℟. Aleluya, aleluya.

℣. Gloria al Padre, y al Hijo, y al Espíritu Santo.

℟. Los justos gozan en la presencia de Dios.
Aleluya, aleluya.

CÁNTICO EVANGÉLICO

Antífona

Para un santo: El que obra la verdad va a la luz, para que quede de manifiesto que sus obras están hechas según Dios. (T.P. Aleluya.)

Para una santa: El reino de los cielos se parece a un comerciante en perlas finas que, al encontrar una de gran valor, se va a vender todo lo que tiene y la compra. (T.P. Aleluya.)

Para varios santos o santas: Dichosos los que trabajan por la paz, dichosos los limpios de corazón, porque ellos verán a Dios. (T.P. Aleluya.)

Cántico de Zacarías, p. 27.

PRECES PARA CONSAGRAR A DIOS
EL DÍA Y EL TRABAJO

Adoremos, hermanos, a Cristo, el Dios santo, y, pidiéndole que nos enseñe a servirlo con santidad y justicia en su presencia todos nuestros días, aclamémoslo, diciendo:

Tú solo eres santo, Señor.

Señor Jesús, probado en todo exactamente como nosotros, menos en el pecado,
—compadécete de nuestras debilidades.

Señor Jesús, que a todos nos llamas a la perfección del amor,
—danos el progresar por caminos de santidad.

Señor Jesús, que nos quieres sal de la tierra y luz del mundo,
—ilumina nuestras vidas con tu propia luz.

Señor Jesús, que viniste al mundo no para que te sirvieran, sino para servir,
—haz que sepamos servir con humildad a ti y a nuestros hermanos.

Señor Jesús, reflejo de la gloria del Padre e impronta de su ser,
—haz que un día podamos contemplar la claridad de tu gloria.

Se pueden añadir algunas intenciones libres.

Oremos ahora al Padre, como nos enseñó el mismo Jesús: Padre nuestro.

Oración conclusiva

Se dice la oración propia o, en su defecto, una de las siguientes:

Para un santo:

Confesamos, Señor, que sólo tú eres santo y que sin ti nadie es bueno, y humildemente te pedimos que la intercesión de san N. venga en nuestra ayuda para que de tal forma vivamos en el mundo que merezcamos llegar a la contemplación de tu gloria. Por nuestro Señor Jesucristo, tu Hijo...

Para una santa:

Tú, Señor, que todos los años nos alegras con la fiesta de santa N., concede a los que estamos celebrando su memoria imitar también los ejemplos de su vida santa. Por nuestro Señor Jesucristo, tu Hijo...

Para varios santos o santas:

Dios todopoderoso y eterno, que al premiar a los santos nos ofreces una prueba de tu gran amor hacia los hombres, te pedimos que la intercesión y el ejemplo de los santos nos sirva siempre de ayuda para seguir más fielmente a Jesucristo, tu Hijo. Que vive y reina contigo...

II Vísperas

INVOCACIÓN INICIAL

V. Dios mío, ven en mi auxilio.

R. Señor, date prisa en socorrerme.
Gloria al Padre... (Aleluya.)

HIMNO

Para santos:

Cuando, Señor, el día ya declina,
quedaos con el hombre, que, en la noche
del tiempo y de la lucha en que camina,
turba su corazón con su reproche.

Disipad nuestras dudas, hombres santos,
que en el alto glorioso del camino
ya dejasteis atrás temores tantos
de perder vuestra fe en el Don divino.

Perdonad nuestros miedos, seguidores
del camino en la fe que os fue ofrecido,
hacednos con vosotros confesores
de la fe y del amor que habéis vivido.

Que tu amor, Padre santo, haga fuerte
nuestro amor, nuestra fe en tu Hijo amado;
que la hora suprema de la muerte
sea encuentro en la luz, don consumado. Amén.

Para santas:

La gracia de mujer es toda Gracia,
lirios de Dios de eterna primavera,
vosotras sois mujeres sin falacia
de encantos de virtud perecedera.

Bella es la creación que dio a estas flores
su cáliz virginal y el dulce encanto
del amor del Señor de sus amores,
eterna melodía de su canto.

Llamó el divino amor a vuestra puerta,
de par en par el corazón abristeis;
si grande fue la siembra en vuestra huerta,
frondosa es la cosecha que le disteis.

Demos gracias a Dios por las estrellas
que brillan en la noche de la vida,
es la luz de la fe que fulge en ellas
con amor y esperanza sin medida. Amén.

SALMODIA

Ant. 1. Fue hallado(a) intachable y perfecto(a); su gloria será eterna. (T.P. Aleluya.)

Salmo 14, p. 44.

Ant. 2. El Señor protege a sus santos y les muestra su amor y su misericordia. (T.P. Aleluya.)

Salmo 111, p. 305.

Ant. 3. Los santos cantaban un cántico nuevo ante el trono de Dios y del Cordero, y sus voces llenaban toda la tierra. (T.P. Aleluya.)

Cántico Apoc 15, 3-4, p. 99.

LECTURA BREVE   Rom 8, 28-30

Sabemos que a los que aman a Dios todo les sirve para el bien: a los que ha llamado conforme a su designio. A los que había escogido, Dios los predestinó a ser imagen de su Hijo, para que él fuera el primogénito de muchos hermanos. A los que predestinó, los llamó; a los que llamó, los justificó; a los que justificó, los glorificó.

RESPONSORIO BREVE

Fuera del tiempo pascual:

℣. El Señor es justo y ama la justicia.
℟. El Señor es justo y ama la justicia.
℣. Los buenos verán su rostro.
℟. El Señor es justo y ama la justicia.
℣. Gloria al Padre, y al Hijo, y al Espíritu Santo.
℟. El Señor es justo y ama la justicia.

Tiempo pascual:

℣. El Señor es justo y ama la justicia. Aleluya, aleluya.
℟. El Señor es justo y ama la justicia. Aleluya, aleluya.
℣. Los buenos verán su rostro.
℟. Aleluya, aleluya.
℣. Gloria al Padre, y al Hijo, y al Espíritu Santo.
℟. El Señor es justo y ama la justicia. Aleluya, aleluya.

CÁNTICO EVANGÉLICO
                    Antífona

Para un santo: Empleado fiel y cumplidor, pasa al banquete de tu Señor. (T.P. Aleluya.)

Para una santa: Mi corazón se regocija por el Señor y queda saciado, porque gozo con mi salvación. (T.P. Aleluya.)

Para varios santos o santas: **Se mantuvieron fieles hasta la muerte y recibieron del Señor la corona de la vida.** (T.P. **Aleluya.**)

Cántico de la Santísima Virgen María, p. 18.

PRECES O INTERCESIONES

Pidamos a Dios Padre, fuente de toda santidad, que con la intercesión y el ejemplo de los santos nos ayude, y digamos:

Haz que seamos santos, porque tú, Señor, eres santo.

Padre santo, que has querido que nos llamemos y seamos hijos tuyos,
— haz que la Iglesia santa, extendida por los confines de la tierra, cante tus grandezas.

Padre santo, que deseas que vivamos de una manera digna, buscando siempre tu beneplácito,
— ayúdanos a dar fruto de buenas obras.

Padre santo, que nos reconciliaste contigo por medio de Cristo,
— guárdanos en tu nombre para que todos seamos uno.

Padre santo, que nos convocas al banquete de tu reino,
— haz que comiendo el pan que ha bajado del cielo alcancemos la perfección del amor.

Se pueden añadir algunas intenciones libres.

Padre santo, perdona a los pecadores sus delitos
— y admite a los difuntos en tu reino para que puedan contemplar tu rostro.

Porque nos llamamos y somos hijos de Dios, nos atrevemos a decir: Padre nuestro.

La oración conclusiva como en las Laudes.

OFICIO DE DIFUNTOS

Durante el Tiempo pascual, si se cree oportuno, puede añadirse *Aleluya* al final de las antífonas, versículos y responsorios.

Las oraciones deben adaptarse, cambiando el género y el número, según las circunstancias.

Laudes

℣. Señor, abre mis labios.
℞. Y mi boca proclamará tu alabanza.

Puede añadirse el salmo 94 (p. 20), con la antífona siguiente:
Al Señor, rey de los que viven, vengan, adorémoslo.

HIMNO

Salen de la ciudad en larga hilera
los amigos del hombre, entristecidos,
llevan al joven muerto en la litera,
su madre lo acompaña entre gemidos.

Lazos de muerte a todos nos alcanzan,
las redes del abismo nos envuelven,
pueblos enteros lentamente avanzan,
y todos los que van ya nunca vuelven.

Alza tu voz, Jesús resucitado;
detente, caravana de la muerte,
mira al Señor Jesús, él ha pagado
el precio del rescate de tu suerte.

Llora, Raquel, de gozo y alegría,
tus hijos vivirán eternamente.
Danos, Señor, llegar a tu gran día,
que de ansia de vivir el alma muere. Amén.

SALMODIA

Ant. 1. Se alegrarán en el Señor los huesos quebrantados.
Salmo 50, p. 89.

Ant. 2. Líbrame, Señor, de las puertas del abismo.
Cántico Is 38, 10-14. 17-20, p. 144.

Ant. 3. Alabaré al Señor mientras viva.
Salmo 145, p. 340.

LECTURA BREVE   1 Tes 4, 13
Si creemos que Jesús ha muerto y resucitado, del mismo modo a los que han muerto en Jesús, Dios los llevará con él.

RESPONSORIO BREVE

V. Te ensalzaré, Señor, porque me has librado.

R. Te ensalzaré, Señor, porque me has librado.

V. Cambiaste mi luto en danza.

R. Porque me has librado.

V. Gloria al Padre, y al Hijo, y al Espíritu Santo.

R. Te ensalzaré, Señor, porque me has librado.

CÁNTICO EVANGÉLICO

Ant. Yo soy la resurrección y la vida, el que cree en mí, aunque haya muerto, vivirá; y el que está vivo y cree en mí no morirá para siempre.

En Tiempo pascual: Cristo ha resucitado y con su claridad ilumina al pueblo rescatado con su sangre. Aleluya.

Cántico de Zacarías, p. 27.

PRECES

Por un solo difunto o por varios difuntos:
Pidamos al Señor que escuche nuestra oración y atienda nuestras súplicas por nuestro hermano difunto (nuestra hermana difunta), y, llenos de confianza, digámosle:

Dueño de la vida y de la muerte, escúchanos.

Señor Jesús, haz que nuestro hermano (nuestra hermana) que ha pasado ya de este mundo a tu reino se alegre con júbilo eterno en tu presencia
— y se llene de gozo en la asamblea de los santos.

Libra su alma del abismo y sálvalo (sálvala) por tu misericordia,
— porque en el reino de la muerte nadie te alaba.

Que tu bondad y tu misericordia lo (la) acompañen eternamente,
— y que habite en tu casa por años sin término.

Condúcelo (Condúcela) hacia las fuentes tranquilas de tu paraíso
— y hazlo (hazla) recostar en las praderas verdes de tu reino.

A nosotros, que caminamos aún por las cañadas oscuras de este mundo, guíanos por el sendero justo,
— y haz que en tu vara y en tu cayado de pastor encontremos siempre nuestro sosiego.

Para que la luz de Cristo ilumine a los vivos y a los muertos, pidamos que a todos llegue el reino de Jesucristo: Padre nuestro...

Por los difuntos en general:

Oremos a Dios Padre todopoderoso, que ha resucitado a Jesucristo de entre los muertos y vivificará también nuestros cuerpos mortales, y digámosle:

Dueño de la vida y de la muerte, escúchanos.

Padre santo, ya que por el bautismo hemos sido sepultados con Cristo en la muerte y con él hemos resucitado, haz que de tal forma andemos en vida nueva
— que aun después de nuestra muerte vivamos para siempre con Cristo.

Padre providente, que nos has dado el pan vivo bajado del cielo, para que lo comamos santamente,

— haz que al comerlo tengamos vida eterna y resucitemos en el último día.

Señor, que diste a tu Hijo en su agonía el consuelo del ángel,
— confórtanos en nuestra agonía con la serena esperanza de la resurrección.

Tú, Señor, que libraste a los tres jóvenes del horno ardiente,
— libra también las almas de los difuntos del castigo que sufren por sus pecados.

Dios y Señor de vivos y de muertos, que resucitaste a Cristo del sepulcro,
— resucita también a los difuntos, y a nosotros danos un lugar junto a ellos en tu gloria.

Porque deseamos que la luz de Cristo ilumine a los vivos y a los muertos, pidamos al Padre que llegue a todos su reino: Padre nuestro...

Oración conclusiva

Confiados, Señor, en tu misericordia, te presentamos nuestras oraciones en favor de nuestro hermano (nuestra hermana) N., miembro de tu Iglesia peregrina durante su vida mortal: llévalo (llévala) contigo a la patria de la luz, para que participe también ahora de la ciudadanía de tus elegidos. Por nuestro Señor Jesucristo, tu Hijo...

Para varios difuntos:
Señor Dios, que resucitaste a tu Hijo, para que venciendo a la muerte entrara en tu reino, concede a tus siervos (N. y N.), hijos tuyos, que, superada su condición mortal, puedan contemplarte a ti, su Creador y Redentor. Por nuestro Señor Jesucristo, tu Hijo...

Para los hermanos, familiares y bienhechores difuntos:
Señor Dios, que concedes el perdón de los pecados y quieres la salvación de los hombres, por intercesión de

santa María, la Virgen, y de todos los santos, concede a nuestros hermanos, familiares y bienhechores que han salido ya de este mundo alcanzar la eterna bienaventuranza. Por nuestro Señor Jesucristo, tu Hijo...

Vísperas

INVOCACIÓN INICIAL

℣. Dios mío, ven en mi auxilio.

℟. Señor, date prisa en socorrerme.
Gloria al Padre... (Aleluya.)

HIMNO

¿Cuándo, Señor, tendré el gozo de verte?
¿Por qué para el encuentro deseado
tengo que soportar, desconsolado,
el trágico abandono de la muerte?

Padre mío, ¿me has abandonado?
Encomiendo mi espíritu en tus manos.
Los dolores de muerte sobrehumanos
dan a luz el vivir tan esperado.

Se acabaron la lucha y el camino,
y, dejando el vestido corruptible,
revistióme mi Dios de incorruptible.

A la noche del tiempo sobrevino
el día del Señor; vida indecible,
aun siendo mía, es ya vivir divino. Amén.

SALMODIA

Ant. 1. El Señor te guarda de todo mal, él guarda tu alma.
Salmo 120, p. 191.

Ant. 2. Si llevas cuenta de los delitos, Señor, ¿quién podrá resistir?
Salmo 129, p. 291.

Ant. 3. Lo mismo que el Padre resucita a los muertos y les da vida, así también el Hijo da vida a los que quiere.

Cántico Flp 2, 6-11, p. 17.

LECTURA BREVE 1 Cor 15, 55-57

¿Dónde está, muerte, tu victoria? ¿Dónde está, muerte, tu aguijón? El aguijón de la muerte es el pecado, y la fuerza del pecado es la ley. ¡Demos gracias a Dios, que nos da la victoria por nuestro Señor Jesucristo!

RESPONSORIO BREVE

℣. A ti, Señor, me acojo:
no quede yo nunca defraudado.

℟. A ti, Señor, me acojo:
no quede yo nunca defraudado.

℣. Tu misericordia es mi gozo y mi alegría.

℟. No quede yo nunca defraudado.

℣. Gloria al Padre, y al Hijo, y al Espíritu Santo.

℟. A ti, Señor, me acojo:
no quede yo nunca defraudado.

CÁNTICO EVANGÉLICO

Ant. Todos los que el Padre me ha entregado vendrán a mí, y al que venga a mí no lo echaré fuera.

En Tiempo pascual: El que fue crucificado resucitó de entre los muertos y nos redimió. Aleluya.

Cántico de la Santísima Virgen María, p. 18.

PRECES

Por un solo difunto o por varios difuntos:

Oremos, hermanos, a Cristo, el Señor, esperanza de los que vivimos aún en este mundo, y vida y resurrección de los que ya han muerto; llenos de confianza, digámosle:

Tú que eres la vida y la resurrección, escúchanos.

Recuerda, Señor, que tu ternura y tu misericordia son eternas,
— y no te acuerdes de los pecados ni de las maldades de nuestro hermano (nuestra hermana) N.

Por el honor de tu nombre, Señor, perdónale todas sus culpas,
— y haz que viva eternamente feliz en tu presencia.

Que habite en tu casa por días sin término,
— y goce de tu presencia contemplando tu rostro.

No rechaces a tu siervo (sierva) ni lo (la) olvides en el reino de la muerte,
— antes concédele gozar de tu dicha en el país de la vida.

Sé tú, Señor, el apoyo y la salvación de cuantos a ti acudimos:
— sálvanos y bendícenos, porque somos tu pueblo y tu heredad.

Que el mismo Señor, que lloró junto al sepulcro de Lázaro y que, en su propia agonía, acudió conmovido al Padre, nos ayude a decir: Padre nuestro...

Por los difuntos en general:

Oremos al Señor Jesús, que transformará nuestro cuerpo frágil en cuerpo glorioso como el suyo, y digámosle:

Dueño de la vida y de la muerte, escúchanos.

Señor Jesucristo, Hijo de Dios vivo, que resucitaste de entre los muertos a tu amigo Lázaro,
— lleva a una resurrección de vida a los difuntos que rescataste con tu sangre preciosa.

Señor Jesucristo, consolador de los afligidos, que ante el dolor de los que lloraban la muerte de Lázaro, del joven de Naím y de la hija de Jairo acudiste compasivo a enjugar sus lágrimas,

— consuela también ahora a los que lloran la muerte de sus seres queridos.

Señor Jesucristo, siempre vivo para interceder por nosotros y por todos los hombres,
— enséñanos a ofrecer el sacrificio de alabanza por los difuntos, para que sean absueltos de sus pecados.

Cristo salvador, destruye en nuestro cuerpo mortal el dominio del pecado por el que merecimos la muerte,
— para que obtengamos, como don de Dios, la vida eterna.

Cristo redentor, mira benignamente a aquellos que, al no conocerte, viven sin esperanza,
— para que crean también ellos en la resurrección y en la vida del mundo futuro.

Tú, Señor, que has dispuesto que nuestra casa terrena sea destruida,
— concédenos una morada eterna en los cielos.

Porque deseamos que la luz de Cristo ilumine a los vivos y a los muertos, pidamos al Padre que llegue a todos su reino: Padre nuestro...

La oración conclusiva como en las Laudes.

INSTRUCTIVO PARA
LA LITURGIA DE LAS HORAS

INTRODUCCIÓN

Participar en la *Liturgia de las Horas*, que es la oración de la Iglesia, es una gracia y, al mismo tiempo, una misión.

Una gracia, porque nos hace entrar en comunión con Dios y con su Iglesia por medio de la alabanza y participamos de la función sacerdotal de Cristo que se prolonga en la tierra. Pero también es una misión de todo bautizado, no sólo de sacerdotes y religiosos, ya que se ejerce, por este medio, nuestro sacerdocio bautismal, orando en nombre y como miembro de la Iglesia.

La oración personal brota del corazón de la persona que reza. Los salmos son textos formulados por otras personas en diferentes situaciones y en otras épocas. La oración constante de la *Liturgia de las Horas* puede ayudarnos a hacer de los salmos una oración personal auténtica.

Para esto nos ayudará el colocarnos en el lugar de las personas que hablan en el salmo. Si estoy en la misma situación, me reconozco en esas personas como enfermo, pecador, alegre, amado. Dejo que el texto llegue hasta mí y procuro asumir su sentido en función de lo que hoy yo estoy viviendo.

Poco a poco haremos de los salmos oraciones personales, a veces de petición por otros o súplica de perdón por mis pecados o de los demás. Hay un libro sobre los salmos, de Thomas Merton, OSB, cuyo el título es una motivación: *Pan en el desierto*; la recitación continua y llena de cariño de los salmos nos podrá ayudar a encontrar ese pan, en el desierto de nuestras vidas.

Junto con los sacerdotes que convocan a la comunidad, presiden la plegaria y educan a los fieles en torno a la oración; con los monjes y las monjas que tienen la misión de asegurar la perseverancia de la oración en la Iglesia, Cuerpo de Cristo; los fieles, aunque por falta de tiempo se les dificulta celebrar completa la *Liturgia de las Horas*, cuando oran algunas partes en comunión con la Iglesia, ahí dónde están dispersos por el mundo, forman un solo corazón y una sola alma.

"Quien recita los salmos en la *Liturgia de las Horas* no lo hace tanto en nombre propio como en nombre de todo el Cuerpo de Cristo, e incluso en nombre de la persona del mismo Cristo"[1]. Por eso, es recomendable que la celebración de la *Liturgia de las Horas* sea en comunidad, más que de manera privada.

El objetivo de este Instructivo es ayudar a que los fieles aprendan a participar en la *Liturgia de las Horas* y poco a poco disfruten de la riqueza del don de Dios y desarrollen la vocación sacerdotal, recibida de Cristo en el Bautismo.

"Importa, sobre todo, que la celebración no resulte rígida ni complicada, ni preocupada tan sólo de cumplir con las normas meramente formales, sino que responda a la verdad de la cosa. Hay que esforzarse en primer lugar porque los espíritus estén movidos por el deseo de la genuina oración de la Iglesia y resulte agradable celebrar las alabanzas divinas"[2].

La salmodia, aunque exija la reverencia debida a la majestad divina, debe realizarse con alegría de espíritu y dulzura de corazón.

---

[1] *Principios y normas generales de la Liturgia de las Horas (PNGLH)*, n. 108.
[2] *PNGLH*, n. 279.

¿QUÉ SON *LAUDES, VÍSPERAS* Y *COMPLETAS?*

La *Liturgia de las Horas* consiste en celebrar el misterio salvífico de Cristo, por medio de la alabanza, en determinados momentos del día.

Los principales momentos de oración son[3]:

> *Laudes*[4]: Alabanza de la mañana, "para celebrar la resurrección del Señor con la oración matutina"[5].
>
> *Vísperas*[6]: Alabanza de la tarde, "en acción de gracias por cuanto se nos ha otorgado en la jornada y por cuanto hemos logrado realizar con acierto"[7].
>
> **Completas**[8]: Oración antes del descanso nocturno.

ESTRUCTURA DE *LAUDES* Y *VÍSPERAS*

1. Invocación inicial. La invocación inicial, como su nombre lo dice, es invocar la presencia y auxilio de Dios al comenzar a dirigir mi oración a él; es una frase y respuesta breves.

> En *Laudes*: *Señor, abre mis labios y mi boca proclamará tu alabanza.*
>
> En *Vísperas*: *Dios mío, ven en mi auxilio; Señor, date prisa en socorrerme. Gloria al Padre, y al Hijo, y al Espíritu Santo. Como era en el principio, ahora y siempre, por los siglos de los siglos. Amén. Aleluya.*

---

[3] La otras Horas son: Oficio de Lectura, Tercia, Sexta y Nona.

[4] El significado en latín (*laudare*) quiere decir "saludo".

[5] SAN CIPRIANO, *De oratione dominica,* 35: PL 4, 561.

[6] El significado en latín (*vespera*) quiere decir "la tarde".

[7] SAN BASILIO EL GRANDE, *Regulae fusius tractatae,* PG 31, 1015.

[8] El significado en latín (*completus, complere*) quiere decir "terminar, completar".

2. Invitación a la alabanza divina. En *Laudes*[9], que es la primera oración de la jornada, puede añadirse un salmo que, generalmente, es el 94[10] (p. 20). Este salmo invita a la alabanza, pero puede omitirse ya que los SALMOS son algo más que una simple introducción, son el centro de la oración cristiana. Si se llega a decir este salmo, es acompañado por una ANTÍFONA que también nos invita a la alabanza de Dios.

3. Himno. Es el elemento popular de la *Liturgia de las Horas*, una composición poética en alabanza de Dios, de la Virgen o de los santos, y ayuda a introducirse en la celebración.

4. Salmodia. Es la parte central de la *Liturgia de las Horas*. Conjunto de dos SALMOS[11] y un cántico, que en *Laudes* es del Antiguo Testamento y en *Vísperas* del Nuevo Testamento.

Cada salmo tiene al inicio un enunciado y una breve cita bíblica o de algún Padre de la Iglesia.

Al final de cada salmo se dice el *Gloria al Padre* para darle a la oración del Antiguo Testamento un sentido de alabanza, cristológico y trinitario.

5. Antífona. Breve introducción a cada salmo o al cántico. Hay una ANTÍFONA para cada domingo de los tiempos litúrgicos (*Adviento, Navidad, Ordinario, Cuaresma* y *Pascua*) y las solemnidades o fiestas.

6. Lectura breve. Puede ser una lectura bíblica breve o larga para gozar del misterio celebrado o subrayar el significado salvífico de cada una de las Horas.

---

[9] También en el *Oficio de Lectura* se puede decir este invitatorio, cuando es la primera oración de la jornada.

[10] También se puede decir el salmo 99, 66 y el 23 (pp. 93, 165 y 49 respectivamente).

[11] En hebreo son nombrados *Tehillim*, que quiere decir "cántico de alabanza", y en griego *psalmoi*, que quiere decir "cántico que ha de ser entonado al son del *Salterio*".

7. Responsorio breve. Es una corta respuesta a la LECTURA BREVE para que penetre la Palabra de Dios y se contemple.

8. Antífona del cántico evangélico. Es una frase que nos introduce al CÁNTICO EVANGÉLICO; puede estar relacionada al mismo cántico, al evangelio del domingo o a la fiesta que se esté celebrando.

9. Cántico evangélico. En *Laudes* se recita o se canta el *Cántico de Zacarías* y en *Vísperas* el *Cántico de María*[12].

Así como los SALMOS del Antiguo Testamento nos inician en la oración, estos dos cánticos nos llevan a culminar nuestra oración con Jesucristo, pues expresan la alabanza y la acción de gracias por la obra de la redención.

¿Quién es Zacarías? Padre de san Juan Bautista, quien profetizó que Juan iba a ser el precursor del Mesías –sol que nace de lo alto–, al cual no sería digno de desatarle las correas de sus sandalias (cfr. Lc 1, 62-79).

El *Magníficat* son palabras que surgen desde lo más profundo del corazón de María cuando visita a su prima Isabel; aquí María proclama las maravillas que ha hecho Dios en su vida.

Por ser textos tomados del Evangelio, nos santiguamos al comenzar.

10. Preces[13]. Son invocaciones a Dios o intercesiones. En *Laudes* son invocaciones, principalmente, para consagrar a Dios el nuevo día. En *Vísperas* se pide habitualmente por la Iglesia y por el mundo.

---

[12] Ambos cánticos se encuentran en el capítulo 1 del evangelio de san Lucas y son conocidos como *Benedictus* y *Magníficat*, respectivamente, debido a la palabra con que comienzan en latín.

[13] El significado en latín (*Preces*, pl. de *prex*) quiere decir "súplica o ruego".

11. Padrenuestro. La oración que Jesús nos enseñó culmina toda la celebración.

12. Oración conclusiva. Es un tipo de oración presidencial con la que se termina la acción litúrgica de cada Hora. En *Laudes*, en general, recuerdan la Resurrección de Cristo y su presencia en el mundo; en Vísperas resuena más bien una actitud de agradecimiento por los dones recibidos a lo largo de la jornada. Esta oración tiene una conclusión trinitaria[14]: Cuando va dirigida al Padre se termina diciendo: *Por nuestro Señor Jesucristo, tu Hijo, que vive y reina contigo en la unidad del Espíritu Santo y es Dios, por los siglos de los siglos.* Cuando va dirigida al Padre pero al final se hace mención del Hijo: *Él, que vive y reina contigo en la unidad del Espíritu Santo y es Dios, por los siglos de los siglos.* Cuando se dirige al Hijo: *Tú que vives y reinas con el Padre en la unidad del Espíritu Santo y eres Dios, por los siglos de los siglos.*

13. Conclusión. Al finalizar la oración pedimos y recibimos la bendición de Dios para que nos acompañe: *El Señor nos bendiga, nos guarde de todo mal y nos lleve a la vida eterna. Amén.*

ESTRUCTURA DE *COMPLETAS*

1. Invocación inicial. La invocación inicial es como en *Vísperas*: *Dios mío, ven en mi auxilio...*

2. Examen de conciencia. Es recomendable hacer un examen de conciencia que nos ayude a retomar el día. Por ejemplo: Dándonos cuenta de cómo Dios nos

---

[14] Según una tradición de la Iglesia, esta súplica se dirige a Dios Padre por Cristo en el Espíritu Santo, por eso lleva la conclusión trinitaria.

manifestó su amor durante el día; qué actitudes nos apartaron de Dios, de los demás y/o de nuestro proyecto de vida. Arrepentirnos y proponer un cambio de actitud pidiendo la gracia de Dios que nos perdona y transforma, renovando nuestro amor y compromiso con él. Finalizar visualizando cómo será el día de mañana y prepararnos para actuar como Dios desea que lo hagamos.

3. Himno. Este HIMNO nos invita al descanso nocturno o a la confianza en Dios.

4. Salmodia. Conjunto de uno o dos SALMOS

5. Antífona. Breve introducción al salmo.

6. Lectura breve. Es una breve lectura bíblica.

7. Responsorio breve. Corta respuesta a la lectura bíblica anterior, para que penetre la Palabra de Dios y se contemple.

8. Antífona del cántico evangélico. Es una frase que nos introduce al CÁNTICO EVANGÉLICO; siempre es la misma para todos los días.

9. Cántico evangélico. Se recita el cántico de Simeón[15]. ¿Quién es Simeón? Un hombre que esperaba la salvación de Israel y el Espíritu Santo le reveló que no moriría hasta ver al Mesías, y cuando José y María fueron al templo a la presentación de Jesús, Simeón lo vio, lo tomó en sus brazos y dijo el cántico y la profecía (cfr. Lc 2, 22-35).

10. Oración conclusiva. Es la oración que finaliza y subraya el carácter propio de cada día y de la Hora.

---

[15] Es conocido como *Nunc dimíttis,* debido a las palabras con que comienza en latín.

En *Completas* no hay PRECES y la oración no se termina con la conclusión trinitaria.

Están propuestas dos oraciones: una para después de las *I Vísperas* del domingo o solemnidades y otra para después de las *I Vísperas* de las solemnidades que no coinciden en domingo.

11. Conclusión. Al finalizar la Hora pedimos la bendición de Dios, diciendo: *El Señor todopoderoso nos conceda una noche tranquila y una santa muerte. Amén.*

12. Antífona final de la Santísima Virgen. Es una oración que le dirigimos a María al terminar el día. Un modo de poner el corazón y la vida en manos de la Madre de Dios.

Para la oración de *Completas* puede usarse el formulario correspondiente a cada día o sólo el del domingo, para facilitar la memorización.

ELEMENTOS VARIABLES

Antífonas y oraciones para los domingos y diversas celebraciones del Año litúrgico

A cada domingo, cualquiera que sea el tiempo litúrgico, le corresponde una ANTÍFONA DEL CÁNTICO EVANGÉLICO en las *I y II Vísperas*[16] y en *Laudes*.

También en *Laudes* y *Vísperas* la ORACIÓN CONCLUSIVA es propia.

Para las fiestas y solemnidades existen ANTÍFONAS propias de la celebración para la *Salmodia*, el CÁNTICO

---

[16] Los domingos y las solemnidades tienen *I Vísperas*, es decir, que en la tarde anterior comienza la celebración. La *II Vísperas* son en la tarde del día de la celebración.

EVANGÉLICO, la ORACIÓN CONCLUSIVA, los SALMOS y el *Cántico* se toman del domingo I del *Salterio*[17].

Cada domingo tiene tres ANTÍFONAS para el CÁNTICO EVANGÉLICO: A, B ó C según corresponda el Año Litúrgico iniciado en el Tiempo de Adviento[18].

En este apartado también encontrarán indicaciones para diversas celebraciones del Año litúrgico.

Las solemnidades, fiestas y memorias diversas

Vienen señaladas para cada mes. Algunas tienen oraciones propias, ANTÍFONAS, SALMOS, lecturas, en donde nos señalan los comunes según lo que se celebre.

Oficios comunes

Son aquellas oraciones propias que se pueden utilizar en las fiestas o solemnidades de la Virgen María, los apóstoles, mártires, santos y difuntos.

Después de conocer el significado, la estructura y los elementos variables que conforman a la *Liturgia de las Horas*, se detalla a continuación, paso a paso, la celebración del *Oficio*.

---

[17] Se le llama salterio al instrumento musical con que se acompaña el canto de los salmos y también al conjunto de los salmos, que en la Liturgia se han divido en cuatro semanas.

[18] Para saber el ciclo del año y las celebraciones de fecha movible consultar la Tabla anual de las principales celebraciones, que se encuentra al principio de esta *Liturgia de las Horas*. Para saber la semana del Salterio, consultar la Tabla: semanas del Salterio en la p. 641.

RITO PARA LA CELEBRACIÓN COMUNITARIA DE *I VÍSPERAS*[19]

Semana I **DOMINGO I**

I Vísperas

Invocación inicial (de pie)
El que dirige dice: *Dios mío, ven en mi auxilio,* mientras todos se santiguan. Responden diciendo: *Señor, date prisa en socorrerme.* Todos juntos concluyen diciendo: *Gloria al Padre* (inclinando la cabeza hasta *Espíritu Santo*), *y al Hijo, y al Espíritu Santo. Como era en el principio, ahora y siempre, por los siglos de los siglos. Amén. (Aleluya)*[20].

HIMNO (de pie)
De preferencia que sea cantado, pero puede recitarse a dos coros o a una sola voz.

SALMODIA (sentados)

Antífona (sentados)
Según el tiempo litúrgico se dice al inicio la ANTÍFONA que corresponda; al comenzar la dice sólo la persona que dirige.

También se puede usar como ANTÍFONA la sentencia del salmo que está en la parte superior derecha del mismo, cuando no es cantado[21].

---

[19] Es importante siempre preparar el rezo desde el día anterior. Las *I Vísperas* del domingo se celebran el sábado por la tarde.

[20] Este *Aleluya* se omite en el Tiempo de Cuaresma desde el Miércoles de Ceniza hasta el Sábado Santo, inclusive.

[21] *PNGLH*, n. 114.

SALMOS (sentados)

Enseguida se comienza a cantar o recitar el salmo a dos coros[22], a una sola voz[23], o en forma responsorial, es decir, alternando la ANTÍFONA entre cada estrofa[24], o proclamado por una sola persona.

Al término de cada salmo y del cántico se dice: *Gloria al Padre...* (inclinando la cabeza hasta *Espíritu Santo*) y después, todos dicen la ANTÍFONA.

LECTURA BREVE (sentados)

Sólo quien lee la lectura la hace de pie, en un lugar adecuado y como una verdadera proclamación de la Palabra. Puede hacerla otra persona que no sea la que dirige.

Al principio, no se menciona de dónde está tomada la lectura y al final no se dice *Palabra de Dios*.

Al término de la lectura se deja un breve espacio de silencio para meditarla.

RESPONSORIO BREVE (sentados)

El responsorio lo inicia el que dirige (o quien leyó la lectura) y los demás responden[25]. Este responsorio es preferible que sea cantado.

ANTÍFONA DEL CÁNTICO EVANGÉLICO (de pie)

Se toma del domingo correspondiente (p. 410 ss). Al inicio la dice la persona que dirige.

CÁNTICO DE LA SANTÍSIMA VIRGEN MARÍA[26] (de pie)

Al comenzar a recitarlo se santiguan mientras dicen: *Proclama mi alma la grandeza del Señor...* Se puede cantar o recitar a uno o dos coros. Al terminar el cántico

---

[22] Alternando cada estrofa entre 2 grupos de personas.

[23] Diciendo todos el *salmo*.

[24] En este caso, al final se dice el *Gloria* y ya no se repite la *Antífona* (PNGLH, n. 125).

[25] Para el Triduo Pascual, la octava de Pascua y el Tiempo Pascual, véase pp. 619-620.

[26] En los Formularios más frecuentes, que se encuentran al principio de la *Liturgia de las Horas,* está el *Cántico.*

se dice: *Gloria al Padre...* (inclinando la cabeza hasta *Espíritu Santo*) y después todos dicen la ANTÍFONA.

PRECES O INTERCESIONES (de pie)

El que dirige comienza la exhortación para la oración; luego, él mismo dice la primera parte de las PRECES y los demás la segunda, o puede decirla completa y responden con la frase de petición, por ejemplo: *Escucha a tu pueblo, Señor.*

Se pueden añadir algunas intenciones libres, diciendo todos al final de cada una la frase de petición. Al terminar las intenciones libres se dice la última intención que en *Vísperas* siempre es por los difuntos.

PADRENUESTRO (de pie)

Tiene una corta invitación a rezar el PADRENUESTRO, ésta la hace el que dirige y todos juntos lo dicen.

ORACIÓN CONCLUSIVA (de pie)

Se toma del domingo correspondiente (p. 410 ss). La dice el que dirige la oración. Al iniciarla no se dice: *Oremos.*

Termina con la conclusión trinitaria correspondiente[27].

CONCLUSIÓN (de pie)

El que dirige dice: *El Señor nos bendiga...* al mismo tiempo que se santiguan todos; y al final todos dicen: *Amén.*

---

[27] Ver ejemplos, p. 600, n. 12.

RITO PARA LA CELEBRACIÓN
COMUNITARIA DE *COMPLETAS*[28]

DOMINGO Y SOLEMNIDADES
DESPUÉS DE LAS I VÍSPERAS
(sábado en la noche)

INVOCACIÓN INICIAL (de pie)

El que dirige dice: *Dios mío, ven en mi auxilio,* mientras todos se santiguan. Responden diciendo: *Señor, date prisa en socorrerme.* Todos juntos concluyen diciendo: *Gloria al Padre* (inclinando la cabeza hasta *Espíritu Santo*), *y al Hijo, y al Espíritu Santo. Como era en el principio, ahora y siempre, por los siglos de los siglos. Amén. (Aleluya)*[29].

EXAMEN DE CONCIENCIA (sentados)

El que dirige, permaneciendo de pie, inicia la exhortación al examen y se hace en silencio.

Se concluye con una de las tres fórmulas penitenciales[30]. La primera la dicen todos juntos, las otras dos las dice el que dirige y todos responden.

Al final el que dirige dice: *El Señor todopoderoso...*

HIMNO (de pie)

Existen los HIMNOS para cada tiempo litúrgico. Los HIMNOS también se encuentran en las dos últimas hojas de esta *Liturgia de las Horas* (son tres HIMNOS a elegir).

Se puede cantar o recitar a una sola voz o a dos coros.

---

[28] P. 380.
[29] Este *Aleluya* se omite en el Tiempo de Cuaresma desde el Miércoles de Ceniza hasta el Sábado Santo, inclusive.
[30] P. 381.

SALMODIA (sentados)

Antífona (sentados)
Al inicio la dice el que dirige[31].

SALMOS (sentados)
Enseguida se comienza a cantar o recitar el salmo a dos coros[32], a una sola voz[33], o en forma responsorial, es decir, alternando la ANTÍFONA entre cada estrofa[34], o proclamado por una sola persona.

Al término de cada salmo se dice: *Gloria al Padre...* (inclinando la cabeza hasta *Espíritu Santo)* y después, todos dicen la ANTÍFONA

LECTURA BREVE (sentados)
Sólo quien lee la lectura la hace de pie, en un lugar adecuado y como una verdadera proclamación de la Palabra. Puede hacerla otra persona diferente a la que dirige.

Al principio no se menciona de dónde está tomada la lectura y al final no se dice *Palabra de Dios.*

Al término de la lectura se deja un breve espacio de silencio para meditarla.

RESPONSORIO BREVE (sentados)
El responsorio lo inicia el que dirige (o quien leyó la lectura) y los demás responden[35]. Este responsorio es preferible que sea cantado.

ANTÍFONA DEL CÁNTICO EVANGÉLICO (de pie)
Al inicio la dice el que dirige.

---

[31] Para el Tiempo Pascual se dice: *Aleluya, aleluya, aleluya.*

[32] Alternando cada estrofa entre 2 grupos de personas.

[33] Diciendo todos el *salmo.*

[34] En este caso, al final se dice el *Gloria* y ya no se repite la *Antífona* (*PNGLH*, n. 125).

[35] Para el Triduo Pascual, la octava de Pascua y el Tiempo Pascual véase pp. 619-620.

Cántico evangélico (de pie)
Al comenzar a recitarlo se santiguan mientras dicen: *Ahora, Señor, según tu promesa...* Se puede decir a uno o dos coros. Al terminar el cántico se dice: *Gloria al Padre...* (inclinando la cabeza hasta *Espíritu Santo)* y después todos dicen la antífona.

Oración conclusiva (de pie)
La dice el que dirige la oración. Al iniciarla se dice: *Oremos.*

Conclusión (de pie)
El que dirige dice: *El Señor todopoderoso...* al mismo tiempo que se santiguan todos; y al final dicen: *Amén.*

Antífona final de la Santísima Virgen (de pie)
Se proponen tres antífonas fuera del *Tiempo Pascual* y una para éste, y la dicen todos juntos.

Nota: Para después de *II Vísperas* del domingo y de lunes a viernes, se dicen las *Completas* como ya se ha indicado.

RITO PARA LA CELEBRACIÓN COMUNITARIA DE LAUDES

Laudes **DOMINGO I**

Invocación inicial (de pie)
El que dirige dice: *Señor abre mis labios*, al mismo tiempo todos hacen una señal de la cruz en la boca. Responden diciendo: *y mi boca proclamará tu alabanza.*

Invitatorio (de pie)

Puede añadirse el salmo 94 (99, 66 ó 23) con su ANTÍFONA correspondiente.

Al inicio, el que dirige dice la ANTÍFONA.

Enseguida se comienza a cantar o recitar el salmo a dos coros, a una sola voz o en forma responsorial.

Al término del salmo se dice: *Gloria al Padre...* (inclinando la cabeza hasta *Espíritu Santo)* y después, todos dicen la ANTÍFONA.

Si se encuentra una cruz roja (+) al final de la ANTÍFONA, significa que el salmo se empezará a leer en el renglón donde haya otra cruz.

Himno (de pie)

De preferencia que sea cantado, pero puede recitarse a dos coros o a una sola voz.

Salmodia (sentados)

Antífona (sentados)

Al inicio se dice la ANTÍFONA que corresponda al tiempo litúrgico; la dice sólo la persona que dirige.

También se puede usar como ANTÍFONA la sentencia del salmo que está en la parte superior derecha del mismo, cuando no es cantado.

Salmos (sentados)

Enseguida se comienza a cantar o recitar el salmo a dos coros, a una sola voz, en forma responsorial o proclamado.

Al término de cada salmo y del cántico se dice: *Gloria al Padre...* (como se ha indicado) y después, todos dicen la ANTÍFONA.

Lectura breve (sentados)

Sólo quien lee la lectura la hace de pie, en un lugar adecuado y como una verdadera proclamación de la

Palabra. Puede hacerla otra persona que no sea la que dirige.

Al principio no se menciona de dónde está tomada la lectura y al final no se dice *Palabra de Dios*.

Al término de la lectura se deja un breve espacio de silencio para meditarla.

RESPONSORIO BREVE (sentados)

El responsorio lo inicia el que dirige (o quien leyó la lectura) y los demás responden. Este responsorio es preferible que sea cantado.

ANTÍFONA DEL CÁNTICO EVANGÉLICO (de pie)

Se toma del domingo correspondiente (p. 410 ss). Al inicio la dice quien dirige.

CÁNTICO EVANGÉLICO (de pie)

Al comenzar a recitarlo se santiguan mientras dicen: *Bendito sea el Señor...* Se puede cantar o recitar a uno o dos coros. Al terminar el cántico se dice: *Gloria al Padre...* (inclinando la cabeza hasta *Espíritu Santo*) y después todos dicen la ANTÍFONA.

PRECES PARA CONSAGRAR A DIOS
EL DÍA Y EL TRABAJO (de pie)

El que dirige comienza la exhortación para la oración; luego, él mismo dice la primera parte de las PRECES y los demás la segunda, o puede decirla completa y responden con la frase de petición, por ejemplo: *Tú que eres nuestra vida y nuestra salvación, Señor, ten piedad.*

Se pueden añadir algunas intenciones libres, diciendo todos al final de cada una la frase de petición.

PADRENUESTRO (de pie)

Tiene una corta invitación a rezar el PADRENUESTRO, ésta la hace el que dirige y todos juntos lo dicen.

ORACIÓN CONCLUSIVA (de pie)
Se toma del domingo correspondiente (p. 410 ss). La dice el que dirige la oración. Al iniciarla no se dice: *Oremos.* Termina con la conclusión trinitaria correspondiente[36].

CONCLUSIÓN (de pie)
El que dirige dice: *El Señor nos bendiga...* al mismo tiempo que se santiguan; y al final todos dicen: *Amén.*

RITO PARA LA CELEBRACIÓN
COMUNITARIA DE *II VÍSPERAS*

II Vísperas   **DOMINGO I**
(domingo en la noche)

Nota: Las indicaciones para rezar las *II Vísperas* son semejantes a las *I Vísperas* del domingo (p. 604); lo mismo las *Vísperas* de los demás días de la semana, sólo que la ANTÍFONA DEL CÁNTICO EVANGÉLICO sí la tiene propia cada día.

Laudes   **LUNES I**

Nota: Las indicaciones para rezar *Laudes* en los demás días de la semana son semejantes a *Laudes* del domingo (p. 609), sólo que la ANTÍFONA DEL CÁNTICO EVANGÉLICO es propia cada día.

También es importante saber que a los días sin celebración "especial", se les llama "feria". En estos casos, se toman los elementos del día y la semana del *Salterio* que corresponden. Por ejemplo, para el lunes de la XI

---

[36] Ver ejemplos, p. 600, n. 12.

semana del Tiempo Ordinario, se toman los SALMOS del
lunes de la semana III del *Salterio*[37].

ELEMENTOS PARA LAS DIVERSAS CELEBRACIONES DEL AÑO LITÚRGICO

Antífonas y oraciones para los domingos y diversas celebraciones del Año litúrgico[38]

En esta sección se encuentran las ANTÍFONAS de las *I* y *II Vísperas*, del invitatorio, de *Laudes* y la ORACIÓN CONCLUSIVA[39].

TIEMPO DE ADVIENTO

Domingo I y II de Adviento

La ANTÍFONA del invitatorio se puede utilizar también para los días entre semana.

Los HIMNOS, las ANTÍFONAS, los SALMOS, la LECTURA BREVE y las PRECES, se toman de la semana I y II del *Salterio* (p. 13 ss).

La ORACIÓN CONCLUSIVA del domingo de Adviento puede tomarse para los demás días de la semana[40].

Domingo III y IV de Adviento

A partir del 17 de diciembre la Liturgia tiene ANTÍFONAS del invitatorio y del cántico evangélico propias para cada día, no importando si es domingo o feria. Los SALMOS y las ANTÍFONAS, la LECTURA BREVE y las PRECES, se toman de la semana III y IV del *Salterio* (p. 202 ss.).

---

[38] Por ser una edición popular, los elementos para las celebraciones son pocos. Te sugerimos algunas opciones para enriquecerlas, dejando al criterio de cada uno el tomar o no las sugerencias.

[39] En la p. 410 ss. de la *Liturgia de la Horas*.

[40] También pueden adquirir el *Misal mensual* que edita Obra Nacional de la Buena Prensa y de ahí tomar, para la *oración conclusiva* de cada hora, la *oración colecta* correspondiente para cada día de la semana.

Sólo se dirán las ANTÍFONAS y oraciones del domingo III de Adviento antes del 17 de diciembre. La ORACIÓN CONCLUSIVA se tomará del domingo III de Adviento aunque coincida con el 17 de diciembre o días siguientes.

TIEMPO DE NAVIDAD

Tiene propio desde *I Vísperas de la Natividad* hasta las *II Vísperas* del 1 de enero cuando termina la *octava de Navidad*.

Durante la *octava de Navidad* las *Completas* se van alternando cada día entre las de *I Vísperas* y *II Vísperas*.

La Natividad del Señor
25 de diciembre
Solemnidad

Los elementos propios, p. 415.

Laudes, I y II Vísperas:

La LECTURA BREVE tomarla de una *Biblia*: Heb 1, 1-2; el RESPONSORIO BREVE de la p. 120; y las PRECES se pueden tomar de la p. 121.

La Sagrada Familia de Jesús, María y José
Fiesta
Domingo octava de Navidad

Los elementos propios, p. 418; lo demás se toma del *Común de la Santísima Virgen María,* p. 546.

Si esta fiesta se celebra en domingo se rezan las *I Vísperas.*

Nota: A partir del 26 al 31 de diciembre encontramos la ANTÍFONA *del invitatorio, Laudes, Vísperas* y la ORACIÓN CONCLUSIVA propia, pp. 420-423.

San Esteban, protomártir 26 de diciembre
Fiesta

Los elementos propios, p. 420; lo demás se toma del *Común de mártires,* p. 563. Las ANTÍFONAS, los SALMOS y el *Cántico* para *Vísperas* se toman del 25 de diciembre, p. 417.

San Juan, apóstol y evangelista
Fiesta 27 de diciembre

Los elementos propios, p. 420; lo demás se toma del *Común de apóstoles,* p. 554. Las ANTÍFONAS, los SALMOS y el *Cántico* para *Vísperas* se toman del 25 de diciembre, p. 417.

Fiesta de los santos Inocentes, mártires
Fiesta 28 de diciembre

Los elementos propios, p. 421; lo demás se toma del *Común de mártires,* p. 563. Las ANTÍFONAS, los SALMOS y el *Cántico* para *Vísperas* se toman del 25 de diciembre, p. 417

Nota: Los días V al VII de la *octava de Navidad* (29, 30 y 31 de diciembre) se toma lo propio del 25 de diciembre, p. 416 y los HIMNOS, la LECTURA BREVE y las PRECES se toman de la semana I del *Salterio* del día en que coincidan estas fechas (ya sea lunes, martes u otro día) o se pueden tomar del 25 de diciembre.

Santa María, Madre de Dios 1 de enero
Solemnidad

Los elementos propios, p. 423.

Lo demás se toma del *Común de la Santísima Virgen María,* p. 545.

Nota: Entre el 1 de enero y la solemnidad de la Epifanía, se toma lo propio de la semana I del *Salterio*.

La Epifanía del Señor
Solemnidad

6 de enero o domingo entre los días 2 y 8 de enero

Los elementos propios, p. 425.

Laudes, I y II Vísperas:

La LECTURA BREVE tomarla de una *Biblia*: Is 52, 7-10; el RESPONSORIO BREVE de la p. 18 y las PRECES de la p. 19[41].

Nota: Entre el 2 y 8 de enero o antes del Bautismo del Señor se toman los elementos propios de la semana II del *Salterio*.

El Bautismo del Señor[42]
Fiesta

Los elementos propios, p. 428.

Laudes y Vísperas:

HIMNO:

Porque el bautismo hoy empieza
y él lo quiere inaugurar,
hoy se ha venido a lavar
el autor de la limpieza.

Aunque es santo y redentor,
nos da ejemplo singular:
se quiere hoy purificar
como cualquier pecador.

Aunque él mismo es la Hermosura
y no hay hermosura par,

---

[41] Para *Laudes*, después de las intenciones libres, no se dice la última de las *preces*.

[42] Ver la p. 428 para las indicaciones sobre la fecha de la celebración.

hoy quiere al agua bajar
y hermosear nuestra basura.

Nadie lo hubiera pensado:
vino el pecado a quitar,
y se hace ahora pasar
por pecador y pecado.

Gracias, Bondad y Belleza,
pues te quisiste humillar
y no te pesó lavar
tu santidad y pureza. Amén.

La LECTURA BREVE tomarla de una *Biblia*: Is 61, 1-2a; el
RESPONSORIO BREVE de la p. 120 y las PRECES de la p. 121.

TIEMPO DE CUARESMA

Del Miércoles de Ceniza al siguiente sábado, se toman
los elementos propios de la semana IV del *Salterio*.
   Desde el Miércoles de Ceniza hasta la Vigilia Pascual
se omite el *Aleluya*, al final de la invocación inicial de
Vísperas y *Completas*.

Domingos I, II, III, IV y V de Cuaresma

Los elementos propios, pp. 430-437; los HIMNOS, LECTURA
BREVE y PRECES para *Laudes* y *Vísperas* se toman del
domingo del *Salterio* correspondiente.
   De lunes a sábado se toma de la semana del *Salterio*
que corresponda[43].
   Los domingos de Cuaresma, en *II Vísperas*, junto con
la tercera ANTÍFONA, en lugar del cántico del Apocalipsis,
se toma el de la carta de san Pedro, p. 34.

---

[43] Para la *oración conclusiva* se puede tomar la *oración colecta* correspondiente para cada día de la semana del *Misal mensual* que edita Obra Nacional
de la Buena Prensa.

Domingo de la Pasión del Señor o de Ramos

Los elementos propios, p. 439.

Laudes y *Vísperas*: La LECTURA BREVE tomarla de una *Biblia*: Zac 9, 9; el RESPONSORIO BREVE de la p. 275 y las PRECES de la p. 276.

Para el Lunes Santo hasta *Laudes* del Jueves Santo, inclusive, se toma todo de la semana II del *Salterio*.

TRIDUO PASCUAL

Durante el Triduo Pascual, en *Laudes*, *Vísperas* y *Completas* se omite el RESPONSORIO BREVE y en su lugar se dice la antífona: *Cristo, por nosotros, se sometió...*

Jueves de la Cena del Señor

Vísperas

Los elementos propios, p. 441.

La LECTURA BREVE tomarla de una *Biblia*: Heb 13, 12-15; como RESPONSORIO BREVE se dice: *Cristo, por nosotros, se sometió incluso a la muerte*; se pueden tomar las PRECES que se proponen para la solemnidad del Cuerpo y la Sangre de Cristo, p. 463.

Viernes Santo de la muerte del Señor

Los elementos propios, p. 442.

Laudes y *Vísperas*: La LECTURA BREVE tomarla de una *Biblia*: Is 52, 13-15; como RESPONSORIO BREVE se dice: *Cristo, por nosotros, se sometió incluso a la muerte, y una muerte de cruz*; las PRECES de la p. 188.

Sábado Santo

Los elementos propios, p. 444.

Laudes y *Vísperas*: La LECTURA BREVE tomarla de una *Biblia*: Os 6, 1-3a; como RESPONSORIO BREVE se dice: *Cristo, por nosotros, se sometió incluso a la muerte, y una muerte de cruz; por eso Dios lo levantó sobre todo y le concedió el «Nombre-sobre-todo-nombre»*; las PRECES de la p. 100[44].

TIEMPO PASCUAL

Domingo de Pascua
de la Resurrección del Señor

Semana I del Salterio

Los elementos propios, p. 446.

Laudes y *Vísperas*: La LECTURA BREVE tomarla de una *Biblia*: Hech 10, 40-43; como RESPONSORIO BREVE se dice: *Éste es el día en que actuó el Señor: sea él nuestra alegría y nuestro gozo*; las PRECES de la p. 28.

Lunes-sábado de la octava de Pascua

Los elementos propios, pp. 448-451; lo demás se toma de la semana I del *Salterio*.

Las *Completas* se van alternando cada día entre *I* y *II Vísperas*.

Nota: En la *octava de Pascua* en lugar del RESPONSORIO BREVE de *Laudes*, *Vísperas* y *Completas* se dice: *Éste es el*

---

[44] Para *Laudes* se omite la última de las *preces*

día en que actuó el Señor: sea él nuestra alegría y nuestro gozo.

Domingo II de Pascua
o de la Misericordia divina.

Los elementos propios, p. 451; las ANTÍFONAS, los SALMOS y el CÁNTICO se toman del domingo de Pascua, p. 446; los HIMNOS, LECTURA BREVE y PRECES para *Laudes* y *Vísperas* como se mencionó el Domingo de Pascua, p. 620.
Para el RESPONSORIO BREVE se agrega: *Aleluya, aleluya*[45].

Nota: Para los demás domingos y días del Tiempo Pascual se toma todo del *Salterio* según la semana que corresponda y los elementos propios para los domingos en las pp. 452-454.

La Ascensión del Señor
Solemnidad
Los elementos propios, p. 455.

Laudes, I y II Vísperas:

La LECTURA BREVE tomarla de una *Biblia*: Heb 10, 12-14; el RESPONSORIO BREVE y las PRECES de la p. 60.

Domingo de Pentecostés
Solemnidad
Los elementos propios, p. 458.

Laudes, I y II Vísperas:

La LECTURA BREVE tomarla de una *Biblia*: Hech 5, 30-32; el RESPONSORIO BREVE y las PRECES de la p. 214.

---

[45] Véase ejemplo, p. 547.

TIEMPO ORDINARIO

La Santísima Trinidad
Solemnidad

Domingo después de Pentecostés

Los elementos propios, p. 461.

Laudes, I y II Vísperas:

La LECTURA BREVE tomarla de una *Biblia*: 1 Cor 12, 4-6; el RESPONSORIO BREVE de la p. 18 y las PRECES de la p. 19[46].

El Santísimo Cuerpo y Sangre de Cristo
Solemnidad

Jueves después de la Santísima Trinidad

Los elementos propios, p. 463.

Laudes, I y II Vísperas:

La LECTURA BREVE tomarla de una *Biblia*: Mal 1, 11; el RESPONSORIO BREVE de la p. 214 y las siguientes PRECES:

Oremos, hermanos, al Señor Jesús, pan de vida, y digamos llenos de gozo:

Dichosos los invitados a comer el pan en tu reino.

Cristo, Jesús, sacerdote de la alianza nueva y eterna, que sobre el altar de la cruz presentaste al Padre el sacrificio perfecto,
— enséñanos a ofrecerlo contigo en el sacrificio eucarístico.

Cristo, Señor nuestro, rey supremo de justicia y de paz, que consagraste el pan y el vino como símbolo de tu propia oblación,

---

[46] Para *Laudes* se omite la última de las *preces*.

— enséñanos a ofrecernos contigo al Padre en el sacrificio eucarístico.

Cristo Jesús, verdadero adorador del Padre, cuyo sacrificio ofrece tu Iglesia desde la salida del sol hasta el ocaso,
— reúne en tu cuerpo a los que alimentas de un mismo pan.

Cristo, Señor nuestro, maná bajado del cielo, que alimentas a tu Iglesia con tu cuerpo y con tu sangre,
— fortalécenos con este alimento en nuestro camino hacia el Padre.

Cristo Jesús, huésped invisible de nuestro banquete, que estás junto a la puerta y llamas,
— entra en nuestra casa y cena con nosotros.

Se pueden añadir algunas intenciones libres.

Pidamos al Padre, como Cristo nos enseñó, nuestro pan de cada día: PADRENUESTRO.

El Sagrado Corazón de Jesús
Solemnidad

Viernes posterior al
domingo II después de Pentecostés

Los elementos propios, p. 466.

Laudes, I y II Vísperas:

La LECTURA BREVE tomarla de una *Biblia*: Jer 31, 33; el RESPONSORIO BREVE de la p. 187 y las PRECES de la p. 188.

Nuestro Señor Jesucristo, Rey universal.
Solemnidad

Todos los elementos propios, p. 497.

ELEMENTOS PARA SOLEMNIDADES, FIESTAS Y MEMORIAS DIVERSAS

Conversión de san Pablo 25 de enero
Fiesta

Los elementos propios, p. 507; lo demás se toma del *Común de apóstoles,* p. 554.

La presentación del Señor 2 de febrero
Fiesta

Los elementos propios, p. 507.

Laudes y *Vísperas:*

HIMNO:

> Estás aquí, Señor, bien lo proclaman
> los justos que de siempre han esperado
> estar cerca de ti, porque te aman
> y luchan por el mundo que has salvado.

> Estás aquí, mi Dios, humilde hermano,
> presencia ante mis ojos revelada,
> salvador eternal del pueblo humano,
> Luz de la Luz que brilla en tu mirada.

> Bienvenido, Mesías esperado;
> que deje el corazón toda amargura
> porque Dios, siendo Dios, nos ha salvado
> en locura de amor y de ternura.

> Demos gracias al Padre que ha querido
> darnos el Hijo eterno y bien amado,
> todo el pueblo de Dios le cante unido
> al Fuego del amor que lo ha engendrado. Amén.

Los SALMOS y el CÁNTICO se toman del domingo I del *Salterio* con las siguientes ANTÍFONAS: Ant. 1. *Simeón, hombre recto y piadoso, esperaba la consolación de Israel y el Espíritu Santo moraba en él.* Ant. 2. *Simeón tomó al Niño en sus brazos y, dando gracias, bendijo a Dios.* Ant. 3. *Luz para alumbrar a las naciones y gloria de tu pueblo Israel.*

La LECTURA BREVE tomarla de una *Biblia:* Mal 3, 1; el RESPONSORIO BREVE de la p. 26; y las PRECES de la p. 28 (sólo cambiando la palabra "domingo" por "día").

San Felipe de Jesús, protomártir mexicano
5 de febrero

México: Fiesta

Arquidiócesis de México: Solemnidad

Los elementos propios, p. 508.

La Cátedra de san Pedro, apóstol
22 de febrero

Fiesta

Los elementos propios, p. 514; lo demás del *Común de apóstoles,* p. 554.

San José, esposo de santa María Virgen
19 de marzo

Solemnidad

Los elementos propios, p. 515.

Laudes y Vísperas:

Los SALMOS y el CÁNTICO se toman del domingo I del *Salterio* con las siguientes ANTÍFONAS: Ant. 1. *Los pastores vinieron presurosos y encontraron a María y a José, y al niño acostado en un pesebre.* (T. P. *Aleluya).* Ant. 2. *José y María, la madre de Jesús, estaban maravillados de lo que se decía de él, y Simeón los bendijo.* (T. P. *Aleluya).* Ant. 3. *Se levantó José y tomó de noche al niño y a su madre, y partió para Egipto, y allí permaneció hasta la muerte de Herodes* (T. P. *Aleluya*).

La LECTURA BREVE tomarla de una *Biblia*: 2 Sam 7, 28-29; el RESPONSORIO BREVE de la p. 26 y las siguientes PRECES:

Acudamos suplicantes al Señor, el único que puede hacernos justos, y digámosle suplicantes:

Con tu justicia, Señor, danos vida.

Tú, Señor, que llamaste a nuestros padres en la fe para que caminaran en tu presencia con un corazón sincero,
— haz que también nosotros, siguiendo sus huellas, seamos santos ante tus ojos.

Tú que elegiste a José, varón justo, para que cuidara de tu Hijo durante su niñez y adolescencia,
— haz que también nosotros nos consagremos al servicio del Cuerpo de Cristo, sirviendo a nuestros hermanos.

Tú que entregaste la tierra a los hombres para que la llenaran y la sometieran,
— ayúdanos a trabajar con empeño en nuestro mundo, pero teniendo siempre nuestros ojos puestos en tu gloria.

No te olvides, Padre del universo, de la obra de tus manos
— y haz que todos los hombres, mediante su trabajo honesto, tengan una vida digna.

Se pueden añadir algunas intenciones libres.

Porque somos miembros de la familia de Dios, nos atrevemos a decir: PADRENUESTRO.

La Anunciación del Señor   *25 de marzo*
Solemnidad

Los elementos propios, p. 516.

Laudes y *Vísperas*:

Los SALMOS y el CÁNTICO se toman del domingo I del *Salterio* con las siguientes ANTÍFONAS: Ant. 1. *Fue enviado el ángel Gabriel a una virgen desposada con un hombre llamado José* (T. P. *Aleluya*). Ant. 2. *Bendita tú entre las mujeres y bendito el fruto de tu vientre* (T. P. *Aleluya*) Ant. 3. *Con su consentimiento la Virgen concibió y, permaneciendo virgen, dio a luz al Salvador* (T. P. *Aleluya*).

La LECTURA BREVE tomarla de una *Biblia*: Flp 2, 6-7; el RESPONSORIO BREVE de la p. 547 y las PRECES de la p 548.

San Marcos, evangelista 25 de abril

Fiesta

Los elementos propios, p. 517; lo demás del *Común de apóstoles,* p. 554.

La exaltación de la santa Cruz 3 de mayo

Colombia y México: Fiesta

Los elementos propios, p. 518.

Laudes y *Vísperas*: El HIMNO se puede tomar de la p. 95. Las ANTÍFONAS, SALMOS y el CÁNTICO del domingo I del *Salterio*. La LECTURA BREVE tomarla de una *Biblia*: Is 52, 13-15; el RESPONSORIO BREVE de la p. 187 y las PRECES de la p. 188.

Santos Felipe y Santiago, apóstoles 4 de mayo

Fiesta

Los elementos propios, p. 518; lo demás del *Común de apóstoles,* p. 554.

San Matías, apóstol 14 de mayo

Fiesta

Los elementos propios, p. 519; lo demás del *Común de apóstoles,* p. 554.

Santos Cristóbal Magallanes y 24 compañeros, mártires

21 de mayo

Memoria

Los elementos propios, p. 519; lo demás se toma de la feria correspondiente.

La Visitación de la Santísima Virgen María

31 de mayo

Fiesta

Los elementos propios, p. 520; lo demás del *Común de la Santísima Virgen María*, p. 546.

Jesucristo, sumo y eterno sacerdote

Fiesta   *Jueves después de Pentecostés*

Los elementos propios, p. 520.

Laudes y Vísperas:

HIMNO:

Eres tú nuestro pontífice,
oh Siervo glorificado,
ungido por el Espíritu,
de entre los hombres llamado.

Eres tú nuestro pontífice,
el que tendiste la mano
a la mujer rechazada
y al ciego desamparado.

Eres tú nuestro pontífice;
el culto de los cristianos,
tu palabra que acontece
y el cuerpo santificado.

Eres tú nuestro pontífice;
morías en cruz clavado

y abrías la senda nueva
detrás del velo rasgado.

Eres tú nuestro pontífice,
hoy, junto al Padre, sentado;
hoy por la Iglesia intercedes,
nacida de tu costado.

Eres tú nuestro pontífice;
¡Cristo, te glorificamos!
¡Que tu santo rostro encuentre
dignos de ti nuestros cantos! Amén.

Las ANTÍFONAS, SALMOS y el CÁNTICO se toman del domingo
I del *Salterio*. La LECTURA BREVE tomarla de una *Biblia*:
Heb 10, 5-10; el RESPONSORIO BREVE y las PRECES se pueden
tomar de la p. 135.

El Inmaculado Corazón
de la Santísima Virgen María
Memoria

Sábado posterior al domingo II
después de Pentecostés

Los elementos propios, p. 521.

El nacimiento
de san Juan Bautista   *Día 24 de junio*
Solemnidad

Los elementos propios, p. 521.

Laudes y Vísperas:

Los SALMOS y el CÁNTICO se toman del domingo I del
Salterio con las siguientes ANTÍFONAS: Ant. 1. *Le pondrás*
el nombre de Juan y su nacimiento será motivo de
alegría para muchos. Ant. 2. *Precederá al Señor en su*

venida con el espíritu y el poder de Elías, preparando al Señor un pueblo bien dispuesto. Ant. 3. *A ti, niño, te llamarán profeta del Altísimo, porque irás delante del Señor a preparar sus caminos.*

La LECTURA BREVE tomarla de una *Biblia*: Mal 4, 5-6; el RESPONSORIO BREVE se puede tomar de la p. 576 y las siguientes PRECES:

Oremos a Cristo, el Señor, que envió a Juan a preparar sus caminos delante de él, y digámosle:

Visítanos, Sol que naces de lo alto.

Tú que hiciste saltar de gozo a Juan cuando estaba en el vientre de su madre,
— haz que siempre nos alegremos de que hayas venido al mundo.

Tú que nos mostraste el camino de la conversión por la palabra y por el ejemplo del Bautista,
— ilumina nuestros corazones, para que se conviertan a las enseñanzas de tu reino.

Tú que quieres mostrarte a los hombres por la predicación de los hombres,
— envía a todo el mundo profetas que anuncien tu Evangelio.

Tú que quisiste ser bautizado por Juan en el Jordán para llevar a término toda justicia,
— haz que trabajemos por la justicia de tu reino.

Se pueden añadir algunas intenciones libres.

Dirijamos nuestra oración al Padre que está en los cielos, diciendo: PADRENUESTRO.

Santos Pedro y Pablo, apóstoles   *29 de junio*
Solemnidad

Los elementos propios, p. 523; lo demás del *Común de apóstoles*, p. 553.

Santo Tomás, apóstol
3 de julio
Fiesta

Los elementos propios, p. 524; lo demás del *Común de apóstoles,* p. 554.

Santiago, apóstol
25 de julio
Fiesta

Los elementos propios, p. 525; lo demás del *Común de apóstoles,* p. 554.

Santa María de Jesús Sacramentado Venegas, virgen
30 de julio
Memoria libre

Los elementos propios, p. 525; lo demás de la feria correspondiente.

San Ignacio de Loyola, presbítero
31 de julio
Memoria

Laudes y Vísperas:

ANT. CÁNT. EVANG.: ¡Ojalá tenga yo una íntima experiencia de Cristo, del poder de su resurrección y de la comunión con sus padecimientos!

Oración conclusiva: Señor Dios, que suscitaste en tu Iglesia a san Ignacio de Loyola para que extendiera más la gloria de tu nombre, concédenos que, a imitación suya y apoyados en su auxilio, libremos también en la tierra el noble combate de la fe, para que merezcamos ser coronados juntamente con él en el cielo. Por nuestro Señor Jesucristo, tu Hijo...

Lo demás se toma de la feria correspondiente.

La Transfiguración del Señor
Fiesta

6 de agosto

Los elementos propios, p. 525.

Laudes y *Vísperas*:

HIMNO:

Jesús de dulce memoria,
que das la paz verdadera;
más dulce que toda miel
es tu divina presencia.

Nada se canta más suave,
ni grato se experimenta,
ni alegría mayor hay
que de Cristo un alma llena.

Jesús, tu dulzura excede
—fuente de paz verdadera—
todos los gozos humanos,
cuanto el hombre soñar pueda.

Si nuestras mentes visitas,
la luz de verdad destella,
el mundo aparece vano,
todo, tu amor lo supera.

Danos, benigno, perdón,
de la gracia gran cosecha;
haz que gocemos perennes
de tu esplendor la presencia.

Cantamos tus alabanzas,
Jesús, sentado a la diestra
de tu Padre, cuyo Amor
tu ser divino revela. Amén

Los SALMOS y el CÁNTICO se toman del domingo I del
Salterio con las siguientes ANTÍFONAS: Ant. 1. *Hoy en el*

monte el Señor Jesucristo brillaba en su rostro como el sol y resplandecía en sus vestidos como la luz. Ant. 2. Hoy, al transfigurarse el Señor y al escucharse la voz del Padre, que daba testimonio de él, fueron vistos Moisés y Elías, circundados de gloria y hablando de la muerte que Jesús iba a padecer. Ant. 3. La ley se nos dio por mediación de Moisés y la profecía por mediación de Elías: ambos se han aparecido hoy, circundados de gloria y conversando con el Señor en el Monte santo.

La LECTURA BREVE tomarla de una Biblia: Apoc 21, 10. 23; el RESPONSORIO BREVE de la p. 26 y las siguientes PRECES:

Acudamos al Padre, que maravillosamente transfiguró a Jesucristo, nuestro Salvador, en el Monte santo, y digámosle con fe:

Que tu luz, Señor, nos haga ver la luz.

Padre lleno de amor, tú que transfiguraste a tu Hijo amado en la montaña santa y, por medio de la nube luminosa, te manifestaste a ti mismo,
— haz que escuchemos siempre fielmente la voz de tu Hijo amado.

Señor, tú que nos nutres de lo sabroso de tu casa y nos das a beber del torrente de tus delicias,
— haz que sepamos contemplar en la gloria de tu Hijo transfigurado nuestra futura condición gloriosa.

Tú que hiciste que del seno de las tinieblas brillara la luz y has hecho brillar nuestros corazones para que contemplaran tu gloria en el rostro de Cristo,
— haz que tu Iglesia viva atenta a la contemplación de las maravillas de tu Hijo amado.

Tú que nos has llamado con una vocación santa, por tu gracia manifestada con la aparición de nuestro salvador, Cristo Jesús,

— ilumina a todos los hombres con el Evangelio, para que lleguen al conocimiento de la vida incorruptible.

Padre amantísimo, tú que nos has tenido un amor tan grande que has querido nos llamáramos hijos tuyos y que lo fuéramos en verdad,
— haz que, cuando Cristo se manifieste en su gloria, nosotros seamos semejantes a él.

Se pueden añadir algunas intenciones libres.

Ya que Dios nos ha llamado a ser sus hijos, acudamos a nuestro Padre, diciendo: PADRENUESTRO.

San Lorenzo, diácono y mártir *10 de agosto*
Fiesta

Los elementos propios, p. 526; lo demás del *Común de mártires*: para un mártir, p. 563.

La Asunción
de la Santísima Virgen María *15 de agosto*
Solemnidad

Los elementos propios, p. 527; lo demás del *Común de la Santísima Virgen María* p. 545.

San Bartolomé, apóstol *24 de agosto*
Fiesta

Los elementos propios, p. 528; lo demás del *Común de apóstoles,* p. 554.

San Junípero Serra, presbítero *26 de agosto*
Memoria libre

Los elementos propios, p. 528; lo demás se toma de la feria correspondiente.

Santa Rosa de Lima, virgen.
Patrona de América Latina
30 de agosto

Argentina y México: Fiesta

Los elementos propios, p. 528; lo demás del *Común de santos*, p. 577.

La Natividad
de la Santísima Virgen María
8 de septiembre

Fiesta

Los elementos propios, p. 529; lo demás del *Común de la Santísima Virgen María*, p. 546.

San José María de Yermo
y Parres, presbítero
19 de septiembre

Memoria libre

Los elementos propios, p. 530; lo demás de la feria correspondiente.

San Mateo, apóstol y evangelista
21 de septiembre

Fiesta

Los elementos propios, p. 530; lo demás del *Común de apóstoles,* p. 554.

Santos arcángeles
Miguel, Gabriel y Rafael
29 de septiembre

Fiesta

Los elementos propios, p. 530.

Laudes y Vísperas:

INVITATORIO: Ant. *Vengan, adoremos al Señor, delante de los ángeles.*

HIMNO:

En la hora en que Cristo resucita,
clama Miguel, el poderoso príncipe:
"¿Quién como tú, mi Dios, Jesús humilde?
Al pecado de los hombres descendiste
y hoy el Padre te signa y te bendice".

En la hora en que Cristo resucita,
dice Gabriel, el que anunció a María:
"¡Exulta, Iglesia, virgen afligida,
el santo vencedor es tu Mesías!
Nadie podrá dar muerte a tu alegría".

En la hora en que Cristo resucita,
proclama Rafael, el peregrino:
"¡Glorificad conmigo a aquel que dijo:
Yo soy la luz del mundo y el camino!
¡Bendecidle, que el viaje está cumplido!".

En la hora en que Cristo resucita,
se ha tendido la escala misteriosa
y el coro de los ángeles le adora:
"¡Somos, Señor, los siervos de tu gloria,
cielo y tierra cantemos tu victoria!". Amén.

Los SALMOS y el CÁNTICO se toman del domingo I del *Salterio* con las siguientes ANTÍFONAS: Ant. 1. *Alabemos al Señor, a quien alaban también los ángeles, a quien los querubines y serafines aclaman, diciendo: "Santo, santo, santo".* Ant. 2. *Ángeles del Señor, bendigan al Señor eternamente.* Ant. 3. *En el cielo, Señor, todos los ángeles te proclaman santo, y dicen a una voz: "Oh Dios, tú mereces alabanza".*

La LECTURA BREVE tomarla de una *Biblia*: Gén 28, 12-13a; el RESPONSORIO BREVE de la p. 26; la ANTÍFONA DEL CÁNTICO EVANGÉLICO es: *Se lo digo con toda verdad: "Habrán de ver el cielo abierto y a los ángeles de Dios, subiendo y bajando en servicio del Hijo del hombre".* Las PRECES se pueden tomar de la p. 193.

San Lucas, evangelista
18 de octubre

Fiesta

Los elementos propios, p. 531; lo demás del *Común de apóstoles,* p. 554.

San Rafael Guízar y Valencia, obispo

Fiesta
24 de octubre

Los elementos propios, p. 532; lo demás del *Común de santos,* p. 577.

Santos Simón y Judas, apóstoles

Fiesta
24 de octubre

Los elementos propios, p. 532; lo demás del *Común de apóstoles,* p. 554.

Todos los santos
1 de noviembre

Solemnidad

Los elementos propios, p. 532.

Laudes y *Vísperas*:

Los SALMOS y el CÁNTICO se toman del domingo I del *Salterio* con las siguientes ANTÍFONAS: Ant. 1. *Los santos tienen su morada en el reino de Dios, y allí han encontrado descanso eterno. Aleluya.* Ant. 2. *Santos de Dios, bendigan al Señor eternamente.* Ant. 3. *Cantemos* el HIMNO *de alabanza de todos los santos, de Israel, su pueblo escogido; es un honor para todos sus fieles.*

La LECTURA BREVE tomarla de una *Biblia*: Ef 1, 17-18; el RESPONSORIO BREVE de la p. 26 y las siguientes PRECES:

Acudamos, alegres, a nuestro Dios, corona de todos los santos, y digámosle:

Por intercesión de todos los santos, sálvanos, Señor.

Oh Señor, fuente y origen de toda santidad, tú que has hecho resplandecer a los santos con gran variedad de dones,
— haz que al contemplarlos sepamos celebrar tu grandeza.

Señor todopoderoso, que has querido que los santos fueran imágenes admirables de tu Hijo,
— concédenos que, por su ejemplo y su intercesión, vivamos más plenamente unidos a Cristo.

Rey del cielo, que por medio de los fieles seguidores de Cristo nos estimulas a desear la ciudad futura,
— haz que descubramos en los santos el mejor camino que lleva a ti.

Dios y Señor nuestro, que en la celebración de la Eucaristía nos pones en comunión con los santos,
— concédenos celebrar cada día con mayor perfección tu culto en espíritu y en verdad.

Se pueden añadir algunas intenciones libres.

Con el gozo que nos da sabernos miembros de la gran familia de los santos, digamos al Padre de todos: PADRENUESTRO.

Conmemoración
de todos los fieles difuntos   *2 de noviembre*

Los elementos propios, p. 533; lo demás del *Oficio de difuntos* p. 586.

Dedicación
de la Basílica de Letrán
Fiesta

9 de noviembre

Los elementos propios, p. 534.

Laudes y *Vísperas*:

HIMNO:

Alta ciudad de piedras vivas,
Jerusalén;
visión de paz y cielos nuevos,
ciudad del Rey.

Tus puertas se abren jubilosas,
visión de paz,
y penetran los ríos de tus santos
hasta el altar.

Baluartes y murallas de oro,
Jerusalén;
tus calles, gemas y zafiros,
ciudad del Rey.

Jerusalén, Iglesia viva
de eternidad;
hacia ti caminan los hombres,
sin descansar.

Alta ciudad del Cristo vivo,
que es nuestro hogar,
al que volveremos,
ya cansados de caminar.

Cielos nuevos y tierra nueva,
Jerusalén;
morada de Dios Trino y Uno.
Amén, amén.

Las ANTÍFONAS SALMOS y el CÁNTICO del domingo I del *Salterio.* La LECTURA BREVE tomarla de una *Biblia*: Is 56, 7; el RESPONSORIO BREVE de la p. 213 y las PRECES de la p. 214.

San Andrés, apóstol

30 de noviembre

Fiesta

Los elementos propios, p. 534; lo demás del *Común de apóstoles,* p. 554.

La Inmaculada Concepción de la Santísima Virgen María

8 de diciembre

Solemnidad

Los elementos propios, p. 535; lo demás del *Común de la Santísima Virgen María,* p. 546.

San Juan Diego

9 de diciembre

Memoria libre
Arquidiócesis de México: Memoria

Los elementos propios, p. 536; lo demás de la feria correspondiente.

Nuestra Señora de Guadalupe, patrona de América Latina y de las Islas Filipinas

12 de diciembre

Fiesta
México: Solemnidad

Los elementos propios, p. 536.

Tabla: *Semanas del Salterio*

Para saber qué *semana del Salterio* corresponde a la semana de los diferentes tiempos litúrgicos, presentamos la siguiente tabla, con ejemplos para una mejor comprensión y empleo.

I	II	III	IV
1	2	3	4
5	6	7	8
9	10	11	12
13	14	15	16
17	18	19	20
21	22	23	24
25	26	27	28
29	30	31	32

Si estamos en la III semana del Tiempo de Adviento, se busca en la tabla el #3; el número romano que está en la parte superior de esa columna es el que corresponde a la *semana del Salterio* que se tomará esa semana; en este caso será la III *semana del Salterio*.

Si estamos en la semana V del Tiempo Ordinario, se busca en la tabla el #5; en este caso será la I *semana del Salterio*.

Si estamos en la II semana del Tiempo de Cuaresma, se busca en la tabla el # 2; en este caso será la II *semana del Salterio*.

Si estamos en la VII semana del Tiempo de Pascua, se busca en la tabla el #7; en este caso será la III *semana del Salterio*.

Si estamos en la XXVIII semana del Tiempo Ordinario, se busca en la tabla el #28; en este caso será la IV *semana del Salterio*.

ÍNDICE

SALTERIO EN CUATRO SEMANAS

ANTÍFONAS Y ORACIONES
PARA LOS DOMINGOS Y DIVERSAS CELEBRA-
CIONES DEL AÑO LITÚRGICO

Tiempo de Navidad

Tiempo de Cuaresma

SOLEMNIDADES, FIESTAS Y MEMORIAS DIVERSAS

OFICIOS COMUNES

INSTRUCTIVO
PARA LA LITURGIA DE LAS HORAS

FORMULARIOS MÁS FRECUENTES

Completas

Tiempos de Adviento, Navidad y ordinario:

Cuando la luz del sol es ya poniente,
gracias, Señor, es nuestra melodía;
recibe, como ofrenda, amablemente,
nuestro dolor, trabajo y alegría.

Si poco fue el amor en nuestro empeño
de darle vida al día que fenece,
convierta en realidad lo que fue un sueño
tu gran amor que todo lo engrandece.

Tu cruz, Señor, redime nuestra suerte
de pecadora en justa, e ilumina
la senda de la vida y de la muerte
del hombre que en la fe lucha y camina.

Jesús, Hijo del Padre, cuando avanza
la noche oscura sobre nuestro día,
concédenos la paz y la esperanza
de esperar cada noche tu gran día. Amén.

O bien:

Cristo, Señor de la noche,
que disipas las tinieblas:
mientras los cuerpos reposan,
se tú nuestro centinela.

Después de tanta fatiga,
después de tanta dureza,
acógenos en tus brazos
y danos noche serena.

Si nuestros ojos se duermen,
que el alma esté siempre en vela;
en paz cierra nuestros párpados
para que cesen las penas.

Y que al despuntar el alba,
otra vez con fuerzas nuevas,
te demos gracias, oh Cristo,
por la vida que comienza. Amén.

O bien:

Se inclina ya mi frente,
sellado está el trabajo;
Señor, tu pecho sea
la gracia del descanso.

Mis ojos se retiran,
la voz deja su canto,
pero el amor enciende
su lámpara velando.

Lucero que te fuiste,
con gran amor amado,
en tu gloria dormimos
y en sueños te adoramos. Amén.

Tiempo de Cuaresma:

Cuando llegó el instante de tu muerte
inclinaste la frente hacia la tierra,
como todos los mortales;
mas no eras tú el hombre derribado,
sino el Hijo que muerto nos contempla.

Cuando me llegue el tránsito esperado
y siga sin retorno por mi senda,
como todos los mortales,
el sueño de tu rostro será lumbre
y tu gloria mi gloria venidera.

El silencio sagrado de la noche
tu paz y tu venida nos recuerdan,
Cristo, luz de los mortales;
acepta nuestro sueño necesario
como secreto amor que a ti se llega. Amén.

Tiempo pascual:

El corazón se dilata
sin noche en tu santo cuerpo,
oh morada iluminada,
mansión de todo consuelo.

Por tu muerte sin pecado,
por tu descanso y tu premio,
en ti, Jesús, confiamos,
y te miramos sin miedo.

Como vigilia de amor
te ofrecemos nuestro sueño;
tú que eres el paraíso,
danos un puesto en tu reino. Amén.

Cántico de Simeón   Lc 2, 29-32

CRISTO, LUZ DE LAS NACIONES Y GLORIA DE ISRAEL

Ahora, Señor, según tu promesa,
   puedes dejar a tu siervo irse en paz,

porque mis ojos han visto a tu Salvador,
   a quien has presentado ante todos los pueblos:

luz para alumbrar a las naciones
   y gloria de tu pueblo Israel.

Gloria al Padre, y al Hijo, y al Espíritu Santo.
   Como era en el principio, ahora y siempre
   por los siglos de los siglos. Amén.